Mac & Win
CC対応

デザインテクニック大全

増補完全版

design
technique
library

Satoshi Kusuda
楠田諭史

SB Creative

DOWNLOAD SAMPLE DATA

サンプルデータの使い方

本書には学習の手助けをするサンプルデータがあります。以下のサポートページにアクセスし、「サポート情報」にある「ダウンロード」のページに進んでください。なお、ダウンロードする際に必要となるパスワードにつきましては本書の P.225の下段、**【Password】**に記載があります。

URL **https://isbn2.sbcr.jp/15642/**

SNSでの共有について

人に見せることを意識して作品を作ると学習効果が上がります。本書で作成した作例や、本書で学んだことを使って作った作品は、ぜひTwitter等のSNSで共有しましょう。スクリーンショットの画像を添付するだけでも大丈夫です。その際はぜひ、『**#デザインテクニック大全**』のハッシュタグをつけてツイートしてください。皆様の作品を見られること、楽しみにしています。

サンプルファイルの著作権の詳細と購入特典について

ダウンロードしたサンプルファイルは本書の学習用途のみにご利用いただけます。すべてのダウンロードしたデータは著作物であり、グラフィック、画像の一部、またそれらのすべてを公開したり、改変して使用することはできません。ただし、上記でもご案内しているように、本書に関してご自身が学習用途として利用されていることを紹介する目的で、サンプルファイルを含む内容をSNS（数十分を超える長い動画や連載を除きます）等に投稿されることは問題ございません。
また、**『カスタムブラシ』『グラデーション』は本書の購入特典**になります。本書を**購入した人なら商用利用可能**でございます。ご自身の作品制作にも利用することが可能ですので新しい作品を生み出してください。

※サンプルデータをご利用いただくには、ご利用のコンピュータに対応バージョンのIllustrator、Photoshop等のアプリケーションがインストールされている必要があります。
※ダウンロードしたデータの使用により発生した、いかなる損害についても、著者およびSBクリエイティブ株式会社は一切の責任を負いかねます。

本書に関するお問い合わせ

ご質問の際は最初に下記ガイドラインをご確認ください。

ご質問の前に

小社Webサイトで「正誤表」をご確認ください。最新の正誤情報をサポートページに掲載しております。URLはサンプルデータのダウンロード先と同じでございます。「正誤情報」のリンクをクリックしてください。なお、正誤情報がない場合、リンクをクリックすることはできません。

ご質問の際の注意点

・ご質問はメール、または郵便など、必ず文書にてお願いいたします。お電話では承っておりません。
・ご質問は本書の記述に関することのみとさせていただいております。従いまして、○○ページの○○行目というように記述箇所をはっきりお書き添えください。記述箇所が明記されていない場合、ご質問を承れないことがございます。
・小社出版物の著作権は著者に帰属いたします。従いまして、ご質問に関する回答も基本的に著者に確認の上回答いたしております。これに伴い返信は数日ないしそれ以上かかる場合がございます。あらかじめご了承ください。

ご質問送付先

ご質問については下記のいずれかの方法をご利用ください。

▶ Webページより
上記のサポートページ内にある［サポート情報］→［お問い合せ］をクリックすると、メールフォームが開きます。要綱に従って質問内容を記入の上、送信ボタンを押してください。

▶ 郵送先　〒105-0001　東京都港区虎ノ門2-2-1　SBクリエイティブ　読者サポート係

Introduction

はじめに

クリエイターがデザインやイラストなどを制作する上で必携ツールとなるのが「Photoshop」と「Illustrator」です。グラフィック、Web、イラスト、レタッチ、画像加工など、ありとあらゆる世の中の制作物にはこの２つのアプリケーションが活用されています。

本書はこれらの定番ソフトを利用する上で、特に活用の幅が広く、需要が多い作例の制作テクニックを集めました。全 10 章を「新機能とアイデア」「リアルな質感」「手描き加工」「アナログ加工」「光加工」「テクスチャ」「イラスト」「文字と線」「様々な表現テクニック」「操作テクニック」といった切り口で分けています。ありとあらゆるデザインテクニックをぎゅっと詰め込んだ、「この１冊があればなんでも作れる！」がコンセプトの全テクニック網羅集です。

全体の作例は加工、補正、描画とピクセルデータの作業が得意な Photoshop を中心としておりますが、ベクターデータならではの利点を生かした作例は Illustrator で作り方を掲載しています。用途や作品イメージに合わせてアプリケーションを選ぶといいでしょう。

なお、増補完全版となる本書では、新機能やアイデアから生み出せる作例や、簡単に作れるのに見栄えがいい作例、高品質で壮大なビジュアルの作例などを追加しました。最新のアプリケーションに対応しつつ、より幅広いスキルまでカバーしています。

また、本書では超豪華なダウンロード特典を多数用意しております！ 学習用の素材は全て用意してありますので、この手の本にありがちな、まずは素材を探して…といったことにはなりません。準備時間を取られず学習に集中することができます。

さらに、「データの作りがわかるレイヤー付きの psd データ」があります。プロが作った psd データは秘伝のテクニックの塊です。完成品の画像を見るだけではわからないこともあり、この上なく参考になります。さらに、Photoshop の「カスタムブラシ」や「グラデーション」のファイルも特典として用意しています。このカスタムブラシやグラデーションは『商業利用』も可能ですので、本を購入するだけで今後の皆様の作品制作にも活用することができます。

ただ、操作を学ぶだけの本ではなく、盛りだくさんの特典が詰まったずっと使えるお得な１冊に仕上げております。

本書を活用してクリエイティブの現場で欠かせない「Photoshop」と「Illustrator」の両方のアプリケーションを上手に使いこなし、あらゆる作品制作に取り組んでいただけたら幸いです。

楠田 諭史

Contents

目次

Photoshop & Illustrator design technique library

Chapter

02

リアルな質感を
表現する

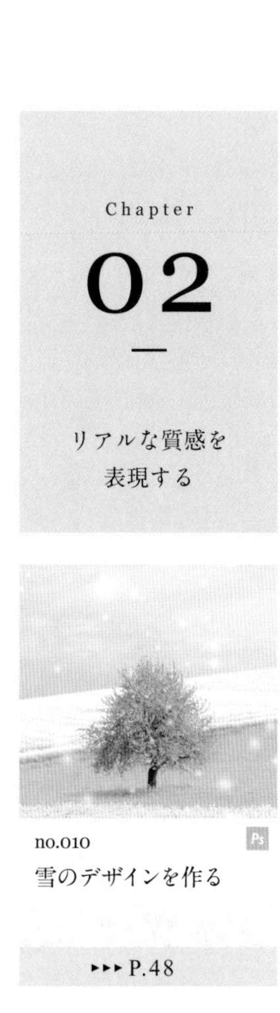

Chapter

03

手描きに見える
加工をする

Chapter

09

様々な表現を作る

Chapter 10 操作テクニック

新機能やアイデアで作る

広告やポスターのように目を引くデザインを、新機能や定番機能を使って作っていきます。簡単なのに見栄えがよくなるアイデアもあり、手軽に作れます。まずは最初に試してみましょう。

Chapter 01

New features and ideas design techniques

Ps

好みの画像を使って空を置き換える

no.001

Photoshop に搭載された新機能［空を置き換え］を使い簡単に空だけを置き換えます。

Point	指定する画像はサイズの大きなものを使う
How to use	簡単に空を別の画像に置き換えたい時に

01 ｜ ［空を置き換え］を適用する

素材［風景.jpg］を開きます 01。
［編集］→［空を置き換え］を選択します 02。
ウィンドウが開き自動的に空が置き換えられます 03。
［空を置き換え］パネルの［空］のタブをクリックして開くと、［青空］［壮観］［夕暮れ］などフォルダ分けされたいくつかのプリセット画像が表示されます 04。この中のいずれかを選択するだけで、空を置き換えることができます 05。

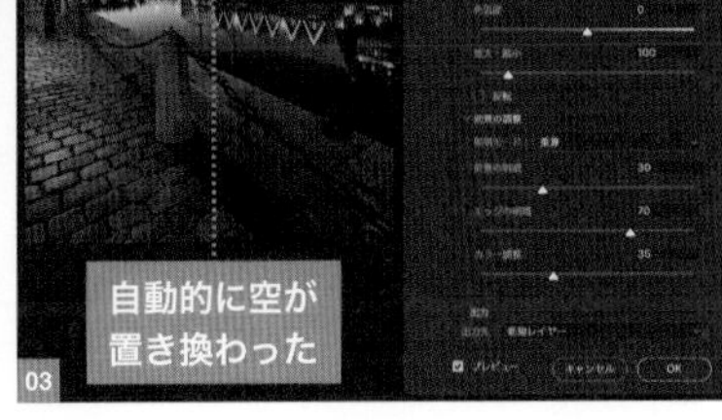

02 ｜ 指定した画像で置き換える

［空を置き換え］パネルの［空］のタブを開いた状態で、右下の ⊞ マークを選択します（05の拡大画像の部分）。
素材［星空.jpg］を選択し開きます 06。
プリセットに指定した［星空］の画像が追加されるので、選択し開きます 07。

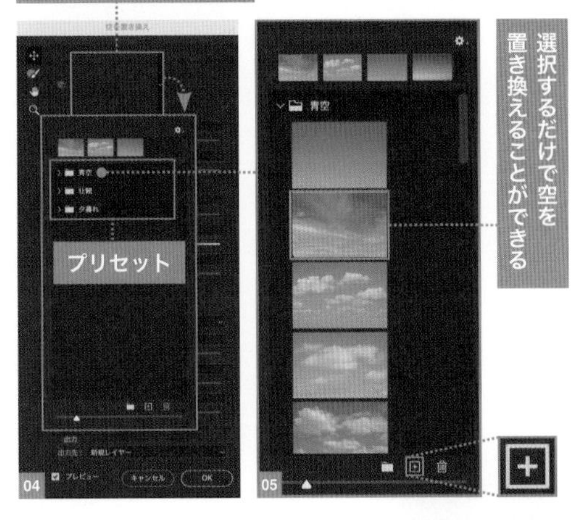

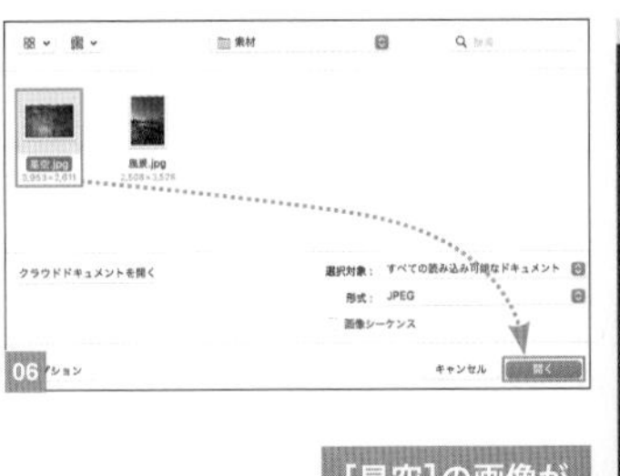

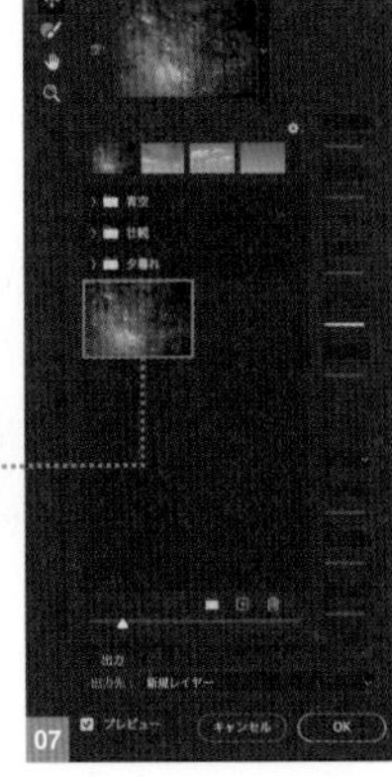

03 ｜ 背景となじむように調整する

背景となじむように設定をします。ここでは背景にあわせて[明度：15]と明るくし、[色温度：-25]とし少し青味を足しています 08 。[OK]で適用します 09 。

□ memo

空はカンバス上でドラッグすることで位置を微調整することもできます。

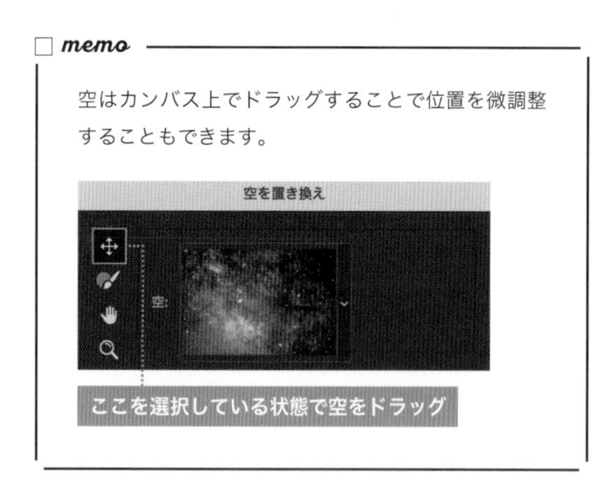

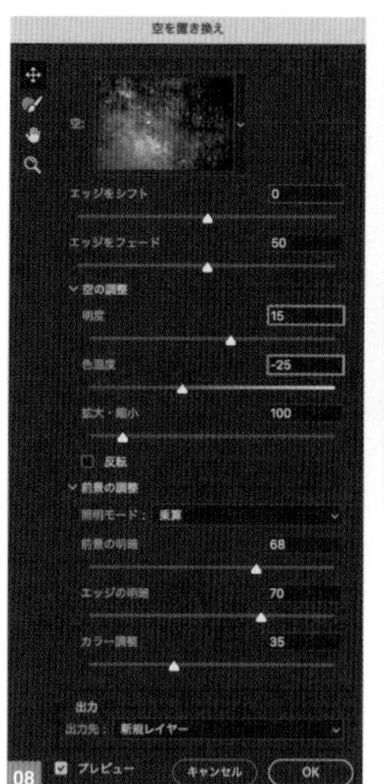

04 ｜ 細かな部分を調整する

できあがった空は元画像に影響しないように、新しいレイヤーとして作成され、[空を置き換えモードのグループ]というグループが作成されます 10 。またそれぞれのレイヤーは個別に調整することができます。

簡単に空を置き換えることができましたが、画面左の街灯が透けています 11 。

レイヤー[空][前景の明暗]のレイヤーマスクサムネールを選択し、それぞれ調整していきます 12 。

レイヤー[空]のレイヤーマスクサムネールを選択し[ブラシツール][描画色：#000000]とし、街灯の内側を描画して調整します 13 。

次にレイヤー[前景の明暗]のレイヤーマスクサムネールを選択し同じように[ブラシツール]を使って街灯とその周辺を描画します 14 。

違和感のあった街灯周辺を明るく光が灯るように調整することができました 15 。

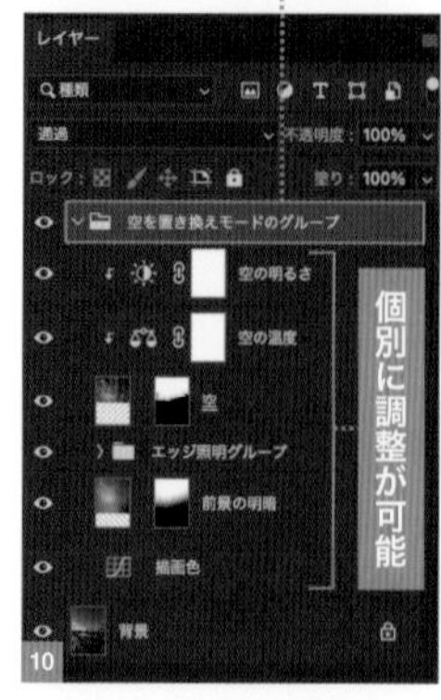

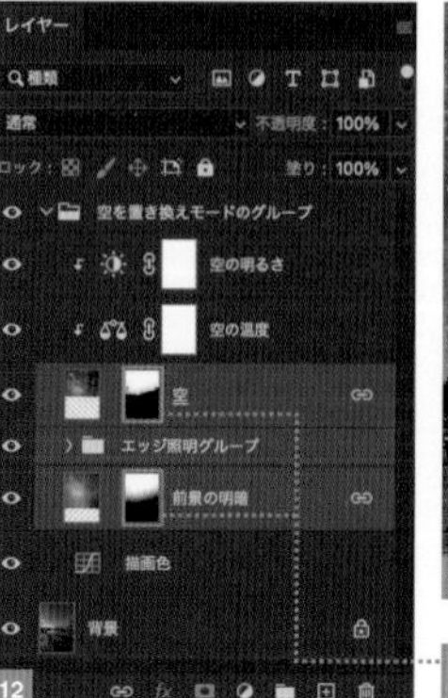

GOLDEN RUST

Lorem
ipsum dolor
sit amet, consecte-
tur adipiscing elit.
Morbi dignissim nisl non
enim ornare, in tempus
augue pretium. Praesent non
vulputate massa. Vestibulum varius pel-
lentesque metus. Nam facilisis rutrum mi,
in consequat enim feugiat ut. Pellentesque
vitae mauris venenatis odio commodo fer-
mentum. Vestibulum malesuada tristique tortor,
ut vulputate eros aliquet a. Cras et rutrum arcu.
Curabitur posuere nibh eu erat fringilla iaculis. Vi

SHORT HAIRED

congue sed enim vitae cursus. Aenean lacus mi, aliquam et
aliquam in, ornare a augue. Nam laoreet, arcu id cursus mo-
lestie, erat nulla sodales massa, id rutrum elit dolor eu leo. In-
teger nibh magna, efficitur sit amet sodales auctor, tempus
sit amet ex. Aenean purus nulla, consequat eu quam sollici-
tudin, congue consectetur velit. Phasellus venenatis luctus
nisi. Cras feugiat tempus consectetur. Donec congue
mi at bibendum egestas. Nullam eget urna felis.
Maecenas at magna tellus.Aliquam et felis sed
velit facilisis ornare. Pellentesque et egestas
felis, at rutrum metus. Etiam sagittis est in volut-
pat pellentesque. Maecenas lectus risus,
porttitor ut ex vel, dictum pellentesque justo.
Nam mollis ultrices suscipit. Sed nec dapibus
massa. Curabitur tempus vehicula malesuada.
Nulla laoreet in massa in accumsan. Donec
tempor semper est, vitae vestibulum felis. Phasel-
lus quis justo luctus, consectetur quam in, gravida
est. Pellentesque eleifend placerat risus vel facili-
sis.Nulla enim dui, feugiat non fringilla sed, facilisis
nec nisi. Phasellus sed orci ut elit tincidunt suscipit sed
quis mauris. Sed accumsan orci enim, vel aliquet ante
vestibulum eu. Pellentesque at enim a eros fringilla im-
perdiet. Vivamus sed suscipit leo, eu accumsan velit.
Mauris at lorem ligula. Curabitur porttitor turpis non ipsum
consectetur, vel sodales arcu vestibulum. Donec a leo tincidunt,
pretium purus non, ultricies libero. Integer a fermentum sem. Ves-
tibulum dictum mollis erat. Praesent nisi quam, pulvinar id turpis sit
amet, congue pellentesque erat. Duis nec fermentum lorem. Praesent
nulla justo, egestas ac ullamcorper non, vestibulum ut nisi. Integer nec
interdum eros, sed rutrum ante. Cras nec tempor nisl. Pellentesque finibus
hendrerit justo nec scelerisque.Nam rutrum nibh ut ultricies laoreet. In luctus
fringilla finibus. Donec egestas eleifend elit ut vestibulum. Praesent a arcu nisi.
Vivamus velit massa, convallis id vulputate eu, cursus non mauris. Etiam nibh
tortor, iaculis vitae mi et, laoreet semper neque. Nunc pellentesque elit nibh,
vitae malesuada massa efficitur eu. Integer ut dignissim nisi, quis mollis risus. Prae-
sent quam ligula, lobortis ut metus convallis, feugiat fermentum ex. Ut in fringilla l

HUNGARIAN VIZSLA

Ps

画像の一部を文字で表現する　no.002

クリッピングマスクを使って画像の一部をテキストで表現します。

Point　レイヤーの位置とクリッピングマスクの位置を意識する

How to use　広告などのビジュアルに

01 | 犬の画像を部分的にコピーする

素材 [ベース.psd] を開きます。あらかじめ切り抜かれているレイヤー [犬] と薄いグラデーションの背景を用意しています 01。

ツールパネルの [長方形選択ツール] を選択し、カンバスの左半分あたりを選択します 02。

[右クリック] → [選択範囲をコピーしたレイヤー] (ショートカット：⌘ (Ctrl) ＋Jキー) を選択します 03。

コピーしたレイヤーが作成されるので、レイヤー名を [左] とします 04。

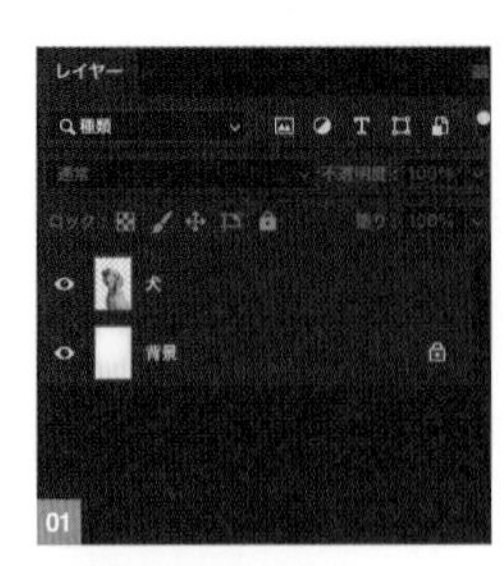

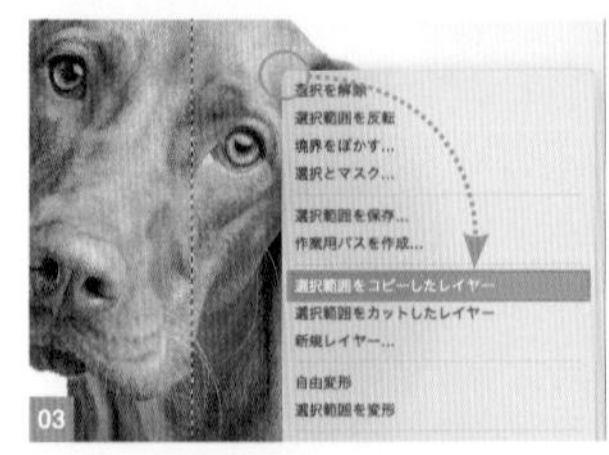

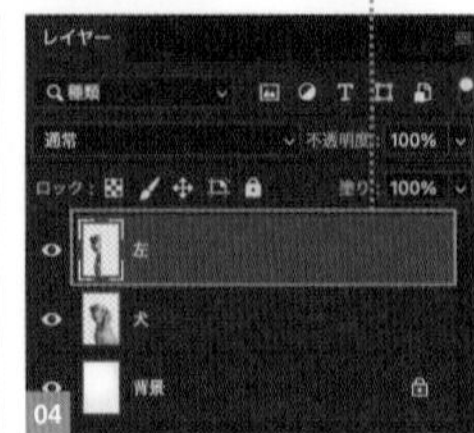

02 | 犬の右半分だけの選択範囲を作成し、パス化する

レイヤーパネルでレイヤー [犬] のレイヤーマスクサムネールを ⌘ (Ctrl) ＋クリックし選択範囲を作成します 05 06。

選択範囲が作成された状態のままレイヤー [左] のレイヤーマスクサムネールを ⌘ (Ctrl) ＋ option (Alt) ＋クリックし、レイヤー [左] の範囲を除外します 07。そうすることで犬の右側だけの選択範囲が作成されます 08。

そのままカンバス上で [右クリック] → [作業用パスを作成] を選択します 09。

[許容値] は [2pixel] くらいの小さい数値にして [OK] します 10。選択範囲がパス化されました 11。

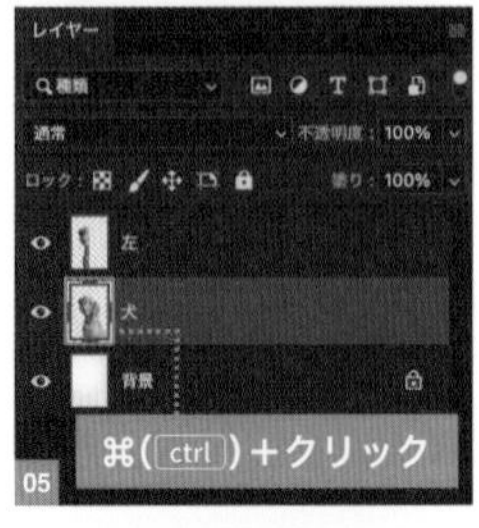

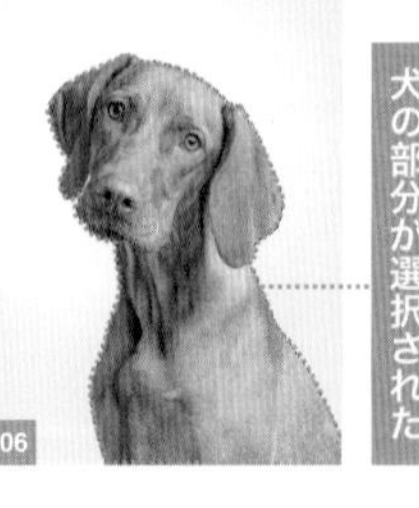

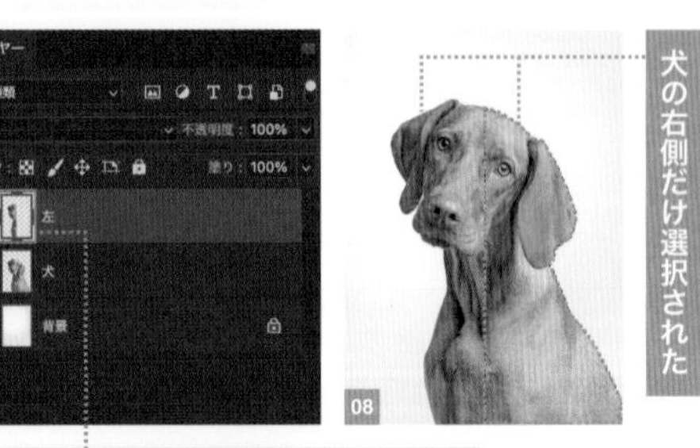

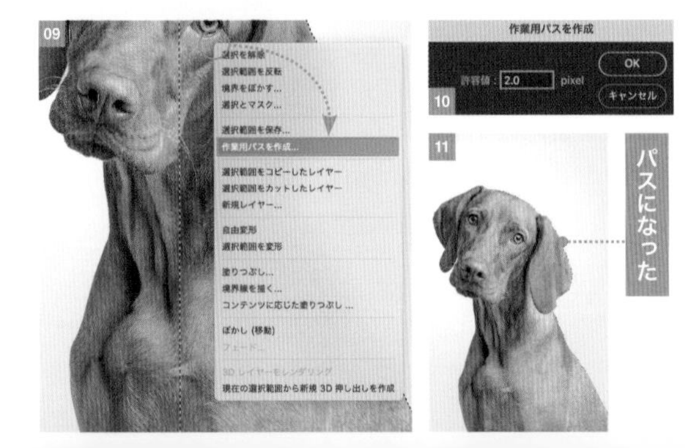

03 | パス内にテキストを入力する

素材［ipsum.txt］を開きテキストをコピーします※。
ツールパネルの［横書き文字ツール］を選択します。［ウィンドウ］→［文字］を選択、文字パネルを開き、フォントの設定を［フォント：Futura PT］［ウェイト：Medium］［サイズ：8pt］［行送り：8pt］［トラッキング：-50］とします。カラーは何色でもかまいません 12。
作成したパスの内側にカーソルをあわせると、13 のように円で囲まれたカーソルになります。その状態でクリックし、コピーしたテキストを⌘（Ctrl）+Vキーで貼りつけます 14。

※ipsum…出版物のデザイン、Webデザイン、グラフィックデザインなどの分野において使用されている典型的なダミーテキストのこと。

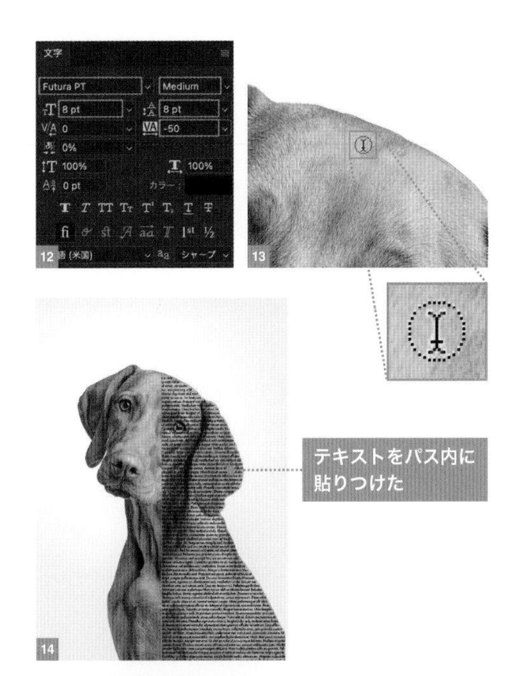

04 | クリッピングマスクを使って文字部分が犬の画像になるように調整する

レイヤーパネル下にある［新規グループを作成］を選択し、グループを作成し、グループ名を［テキスト］とします 15。テキストレイヤー［Lorem ipsum 〜］を選択、ドラッグしてグループに放り込みます 16。
レイヤー［犬］を最上位に移動させます 17。
レイヤー［犬］を選択し、［右クリック］→［クリッピングマスクを作成］を選択します 18。
1つ下位にあるグループ［テキスト］の内容に対してクリッピングマスクが適用されますので、19 のようにテキスト部分が犬の画像に変わります。

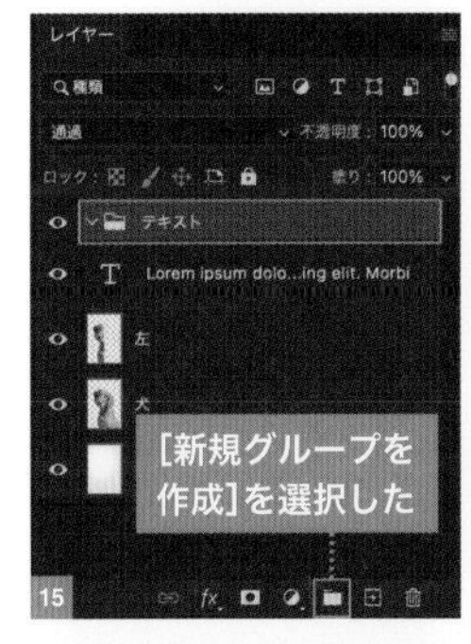

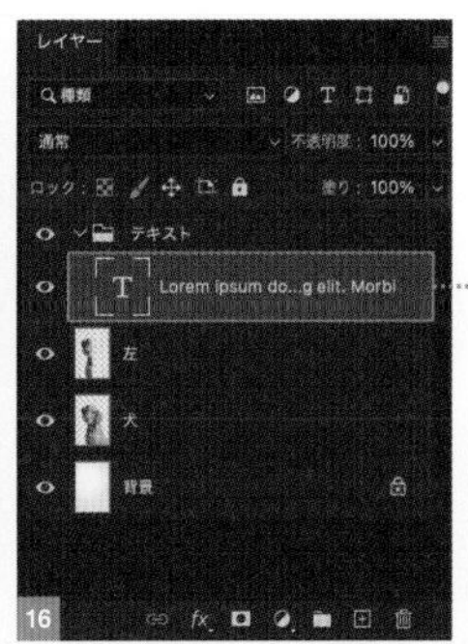

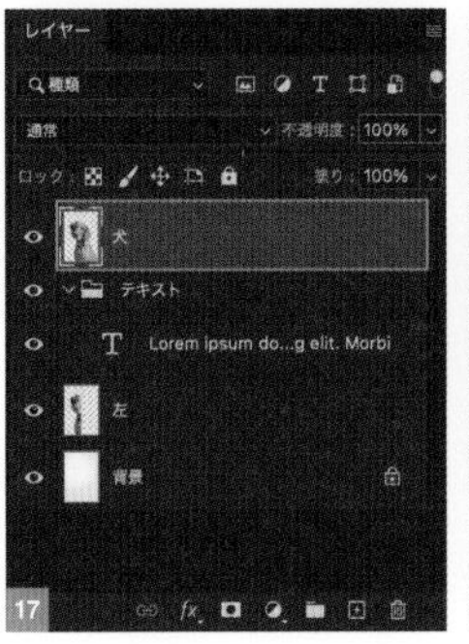

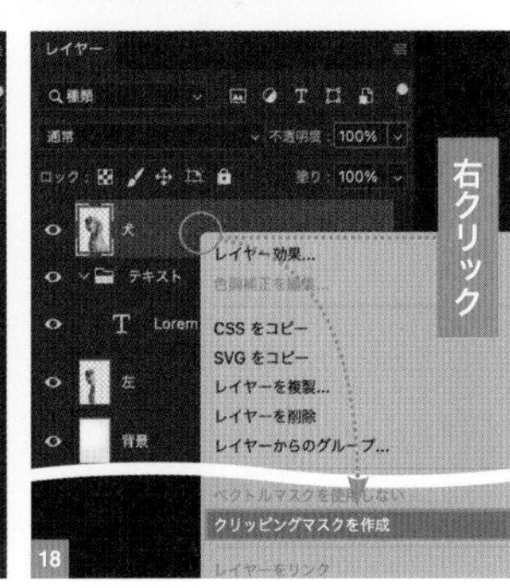

05 ｜ 犬のシルエットにあわせて大きなサイズのテキストを入力する

[横書き文字ツール]を選択します。グループ内にテキストを追加します。
フォントの設定を[フォント：Futura PT][ウェイト：Medium][サイズ：47pt]とし 20 、「SHORT」と入力します。さらに別のテキストレイヤーとして同じ設定で「HAIRED」と入力します 21 。
次にフォントサイズだけを変更し、[フォントサイズ：40pt]で「HUNGARIAN」、[フォントサイズ：84pt]で[VIZSLA]と入力します 22 。
テキストレイヤー[Lorem ipsum ～]を選択し、文字が重なっている部分を改行しておきます 23 。

21

22

23

06 ｜ 飾りを入れて完成

最後に飾りとして作例の左上にテキストを配置します。フォントの設定は[フォント：Futura PT][ウェイト：Demi][サイズ：100pt][行送り：80pt][トラッキング：-50][カラー：#e2d2c9]とします 24 。文字が大きいため薄めのカラーを設定しています。
レイヤー[背景]の上位に、テキストレイヤーを追加し、犬種カラーの「GOLDEN RUST」と入力しました 25 。完成です。

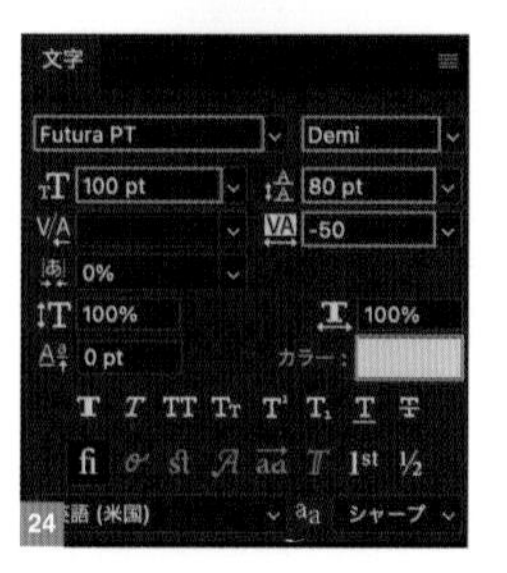

24

25

Comfortable sleeping position

Ps

図形を効果的に使ったレイアウトを作る

no.003

画像と図形を組み合わせて使い印象的なビジュアルを作成します。

Point シェイプの形状から選択範囲を作成する

How to use 広告などのビジュアルに

01 | シェイプの設定をする

素材［ベース.psd］を開きます。この素材はあらかじめベースとなるレイヤー［人物］と、人物だけを切り抜いたレイヤー［人物のみ］を配置しています 01。

ツールパネルの［ペンツール］を選択します 02。オプションバーの設定を［ツールモード：シェイプ］［塗り：なし］［線のカラー：#ffffff］［シェイプの線の幅：7pt］とします 03。

［シェイプの線の種類］タブを選択し、［線の整列タイプ］を一番下の外側にします 04。

この設定で7ptの白いラインがパスの外側に作成されます。

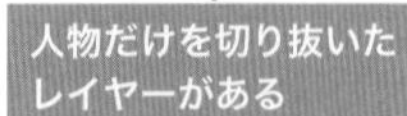

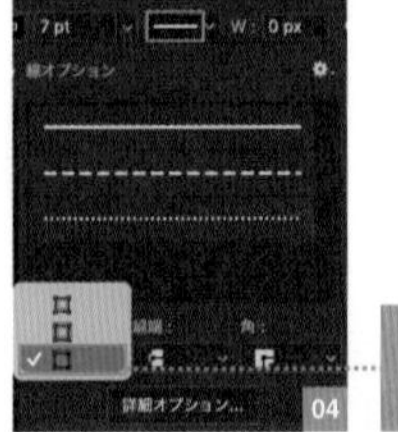

線の整列タイプ

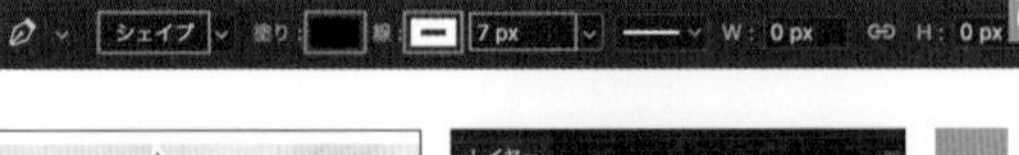

02 | 三角形のシェイプを作成し、選択範囲を作る

［ペンツール］で 05 を参考に人物を囲むように三角形を作成します。

レイヤー［シェイプ1］が作成されるので、レイヤー［人物］の上位に配置します。レイヤーパネルで作成したシェイプレイヤー［シェイプ1］のレイヤーサムネールを ⌘（Ctrl）＋クリックし選択範囲を作成します 06 07。

［選択範囲］→［選択範囲を反転］を選択します（ショートカット：⌘（Ctrl）＋Shift＋Iキー） 08。これで、三角形の外側の選択範囲が作成されます 09。

三角形を作成

⌘(ctrl)+クリック

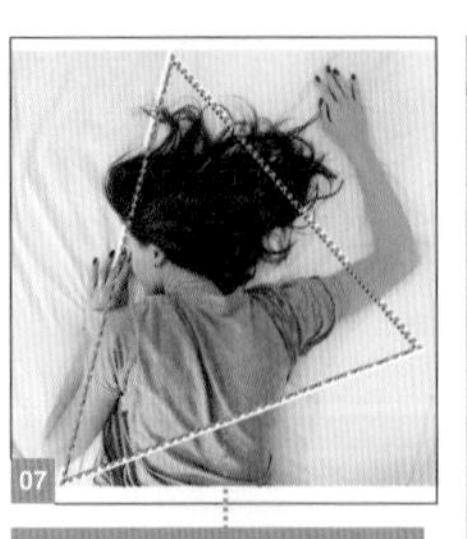

選択範囲が作成された

選択範囲 フィルター 3D
すべてを選択 ⌘A
選択を解除 ⌘D
再選択 ⇧⌘D
選択範囲を反転 ⇧⌘I
すべてのレイヤー ⌥⌘A
レイヤーの選択を解除
レイヤーを検索 ⌥⇧⌘F
レイヤーを分離
色域指定...
焦点領域...
被写体を選択
空を選択
選択とマスク... ⌥⌘R
選択範囲を変更
08

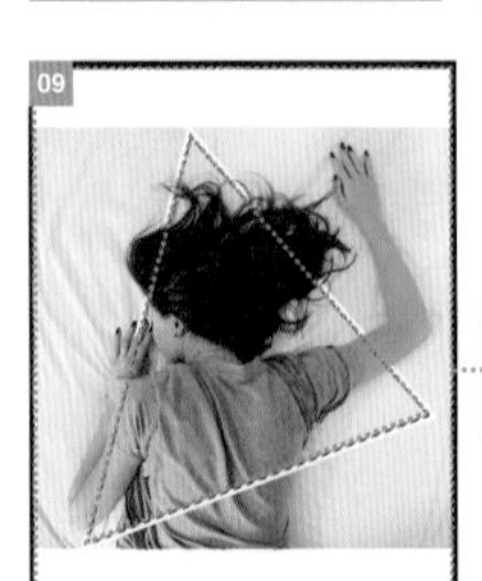

三角形の外側が選択された

03 | 三角形の外側を塗りつぶす

シェイプレイヤー［シェイプ1］の下位に新規レイヤー［カラー］を作成します10。ツールパネルの［塗りつぶしツール］を選択し11、［描画色：#f4d5d3］で塗りつぶします12。

04 | 三角形の内側に ドロップシャドウを適用する

レイヤー［カラー］を選択し、［レイヤー］→［レイヤースタイル］→［ドロップシャドウ］を選択します13。
［描画色：#000000］［不透明度：60%］［距離：30px］［サイズ：40px］として［OK］します14 15。

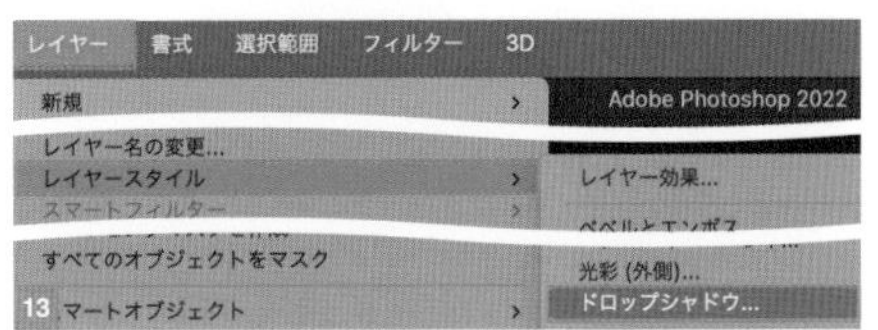

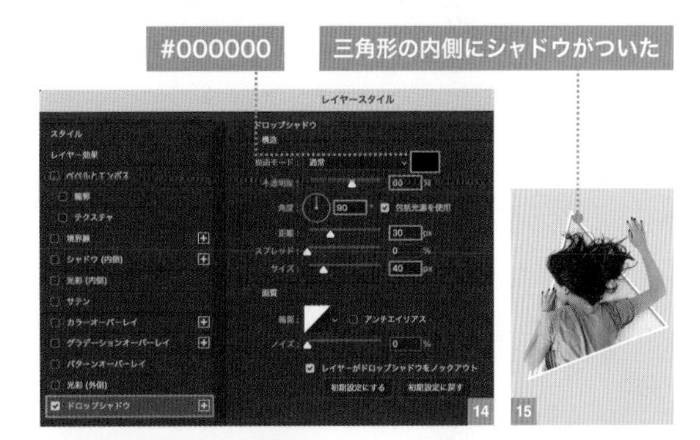

05 | 最後に細かな部分を整える

レイヤーパネルでシェイプレイヤー［シェイプ1］を選択し［不透明度：50%］とし、背景となじませます16 17。

06 | 文字の飾りを追加する

レイヤーの最上位に文字の飾りを追加します。ツールパネルの［横書き文字ツール］を選択し、「Comfortable sleeping position」とテキストを入力します。フォントの設定は、［フォント：Learning Curve］［スタイル：Bold］［サイズ：35pt］［カラー：#ffffff］としています18。
［編集］→［自由変形］を選択すると、テキストを移動・回転できるようになります19。テキストの位置を三角形の右下段に調整し完成です20。

Top 10 Tips
Travel Alone
Essential tips for traveling alone for the first time

Ps

シルエットを使ったレイアウトを作る

no.004

関連のある２つの画像を巧みに使い印象的にレイアウトします。

Point　２つの画像の特徴がわかりやすいようにレイアウトする

How to use　広告などのビジュアルに

01 | 素材を配置する

素材［ベース.jpg］を開きます 01。あらかじめ、B5サイズのカンバスに質感のある素材を配置しています。
素材［人物シルエット.psd］を開きます 02。
人物を切り抜いたレイヤーを配置したデータです。
レイヤー［人物シルエット］を移動させ、ベース素材に配置します 03。
さらに、素材［風景.jpg］を開き、最上位に配置します 04。レイヤー名は［風景］とします 05。

01

02

03
人物シルエットをベースに配置した

04
風景をベースに配置した

05

02 ｜ クリッピングマスクを適用する

レイヤー［風景］を選択し［右クリック］→［クリッピングマスクを作成］を選択します06。
適用すると07のように、下位レイヤー［人物シルエット］の範囲内だけに、レイヤー［風景］が表示されます。レイヤーパネルを見るとレイヤーサムネールの左側に下向きの矢印が追加されていることがわかります08。

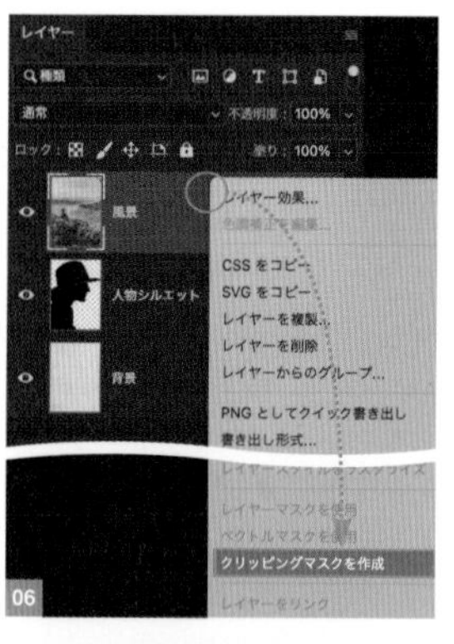

06

07

［人物シルエット］の範囲内だけに［風景］が表示

08

下向きの矢印

03 ｜ 各素材の位置を調整する

レイヤー［人物シルエット］の位置を整えます。
カンバスの右下にテキストを追加したいので文章に目線が行きやすいようにレイアウトを調整します。レイヤー［人物シルエット］を選択し、［編集］→［自由変形］を選択し、時計周りに［8.7°］くらい回転させ、左方向に調整して配置します09 10。
レイヤー［風景］もシルエットの中心あたりに座っている人物がくるように移動させます11。

09

10

04 ｜ 右下のスペースに文字を配置して完成

好みのデザインを右下のスペースに配置してください。
作例では12のように文字のデザインを配置しました。

memo

> この作例では「シルエット」と「風景」の2つの画像に「ハットをかぶった女性」という共通点をもたせています。
> そのうえで「横向きで寄りの画像」と、「後ろ向きで引きの画像」という、パッと見て印象が異なる画像を組み合わせることで、画面に動きが出るように工夫してレイアウトしています。

11

シルエットの中心に移動

12

文字のデザインを配置

□ column

Ps

Photoshopを使った簡単な文字組とラインの作り方

左ページの作例の右下の文字組はPhotoshopで作っています。
それぞれの設定は上から「Top 10 Tips」は［フォント：Futura PT Cond］［スタイル：Medium］［サイズ：26.86pt］［カラー：#5f5846（風景の森のあたりから抽出）］で入力01、「Travel Alone」は［フォント：LiebeGerda］［スタイル：Bold］［サイズ：48.45pt］［トラッキング：-25］［カラー：#5f5846］で入力02、「Essential tips for traveling alone for the first time」は［フォント：Futura PT］［スタイル：Medium］［サイズ：18pt］［行送り：28pt］［トラッキング：-25］［カラー：#5f5846］で入力03しています。
ライン上の装飾は、ツールパネルの［長方形ツール］のシェイプで作成しています。下側の曲線のラインは、04のようにシェイプを作成し、［編集］→［パスを変形］→［ワープ］を選択し05、ワープのプリセットから［円弧］を選択します06。下方向にドラッグして07のように曲線を作成しました。
文字組やラインの作成はIllustratorの方が作りやすいイメージはありますが、Photoshopでも作ることができます。とくにWebデザインなどではPhotoshopで作ることもあるので、簡単な操作は覚えておくといいでしょう。

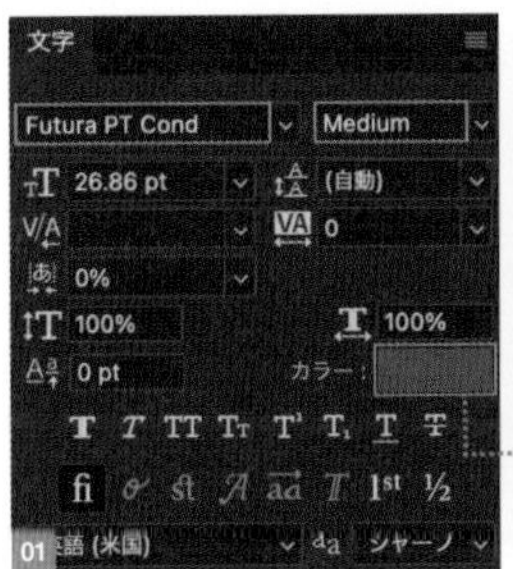

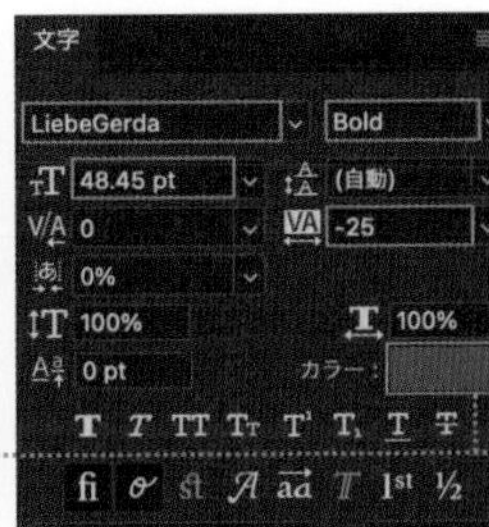

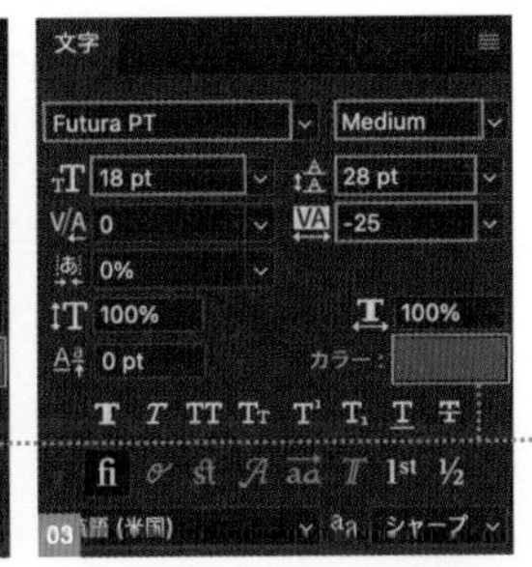

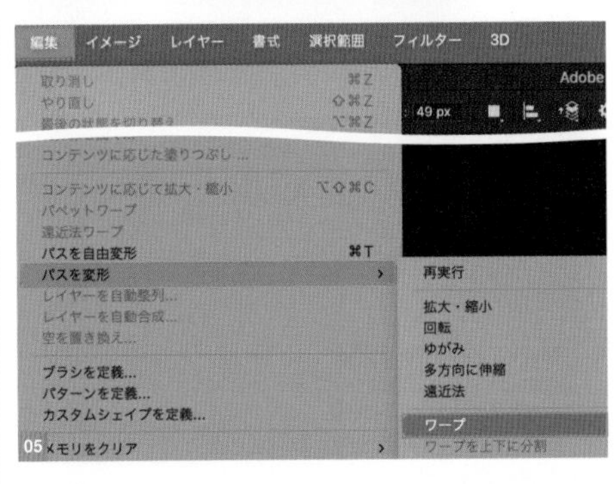

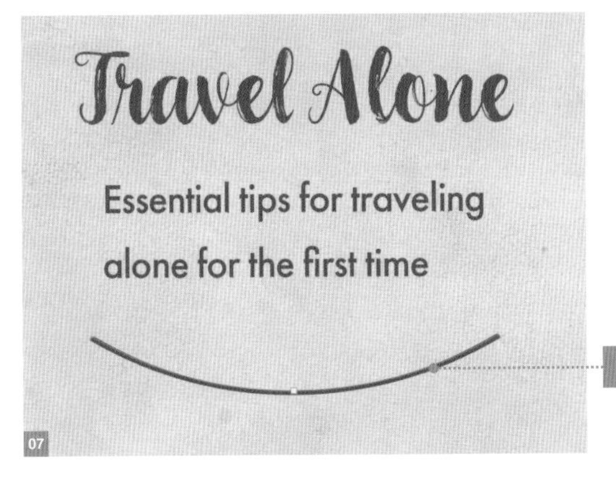

Glitch
Effect

Ps

グリッチエフェクトを作る no.005

画像が乱れたような雰囲気を演出できるグリッチエフェクトを紹介します。

Point チャンネルごとにフィルターを適用する

How to use レトロな雰囲気や目を引くグラフィックに

01 | ボーダーを作成する

素材［人物.psd］を開きます。上位に新規レイヤー［ボーダー］を作成します。［描画色：#ffffff］で塗りつぶします 01。

［フィルター］→［フィルターギャラリー］を選択し、［スケッチ］→［ハーフトーンパターン］を 02 のように設定し適用します 03。［描画モード：オーバーレイ］［不透明度：10%］とします。

うっすらとボーダーのラインが加わります 04 05。

01

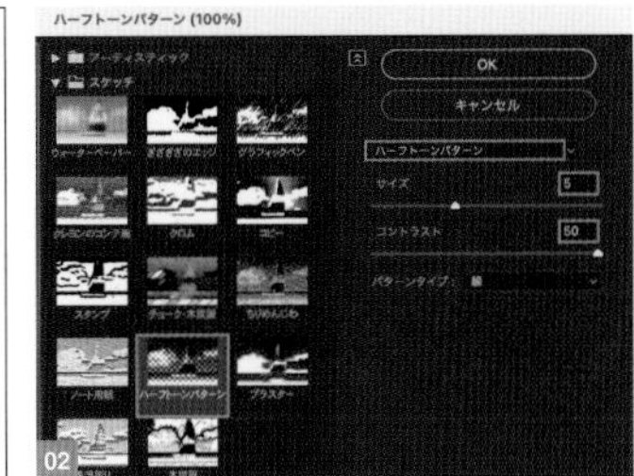

02

03

04

ボーダーが加わった

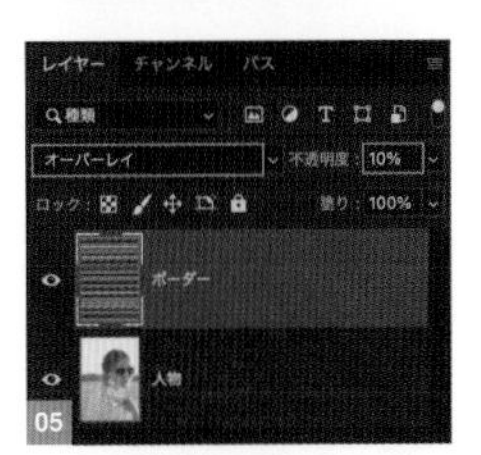

05

02 | レッドにエフェクトをかける

レイヤー［人物］を選択します。

［チャンネル］パネルで［レッド］のみを選択します 06。［フィルター］→［変形］→［波形］を選択します。

［種類：矩形波］［未定義領域：端のピクセルを繰り返して埋める］を選択し、07 のように設定します。

［開始位置を乱数的に変化させる］を押すとランダムにエフェクトが適用されるので、プレビュー画面を見て、好みの具合になったら［OK］とします。［チャンネル］パネルでRGBを選択すると 08 のようになります。

ランダムにエフェクトが適用される

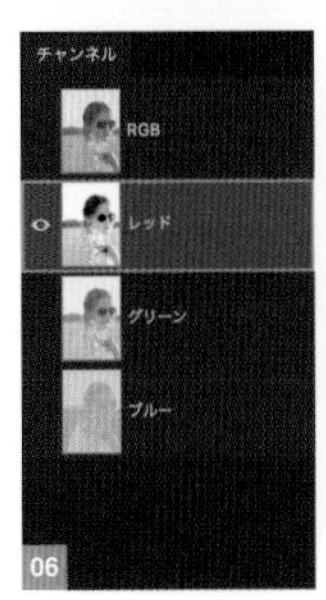

06

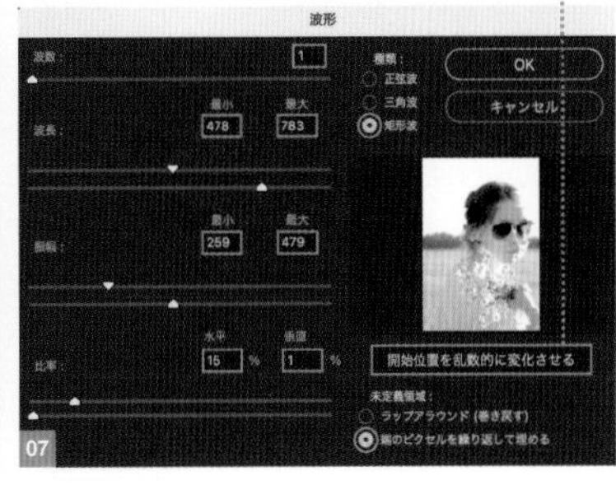

07

08

03 ｜ グリーン、ブルーにエフェクトをかける

[チャンネル] パネルで [グリーン] のみを選択します09。
[フィルター] → [変形] → [波形] を10のように適用します。
同様に [チャンネル] パネルで [ブルー] を選択し11のように適用します。
チャンネルごとにずれた表現ができました12。

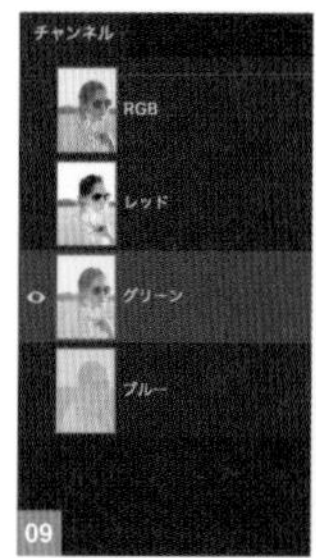

09

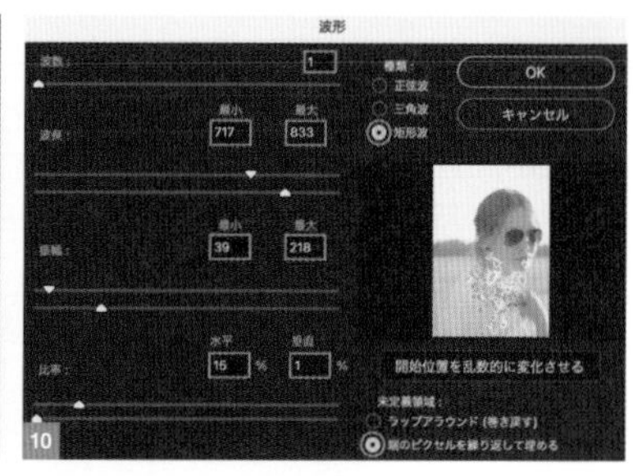

10

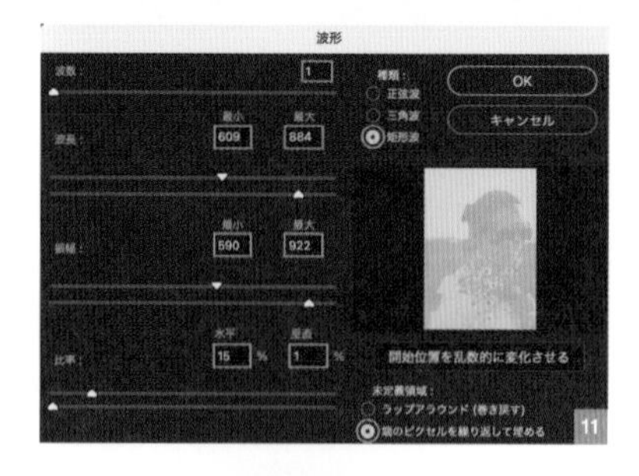

11

12

04 ｜ 部分的に選択しズレを表現する

[チャンネル] パネルで [レッド] のみを選択します。[長方形選択ツール] を選択し13のようにボーダーの縦サイズを目安に横長の選択範囲を作成します。[移動ツール] を選択し、左側にずらします14。
ポイントでずらすことで動きを出します。[チャンネル] で [RGB] を選択すると15のようになります。
好みのチャンネルを選択し、同じように [選択範囲を作成] → [移動] を行いポイントの加工をします16。
レイヤー [人物] を選択し、[フィルター] → [ノイズ] → [ノイズを加える] を選択、17のように [量：10%] で適用します。
ノイズが加わりレトロな質感となりました18。
作例では文字で装飾して完成としています。

13

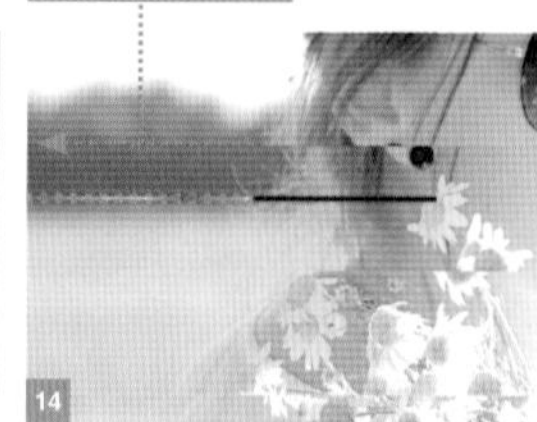

14

15

16

17

18

EDERAL RESERVE
NITED STATES OF
AL TENDER
C AND PRIVATE
WASHINGTON
ONE DOLLAR
SERIE
2013
TENDER

Ps

紙幣のような線画加工を作る no.006

写真を紙幣に印刷されたような線画の質感に加工します。

Point 波線の画像を重ね合わせて線画の質感を再現する

How to use 紙幣風のデザインやエッチング風のグラフィック、ビンテージ風の加工に

01 ┃ 波線を作成する

素材［犬.jpg］を開きます。［イメージ］→［色調補正］→［白黒］をプリセットのまま［OK］とします 01 。
上位に新規レイヤー［波形1］を作成し、［描画色：#ffffff］を選択し［塗りつぶしツール］で塗りつぶします 02 。
［フィルター］→［フィルターギャラリー］を選択します。
［スケッチ］→［ハーフトーンパターン］を 03 のように設定します。
［フィルター］→［変形］→［波形］を選択し 04 のように設定します。
［描画モード：オーバーレイ］とします 05 06 。

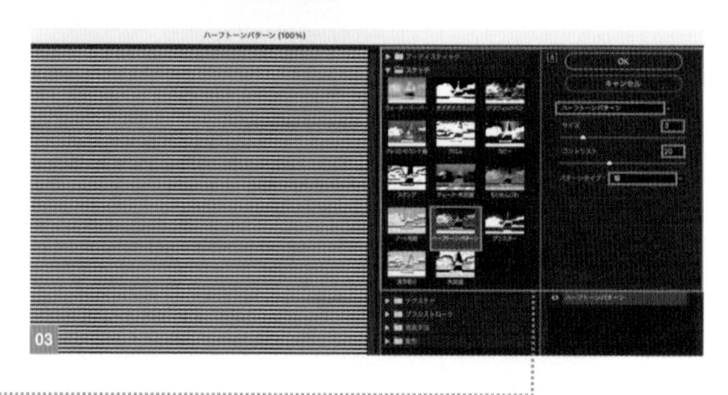

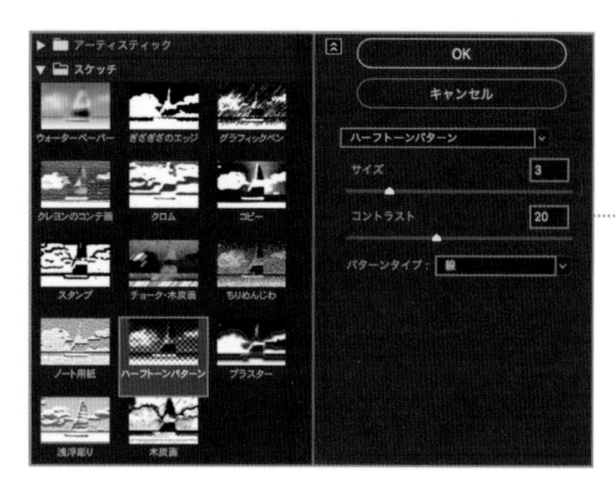

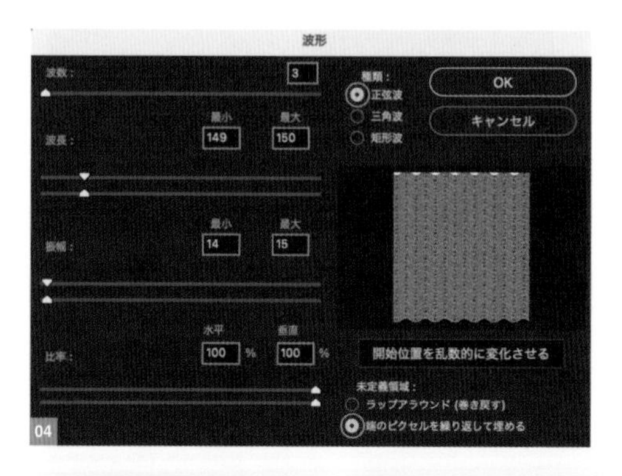

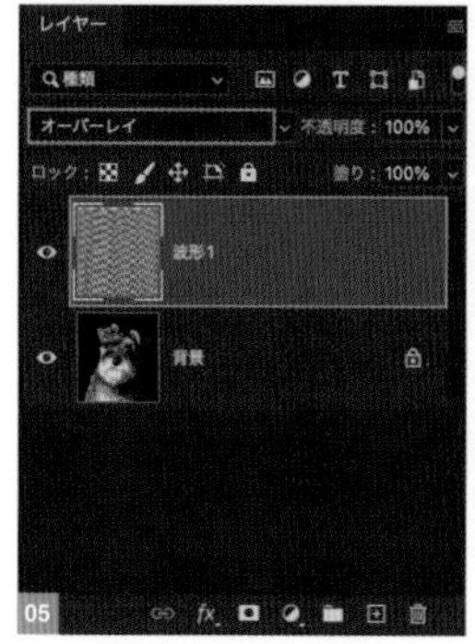

02 | 波形を複製し重ねる

レイヤー［波形1］を上位に複製し、［自由変形］を選択し、［90°］回転させます。上下が足りない状態になるので、上に詰めて配置します 07。
レイヤーパネルでいずれかのレイヤーを選択し、［右クリック］→［表示レイヤーを結合］します 08。レイヤー名を［犬］とします。
紙幣の線画のような加工ができました 09。

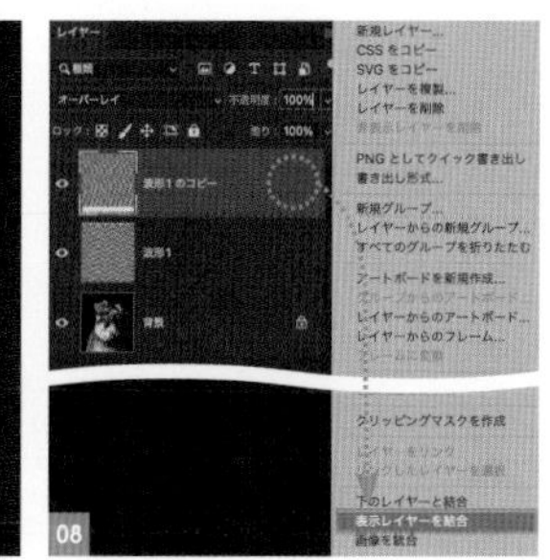

03 | 紙幣と合成する

素材［紙幣.psd］を開きます。紙幣の人物部分を切り抜いたレイヤー［紙幣］を用意しています。
下位に先程作成した犬の画像を配置します。［自由変形］を使って紙幣の傾きにあわせて回転します 10。

04 | 紙幣と犬の色みを揃える

紙幣と犬の２つの色みを揃えます。
レイヤー［犬］を選択し、［イメージ］→［色調補正］→［色相・彩度］を選択します。
［色彩の統一］にチェックを入れて［色相：40］［彩度：15］で適用します 11 12。
紙幣の画像はノイズ感があるので、レイヤー［犬］を選択し、［フィルター］→［ノイズ］→［ノイズを加える］を選択します。
［量：20%］［ガウス分布］［グレースケールノイズ］ 13 と設定し［OK］します。
色みと質感を近づけることができました 14。

Ps

no. 007
巨大な猫のいる風景

明るさ、カラー、質感を揃えて大きさの印象が異なる２つの画像を合成しデジタルの作例らしい驚きのイメージを作成します。

Point	明るさ・カラー・質感を揃える
How to use	非現実的で印象的なイメージの作成に

USA TODAY

01 ｜ 猫を配置しマスクで整える

素材［風景.psd］を開きます。あらかじめ画面手前の要素を切り抜いており、レイヤー［手前の要素］とレイヤー［背景］で構成しています 01 02。
素材［猫.psd］を開きます。こちらも猫を切り抜いたレイヤー［猫］を用意しています。
レイヤー［猫］をレイヤー［手前の要素］の下位に移動します。猫が道路の真ん中に座っているように配置します 03 04。
レイヤー［猫］を選択し、レイヤーパネルから［レイヤーマスクを追加］をクリックします 05。
レイヤーマスクサムネールを選択した状態で、ツールパネルの［ブラシツール］を選択し［描画色：#000000］とします 06 07。
猫の尻尾部分をマスクします 08。

配置した

#000000

クリックしてレイヤーマスクを追加

レイヤーマスクサムネール

02 ｜ 猫と道路の接地面を調整する

レイヤー［猫］を選択します 09。ツールパネルの［コピースタンプツール］を選択します 10。オプションバーの設定を［ブラシの種類：ソフト円ブラシ］［ブラシサイズ：60］［サンプル：現在のレイヤー］とします 11。
猫のお尻部分を追加し座っているように加工しつつタクシーが見えないようにします。
コピー元は 12 あたりの位置を参考に option（Alt）＋クリックを押して設定します。コピーと描画を繰り返して 13 のようにタクシーが見えなくなるように加工します。

マスクする

11 60 モード： サンプル： 現在のレイヤー

タクシーが見えなくなった

03 ｜ 猫の影を道路に追加する

レイヤー［猫］の下位に新規レイヤー［影1］を作成します。
ツールパネルの［ブラシツール］の［ソフト円ブラシ］を選択し、猫の影が落ちそうな部分に影を描きます 14。
このままでは影のカラーが強いのでレイヤー［影1］の不透明度を［70%］としなじませます 15 16。

影を描いた

影がなじんだ

04 | さらに影を描く

さらに下位に新規レイヤー［影2］を作成します。
今度は猫の足やお尻部分などの道路と接している部分だけに影を描きます 17 。
接地面は強い影になるので、不透明度［100%］のままで進めます。影が入ることで座っている感じや、安定感が出ます。ここまでをまとめるとレイヤーは 18 のようになります。

05 | 猫の明るさ、カラーを整える

レイヤー［猫］を選択します。［イメージ］→［色調補正］→［カラーバランス］を選択します 19 。［階調のバランス］→［シャドウ］を選択し、［カラーレベル：+15/0/0］として、シャドウにレッドを加えます 20 。
さらに［階調のバランス］→［中間調］を選択し、［カラーレベル：-20/0/+20］として、中間調にシアン、ブルーを加えます 21 。
［OK］をクリックし適用します 22 。
［イメージ］→［色調補正］→［レベル補正］を選択します 23 。
［入力レベル：0/0.9/255］、［出力レベル：0/230］とします 24 。
ビルの影になっている部分なので、ハイライトを「230」とすることで全体的に暗くしています。中間調を「0.9」にすることで少しだけコントラストを上げました 25 。

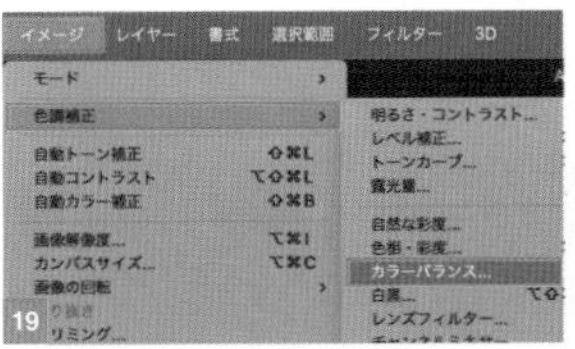

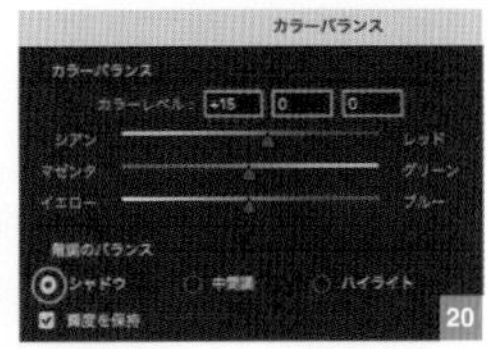

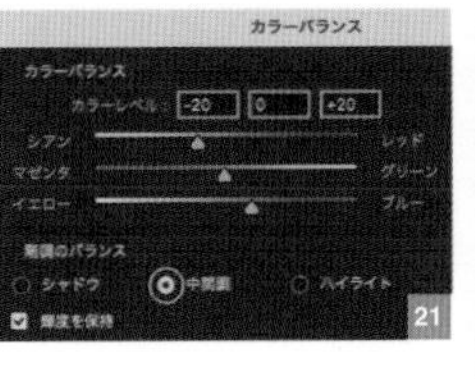

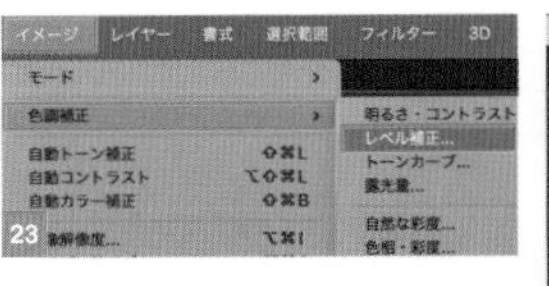

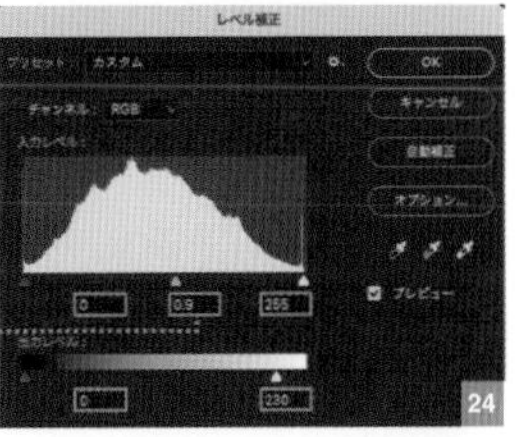

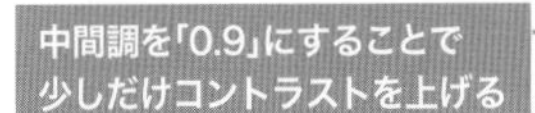

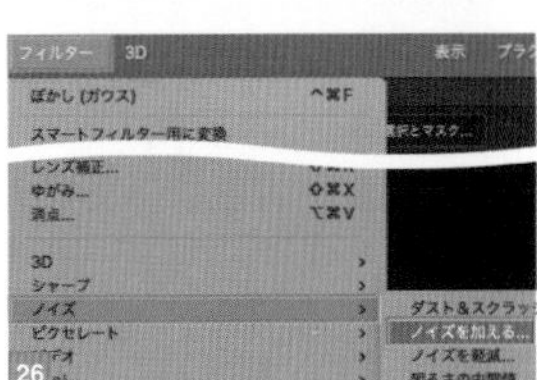

06 | ノイズ・ぼかしを加えて猫の質感を整える

背景画像に比べて猫の画像のほうが少し鮮明なので、荒く加工します。
［フィルター］→［ノイズ］→［ノイズを加える］を選択します 26 。［量：5%］とし［OK］します 27 。ノイズの量は周辺のビルの画質を参考にしています。
次に少しだけぼかしを加えて画質を落とします。
［フィルター］→［ぼかし］→［ぼかし（ガウス）］を選択します。
［半径：0.3pixel］で適用します 28 。猫にノイズ・ぼかしが加わり、背景画像とマッチしました 29 。

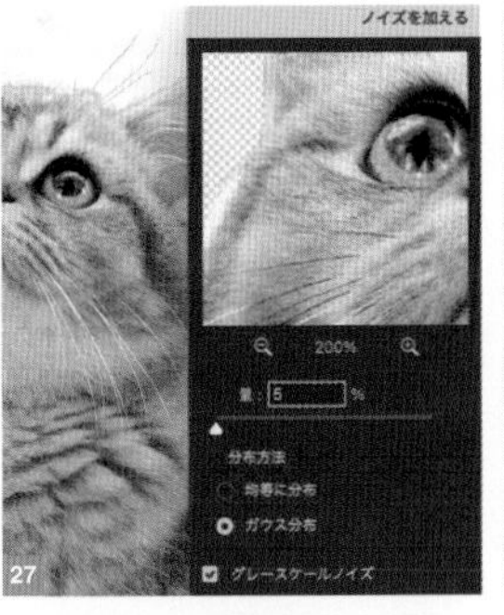

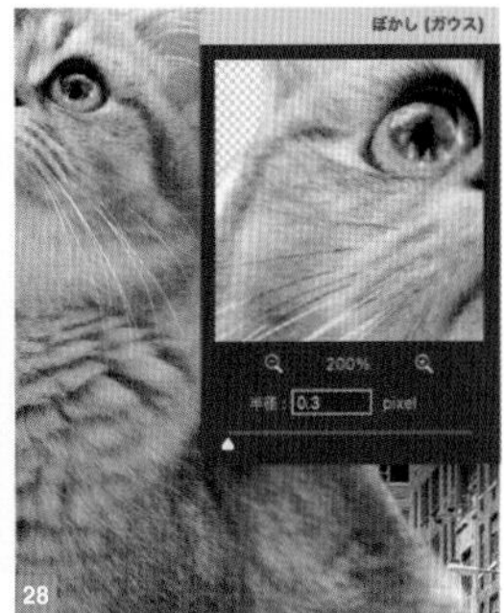

07 | 猫に光を加える

レイヤー［猫］の上位に新規レイヤー［光］を作成し、［描画モード：オーバーレイ］とします。［右クリック］→［クリッピングマスクを作成］を選択します 30。
［ブラシツール］を選択し、［ソフト円ブラシ］［描画色：#ffffff］を選択します。上から光があたっているイメージで、［500px］くらいの大き目のブラシサイズにして、猫の顔や、背中、元々光があたっている輪郭部分などに光を足します 31。
光を足したら具合を見てレイヤーの不透明度を調整します。作例では［50%］としました 32。

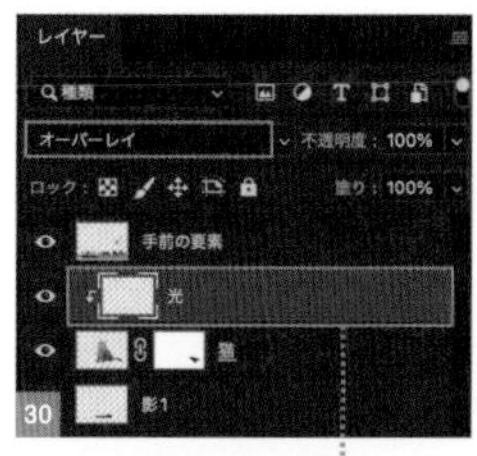

クリッピングマスクにした

memo

あごの下や画面左側の腕やおなか部分は影になるので、光を足さないようにしましょう。

08 | 背景にぼかしを加える

猫の画像は胴体部分あたりからボケはじめ、お尻部分はボケがはっきりわかるような画像です。同じような距離感で背景にもボケを加えていきます。
レイヤー［背景］を選択します。［フィルター］→［ぼかしギャラリー］→［虹彩絞りぼかし］を選択します 33。［ぼかし：5px］とします 34。
カンバス上でクリックし、ぼかしのポイントを3つ追加します。1つ目は手前から奥にかけてのボケを意識しています。周囲にあるマウスでつかむことができるコントロールポイントをドラッグして 35 の形を参考に調整してください。
2つ目は画面左側の建物のボケを意識しています。クリックしてポイントを追加し、手前から2つ目のビルあたりからボケがはじまるイメージで調整しました。36 を参考に調整してください。
3つ目は、画面右側の建物のボケを意識しています。クリックしてポイントを追加し、こちらも手前から2つ目のビルあたりからボケがはじまるイメージです。37 を参考に調整してください。調整が終わったら［OK］で適用します。

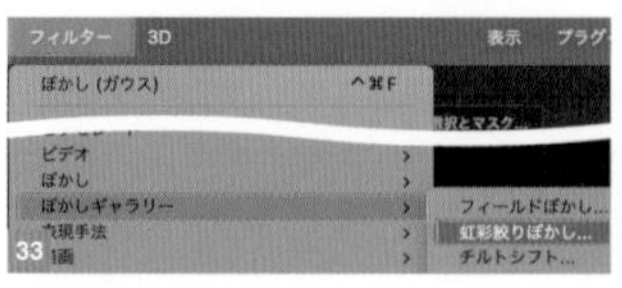

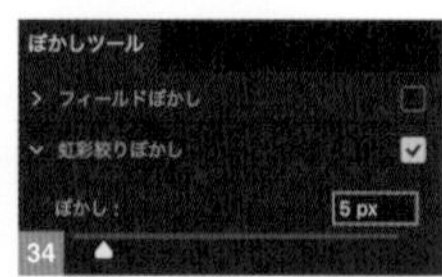

ドラッグして調整

ポイントを追加

09 | トーンカーブを使って全体の明度を揃える

レイヤーの最上位に［塗りつぶしまたは調整レイヤーを新規作成］→［トーンカーブ］を追加します 38。
左下のコントロールポイントを［入力：10/出力：50］39、コントロールポイントを追加して、［入力：40/出力：65］とします 40。シャドウ側の階調をカットすることで全体の黒が均一になり、マットな質感になります。下位レイヤーすべてに適用されるので全体の明るさに統一感がでます 41。

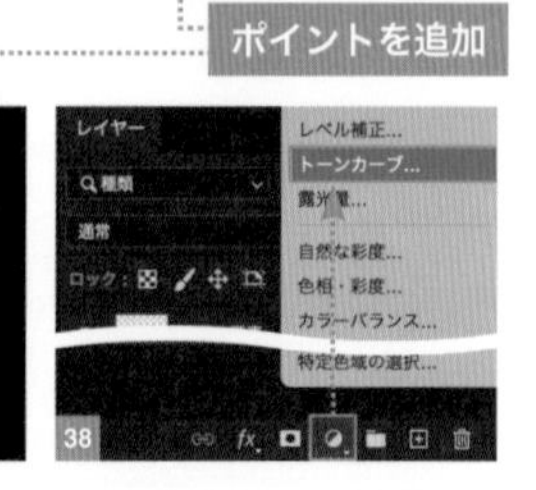

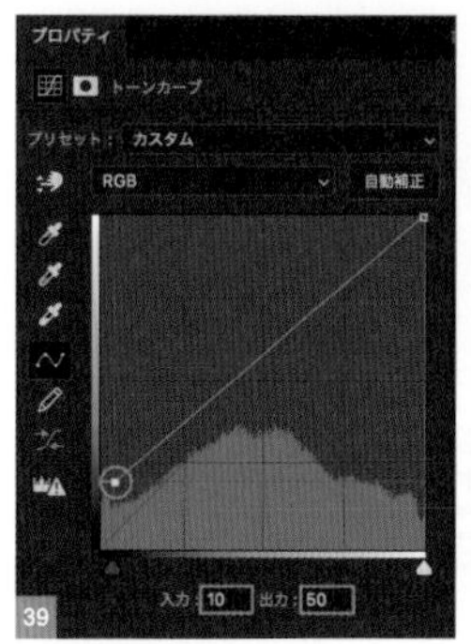

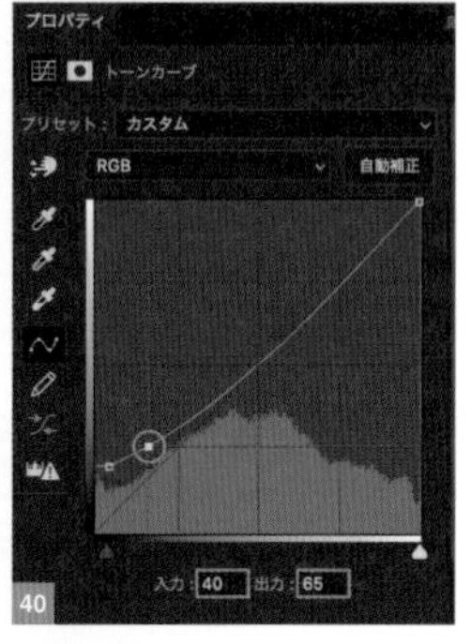

統一感が出た

リアルな質感を表現する

炎、水、雪、氷、雲、金属、ガラス、雷など、リアルな質感を作っていきます。レイヤースタイル、フィルターを使って再現する方法を学びます。また、本書オリジナルのブラシもあり活用できます。

Chapter 02

Realistic material design techniques

BURNING EFFECT

Ps

no. 008

火のデザインを作る

ライオンのたてがみを炎のデザインで演出します。

Point	フィルターを用いて炎の発光を表現する
How to use	炎の表現に

01 ペンツールでたてがみに沿ってパスを作成する

素材［ライオン.psd］を開きます。
最上位に新規レイヤー［炎］を作成し選択しておきます。
ツールパネルから［フリーフォームペンツール］を選択、ツールモードを［パス］にしておきます 01 02。たてがみに沿ってパスを作成します 03。

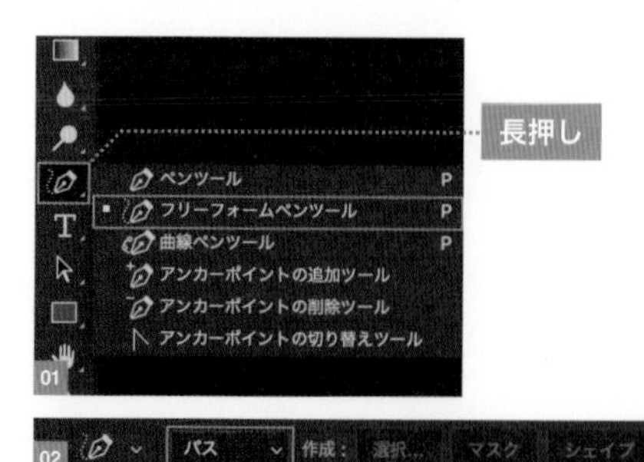

02 パス 作成： 選択... マスク シェイプ

02 フィルターで炎を作る

［フィルター］→［描画］→［炎］を選択し、［基本］タブの［炎の種類：1.1つの炎（パスに沿う）］を選択します 04 05。
［詳細］タブに切り替え 06 のように設定します。
たてがみに沿って炎が追加されました 07。

> **memo**
>
> フィルター［炎］はグラフィックカードの性能によっては動作が遅くなる可能性があります。遅くなってしまう場合は 03 で作ったパスの数を減らし 04～06 を数回に分けて行うといいでしょう。

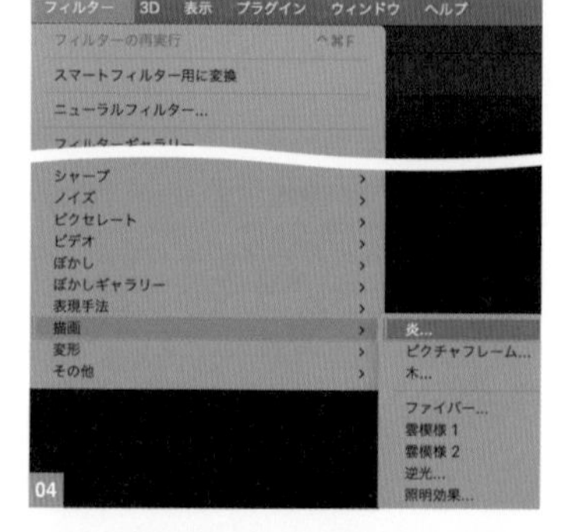

07

03 ┃ 炎の光を追加する

レイヤー［炎］をダブルクリックし［レイヤースタイル］を表示します。
［光彩（外側）］を選択し 08 のように設定します。グラデーションのカラーは炎のカラーとバランスを見て設定します。ここでは［#db7215］としました。
炎の光を表現できました 09。

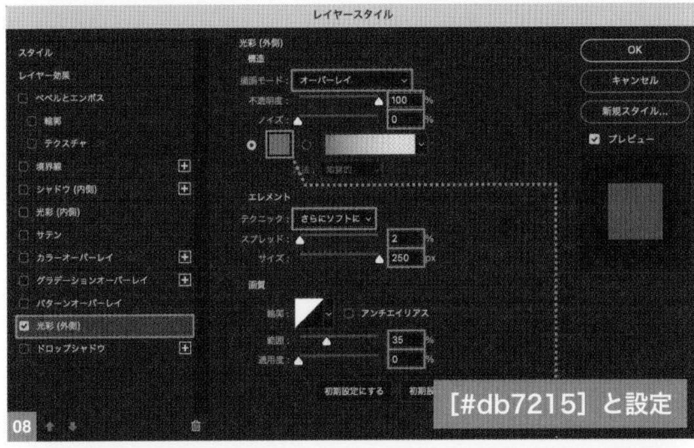

08

09

04 ┃ 顔にも光を足して完成

最上位に新規レイヤー［顔の光］を作成し、［描画モード：オーバーレイ］、［不透明度：75%］とします。
描画色［#db7215］を選択し、［ブラシツール］を使い両目と顔の輪郭に光を足して完成です 10。
P.40の作例の左上タイトルも手順01〜02と同じ方法で作成しています。

10

Ps

no. 009
水のデザインを作る

オリジナルの水しぶきブラシを使って少ない手順で印象的なグラフィックを作成します。

Point	水しぶきブラシのサイズ・回転を細かく調整する
How to use	印象的なグラフィックの作成に

WATER SPLASH EFFECT

01 ｜ 画像を複製し、ゆがみを加える

素材［人物.psd］を開きます。レイヤーを上位に複製し、レイヤー名を［しぶき］とします。［右クリック］→［スマートオブジェクトに変換］を選択します 01。
レイヤー［しぶき］を選択し［フィルター］→［ゆがみ］を選択します 02。
［前方ワープツール］を選択し［ブラシツールオプション］を［サイズ：400］として人物の背中方向に引き伸ばします 03 04。
［OK］を選択します。
レイヤー［しぶき］を選択し、レイヤーパネルから［レイヤーマスクを追加］を選択します 05。
［レイヤーマスクサムネール］が選択された状態で、［塗りつぶしツール］を選択し、［#000000］で塗りつぶし、全体をマスクします 06。

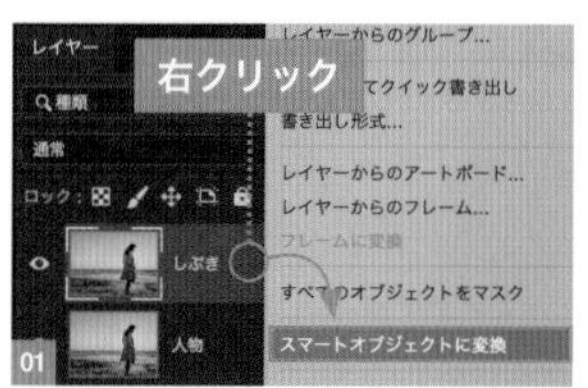

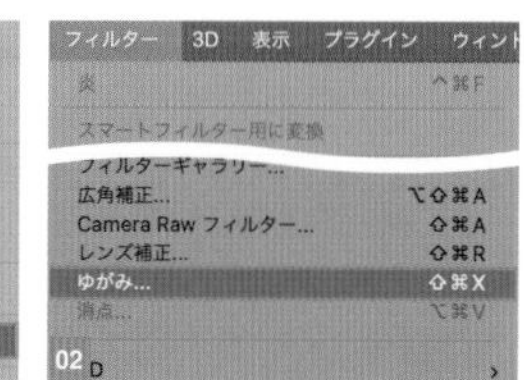

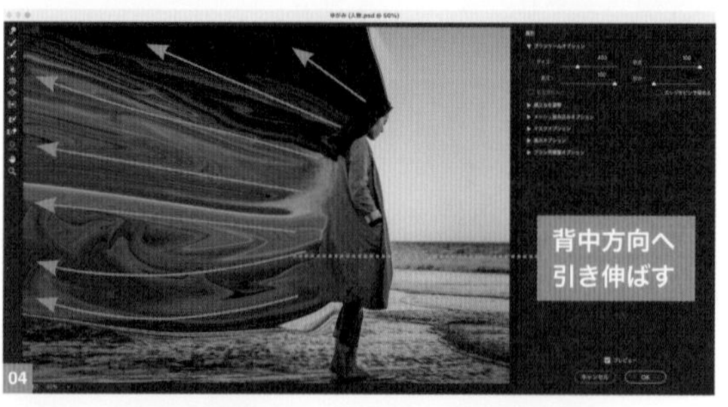

memo

［スマートオブジェクト］にすることで元の画像を保持したまま編集、拡大・縮小などの作業が行えるようになります。
スマートオブジェクトは画像が劣化しないため、修正に強いデータとして作業することができる利点があります。

memo

⌘（Ctrl）＋ I キーのショートカットでも塗りつぶしができます。

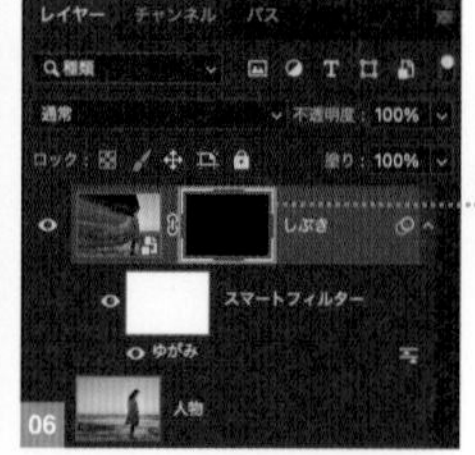

02 ｜ 水しぶきのブラシを使って マスクを調整する

あらかじめ作成してあるブラシを使って作業します。
素材［Splash.abr］07 をダブルクリックし、ブラシを追加します 08（ブラシは［ウィンドウ］→［ブラシ］で表示されるブラシパネルの最下層に追加されます）。
レイヤー［しぶき］の［レイヤーマスクサムネール］を選択した状態で、［ブラシツール］を選択します。［描画色：#ffffff］を選択し、マスクを調整していきます。
ブラシ［Splash01］［Splash02］を使って、人物の背中側に水しぶきを追加するよう描きます。
ブラシの［直径］と［角度］を変えながら描くといいでしょう 09 10。

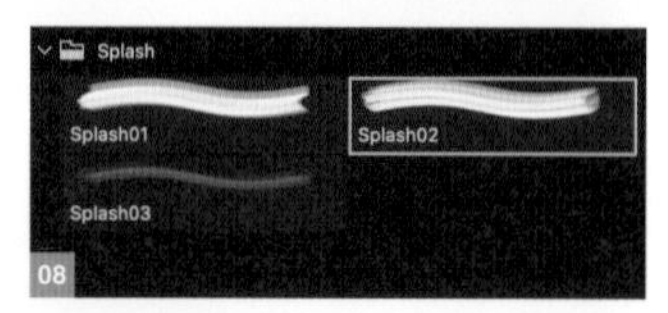

03 ｜ バランスを考えつつ水しぶきを追加する

画面とのバランスを考えながら水しぶきを追加していきます。しぶきの形が整ったら、[Splash03] を使って細かな水滴も追加します 11。この時点で、フィルター [ゆがみ] の適用具合が気になる場合は、再度整えます。また、次の手順で表示させたい人物の顔や肩といった体の部分もマスクを調整するとよいでしょう。

11

04 ｜ さらに水しぶきを整える

素材 [古紙.psd] を開き、レイヤーの最下位に配置し、レイヤー [人物] を非表示にします 12。
この状態でさらに、レイヤー [しぶき] を整えます 13。
背中部分はフィルター [ゆがみ] でできたムラ感が気になります 14。
そこで、最上位に新規レイヤー [しぶき2] を作成し、[スポイトツール] で人物から描画色を抽出し、[ブラシツール] を使い、気になる部分にさらにしぶきを追加します 15。
このような調整を適宜していくとよいでしょう 16。
P.44の作例では左下に「WATER SPLASH EFFECT」とテキストを配置して完成させました。

12

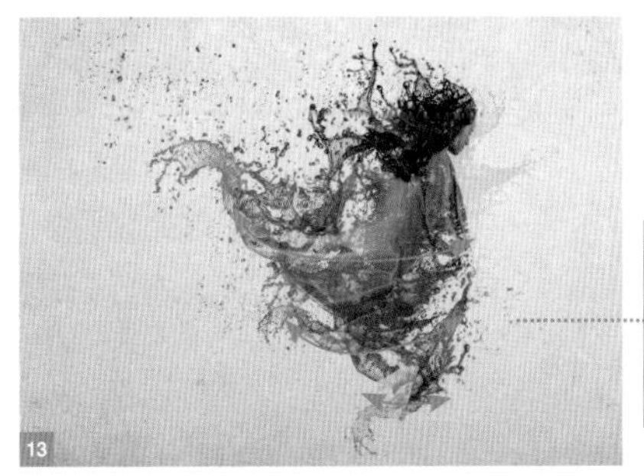
13

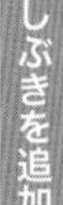

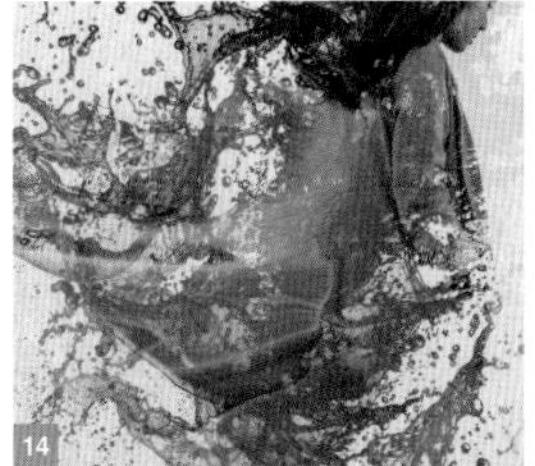
14

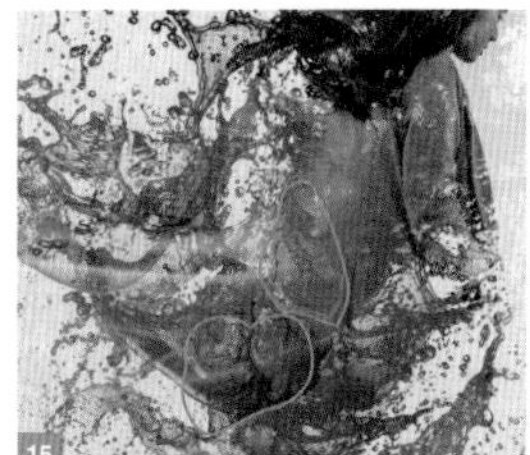
15

16

memo

[ブラシツール] 選択中に option（Alt）キーでブラシとスポイトの切り替えが可能です。

memo

素材 [Splash.abr] のブラシを使えば手軽に水のデザインを作ることができます。
ワンポイントの利用から本節で解説しているような本格的な作品制作まで、さまざまな利用シーンに合わせてブラシを活用してみるといいでしょう。

01 チャンネルミキサーを使って雪の景色に変える

素材［背景.psd］を開きます。
レイヤーパネルから調整レイヤー［チャンネルミキサー］を選択、最上位に配置し、［描画モード：比較（明）］とします 01 02。

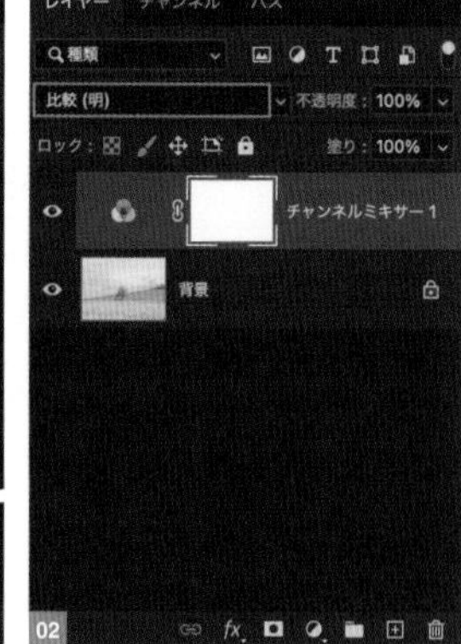

Ps

no. 010
雪のデザインを作る

何気ない風景の写真から雪が舞うようなデザインを作ってみます。

Point　チャンネルミキサーを使い色を抜く

How to use　手早く写真の印象を変えたい時に

属性パネルを確認し［プリセット：モノクロ赤外線（RGB）］を選択します03。
このままでは花畑が白飛びしてしまうので、［レッド：-70%］［グリーン：＋185%］［ブルー：-17%］と調整します04。05のようになりました。

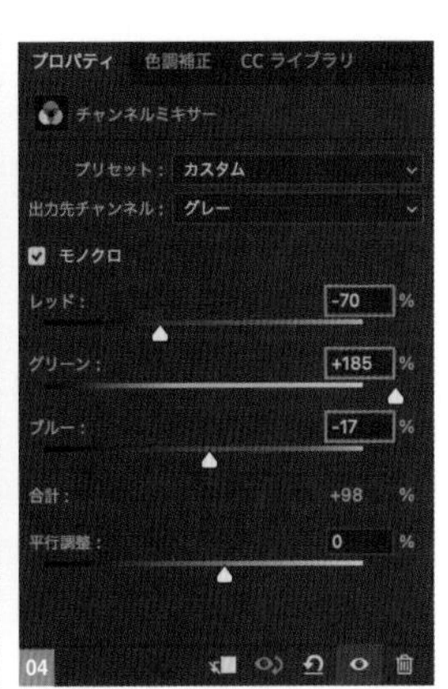

02 ┃ トーンカーブを使って空の色を整える

レイヤーパネルから調整レイヤー［トーンカーブ］を追加し、調整レイヤー［チャンネルミキサー1］の下位に配置します06。
属性パネルから［ブルー］を選択し、中央に制御点を追加し［入力：104］［出力：165］とします07。
空の色が整いました08。

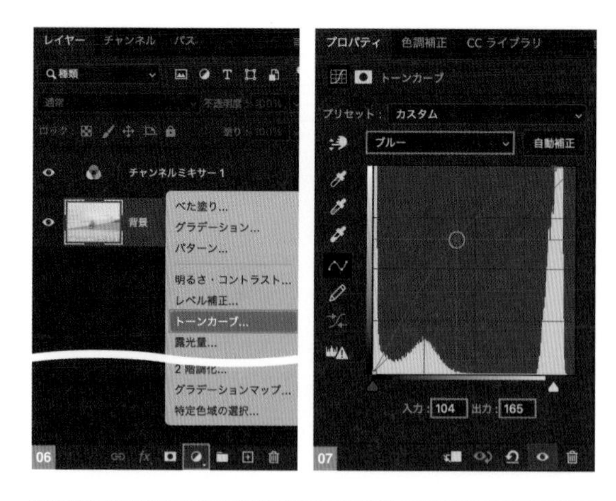

03 ┃ 中央の木と草原に着色する

最上位に新規レイヤー［木の色］を作成し、描画モードを［オーバーレイ］不透明度を［80%］とします。
描画色［#bd74b0］を選択し、ブラシツールを使い木に着色します。ブラシはソフト円ブラシ、直径は塗りやすい数値設定にするといいでしょう09。
下位に新規レイヤー［草原の色］も追加し、描画モードを［オーバーレイ］不透明度を［25%］とします。
描画色［#ffffff］を選択し、木と同様の塗り方で中央の草原を白っぽく着色し落ち着かせます10。

04 | 雪の演出を加えて完成

最上位に新規レイヤー［雪］を作成し、選択します。
ツールパネルより［ブラシツール］を選択し［ソフト円ブラシ］を選択します。
オプションバーから［ブラシ設定のパネルの表示を切り替え］を選択します 11。［ブラシ先端のシェイプ］を選択し［間隔：400%］とします 12。［ブラシ設定］パネルの［シェイプ］を 13 のように、［散布］を 14 のように設定します。
作成したブラシを選択し、描画色［#ffffff］で雪を描きます。
手前の雪はブラシサイズ［100px］前後、奥に降る雪は［30px］前後で、降る雪をイメージしながら画面上から下にストロークして描画すると自然に作成できます 15。

memo

> 本書の作例で使用したブラシやグラデーション、パターンなどは一部の作例を除き、素材として提供しています。
> 作例制作の他、ご自身が生み出す新しい作品制作に活用するとよいでしょう。
> なお、本節で制作した雪の演出のブラシは「雪ブラシ.abr」として素材提供しています。

ブラシ設定のパネルの表示を切り替え

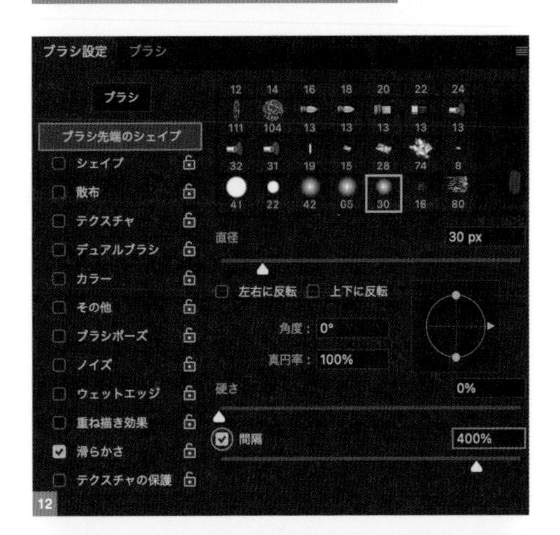

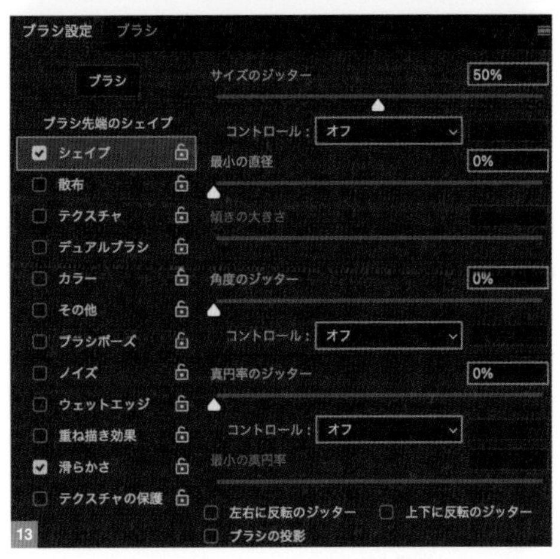

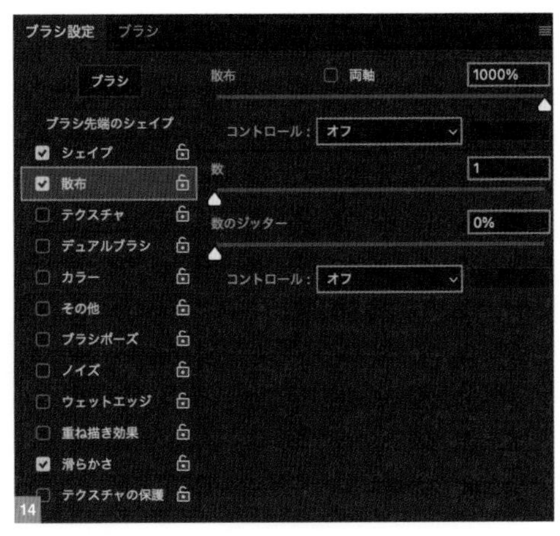

Ps

氷のデザインを作る no.011

レイヤースタイルを使って調整し、リアルな氷の質感を作成します。

Point ベベルとエンボスのジゼルハードを使う

How to use 氷や岩などの質感をもったパーツの作成に

01 横書き文字ツールを使って、テキストを入力する

素材［背景.psd］を開きます。ツールパネルの［横書き文字ツール］を選択します。
［ウィンドウ］→［文字］で文字パネルを表示し、［フォント：小塚ゴシック Pr6N］［フォントスタイル：H］［フォントサイズ：200pt］［カーニング：0］［トラッキング：10］［テキストのカラー：#ffffff］とします 01。
グラスの内側に配置するように「ICE」と入力します 02。

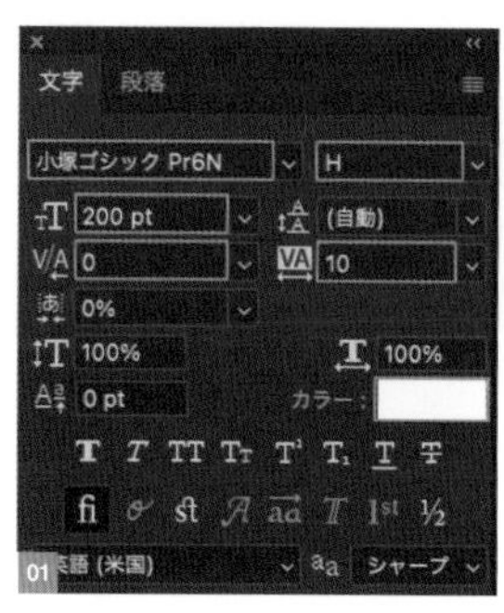

01

02

02 | 氷の写真を使って、テキストにマスクをかける

素材［氷テクスチャ.psd］を開きレイヤー［ICE］に重なるように最上位に配置します03。
レイヤーパネル上のレイヤー［氷テクスチャ］と下位レイヤー［ICE］の境界でoption（Alt）キーを押しながらクリックし04、クリッピングマスクを作成します05。レイヤーパネルは06のようになります。

option（Alt）キーを押しながらクリック

03

04

05

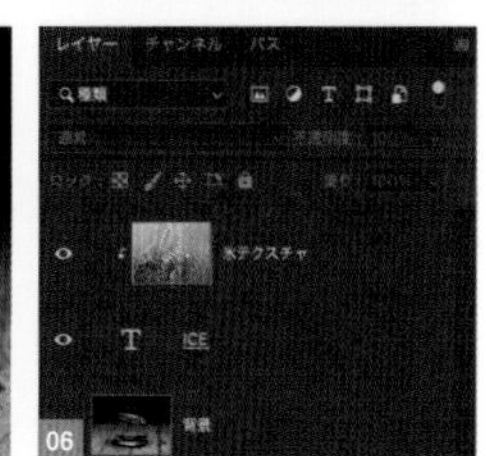

06

Chapter 02

03 | レイヤースタイルを使用して、テキストに氷の質感を出す

レイヤー［ICE］をダブルクリックし、レイヤースタイルを開きます。
［ベベルとエンボス］を選択し07のように設定します。陰影のハイライトは［#ffffff］、シャドウは背景の色を意識して［#a98d5d］を選んでいます。
次に［光彩（内側）］を選択し、08のように設定します。［構造］のグラデーションは［描画色：#ffffff］を選択した状態で［描画色から透明に］をデフォルトで使用しています09。
レイヤーパネルの描画モードを［オーバーレイ］に、［塗り］を［65%］とします10。
氷の質感が加わりました11。

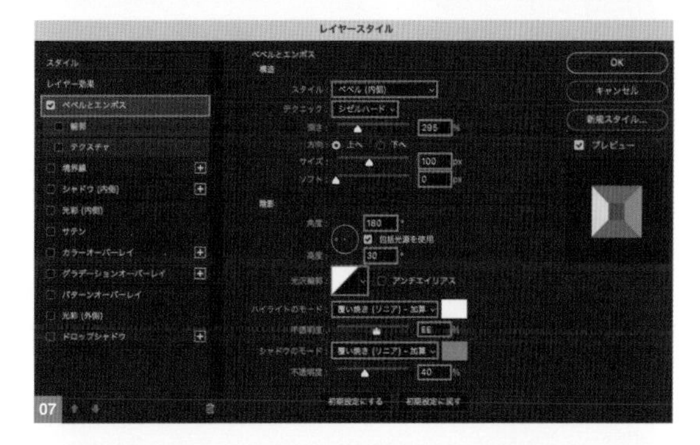

07

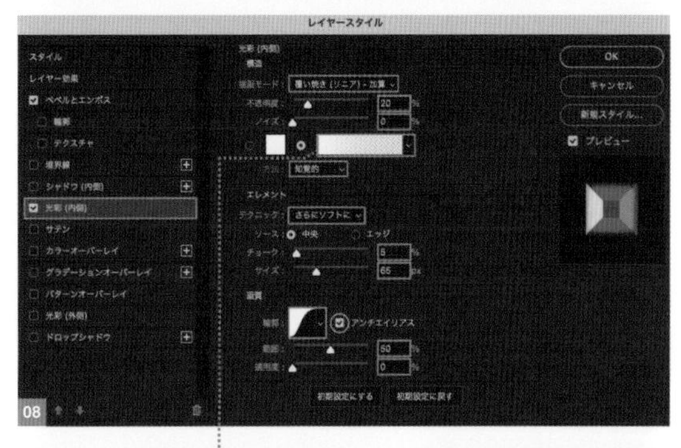

08

[#ffffff]

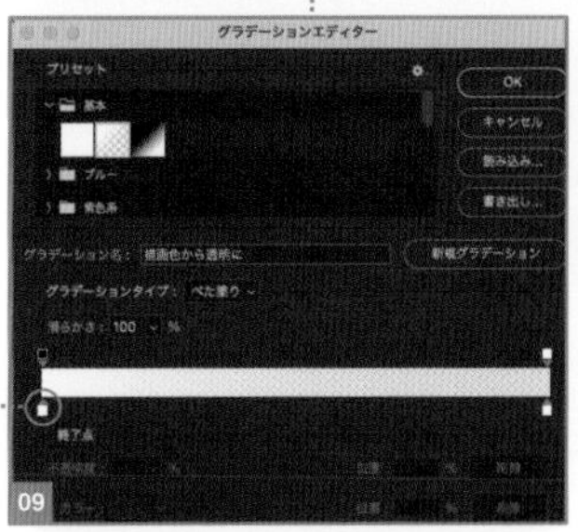

09

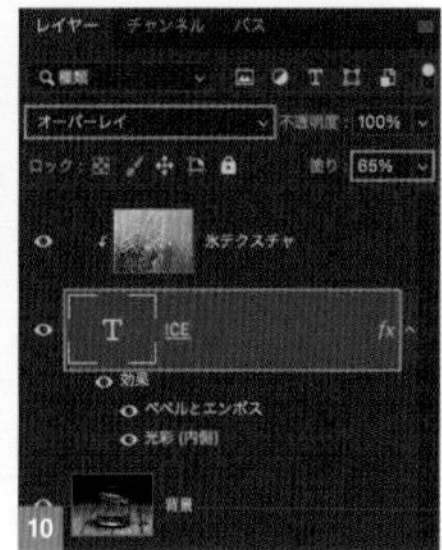

10

11

04 | テキストレイヤーをシェイプに変換し、レイアウトを整える

レイヤーパネル上でレイヤー［ICE］を選択し［右クリック］→［シェイプに変換］とします12。

ツールパネルから［パスコンポーネント選択ツール］を選択します13。それぞれの文字を選択し［編集］→［自由変形］を使ってグラスの中で氷が浮かぶようにレイアウトを整えます14 15 16。

レイアウトが決まったら［OK］を選択して確定し、レイヤーパネル上でレイヤー［ICE］を選択し、［右クリック］→［レイヤーをラスタライズ］とします17。

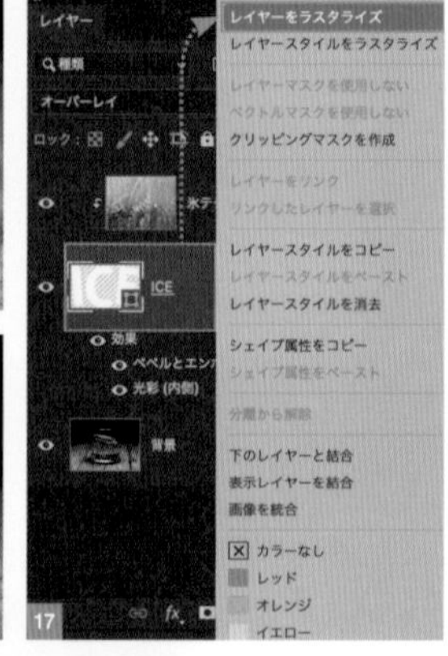

05 | さらに氷の質感を加えて完成

ツールパネルの［消しゴムツール］を選択し［ハード円ブラシ］を選択します18。

レイヤー［ICE］を選択し、［消しゴムツール］で氷のカクカクとした質感を意識しながら四隅を削っていきます。

氷テクスチャに元々ある線状の質感を生かすように意識して削るとリアルになります19。

最上位に新規レイヤー［着色］を作成し、レイヤーの描画モードを［オーバーレイ］不透明度を［85％］とし、描画色［#cf8214］で液体部分をブラシで着色して完成です20。

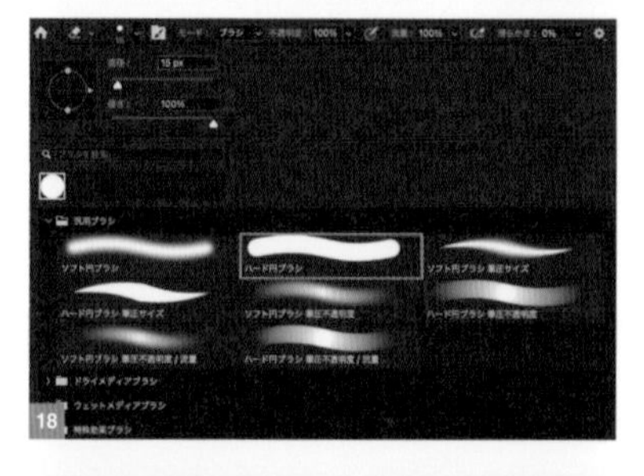

Ps
no.
012
Summer

Ps

雲や煙を描く

写真から作成した雲のブラシを使って、雲や煙を描きます。

Point	複数のブラシを使い分けて雲を描く
How to use	飛行機雲やリアルな雲を合成したい時に

01 ｜ ブラシを読み込む

素材［雲ブラシセット.abr］をダブルクリックしブラシを読み込みます。
ここでは飛行機雲描画用の［飛行機雲ブラシ］の他、背景を描く7種類の雲のブラシをセットにしました 01 。

01

02

02 ｜ テキストを配置する

素材［風景.psd］を開きます。［横書き文字ツール］を選択します。
好みで筆記体のフォントを選びます。作例ではAdobe Fontsに収録されている［Madre Script］フォントを選びました。なお、Adobe Fontsについて詳しく知りたい場合はP.112の「Adobe Fontsとは」を確認するとよいでしょう。
［描画色：#ffffff］［フォントサイズ：90pt］とし「Summer」と入力します。
［自由変形］を使い回転してレイアウトします 02 。

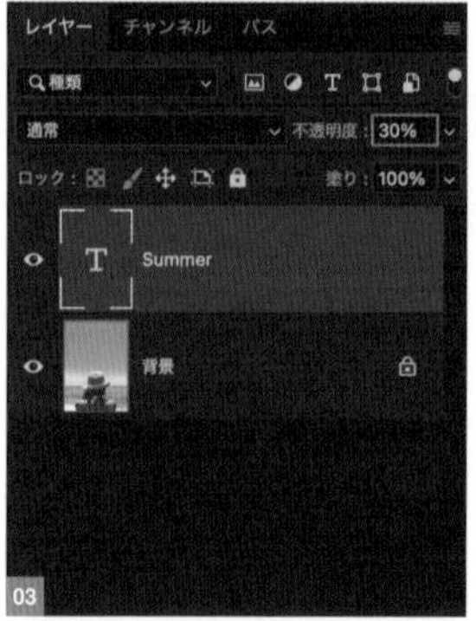

03

04

03 ｜ テキストをトレースし、飛行機雲ブラシで文字を描く

テキストレイヤー［Summer］はトレースしやすいように［不透明度：30%］とします 03 04 。
上位に新規レイヤー［飛行機雲］を作成します。
［描画色：#ffffff］とし［ブラシツール］を選択します。
読み込んだ［飛行機雲ブラシ］［ブラシサイズ：50px］を選択します 05 。
飛行機雲のイメージでテキストの最初と最後を長くして 06 のように描きます。
テキストレイヤーを非表示にし、素材［飛行機.psd］を開き上位に配置します 07 。

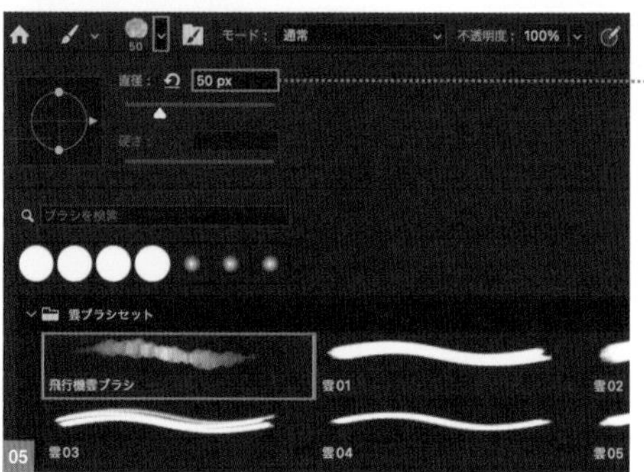

05

06

07

04 | 飛行機雲にぼかしを加える

レイヤー［飛行機雲］を選択します。
［フィルター］→［ぼかし］→［ぼかし（ガウス）］を選択し［半径：3.0pixel］を適用します 08 09。
レイヤーを［不透明度：80%］として青空となじませます 10。

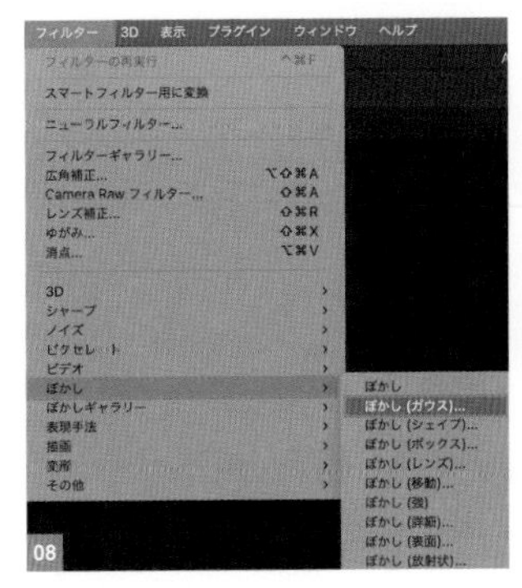

08

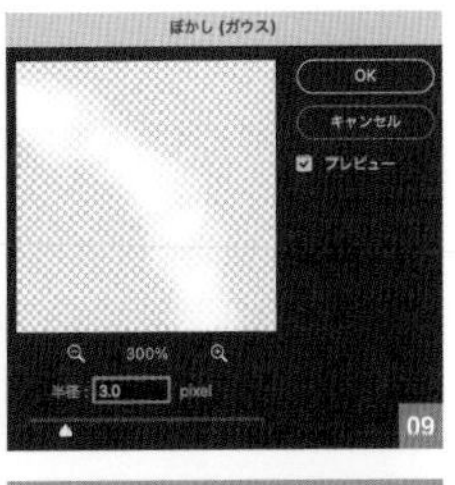

09

10

05 | 空の範囲にレイヤーマスクを作る

レイヤー［背景］の上位に、新規レイヤー［雲］を作成します。
［ペンツール］を選択し、11 のように空の選択範囲を作成します。
レイヤーパネルで、レイヤー［雲］を選択し［レイヤーマスクを追加］します 12。

11

06 | 背景に雲を描く

手順01で読み込んだ［雲ブラシ01〜07］を使って雲を描きます。
好みのブラシを選択し、ストロークせずに点を置くように描きます 13。
空以外をマスクしているので水平線も 14 のように楽に描けます。
空を描き終えたらレイヤー［雲］を［不透明度：80%］として完成です 15。

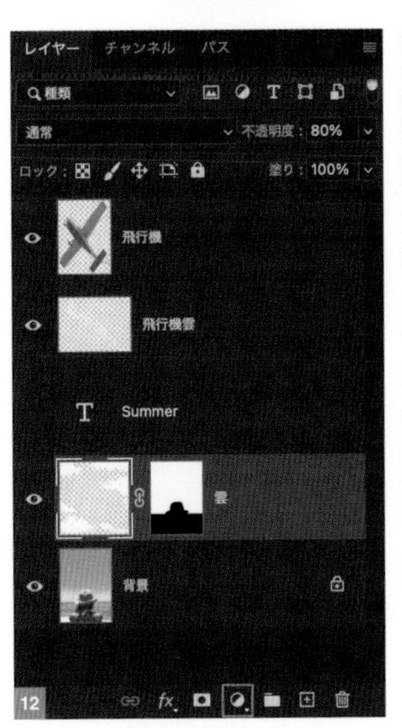

12

13
14

15

Ps

シルバーの光沢を作る　no.013

鏡面加工されたテキストデザインを作成します。

Point　かすみを加えリアルな光沢を表現する

How to use　印象的な見出しの作成に

01 | 風景の画像にゆがみとぼかしを加える

素材［背景.psd］を開き、素材［部屋］を重ねます01。
レイヤー［部屋］を選択し、［フィルター］→［変形］→［波形］を選択します02。
03のように設定し［OK］をクリックします。ゆがみができました04。
［フィルター］→［ぼかし］→［ぼかし（ガウス）］を選択05、［半径：1.0pixel］を適用し、うっすらとぼかします06。

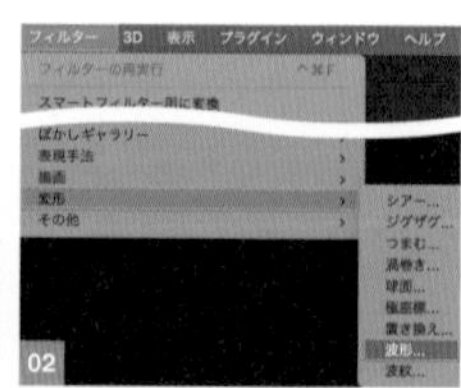

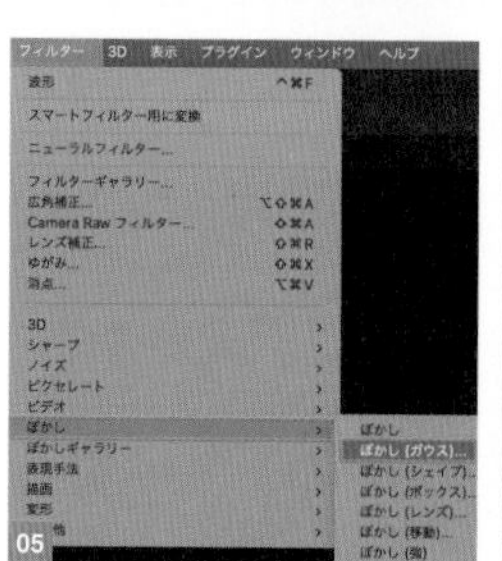

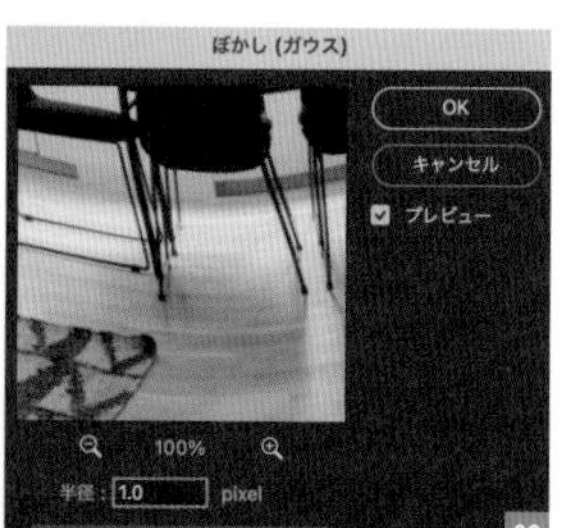

02 | テキストを配置し、鏡の土台部分を作成する

レイヤー［部屋］は一旦非表示にしておきます 07 。
［横書き文字ツール］を選択します。鏡のベースにできるような太めのフォントを選びます。
作例ではAdobe Fontsに収録されている［HWT Mardell］フォントを使用します。Adobe FontsについてはP.112の「Adobe Fontsとは」をご参照ください。
［テキストカラー：#bababa］とし、「MIRROR」と入力し［塗り：5%］と設定します 08 。

03 | レイヤースタイルを使って立体感を作る

［レイヤースタイル］を開き、［ベベルとエンボス］を 09 のように設定します。［光沢輪郭］はプリセットの［くぼみ - 深く］を選びます。
［輪郭］を選択し、10 のように設定します。
［シャドウ（内側）］を選択し、11 のように設定します。描画モードのカラーは［#494949］とします。
［光彩（内側）］を選択し、12 のように設定します。描画モードのカラーは［#ffffff］とします。

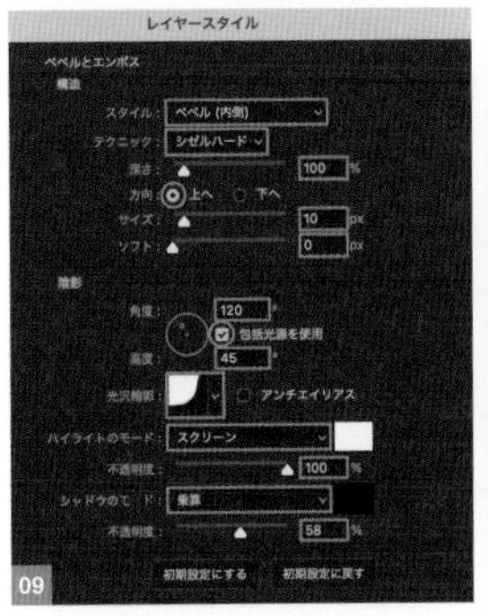

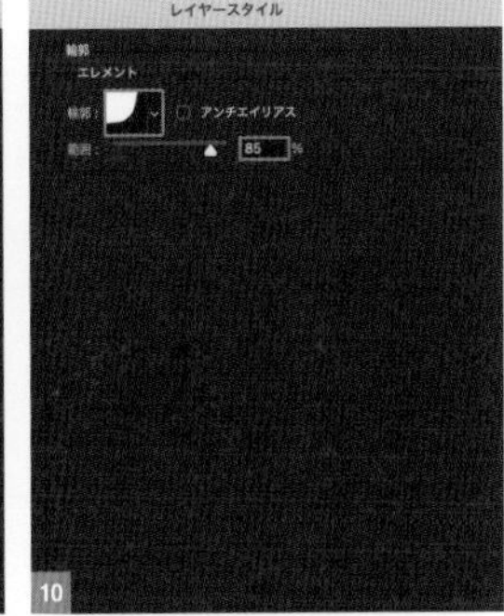

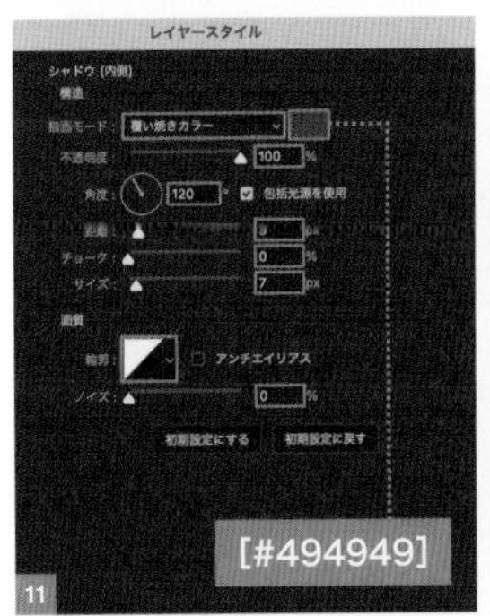

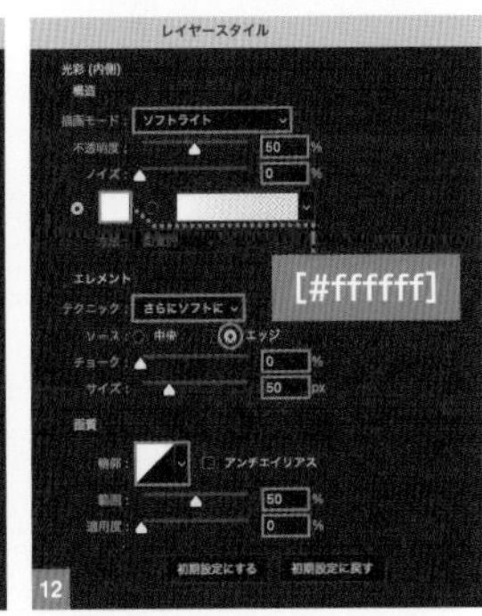

04 | グラデーションオーバーレイで金属の光沢感を作る

［グラデーションオーバーレイ］を選択し、13 のように設定します。
グラデーションはカラー分岐点を複数設定して、14 のように細かくメリハリのあるグラデーションを設定します。
使用したカラーは［#202020］［#5a5a5a］［#ffffff］［#bebebe］［#787878］［#2d2d2d］などです。ゆるやかな明るいグラデーションから急に暗い色に変わるように意識するとメリハリが付きやすいです（P.60の「グラデーションを追加する」を参考にして、素材［シルバーの光沢.grd］を読み込み、使用することも可能です）。

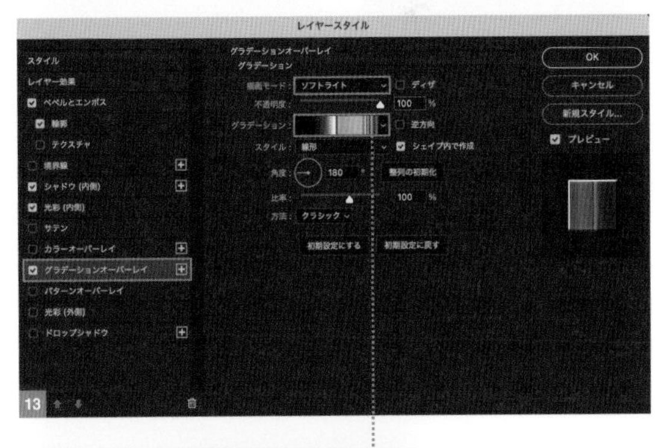

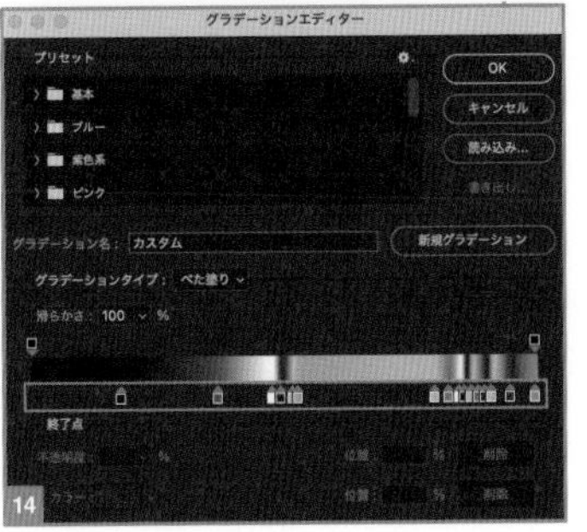

05 ドロップシャドウで厚みを作る

[ドロップシャドウ] を選択し 15 のように設定します。
描画モードのカラーは [#000000] とします。[OK] をクリックします 16。

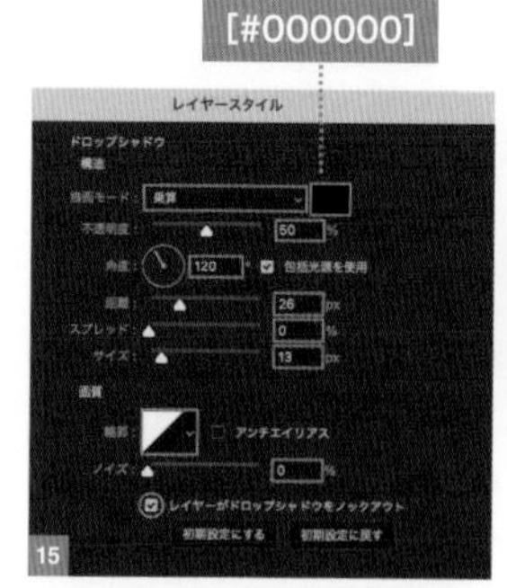

15

16

06 レイヤー［部屋］に マスクを追加して完成

テキストレイヤー [mirror] のサムネールを ⌘ (Ctrl) キー＋クリックし、選択範囲を作成します 17 18。
非表示にしていたレイヤー [部屋] を表示し、選択します。
レイヤーパネルから [レイヤーマスクを追加] を選択し、レイヤー [部屋] にマスクします 19。
[レイヤーマスクのレイヤーへのリンク (鎖マーク)] を外します。画像のサムネールを選択し、ツールパネルの [移動ツール] を使って画像を好みの位置にレイアウトしたら完成です 20。

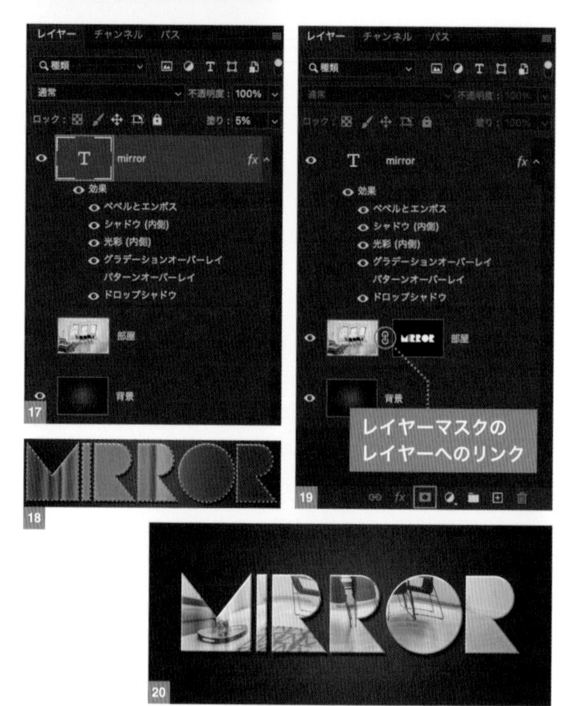

17 18 19 20

□ column

グラデーションを追加する

Ps

[グラデーションツール] や [レイヤースタイル] などは作成したグラデーションを保存・読み込みすることができます。[グラデーションエディター] を開き、[読み込み] を選択します (画面はグラデーションの初期プリセット状態)。素材として提供する [grd] ファイルを選択し読み込むと図のようにグラデーションが追加されます。なお、本書のカスタムブラシやグラデーションは書籍を購入した方なら商用利用も可能です。

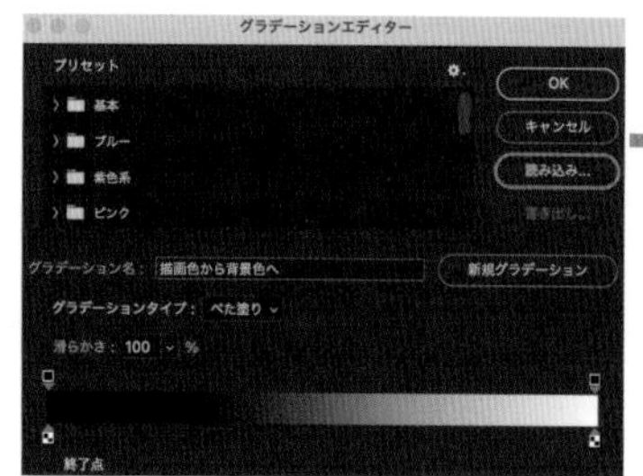

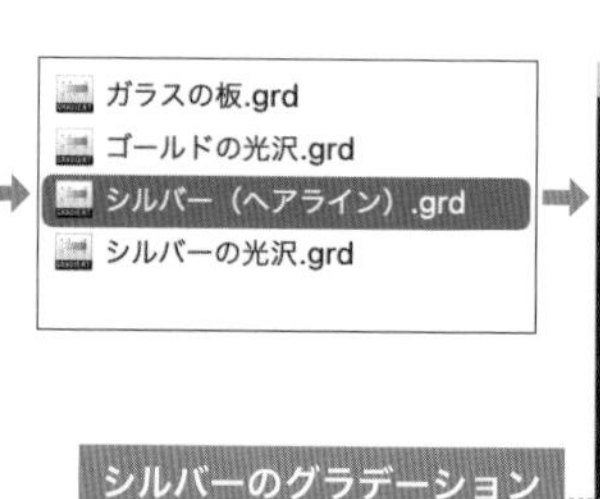

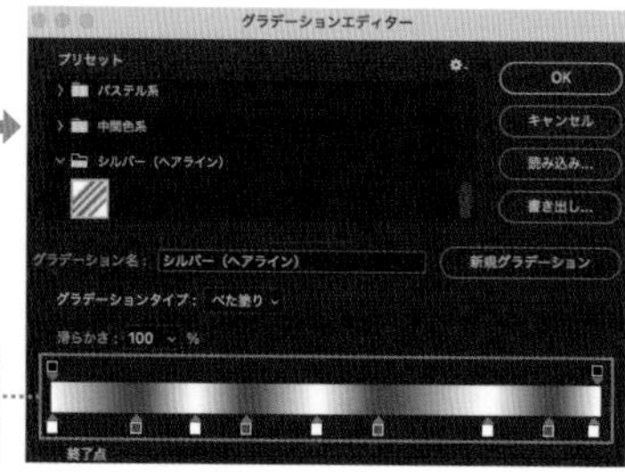

Ps

ゴールドの光沢を作る no.014

映画のタイトルのような高級感のあるゴールドのデザインを作成します。

Point 細かなレイヤースタイルを設定する

How to use さまざまなタイトルロゴなどに

01 | テキストを配置する

素材［背景.psd］を開きます。［横書き文字ツール］を選択し、好みの文字やパーツを配置します。
作例では［フォント：Trajan Pro 3］を選択し、「THE」「Golden Hour」「limited edition」の3つのテキストを入力、ツールパネルの［長方形ツール］01を使って細いラインを作成し、02のように配置しました。

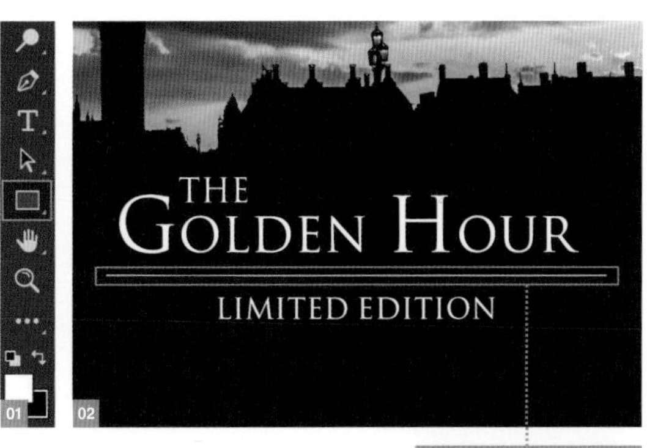

02　レイヤースタイルを設定し、ゴールドのグラデーションを作る

入力したテキストレイヤー［Golden Hour］をダブルクリックし、［レイヤースタイル］を表示します。
［ベベルとエンボス］を選択し、03のように設定します。［光沢輪郭］はプリセットの［リング - 二重］を選びます。
［輪郭］を選択し、04のように設定します。［輪郭］はプリセットの［円錐 - 反転］を選びます。
［グラデーションオーバーレイ］を選択し、05のように設定します。
この時の［グラデーション］はオリジナルで作成します。グラデーションの項目をクリックし、［グラデーションエディター］を開き、カラー分岐点は左から［位置:0%］［#d7a701］、［位置:50%］［#fffba2］、［位置：70%］［#fce04b］、［位置：100%］［#e5af00］とします 06 07。なおグラデーションは素材［ゴールドの光沢.grd］で追加することができます。

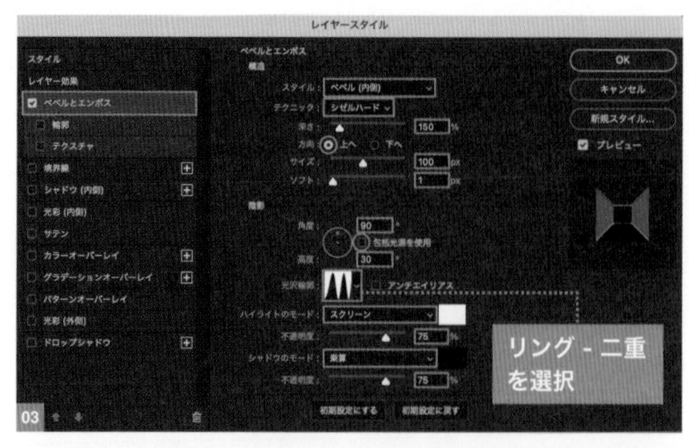

03

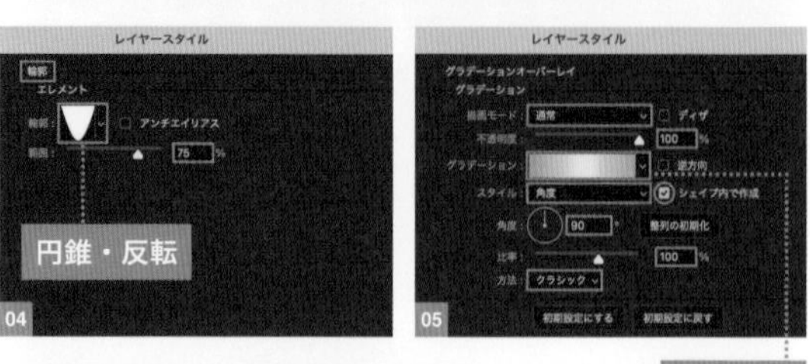

04 05

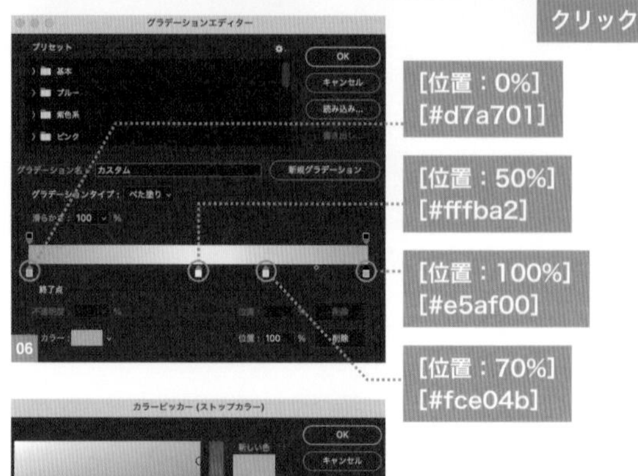

06

07

03　レイヤースタイルを設定し、ゴールドの質感を作る

［サテン］を選択し、08のように設定します。［輪郭］はプリセットの［ガウス］を選びます。
［光彩（外側）］を選択し、09のように設定します。［光彩のカラー：#ffc600］、［輪郭］はプリセットの［線形］を選びます。
立体的なゴールドの質感が適用されました10。

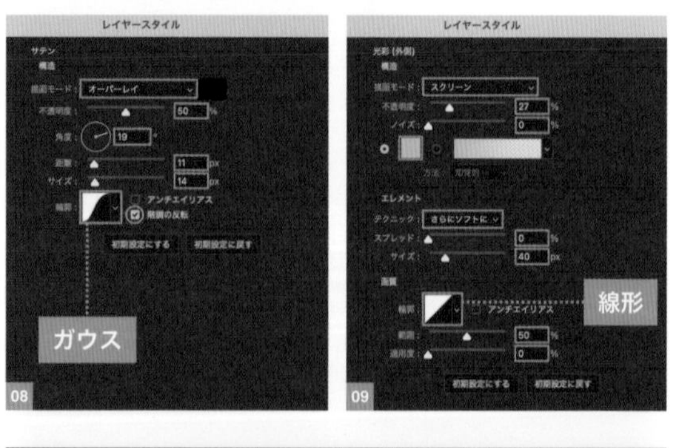

08 09

10

04 ｜ 他のテキストレイヤーにも レイヤースタイルをコピーし適用する

レイヤーパネル上でテキストレイヤー［Golden Hour］を選択し［右クリック］→［レイヤースタイルをコピー］します。
他のテキストレイヤー［THE］［limited edition］と［長方形ツール］で作成したライン（シェイプレイヤー）を選択し、［右クリック］→［レイヤースタイルをペースト］とします 11 12。

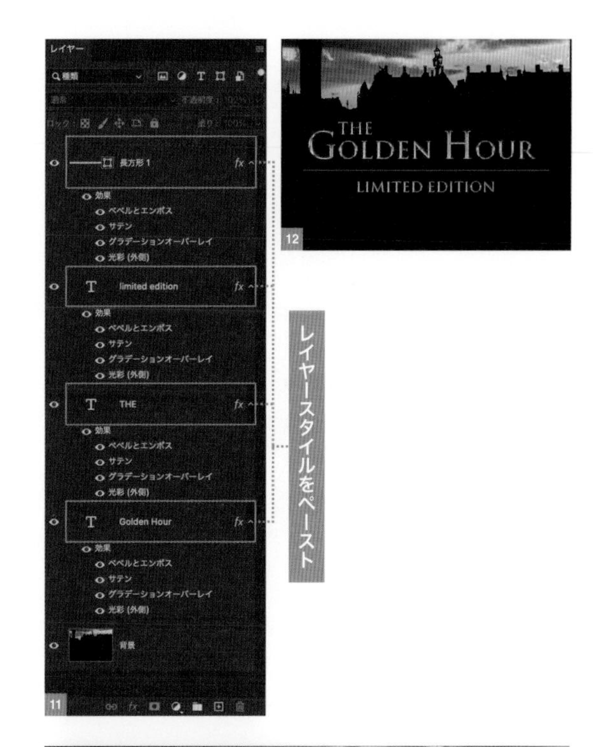

11
12

05 ｜ ブラシで光を強める

最上位に新規レイヤー［光］を作成し、［描画モード：オーバレイ］とします。
［ブラシツール］を選択し［描画色：#ffffff］でテキストの光を強めたい部分を描き完成です 13。

13

Ps

ヘアライン加工で金属らしさを出す no.015

リアルで立体的な金属のヘアラインのデザインを作成します。

Point ノイズ感のあるテクスチャを放射状にぼかす　How to use 金属のヘアラインの表現に

01 | レイヤースタイルで グラデーションエディターを開く

素材［ヘアライン.psd］を開きます。あらかじめデザインしたレイヤー［デザイン］を元に加工していきます 01。
レイヤー［デザイン］を選択します。レイヤー名の右側でダブルクリックし［レイヤースタイル］を表示します 02。
［グラデーションオーバーレイ］を選択し、［描画モード：通常］［不透明度：100%］［スタイル：角度］［シェイプ内で作成］［角度：75°］［比率：100%］とします 03。
［グラデーション］をクリックし［グラデーションエディター］パネルを表示します。

01

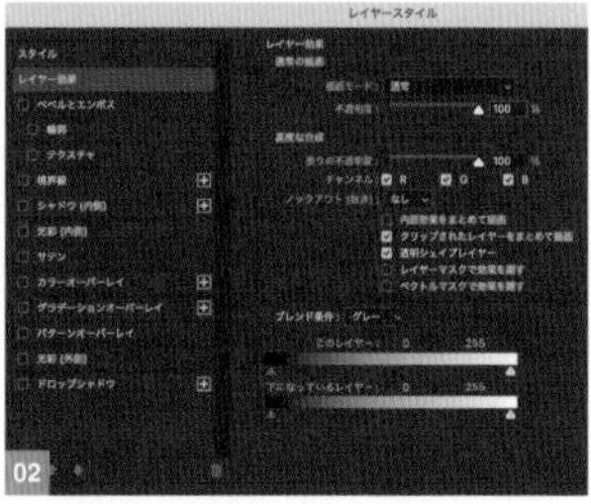

02

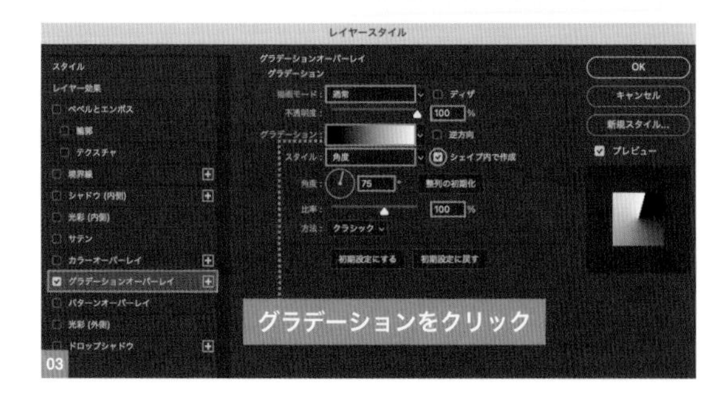

03

02 | カラー分岐点を作成し金属の質感を作る

カラー分岐点を9個作成します。左から白 [#ffffff] とグレー [#5a5a5a] を交互に作成し 04 のように配色します。なお、このグラデーションは素材 [シルバー（ヘアライン）.grd] で追加することができます（P.60の「グラデーションを追加する」を参照）。

[グラデーションエディター]を閉じ[レイヤースタイル]に戻ったら、カンバス上でドラッグし、ヘアラインの中心がカンバスの中心にくるようにイメージしてドラッグしました。

金属のような質感が加わりました 05。

03 | デザインに立体感を加える

レイヤースタイルの [シャドウ（内側）] を選択し 06 のように設定し内側に影を付けます。

[光彩（内側）] を選択し 07 のように設定し輪郭の光る様子を表現します。

次に [ドロップシャドウ] を選択し 08 のように設定し、右上から左下に落ちる影を付けます。

立体感が加わりました 09。[OK] を選択し、レイヤースタイルを確定させます。

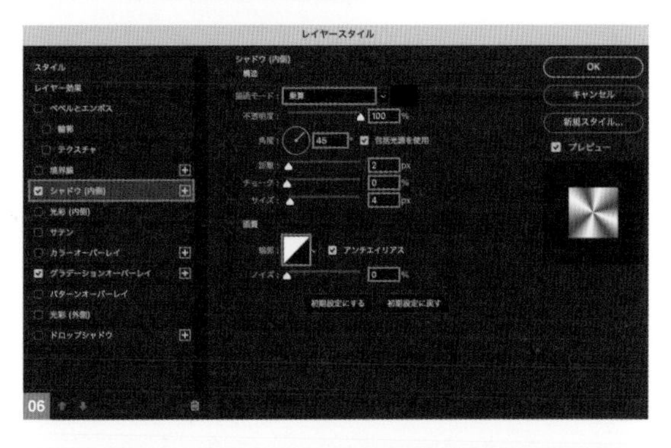

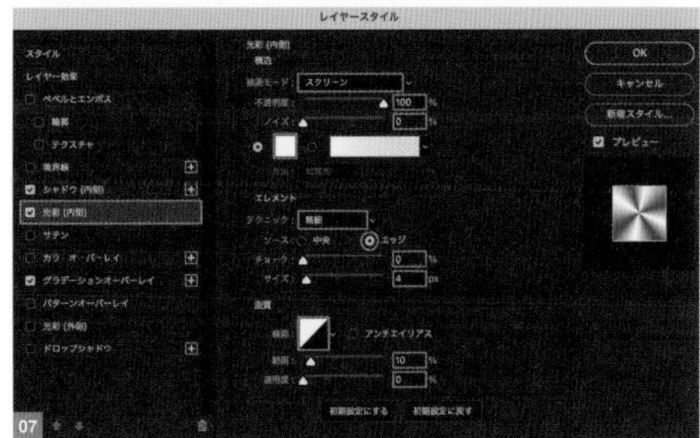

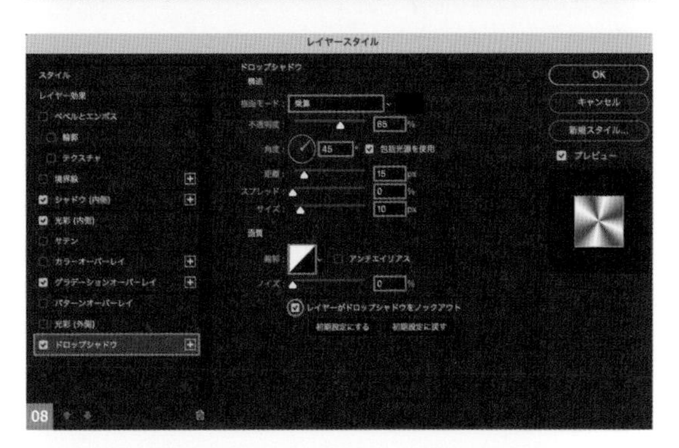

04 ｜ ヘアラインの質感を加える

最上位に新規レイヤー［ヘアライン］を作成します。［描画色：#ffffff］を選択し、［塗りつぶしツール］で塗りつぶします。
［フィルター］→［ピクセレート］→［メゾティント］を選択し［種類：細かいドット］で適用します 10 11。
［フィルター］→［ぼかし］→［ぼかし（放射状）］を選択し［量：100］［方法：回転］［画質：標準］で適用します 12 13。
レイヤーのブレンドモードを［ソフトライト］とします 14。

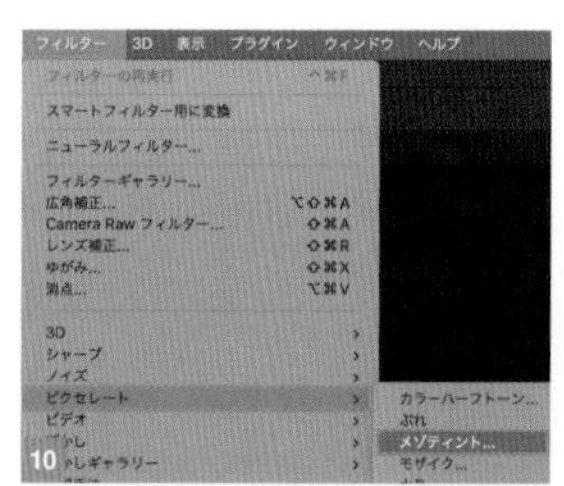

10

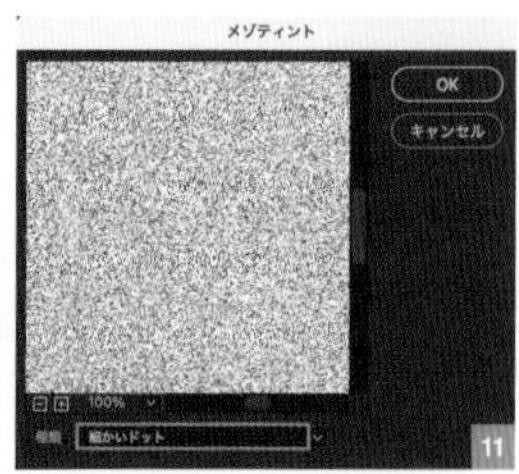

11

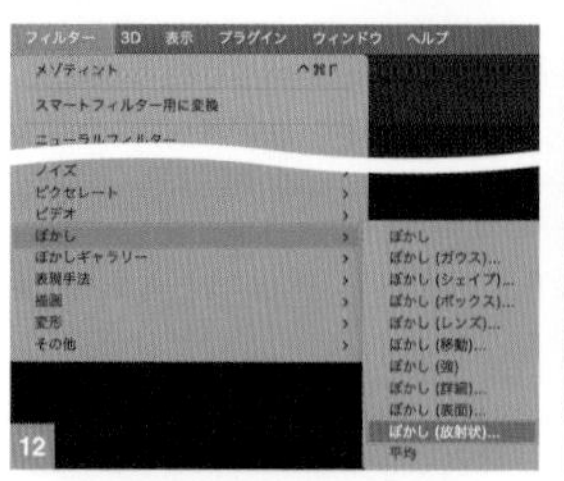

12

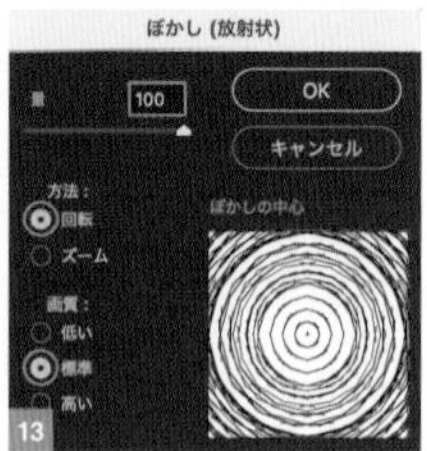

13

14

05 ｜ ヘアラインにマスクを追加し完成

レイヤー［デザイン］のレイヤーサムネール上で ⌘ （Ctrl）キーを押しながらクリックし選択範囲を作成します 15。
レイヤー［ヘアライン］を選択し、レイヤーパネル内の［レイヤーマスクを追加］をクリックします 16。
デザインのみにヘアラインが適用されました 17 18。

15

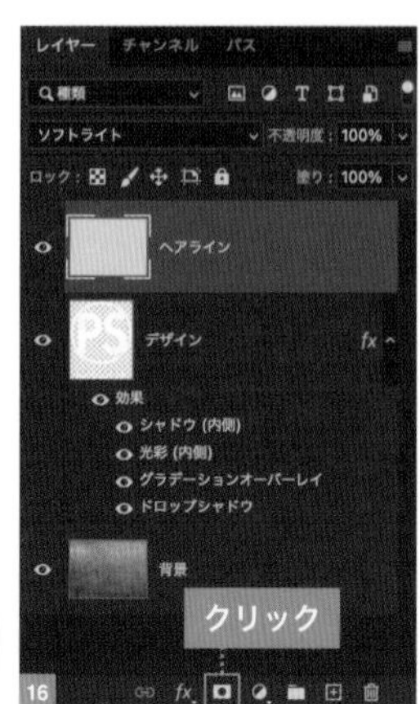

16

17

18

GLASS STYLE

ガラスの板を作る

no.016

レイヤースタイルを使ってガラス質感を表現します。

Point	複数のレイヤースタイルでリアルな質感を作り込む
How to use	ガラスの質感を出したいロゴやパーツなど幅広く

01 | テキストを配置する

素材［背景.psd］を開きます。広告物のイメージを想定してあらかじめ眼鏡をレイアウトしています。この上下にアイテムを追加してデザインしていきます。また眼鏡にはレイヤースタイル［ドロップシャドウ］を適用しています 01。

［横書き文字ツール］を選択し、［テキストカラー：#ffffff］とし、好みのフォントで「GLASS STYLE」と入力します。

作例ではAdobe Fontsに収録されている［Azo Sans Uber］フォントを［フォントサイズ：126pt］と設定して使用しています 02 03。Adobe FontsについてはP.112の「Adobe Fonts とは」をご参照ください。

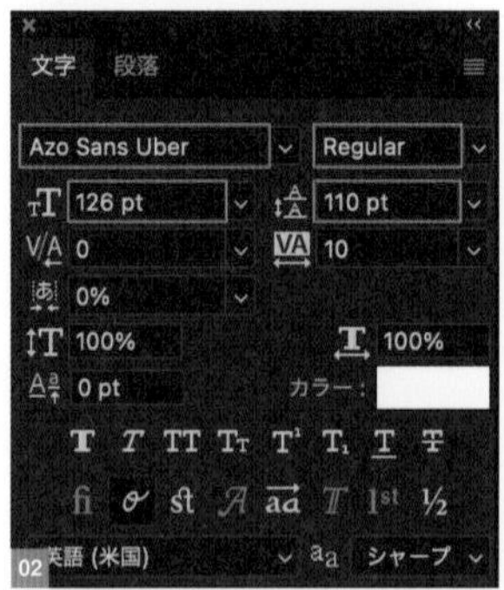

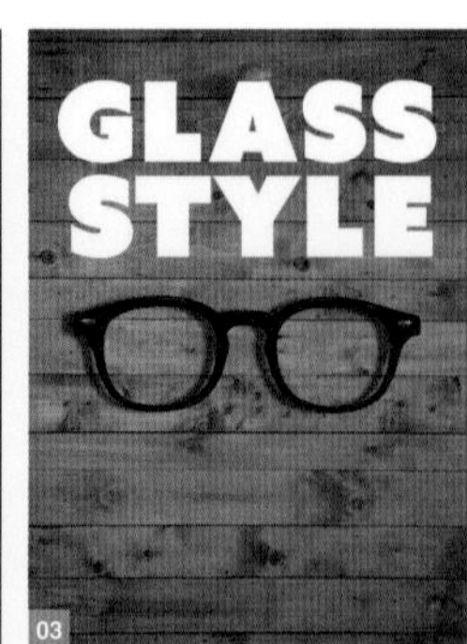

02 | レイヤースタイルで質感を適用する

テキストレイヤー［GLASS STYLE］を選択し、［塗り：8%］とします。

［レイヤースタイル］を表示します。

［ベベルとエンボス］を選択し 04 のように設定します。［陰影］のハイライトのモードは［#ffffff］、シャドウのモードは［#9adce9］とします（以下の水色指定部分は［#9adce9］の色を使用します）。

レイヤースタイル左側の［境界線］を選択し 05 のように設定します。

レイヤースタイル左側の［シャドウ（内側）］を選択し 06 のように設定します。

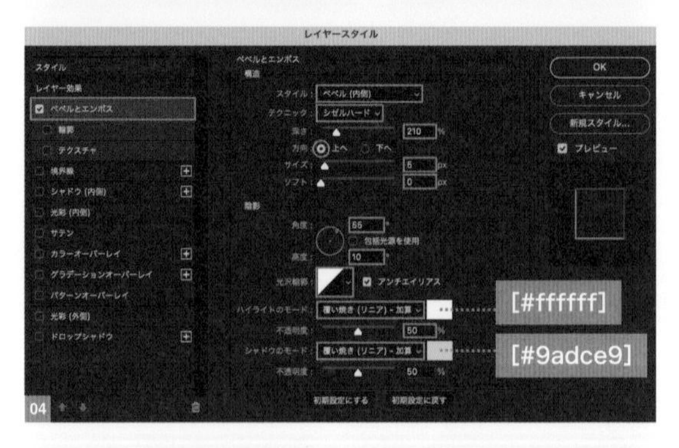

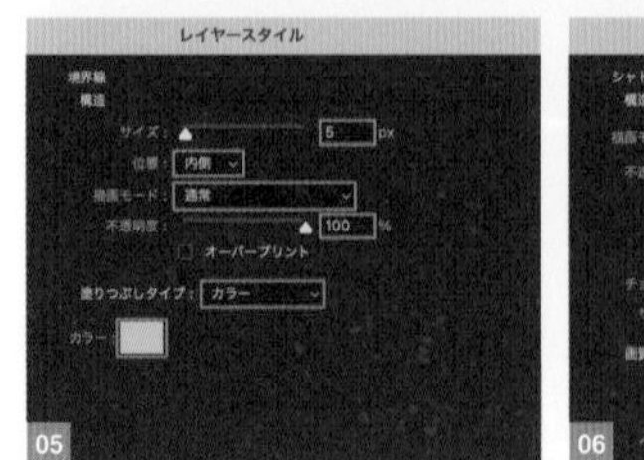

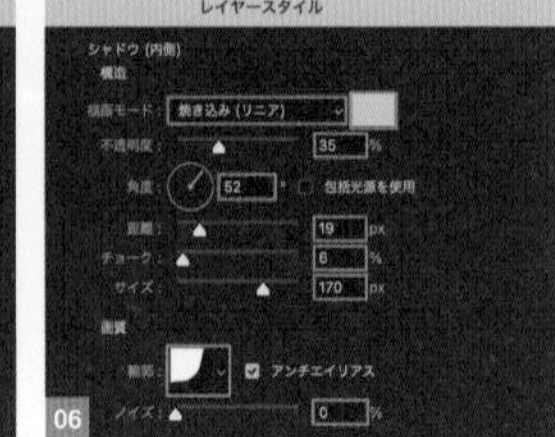

レイヤースタイル左側の［光彩（内側）］を選択し07のように設定します。［画質］の［輪郭］をクリックし［輪郭エディター］を開き08のように設定します。プリセットの［円錐］をベースに調整するとよいでしょう。
レイヤースタイル左側の［グラデーションオーバーレイ］を選択し09のように設定します。
［グラデーション］は［グラデーションエディター］を開き、10のように設定します。
［カラー分岐点］は［#ffffff］を［0%］と［100%］に設定します。［不透明度の分岐点］は［位置：0%：25%：80%：100%］の4か所設定し、左から［不透明度：0%：30%：70%：0%］とします。なお、このグラデーションは素材［ガラスの板.grd］で追加することができます（P.60の「グラデーションを追加する」を参照）。
レイヤースタイル左側の［ドロップシャドウ］を選択し11のように設定します。ガラスの板のような質感が適用されました12。

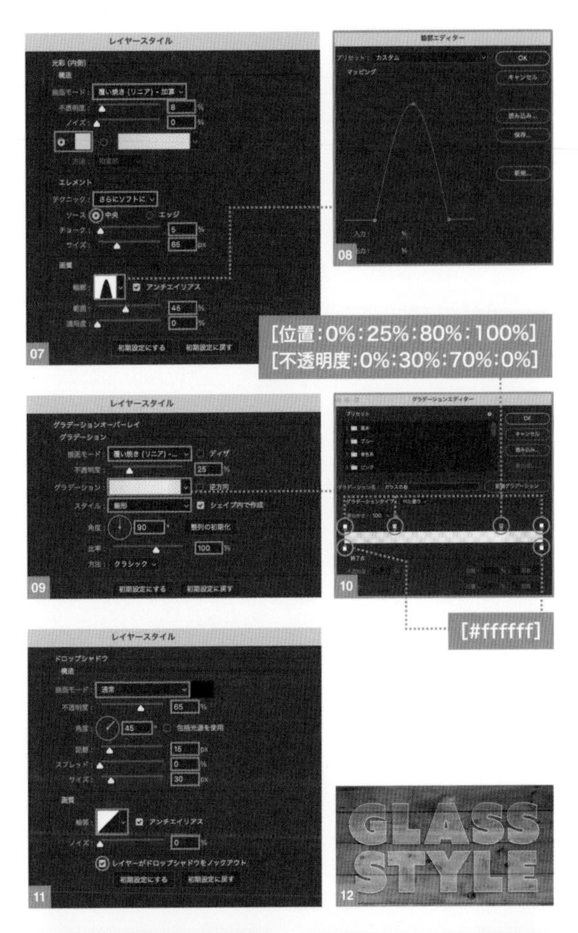

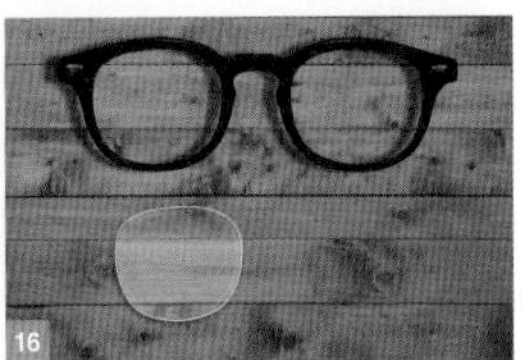

03 ｜ レンズを作成する

新規レイヤー［レンズ］を作成します。
［自動選択ツール］を使い、レイヤー［眼鏡］のレンズ部分を選択します13。
レイヤー［レンズ］を選択し、［塗りつぶしツール］で塗りつぶします14。
好みの位置にレイアウトします15。
レイヤー［GLASS STYLE］を選択し、［右クリック］→［レイヤースタイルをコピー］します。
レイヤー［レンズ］を選択し、［右クリック］→［レイヤースタイルをペースト］します16。
反対のレンズも同様に作成し完成です17。

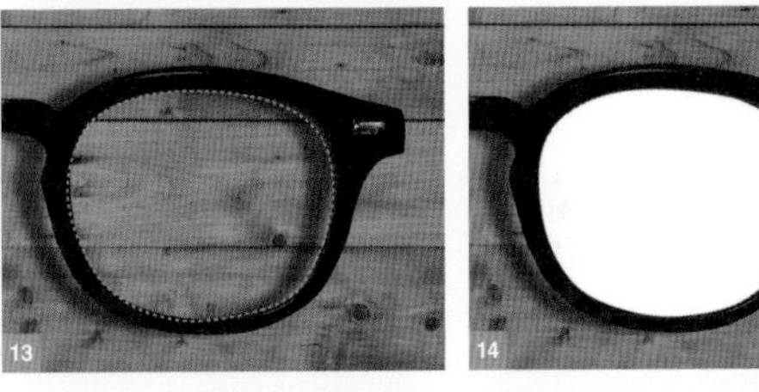

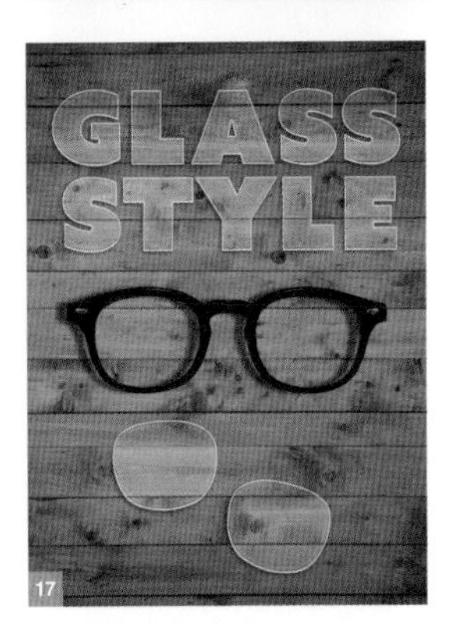

Ps

丸みのあるガラスを作る no.017

一からガラス玉を作成し、スノードームを表現します。

Point 逆光の設定とレベル補正を丁寧に行う

How to use ガラス玉の表現に

01 楕円形ツールでスノードームのベースを作成する

素材［背景.psd］を開きます。素材ではあらかじめ、スノードームの土台と影をレイヤー分けしています 01。
ツールパネルより［楕円形ツール］を選択し 02、正円を作成します 03。

memo

Shift キーを押しながらドラッグすると正円になります。option（Alt）キーを押しながらドラッグすると円が中心点から作成することができます。

02 | レイヤースタイルで透明な球体を作る

レイヤー［楕円形1］を選択し、［塗り：0%］とします。
［描画色：#ffffff］を選択した状態で、［レイヤースタイル］を開き、［境界線］を 04 のように設定します。
レイヤースタイルの左側［シャドウ（内側）］を選択し 05 のように設定します。描画モードのカラーは［#494949］06、［輪郭］は［半円］とします。
レイヤースタイルの左側［光彩（内側）］を選択し、07 のように設定します。
レイヤースタイルの左側［グラデーションオーバーレイ］を選択し、08 のように設定します。［グラデーション］はプリセットの［描画色から透明に］を選択し確定させます 09。［OK］をクリックし確定させます。立体的な円ができました 10。

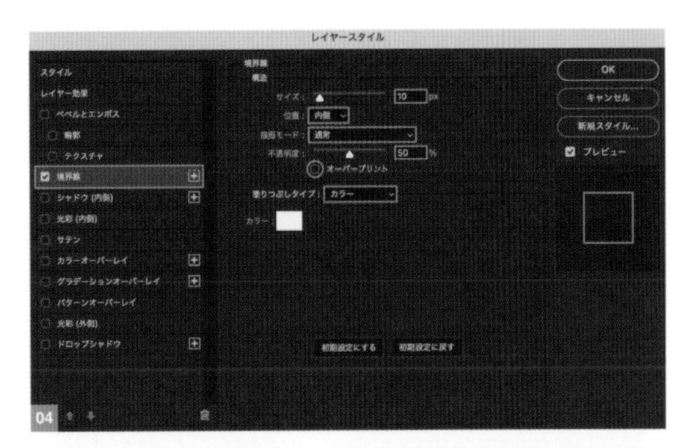

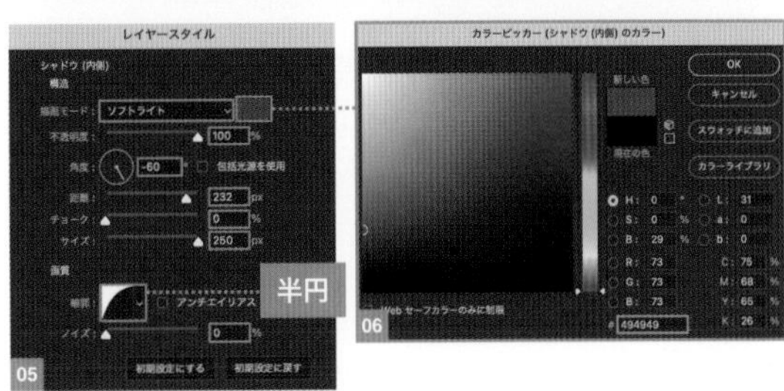

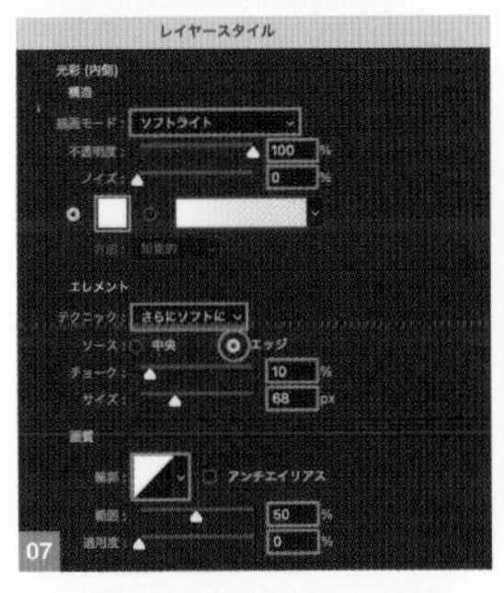

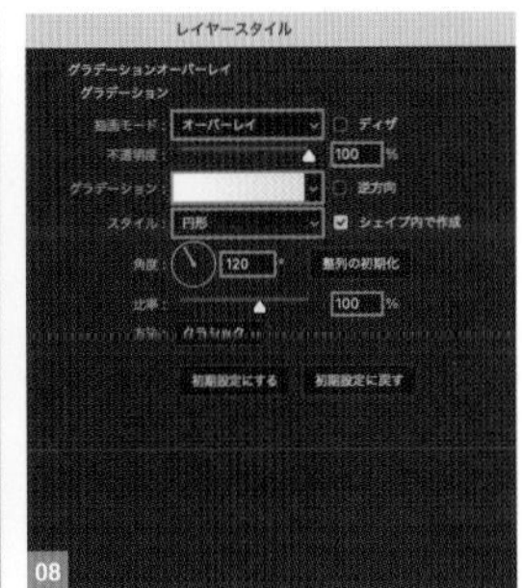

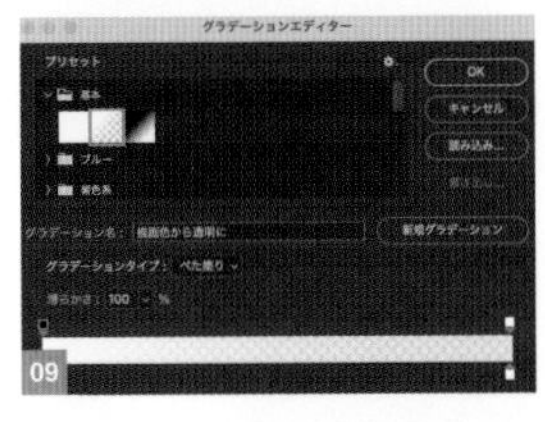

03 | 球体に光を追加する

最上位に新規レイヤー［光］を追加します。
カンバス中央に［長方形選択ツール］で正方形の選択範囲を作成し、［塗りつぶしツール］を選択し、［#000000］で塗りつぶします 11 12。
選択範囲が作成された状態のまま［フィルター］→［描画］→［逆光］を選択します 13。
［レンズの種類：50-300mmズーム］［明るさ：150%］とし、14 を参考に、光の中心を内側にドラッグして調整します。

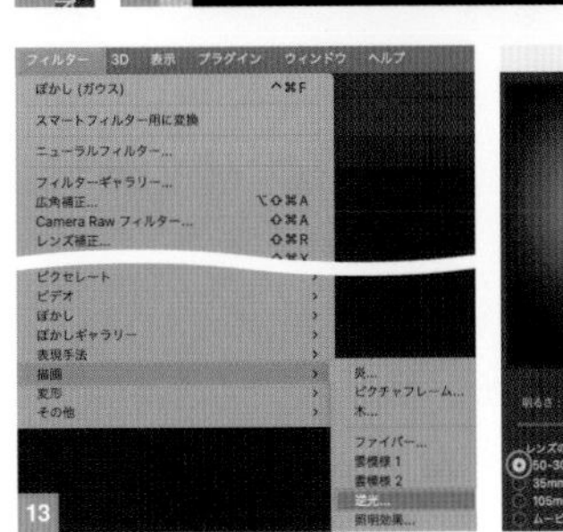

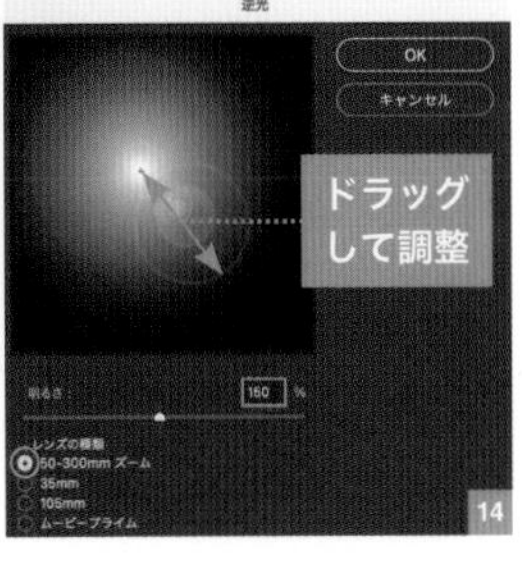

04 ┃ 球体の光を強調する

[フィルター] → [変形] → [極座標] を選択し15、[直交座標を極座標に] にチェックして [OK] します16 17。
レイヤー [楕円形 1] のサムネールを⌘ (Ctrl) キー+クリックし、選択範囲を作成します18。
レイヤー [光] を選択し、レイヤーパネルから [レイヤーマスクを追加] を選択します19 20。
[レイヤーマスクのレイヤーへのリンク (鎖マーク)] を外して、レイヤーサムネールを選択、[編集] → [自由変形] を使い回転させて光の位置を整えます21。
[描画モード：スクリーン] とします22。
[レベル補正] を選択し23のように設定し、光を強調します24。

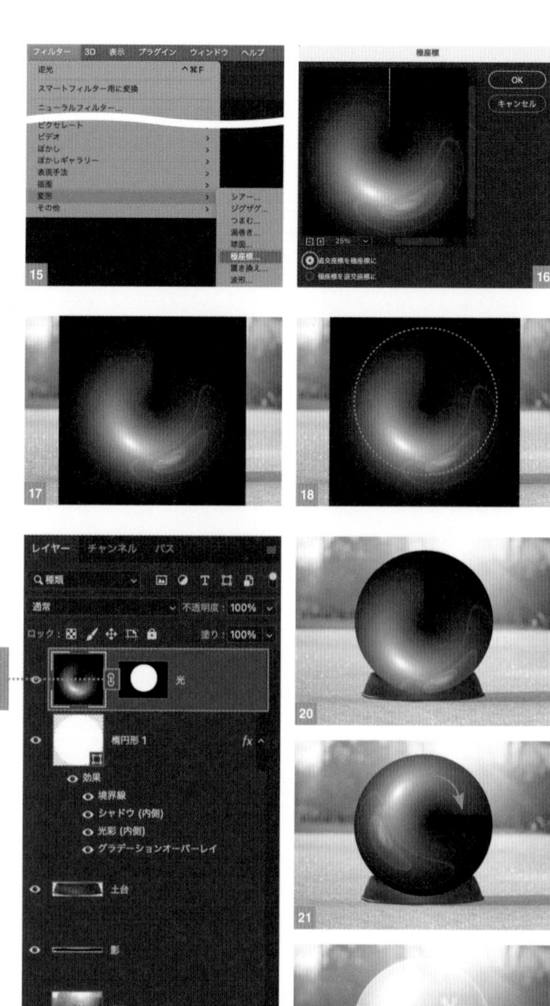

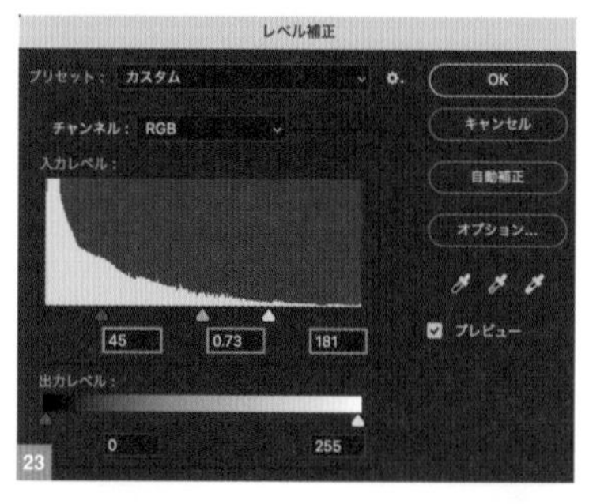

05 | 雪だるまを配置する

素材［雪だるま.psd］を開きレイヤー［土台］の上位に配置し、スノードームの中に配置するように大きさを調整しつつレイアウトします 25。
位置が決まったら、レイヤー［楕円形 1］のサムネールを ⌘ （Ctrl）＋クリックで選択範囲を作成します。ガラスの厚みを考え、［選択範囲］→［選択範囲を変更］→［縮小］、［縮小量：50pixel］と設定したのち 26 27、レイヤーパネルから［レイヤーマスクを追加］を選択します 28。
雪だるまに立体感を付けたいので、［レイヤースタイル］を開き、［ベベルとエンボス］を選択し、29 のように設定します 30。

25

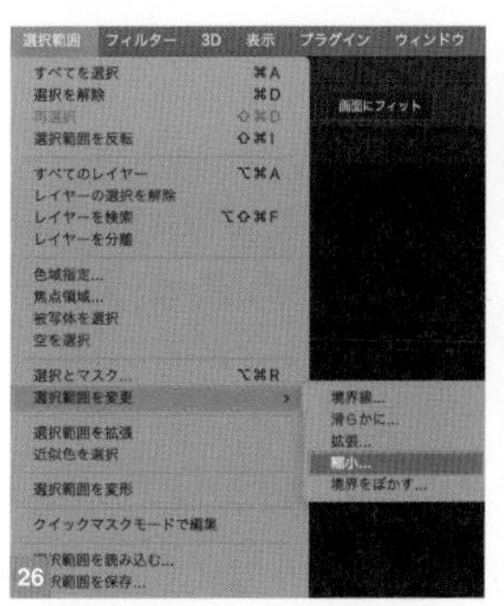

26

27
28

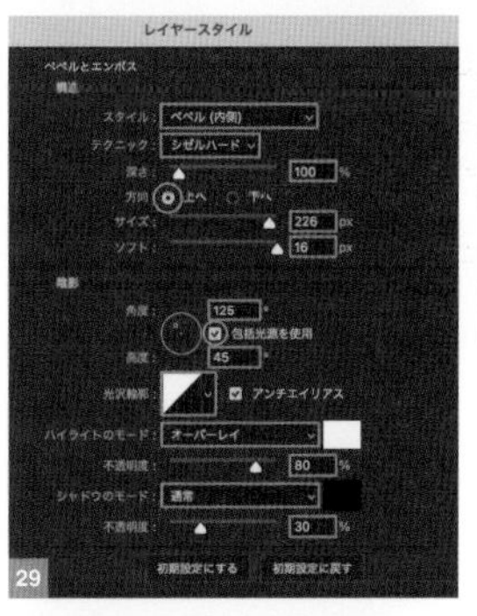

29

30

06 | 土台部分をマスクして完成

レイヤー［光］［楕円形1］［雪だるま］をグループ化しグループ名［スノードーム］とします 31。
32 のように［ペンツール］や［なげなわツール］を使い、土台にスノードームが収まるようにイメージしながら、選択範囲を作成します。グループ［スノードーム］を選択し、レイヤーパネルから［レイヤーマスクを追加］とし完成です 33。
作例ではP.48の「雪のデザインを作る」で使用した［雪ブラシ.abr］のブラシを使って、雪を追加しました。

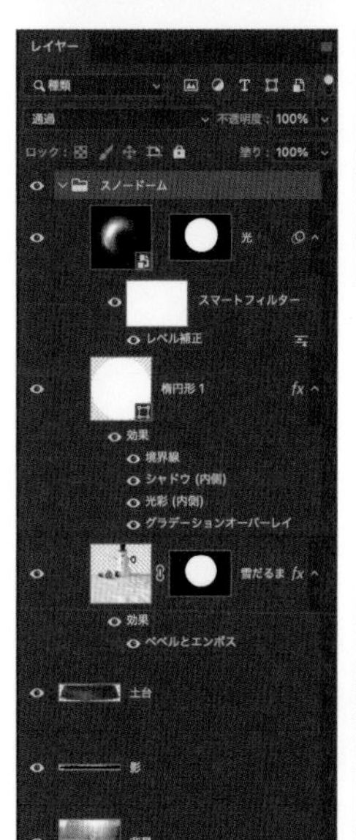

31

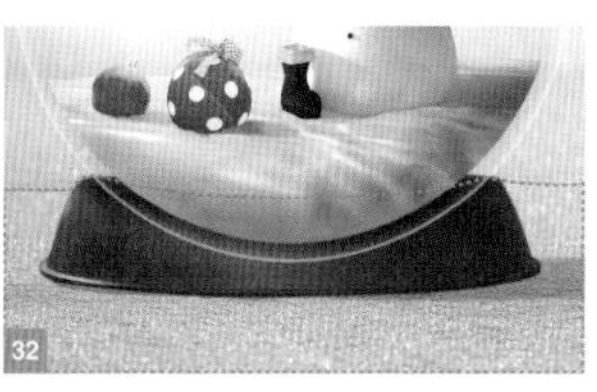
32

33

Ps

雷のデザインを作る　no.018

フィルターの雲模様を使って雷のデザインを制作します。

Point　雷のパーツは太さや不透明度を変える

How to use　リアルな雷の表現に

01 雷のレイヤーを作り描画色と背景色を設定する

素材［背景.jpg］を開きます。新規レイヤーを作成し、［雷］とします 01。

ツールパネルから［描画色：#000000（黒）］［背景色：#ffffff（白）］としておきます 02。なお、［描画色と背景色を初期設定に戻す］ボタンをクリックすると簡単に設定することができます。

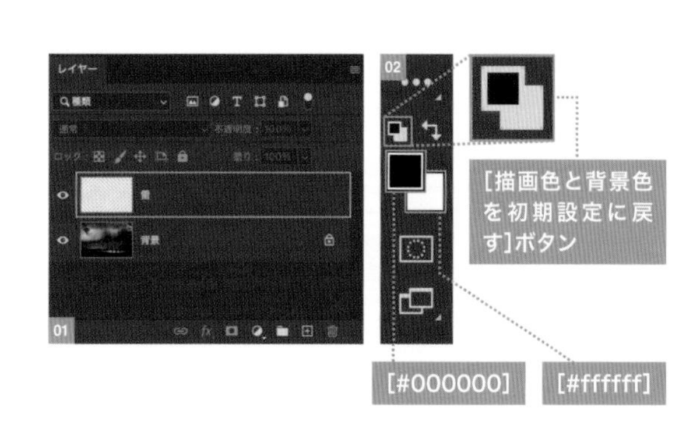

02 | 雲模様を使って雷のベースとなる素材を作成する

[フィルター]→[描画]→[雲模様1]を選択します 03 04。さらに[フィルター]→[描画]→[雲模様2] 05 を選択します 06。

memo

フィルター[雲模様]は毎回ランダムに作成され、同じ形にはなりません。形がイメージと合わなければ何回か作成するといいでしょう。

03 | カラーを反転し、明度を調整して雷のようなシャープなラインを作成する

[イメージ]→[色調補正]→[階調の反転]を選択します 07。雷のような白いラインがうっすらと現れます 08。
[イメージ]→[色調補正]→[レベル補正]を選択します 09。入力レベルを[200/0.1/255]とします 10 11。
うっすらとあった白いラインを強調するように、極端にコントラストを高めています。これで雷となる素材ができました。

04 | 雷のパーツを切り分ける

[なげなわツール]などの選択ツールを用いて、雷のパーツとして使いたい部分の選択範囲を作成します 12。そのまま[右クリック]→[選択範囲をコピーしたレイヤー]を選択します 13 14。
レイヤー[雷]は一旦非表示にします。作成したレイヤー[レイヤー1]を選択し、描画モード[スクリーン]とします 15。スクリーンにすることで、黒い部分が見えなくなり、白いラインだけが残ったように見えます。これを雷パーツとして利用します 16。

memo

描画モード[スクリーン]は背景が暗い画像であれば、花火や月、星空などを簡単に合成することができます。

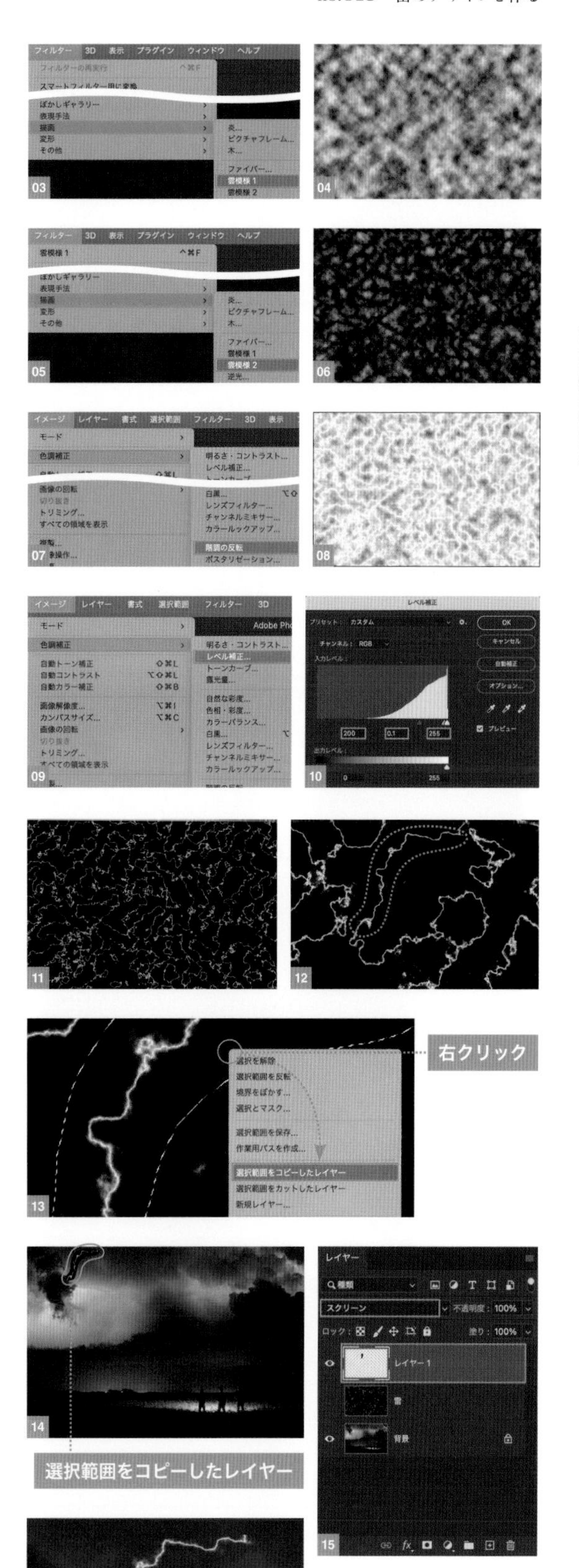

05 | 雷のパーツを切り分けてレイアウトする

手順3の作業を繰り返して、複数の雷のパーツを作成します17。好みでいくつかの素材を組み合わせて18のような縦長の雷を作ります。
さらにパーツを作成したりコピーしたりしながら増やします。[編集]→[自由変形]19を使ってサイズを小さくし、20のように枝分かれした細いラインを作成し配置します。枝分かれしたパーツは[不透明度：40%]としてなじませます21。
この手順を繰り返し22のように雷をデザインします。
雲のエッジの部分や、地平線より下にかかっている部分は[消しゴムツール]で削除します23。

memo

この時点でたくさんの雷のパーツとレイヤーを作成することになります。もしレイヤーパネルが見にくい場合は[グループ化]し、グループ名を[雷]などにしておきましょう24。

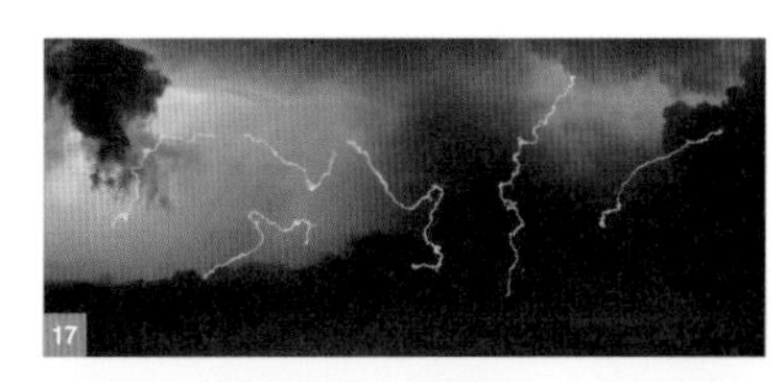
17

18 19

20 21

22 23

06 | 雷全体に光を加える

最上位に新規レイヤー[光1]を作成し、描画モード[オーバーレイ]とします25。
ツールパネルから[ブラシツール]を選択、[ソフト円ブラシ][描画色：#ffffff]を選択し、[ブラシサイズ：150px][不透明度：30%]程度に設定します26。
雷の縦ラインに沿って描画します27。不透明度が低いので、好みの具合になるまで何度か重ね塗りすることができます。
さらに新規レイヤー[光2]を作成し、描画モード[オーバーレイ]とします。
ブラシの設定はそのままで、雷と雲の境目や地平線との境界、そして雷自体が屈折している部分などに、ストロークせずに点で置くように数回に分けて描画します28。雷のデザインが作成できました29。

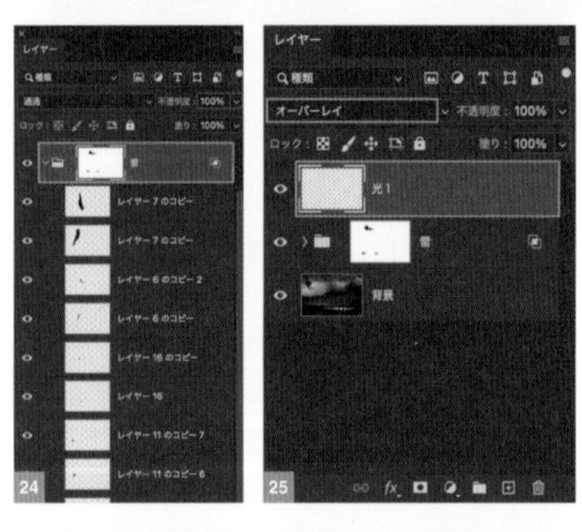

24 25

26

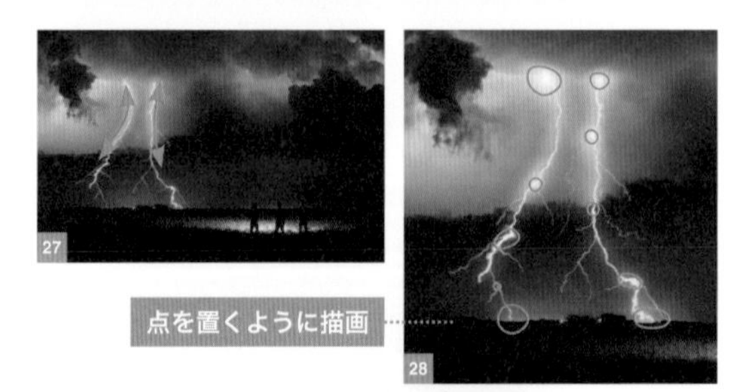

27 28

29

手描きに見える加工をする

油絵、墨汁、水彩、鉛筆、ペンキ、クレヨン、インク、スプレーなど、
手描きの質感を作っていきます。フィルターの重ね合わせ、ブラシ、
指先ツールなどを使い手描き感を再現する方法を学びます。

Chapter 03

Hand-painted effect design techniques

Ps

油絵のようなデザインを作る　no.019

写真を使って、カンバスに描かれたようなリアルな油彩画を表現します。

Point　ゆがみとフィルターを組み合わせた表現

How to use　リアルな質感の油彩絵画の表現に

01 ┃ 指先ツールの設定をする

素材［カンバス.psd］を開きます。ツールパネルから［指先ツール］を選択し、［直径：80px］［平筆　短毛　硬毛］を選択します 01 02。
オプションバーを［強さ：75%］と設定します 03。

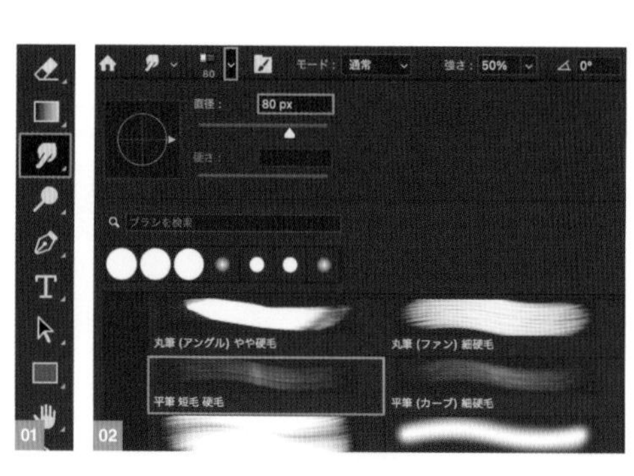

02 ｜ ゆがみツールで油彩のようなタッチを加える

レイヤー[dog]を選択し、犬の毛並みを意識して[指先ツール]でゆがみを加えていきます 04。
ゆがみを加える部分に合わせてブラシサイズを変えながら作業しましょう。
あまり繊細に行うと絵の質感がわかりにくくなるため、[ゆがみ]のストロークがわかるように進めます 05。

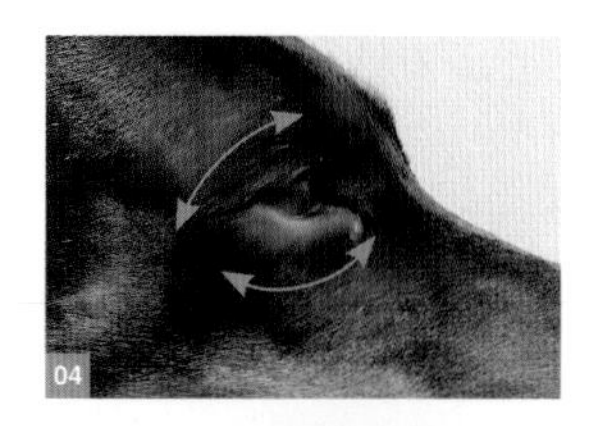
04

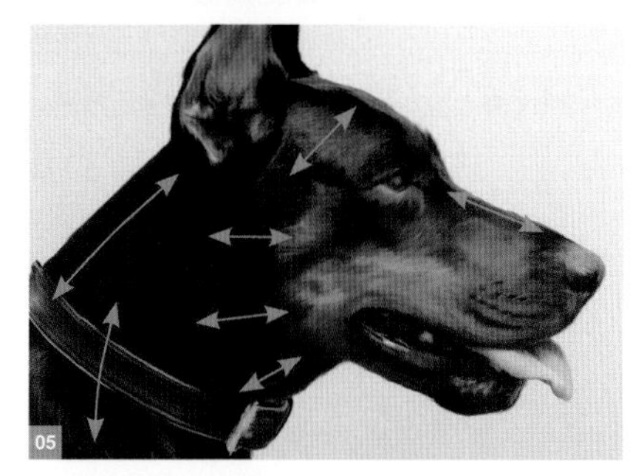
05

03 ｜ 油彩フィルターで立体感を追加する

[フィルター]→[表現手法]→[油彩]を選択し 06、07 のように設定します。
油絵の具の立体感が加わりました 08。
レイヤー[dog]をダブルクリックし[レイヤースタイル]を表示します。
[レイヤー効果]を選択し、[ブレンド条件]の[下になっているレイヤー]を[0：235/250]とします 09。
右側の調整ポイントの少し左で option（Alt）キーを押しながらドラッグすると、調整ポイントが分割されます。
カンバスとなじみました 10。

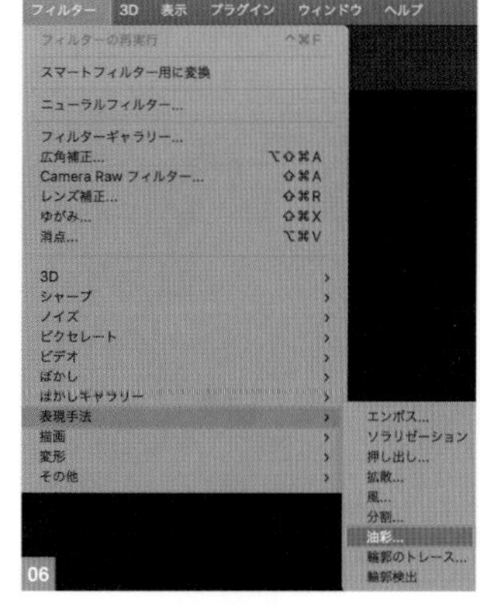

06

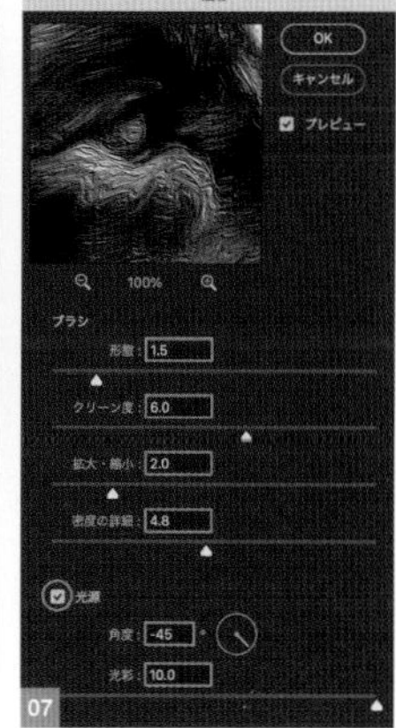

07

08

10

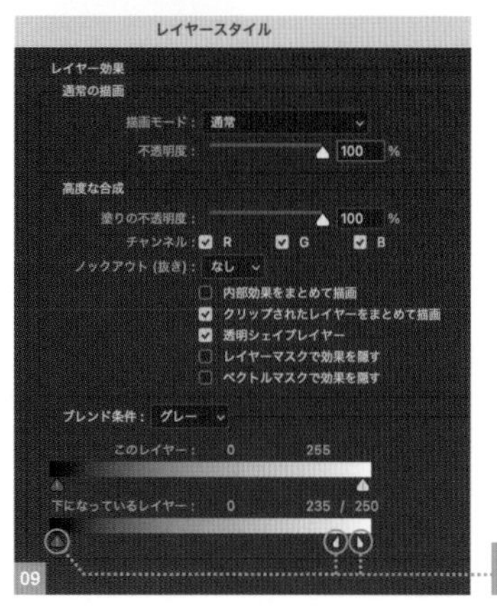

09

[0：235/250]

04 | ブラシで文字を追加して完成

最上位に新規レイヤーを追加し、[ブラシツール] を選択します。
[直径：20px]、プリセットの [丸筆 中硬毛]、[描画色：#b5942d] とし 11、カンバスの右下に「Oil Paint」と書きます 12。画面を拡大させ丁寧に書くといいでしょう。
[レイヤースタイル] を開き、[ベベルとエンボス] を 13 のように設定します。
[光沢輪郭] はプリセットの [リング - 二重] を使用しています。文字に立体感を付けて完成です 14 15。

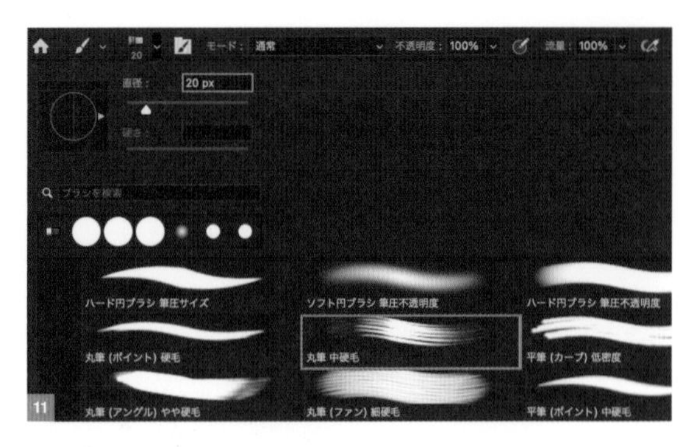

11

12

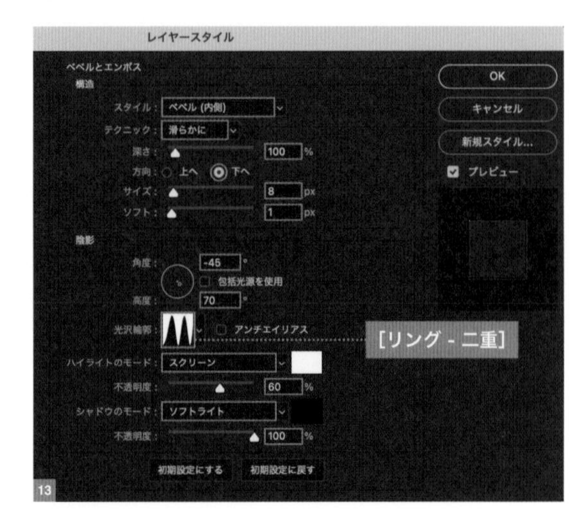

13

14

15

Ps

墨汁のようなデザインを作る　no.020

写真からリアルな墨絵のような作品に加工します。

Point　墨絵風のブラシを使ってマスクをする

How to use　和風のグラフィック全般に

01 ┃ 金魚の画像を配置し反転する

素材［背景.psd］を開きます。素材［金魚.psd］を開き、レイヤー名［金魚］として配置します 01。

［イメージ］→［色調補正］→［階調の反転］を選択します 02 03。

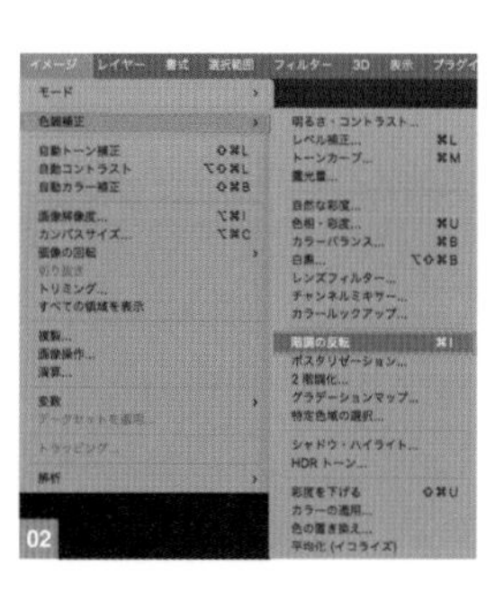

02 ｜ 画像を２階調化する

[イメージ]→[色調補正]→[2階調化]を選択し、[2階調化する境界のしきい値：190]とします 04 05。2階調化しました 06。

レイヤー[金魚]を[描画モード：乗算]とし、背景となじませます 07 08。

04

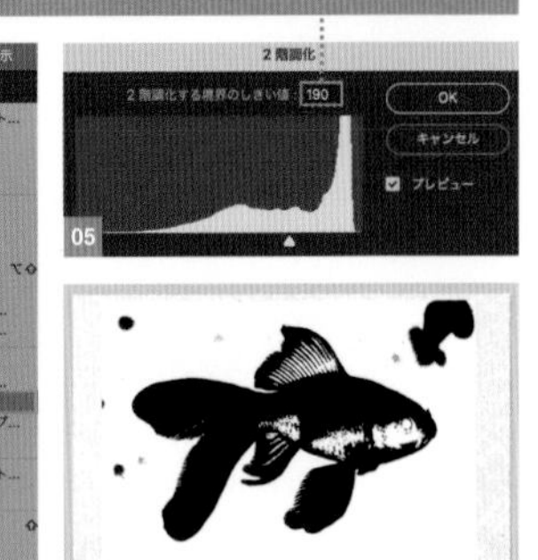

05
06

07

08

03 ｜ 墨絵風のブラシを作成する

金魚周辺の不要な部分を[消しゴムツール]を使い削除します 09。

[ブラシツール]を選択し、[ソフト円ブラシ]を選択します 10。

[ブラシ設定]パネルを開き、[ブラシ先端のシェイプ]を選択し、[直径：100px]とします 11。

[シェイプ]を選択し、12 のように設定します。

[デュアルブラシ]を選択し、13 のように設定します。選択したブラシは[Chalk 60 pixels]です。

[その他]を選択し、14 のように設定します。

[ウェットエッジ]にチェックを入れます 15。

にじみとムラ感のある墨のようなブラシができました 16。

09

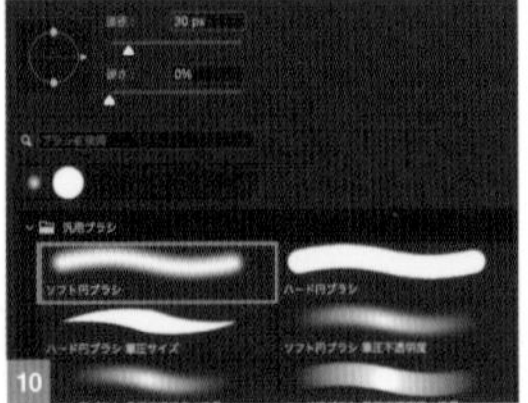
10

11

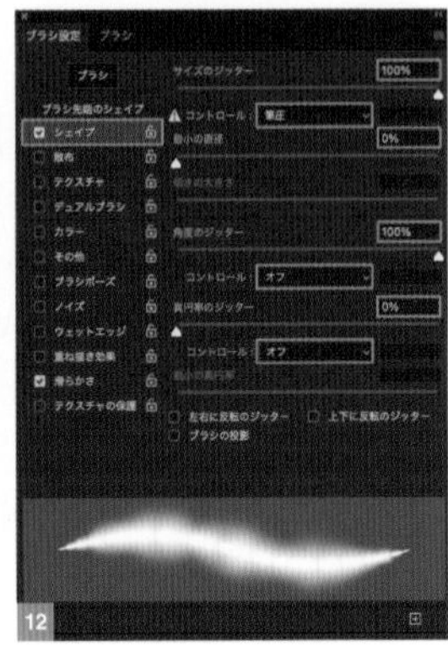
12

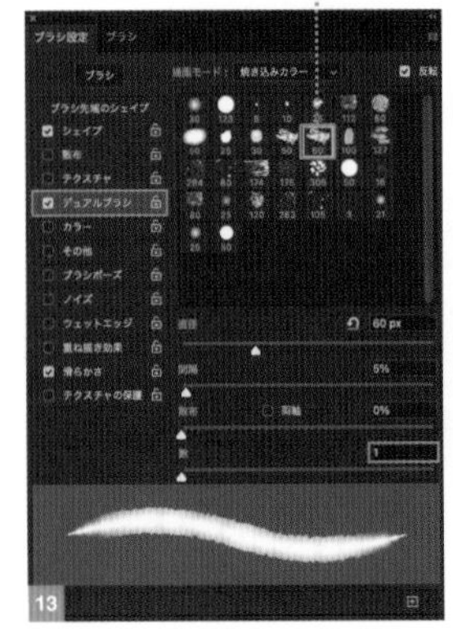

13

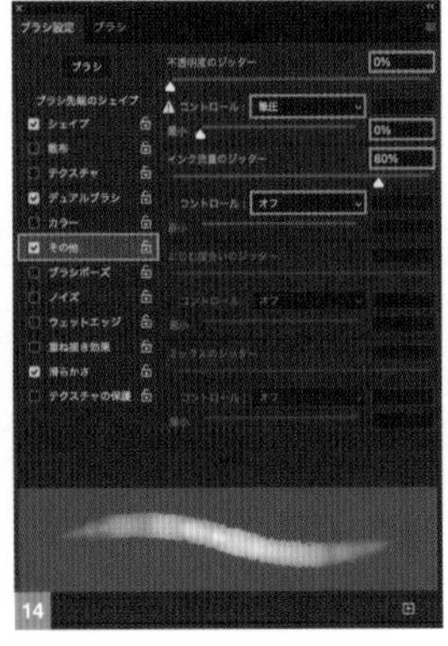
14

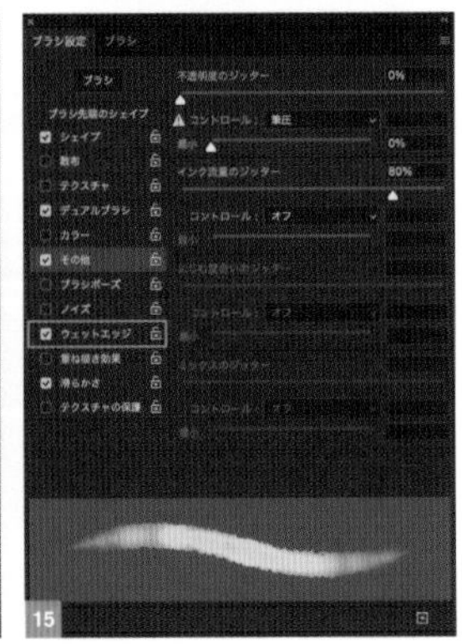
15

16

04 | マスクすることで写真を墨絵風に加工する

レイヤーパネルから、レイヤー［金魚］を選択し、［レイヤーマスクを追加］します 17。
手順03で作成したブラシを使いマスクを追加していきます。ブラシの不透明度を［70%］前後にして、金魚の輪郭からマスクしていくとよいでしょう 18。
金魚の形状や、ヒレの流れを意識して、マスクを追加・削除しながら作業を進めます 19。
最上位に新規レイヤーを追加し、ポイントとなる部分を追加で描画します。
ブラシを［直径：25px］前後の細い線に設定し、好みでオプションバーの［エアブラシスタイルの効果を使用］にチェックを入れて描きます 20 21。
作例では金魚の右下に朱色の印鑑のデザインを入れ完成としました。

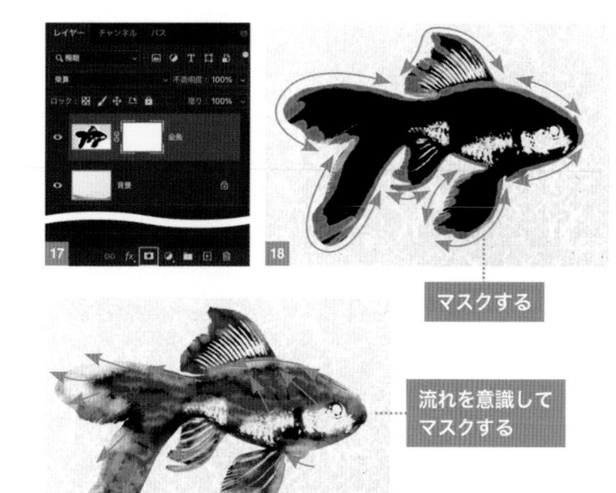

□ column

［墨絵ブラシ（なめらか）］と［墨絵ブラシ（粗い）］

Ps

この節ではブラシは［墨絵ブラシ（なめらか）］と［墨絵ブラシ（粗い）］の2種類用意しています。好みで使い分けてください。

［墨絵ブラシ（なめらか）］
紙に染み込んだようなボケ感のあるブラシです。
柔らかい線や、塗りに使いやすいように作成しました。
水彩のように扱うこともできます。

［墨絵ブラシ（粗い）］
シャープで粗いラインのブラシです。
輪郭や細かな部分をはっきりと描画する際に使いやすいように作成しました。

Ps

水彩のようなデザインを作る no.021

少ない手順で写真を水彩画風に仕上げます。水彩画風のブラシを使って文字を追加します。

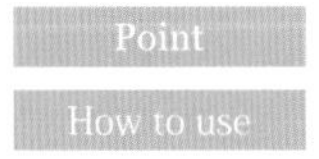

Point フィルター［エッジの光彩］を使った表現

How to use 写真をベースにした水彩画の表現に

01 レイヤーを複製し、スマートオブジェクトに変換する

素材［Beach.psd］を開きます 01 。レイヤーを複製し、複製したレイヤーは上位に配置し、レイヤー名を［フィルター］とします。レイヤー［フィルター］の上で［右クリック］→［スマートオブジェクトに変換］を選択します 02 。

01

02

02 | レイヤー［フィルター］に複数のフィルターをかけ水彩の質感を作る

［フィルター］→［フィルターギャラリー］を選択します。
別ウィンドウが開くのでフィルターの一覧から［表現手法］→［エッジの光彩］を選択し［エッジの幅：1　エッジの明るさ：20　滑らかさ：10］とします 03 04。
［イメージ］→［色調補正］→［階調の反転］を適用します 05。
［イメージ］→［色調補正］→［色相・彩度］を選択し［彩度：-100］とします 06。
輪郭がアナログな質感で強調されたような画像になりました 07。

03

04

05

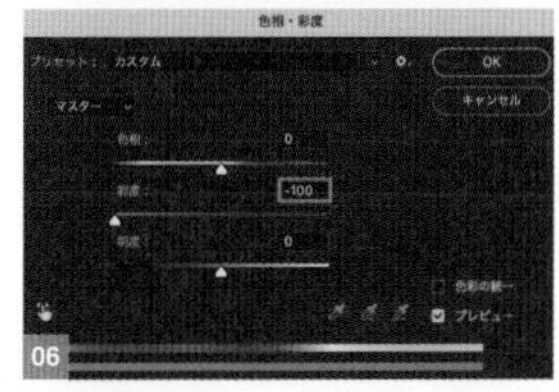
06

07

03 | 描画モードを変え、レイヤー［フィルター］のアナログな質感を加える

レイヤー［フィルター］を選択し、レイヤーのブレンドモードを［乗算］にします。水彩画風のようなざらついた質感になりました 08。
レイヤー［フィルター］のコントラストを調整することで、質感を調整することができます。
ここではもう少し質感を足したいので、［イメージ］→［色調補正］→［レベル補正］を選択し、入力レベルのスライダーを［34：0.60：255］としました 09。
水彩画風の写真に加工することができました 10。

08

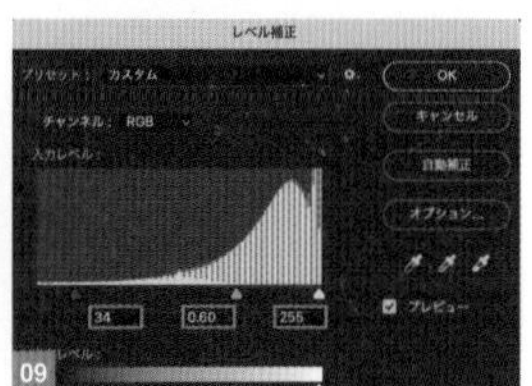
09

04 | 水彩のテクスチャを重ねる

水彩のテクスチャを重ねよりリアルな表現を目指します。
素材［テクスチャ.psd］を開き、最上位レイヤーに配置し、描画モードを［ハードライト］とします。
本物の水彩のテクスチャを重ねることで、よりリアルな表現ができました 11。

10

11

テクスチャ .psd を［ハードライト］で重ねた

05 | 水彩画風のブラシを作成する

最後に、［ブラシツール］を選択し、［ブラシの設定］パネルを開きます。12 のように、［シェイプ］を選択し、［サイズのジッター：100%］とします。［ウェットエッジ］にもチェックを入れ水彩風のブラシを作成します。
最上位に新規レイヤーを作成し、カンバス右下にサイン風に文字を描き完成です 13。

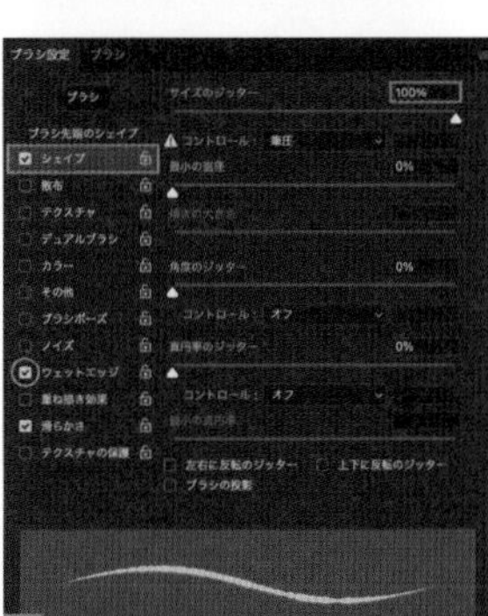
12

ブラシで文字を手描き

13

memo

添付のブラシ（水彩ブラシ.abr）は、柔らかい質感の水彩ブラシと硬い質感の水彩ブラシを用意しています。シーンに合わせて使い分けてください。

Ps

no. 022

浮世絵風のデザインを作る

ニューラルフィルターを使って手軽に浮世絵風のデザインを作成します。

Point	ニューラルフィルターのスタイルにあったベース画像を選ぶ
How to use	様々なアーティスト風の表現を手軽に

01 ｜ ニューラルフィルターを選択する

素材［風景.jpg］を開きます 01。
［フィルター］→［ニューラルフィルター］を選択します 02。
専用のウィンドウが表示されるので、［おすすめ］→［スタイルの適用］を選択します 03。

□ *memo*

ニューラルフィルターは3つのカテゴリーがあります。

●おすすめ
一定の基準を満たしリリースされたフィルター。安定した出力結果が期待できます。

●ベータ
テスト用のフィルター。出力が予想に反する場合があります。

●待機リスト
将来的に利用可能になる可能性があるフィルター。気になるフィルターがあれば［興味があります］ボタンで投票することができます。

01

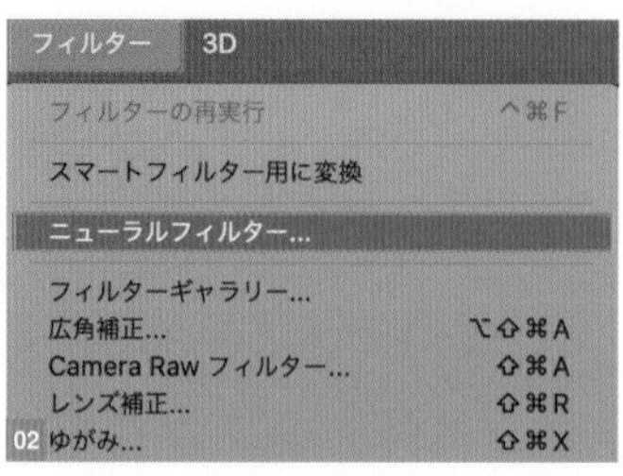

02

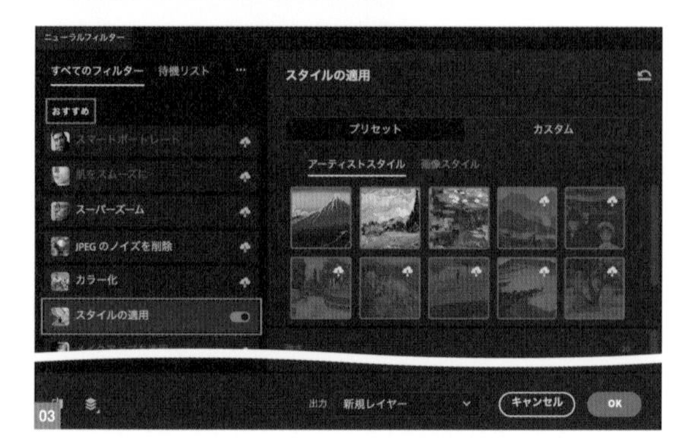

03

□ *column*

ニューラルフィルター使用方法

ニューラルフィルターは初期の状態ではフィルターのデータが反映されていないことがあります。
その際はクラウドのアイコンの［このフィルターをダウンロードする必要があります］もしくは［ダウンロード］をクリックし、フィルターをダウンロードしてください。

［このフィルターをダウンロードする必要があります］をクリック

02 | アーティストのイメージを選択する

右側に様々なアーティストのイメージが表示されます。各イメージを選択するだけでスタイルが反映されます。
[スタイルの適用]→[プリセット]→[画像スタイル]を選択し、葛飾北斎の[富嶽三十六景 神奈川沖浪裏]のイメージを探して選択します 04。
スタイルが適用されます。

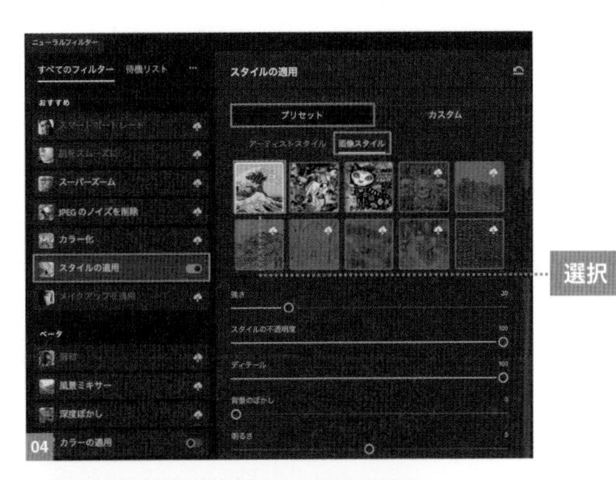

04

03 | スタイルの具合を調整する

作例では、[強さ:50][ディテール:15][明るさ:+20][彩度:+10]としました 05。
波をはっきりと表現したかったので、ディテールを低い数値で設定しています。また、スタイルによって明るさと彩度が低くなってしまったので、プラス側に調整しています 06。
[OK]をクリックし確定します。

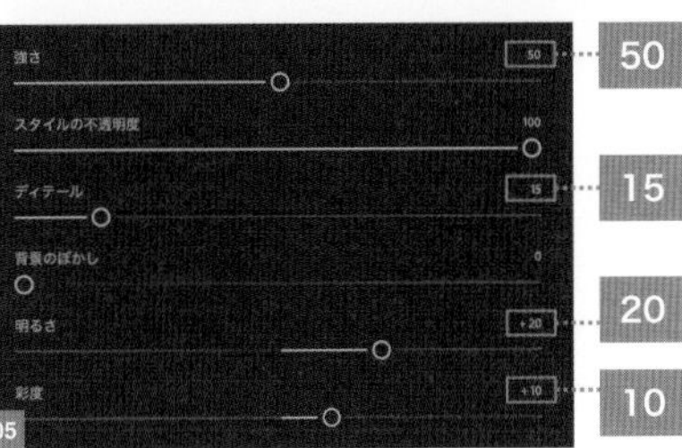

05

06

□ memo

各スライダーの内容を紹介
[強さ]はスタイルの適用具合。
[スタイルの不透明度]は不透明度。
[ディテール]はスタイルを適用するディテールの細かさ。
[背景のぼかし]はボケを加える。
[明るさ]明るさを調整する。
[彩度]彩度を調整する。

04 | シャープにして完成

よりはっきりとした印象に仕上げたいので、[フィルター]→[シャープ]→[アンシャープマスク]を選択します 07。
[量:100%][半径:1.5pixel][しきい値:10]で適用します 08。
以上のようにとても簡単な手順で浮世絵風のイメージに加工することができました 09。

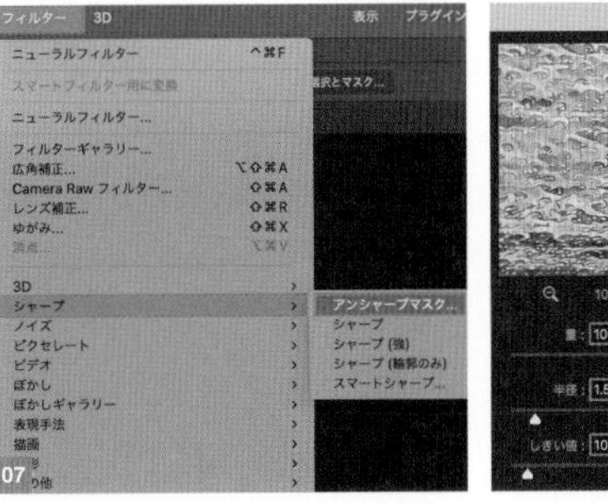

07

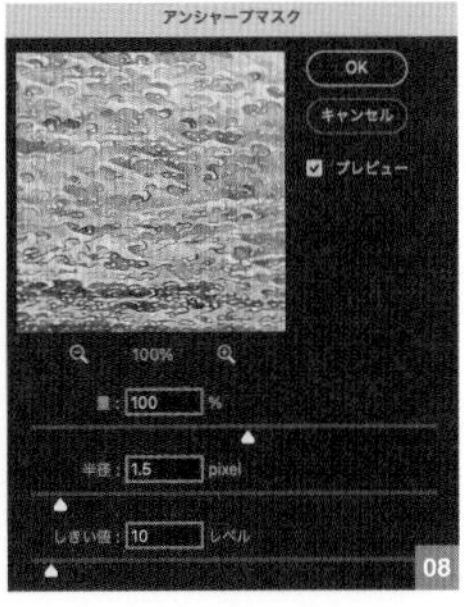

08

09

01 ｜ 写真を白黒にする

素材［人物.psd］を開きます。レイヤーを上位に複製し、レイヤー名［フィルター］とします 01 。

［塗りつぶしまたは新規調整レイヤーを新規作成（以下、新規調整レイヤーと表記）］を選択し、最上位に調整レイヤー［白黒1］を追加します 02 。この調整レイヤー［白黒1］は常に最上位に配置しておきます 03 。

元画像

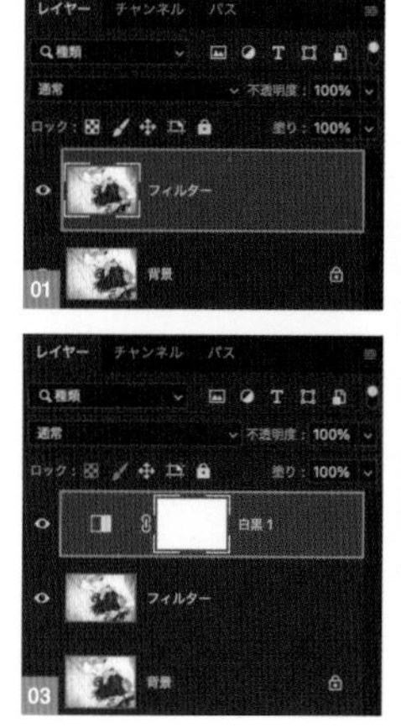

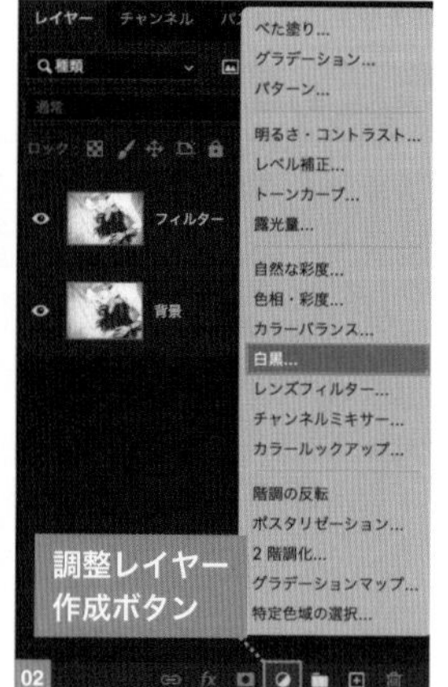

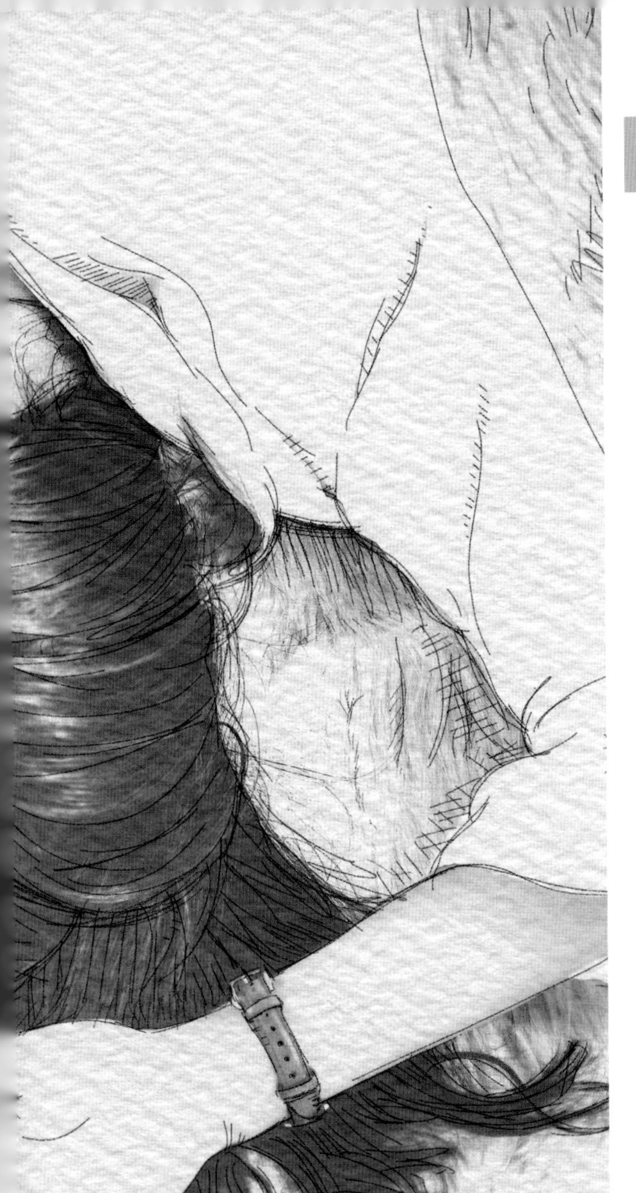

Ps

no.023
鉛筆線のデザインを作る

写真と線画を組み合わせて鉛筆線のようなイラストレーションを作成します。

Point	写真を丁寧にトレースすることでクオリティの高い線画が作成できる
How to use	リアルな鉛筆線のイラストが必要な際に

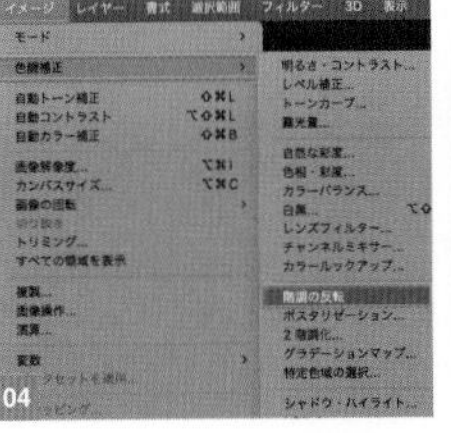

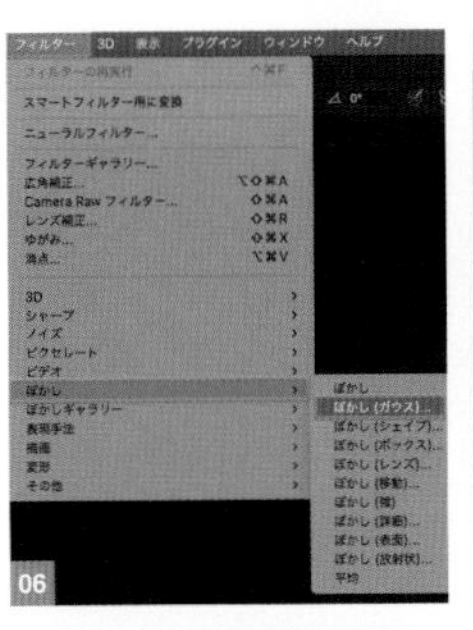

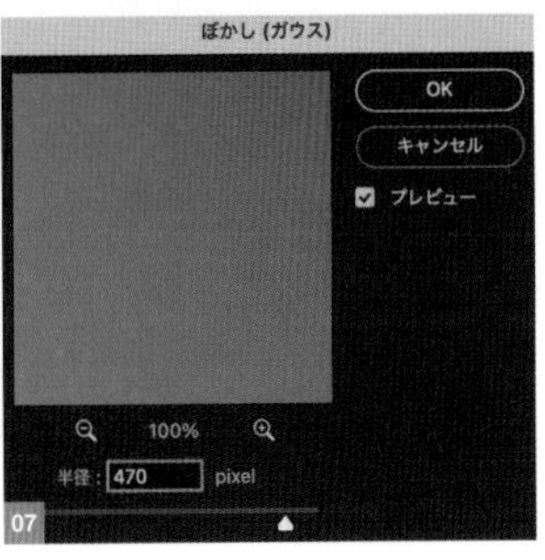

02 | 画像を整え、線画の下地を作成する

レイヤー［フィルター］を選択し、［イメージ］→［色調補正］→［階調の反転］を選択します 04 05。
［フィルター］→［ぼかし］→［ぼかし（ガウス）］を選択し［半径:470 pixel］で［OK］をクリックし適用します 06 07。
レイヤーの描画モードを［覆い焼きカラー］とします 08 09。

03 ｜ ブラシを設定する

フィルターの上位に新規レイヤー［線画］を作成します10。
［ブラシツール］を選択します11。ブラシはプリセットの［鉛筆］［直径：10px］とします12。もし［鉛筆］のブラシがうまく表示されない時は下のmemoをご確認ください。
描画色［#000000］を選択し、人物の輪郭や髪・ラグの毛の流れに沿って線を描きます。
オプションバーの滑らかさは、［30〜60%］あたりで描きやすいポイントを使用してください13。
顔のラインや、服のしわなどは、レイヤー［フィルター］の効果で白飛びしているので、境界が見つけにくい場合は、レイヤー［フィルター］を表示・非表示と切り替えて作業しましょう14。

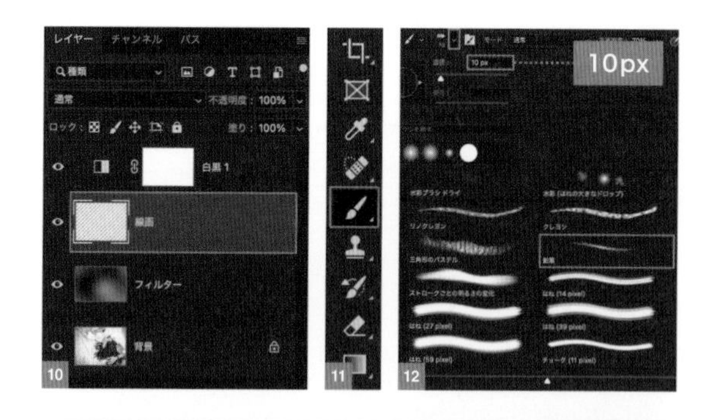

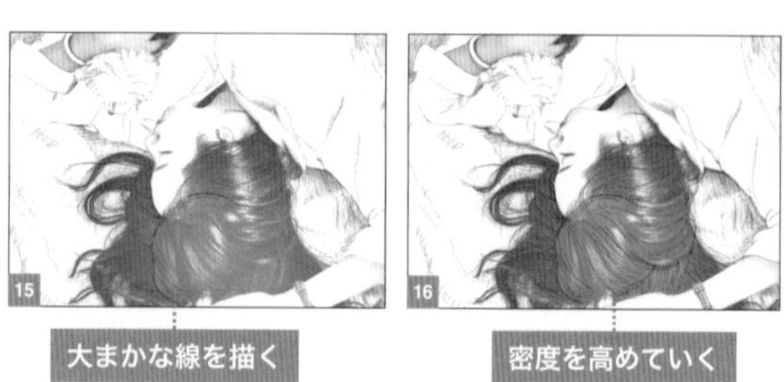

memo

Photoshopのブラシはバージョンにより場所が変更することがあります。
もし「鉛筆」などのブラシが見つからない場合は［ウィンドウ］→［ブラシ］のパネルから［レガシーブラシ］を選択し、ブラシのセットをリストに読み込んでください。その後、［ブラシを検索］で検索をかけると見つかります。

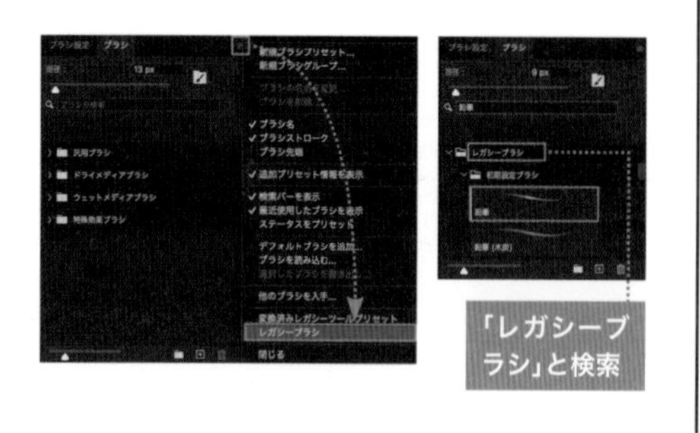

04 ｜ ブラシで輪郭を描く

一旦大まかな線を描きます15。
さらに髪の毛など黒が強い部分は密度高めで描きます。特に顔周りは丁寧に、線の美しさを意識して描きます16。線がぶれてしまう場合は⌘（Ctrl）＋Zキーを使い何度か描き直したり、［滑らかさ］の数値を高くしたりして調整しましょう。

05 ｜ テクスチャを追加して完成

線画だけの状態は17のようになります。アナログ感が強いイラストが目的の場合はこの時点で線画の完成です。好みで着色などを行ってもいいでしょう。
作例では素材［画用紙.psd］を開き、調整レイヤー［白黒1］の下位に配置し、［描画モード：焼き込み（リニア）］としました18。
紙の質感が追加されて完成です19。

Ps

色鉛筆で写実的に描いたようなデザインを作る　no.024

色鉛筆で写実的に描かれた絵のような質感を再現します。

Point　重ねた２つのレイヤーのずれを利用する

How to use　写実的に描いた色鉛筆のような表現に

01 | レイヤーを複製し加工する

素材［猫.jpg］を開きます。
レイヤーを複製し、レイヤー名［質感］とし上位に配置します 01 。
レイヤー［質感］を選択し、描画モード［覆い焼きカラー］とします 02 03 。

01

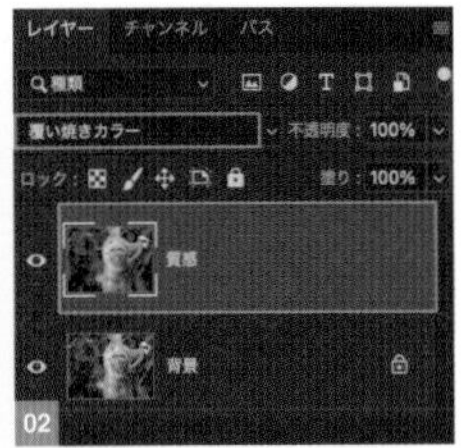

02

03

02 | 階調を反転させ、ぼかしを加えて輪郭を出す

[イメージ] → [色調補正] → [階調の反転] を選択します 04 05。レイヤー [質感] を選択し、[フィルター] → [ぼかし] → [ぼかし（ガウス）] を選択します 06。[半径：20pixel] とし [OK] とします 07 08。

2つのレイヤーがぴったりと重なって、ほぼなにも見えない状態でしたが、輪郭がぼやけてずれが発生することで柔らかな輪郭になります。

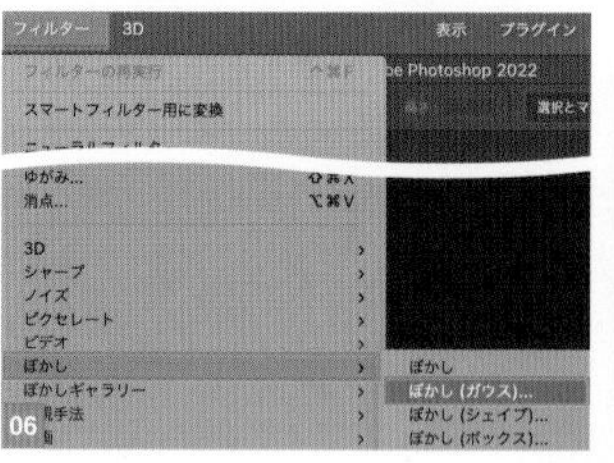

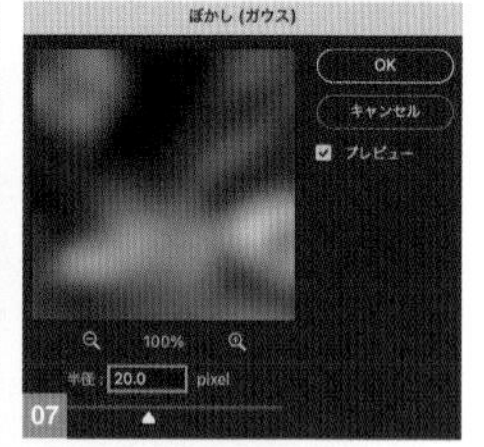

03 | 輪郭にざらついた質感を加える

レイヤー [質感] を選択し、[フィルター] → [フィルターギャラリー] を選択します 09。

新しいウィンドウが表示されるので、[ブラシストローク] → [はね] を選択します。

右側のメニューを [スプレー半径：25] [滑らかさ：1] とします 10。

この設定で輪郭にざらついた質感を加えることができます 11。

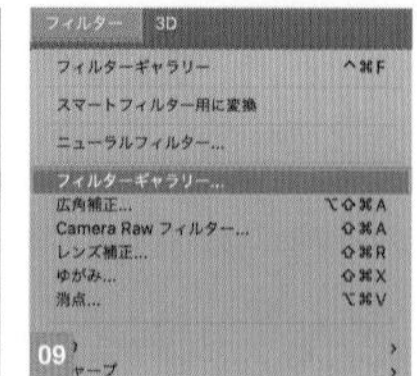

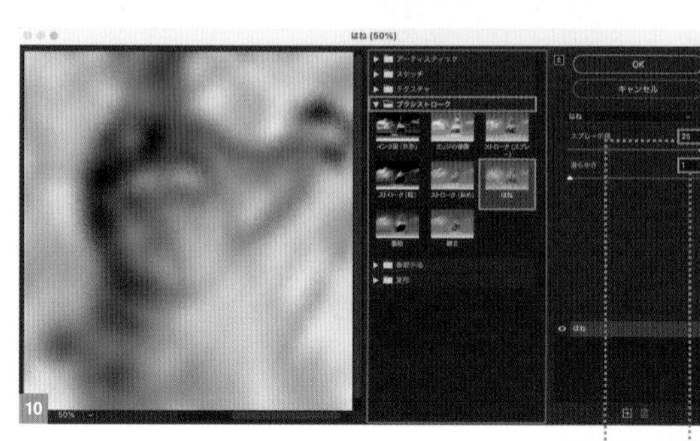

04 | 全体の明るさを整える

レイヤー [背景] を選択し、[イメージ] → [色調補正] → [レベル補正] を選択します 12。

入力レベル [0/0.65/255] とし、中間調を落ち着かせて全体が見えるようにします。さらに出力レベル [0/225] とし 13、目の周辺などの白飛び気味のハイライト部分を落ち着かせます 14。

[イメージ] → [色調補正] → [シャドウ・ハイライト] を選択します 15。

[ハイライト：25%] として全体の明るい領域を落ち着かせます 16。これで完成です 17。

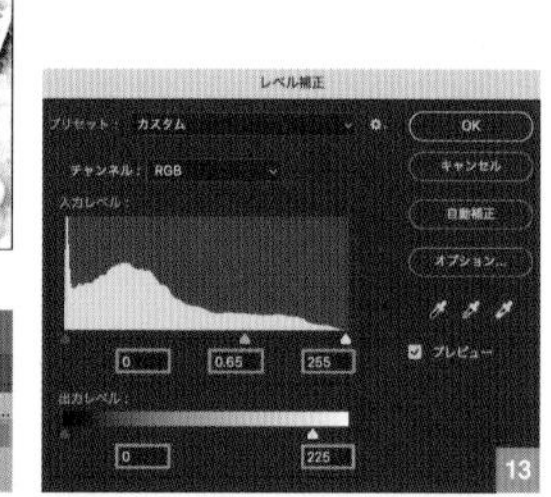

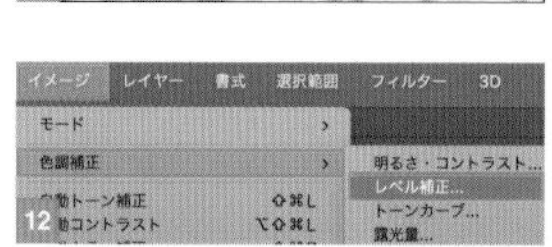

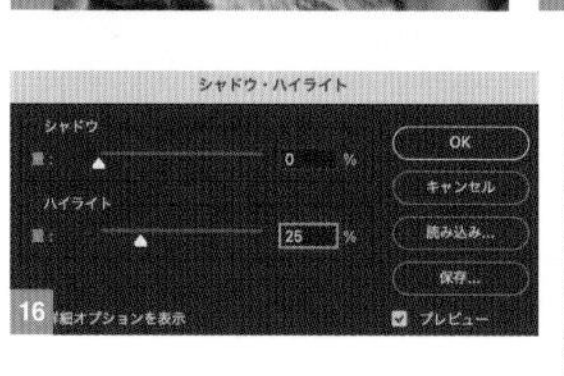

MUSIC

Ai

no.
025

Ai

ペンキのようなデザインを作る

ワープツールなどの機能を使用することでアナログ特有のゆがんだ線の表現を簡単に作ることができます。

Point　ワープツールを使用する

How to use　クールな印象のデザインを作る時などに

01 ｜ 文字のオブジェクトを用意する

[ファイル]→[新規]でB5サイズのドキュメントを作成します。文字パネルから[Impact]フォントを選択し[フォントサイズ：160pt][塗り：#000000]で「MUSIC」と入力します 01 02。
[書式]→[アウトラインを作成]を選択し文字をオブジェクト情報に変換します 03。文字をアウトライン化することで様々な編集が加えられます。
[オブジェクト]→[パス]を選択し[アンカーポイントの追加]を選びます。より細かくポイントを追加したいため同じ作業を2回繰り返します 04。

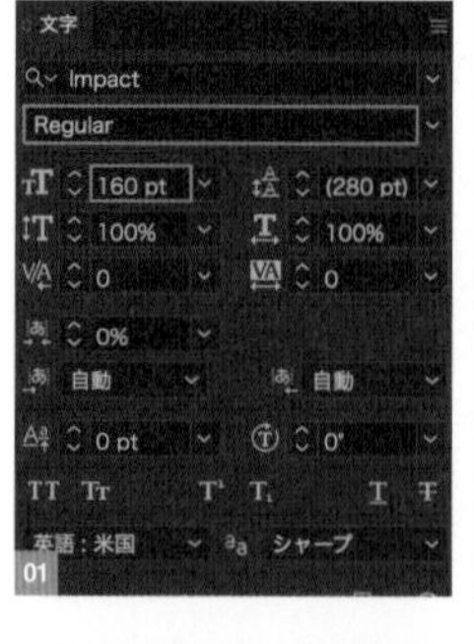

01

02

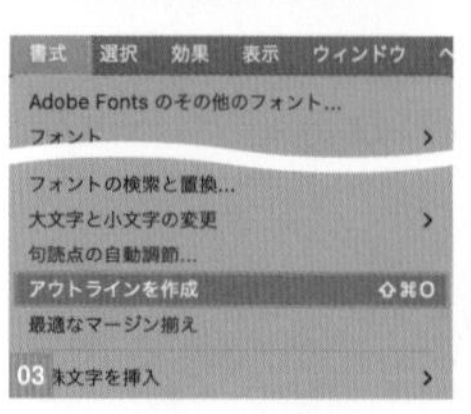

03

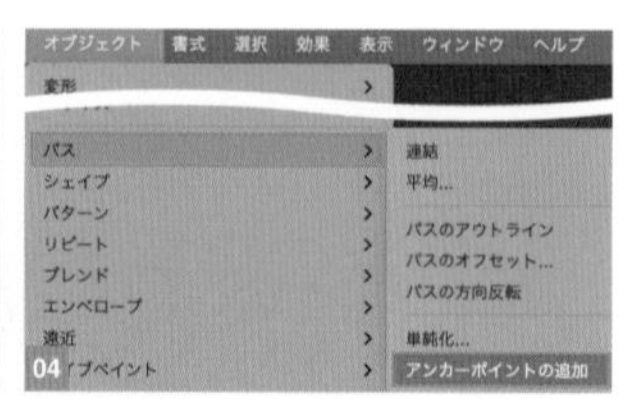

04

02 ｜ ペンキがしたたるような文字のデザインを作る

ツールパネルから[ダイレクト選択ツール]を選択し 05、パスを引っ張り下に伸ばします 06 07 08。
ツールパネルから[ワープツール]を選択 09、ダブルクリックし[ワークツールオプション]を[幅：35mm][高さ：35mm][角度：0°][強さ：50%][詳細：2][単純化：50]の数値に設定します 10。もしツールパネルにアイコンが見つからない時は下のmemoをご確認ください。
伸ばしたオブジェクトにワープをかけていきます 11。
[膨張ツール]を選択 12、ダブルクリックし[膨張ツールオプション]を[幅:5mm][高さ:5mm][角度:0°][強さ10%][詳細：2][単純化：50]に設定します 13。線の先端付近にマウスカーソルを合わせ、少し長く押してペンキだまりのような変化を付けます 14。文字のデザインは完成です。

05

06

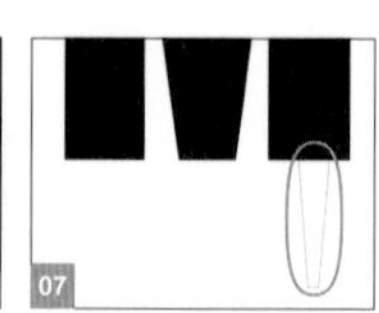
07

08

09

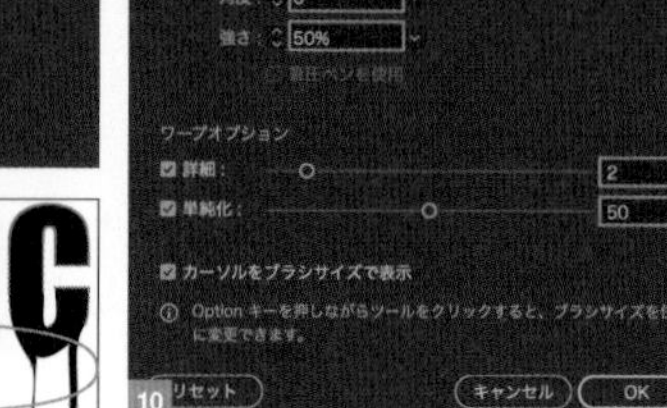

10

11

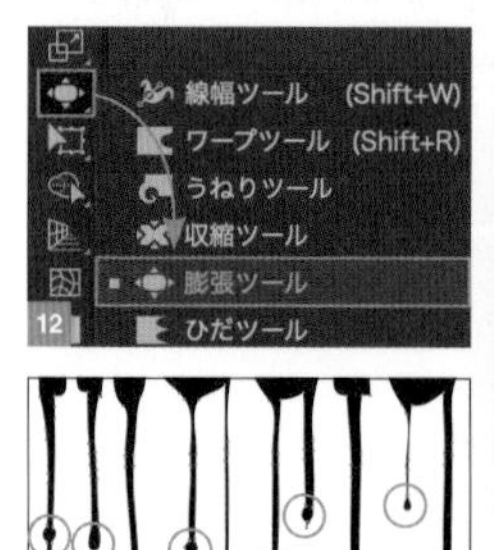

12

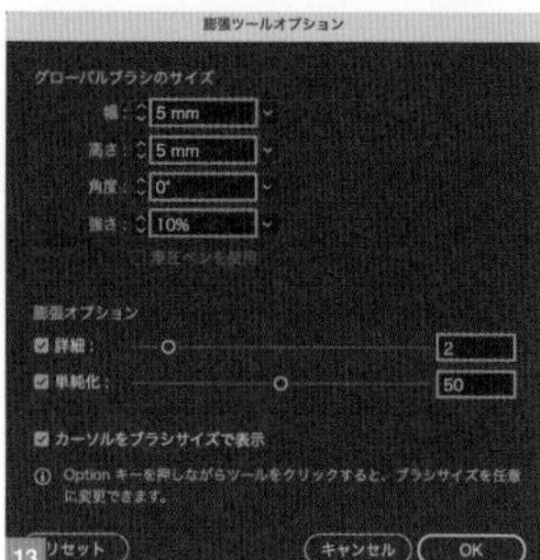

13

14

memo

[ワープツール]など、もしツールパネルに使いたいアイコンが見つからない場合は、ツールパネル下の[ツールバーを編集]をクリックしましょう。表示された[すべてのツール]から探すことができ、必要ならばツールパネルにドラッグすることでツールパネルに固定することができます。

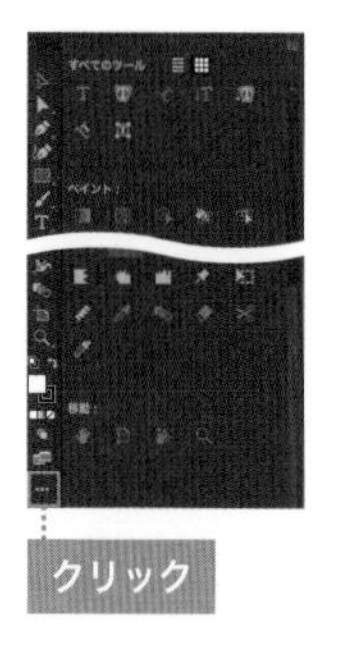

03 | ペンキで描いたような線を描く

文字のオブジェクトを選択して［オブジェクト］→［隠す］→［選択］をクリックし隠しておきます。
［ウィンドウ］→［ブラシライブラリ］→［アート］→［アート_ペイントブラシ］を選択し 15、パネルから［クイックブラシ3］を選択します 16。
［塗り：#bad300］と設定し、線幅を変えながらペンツールで斜めの線を方向を変えながら描いていきます 17。

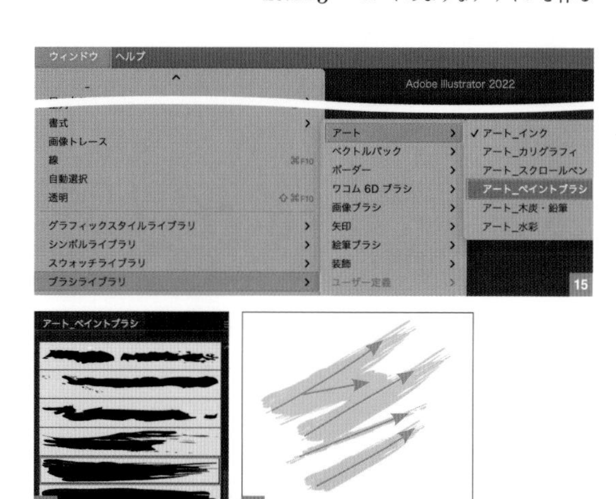

15

16　17

04 | 飛び散るペンキを追加する

［ウィンドウ］→［ブラシライブラリ］→［アート］→［アート_インク］から［しぶき］と［しみ］を選択し 18 19、［塗り：#bad300、#f5e664］の色でペンツールで線幅を変えながら散らすように飛び散るペンキを描いていきます 20。

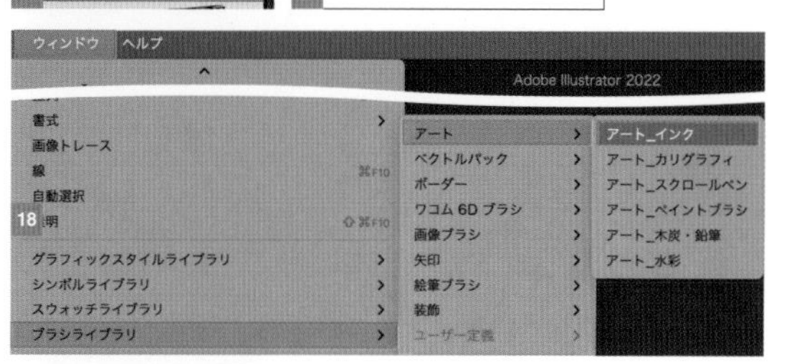

18

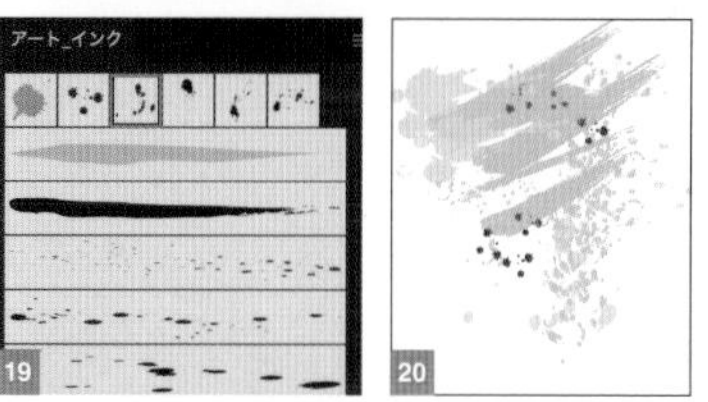

19　20

05 | 写真とイラストを組み合わせて印象的なデザインに仕上げる

［ウィンドウ］→［グラデーション］を選択、グラデーションパネルを表示し［種類：円形］を選択します。白と黒のグラデーションを作成します 21。
ツールパネルから楕円形ツールを選択し、ペンキのイラスト上に楕円を作ります 22。
［ウィンドウ］→［透明］を選択します。ペンキのデザインと楕円を選択し［透明パネル］から［マスクを作成］を選択します 23。黒の部分がマスクされ白の部分は残りました 24。
素材［コンサート.jpg］を配置し、［オブジェクト］→［重ね順］→［最背面へ］を選択し背面に配置します 25。
［オブジェクト］→［すべてを表示］を選択し隠していた文字を表示させたら完成です 26。

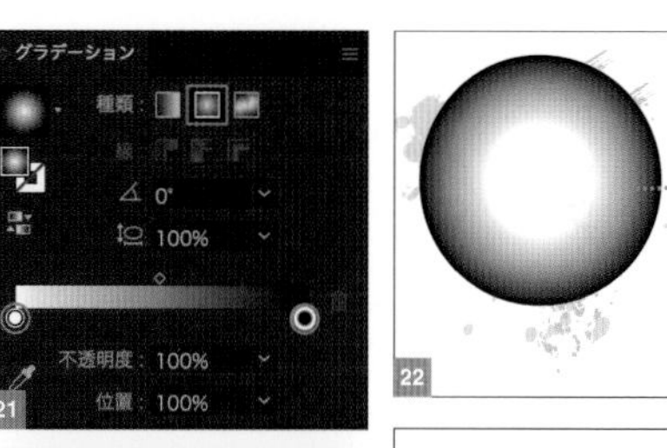

21　22

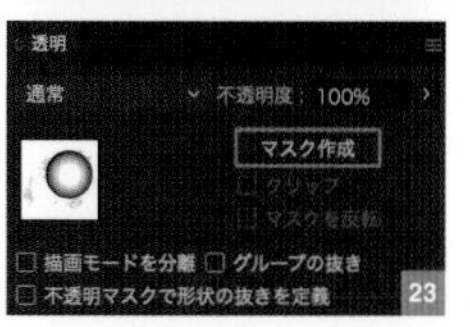

23

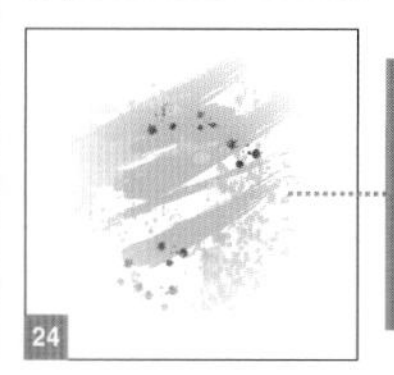

24

25

26

Ps

ペンキが混ざり合う カラフルなデザインを作る

no.026

Photoshopを使えば、ペンキが混ざり合うような作品まで作り込むことができます。

Point	指先ツールでペンキが混ざったように表現する
How to use	落ち着いた印象からポップな印象まで幅広く使用可能

01 | テキストを配置する

素材［背景.psd］を開きます。ツールパネルから［横書き文字ツール］を選択し、［フォント：小塚ゴシック Pr6N］［フォントスタイル：H］［サイズ：182pt］［描画色：#e81596］としてカンバス中央に［paint］と入力します。さらに［編集］→［自由変形］を使い、反時計回りに回転させました 01 。

素材［ジェリービーンズ］を開き、テキストレイヤー［paint］の上位に配置します 02 。

レイヤー［ジェリービーンズ］を選択し［右クリック］→［クリッピングマスクを作成］を選択します 03 04 。

レイヤー［ジェリービーンズ］は好みの位置に移動します。作例では赤色が上部に見えるようにしました 05 。

01

02

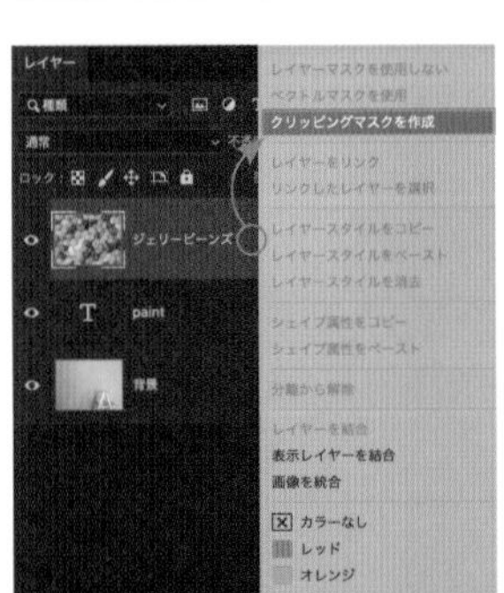

03

04

文字の形にクリッピングマスクが作成された

05

02 | 指先ツールを使って加工する

レイヤーパネル上でテキストレイヤー［paint］を選択し、［右クリック］→［テキストをラスタライズ］とします 06 07。
レイヤー［ジェリービーンズ］と［paint］を選択し［右クリック］→［レイヤーを結合］します 08 09。
結合したレイヤー［ジェリービーンズ］を選択し［フィルター］→［ゆがみ］を選択します 10。
［前方ワープツール］を選択し、上から下へ溶けていくようなイメージで、文字にそってゆがみを加えます 11。
［属性］の［ブラシツールオプション］のサイズは［25〜50］前後のサイズで細かな箇所と大きな箇所を使い分けるといいでしょう 12。

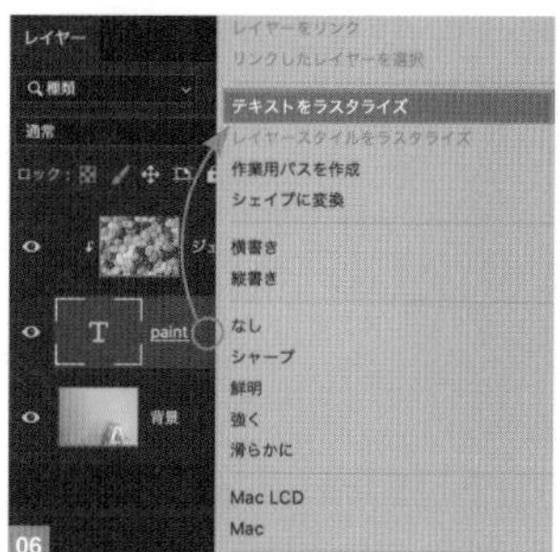

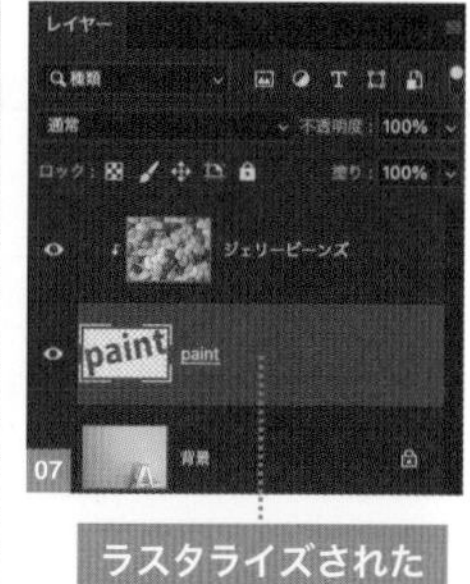

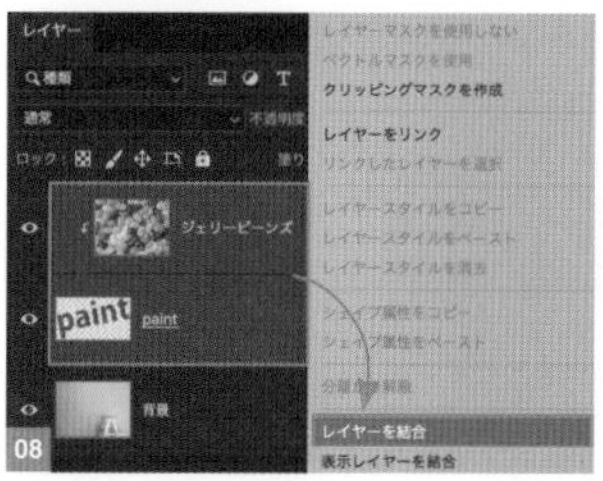

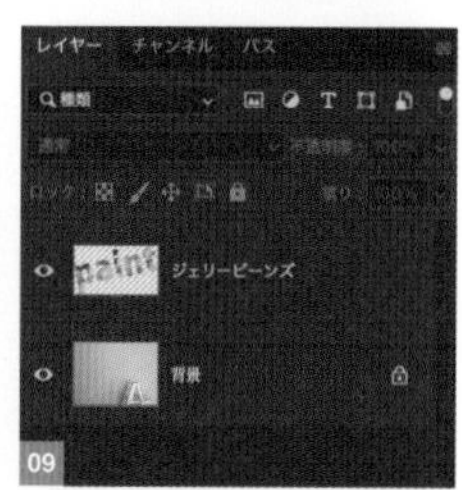

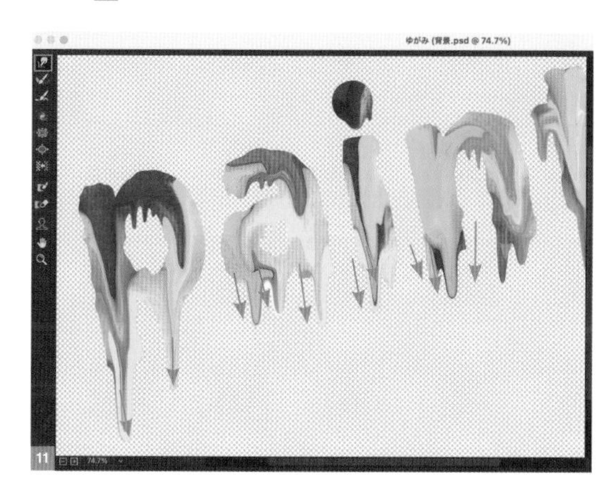

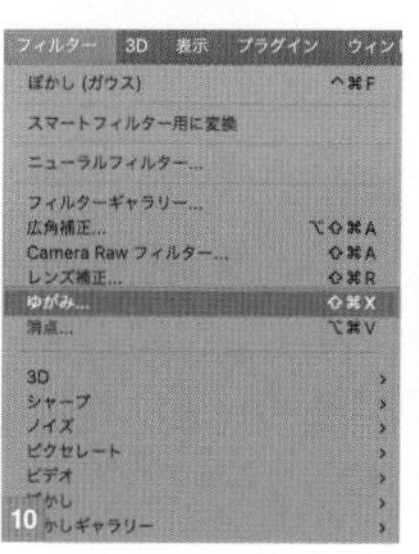

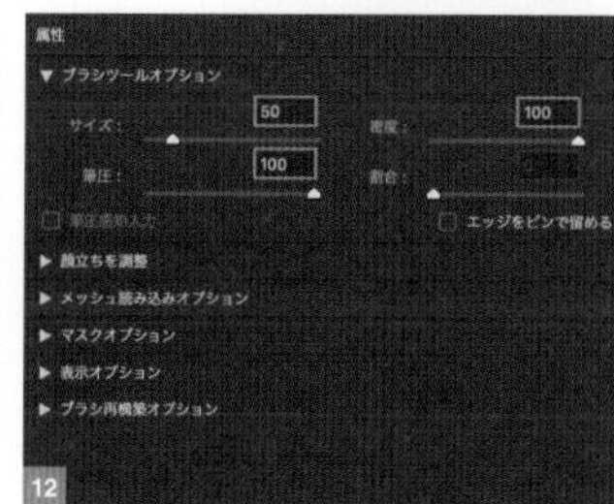

03 | 立体感を加えて完成

レイヤー［ジェリービーンズ］をダブルクリックし、［レイヤースタイル］を表示します 13。
［ベベルとエンボス］を選択し、14 のように設定し、立体感を付けます 15。
［横書き文字ツール］を選択し、［フォント：小塚ゴシックPr6N］［サイズ：92pt］［フォントスタイル：H］［テキストカラー：#fffae6］とし「WET」の文字を追加します。
［編集］→［自由変形］を使い、paintに並行となるように合わせます 16。テキストレイヤー［WET］を選択し、［レイヤースタイル］を表示します。
17 のように［ブレンド条件］の［下になっているレイヤー］を［0：50/135：203］とします。この際、右側の調整ポイントの少し左で option （ Alt ）キーを押しながらドラッグすると、調整ポイントが分割されます。
全体のサイズやレイアウトを微調整して完成です 18。

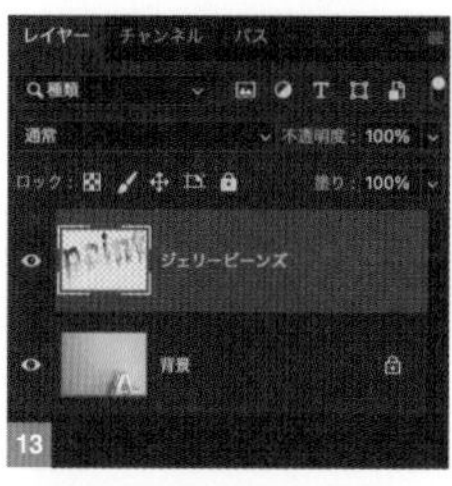

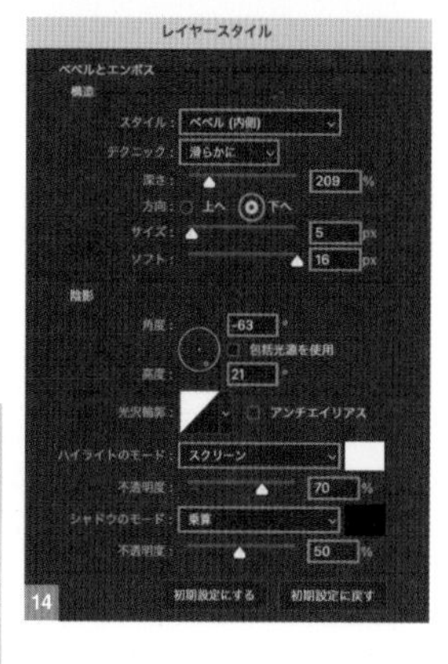

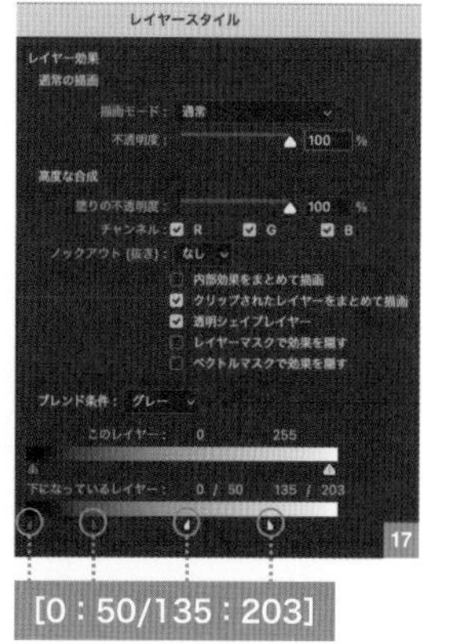

Chapter 03

Ai

クレヨンのようなデザインを作る no.027

Illustratorでクレヨンで描いたような文字やイラストを作ります。テクスチャや効果を使いクレヨン独特のざらついた質感を出しましょう。

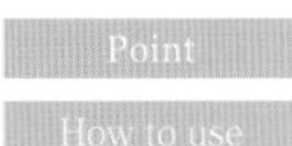

Point　テクスチャの大きさを調整し自然な風合いにする

How to use　キッズ向けのデザインやナチュラルな雰囲気を出したい時に

01 新規ドキュメントを作成し画像を配置する

［ファイル］→［新規］を選択し新規ドキュメントを作成します。ここではWebを選択し、［幅：1280px］［高さ：1024px］［ラスタライズ効果：高解像度（300ppi）］に設定し作成しました 01。

素材［赤ちゃん.psd］を配置します 02。 ⌘（Ctrl）＋2キーで配置した画像をロックします。

memo

文字パネルの表示・非表示：⌘（Ctrl）＋Tキー
段落パネルの表示・非表示：⌘（Ctrl）＋option（Alt）＋Tキー

01

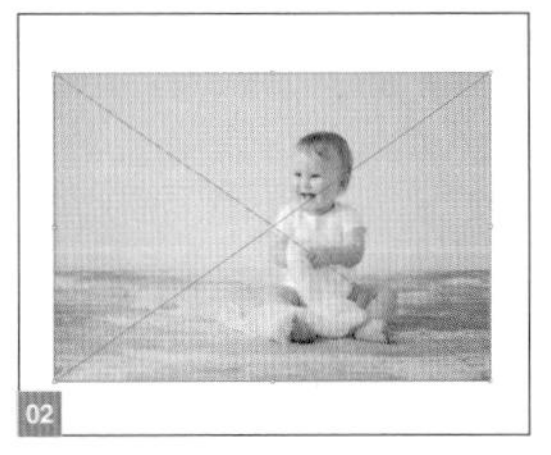
02

02 | カラフルな文字を描く

ツールパネルから［文字ツール］を選択し、文字パネルから楽しいイメージのフォントを選択します。ここではAdobe Fontsにある［ScriptoramaMarkdownJF Regular］フォントを選びました。「HAPPYBIRTHDAY」と入力します。HAPPYで一度改行を入れ、コントロールパネルの段落を［中央揃え］［フォントサイズ：50pt］［行間：100pt］［トラッキング：200］に設定します 03。かわいい印象にしたいので 04 のようにカラフルな色を付けます。［オレンジ：#fabe00］［黄色：#fee100］［水色：#03b8de］［赤：#EA5520］［黄緑：#abcd03］この５色で文字にそれぞれ色を付けていきます。

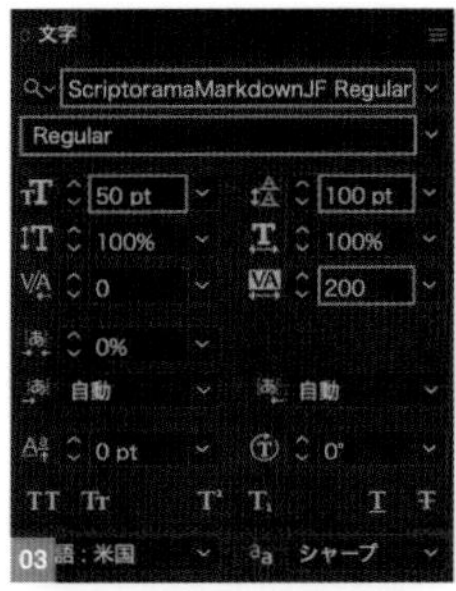

03 | 文字タッチツールで文字を躍らせる

文字パネルの上部にある［文字タッチツール］をクリックします 05。文字タッチツールを使用すると文字情報が失われずに文字を自由に拡大・移動・回転することが可能になります 06。１つひとつの文字を選択しながら回転や移動させます 07。

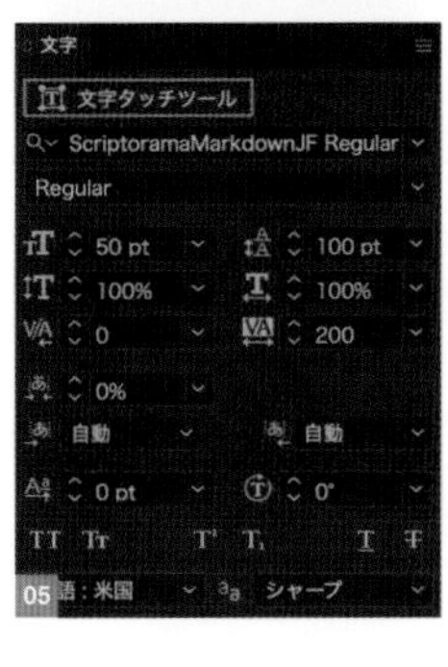

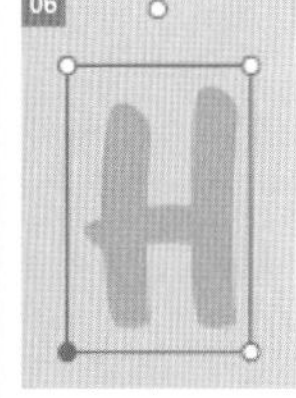

memo

もし［文字タッチツール］が表示されていない場合はパネルメニューから［文字タッチツール］を選択し表示させてください。

04 | イラストを追加する

［ウィンドウ］→［ワークスペース］→［初期設定(クラシック)］を選択します。
ツールパネルからブラシツールを選択し、［ブラシ定義：5pt 丸筆］、［線：1pt］に設定し、縁取り線などを描きます。王冠や「1」の数字、ハートなども描いていきます 08 09。
なお、［ブラシ定義：5pt 丸筆］がない場合は、ブラシパネルで標準で入っている［3 pt 丸筆］をダブルクリックし、［カリグラフィオプション］の直径を5ptへ変更してください 10。

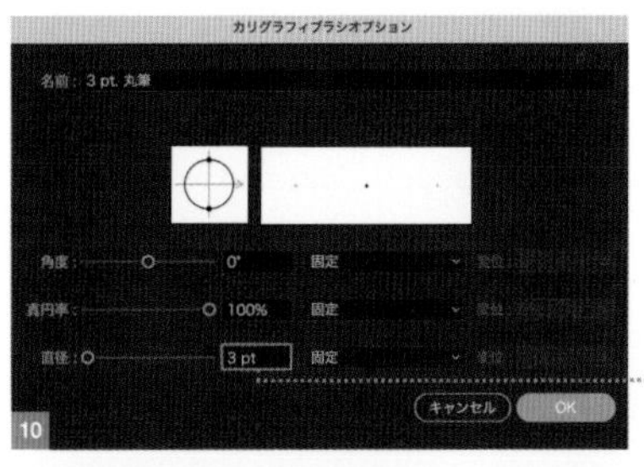

05 | 透明パネルでマスクを作成する

⌘（Ctrl）＋Aキーで全てを選択し、⌘（Ctrl）＋Cキーでオブジェクトをコピーします。
［ウィンドウ］→［透明］を選択し［透明］パネルを表示させ［マスク作成］を選択します 11。［透明］パネルのクリップのチェックを外し、マスク側を選択したのち、先程コピーしたものを⌘（Ctrl）＋Fキーで［前面へペースト］します 12。これでマスク側にもオブジェクトを移動することができました。

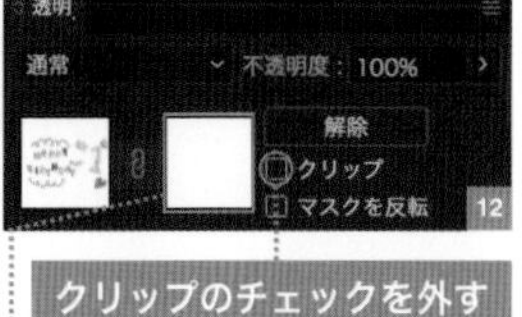

Chapter 03

06 | パスにアウトラインをかける

透明パネルのマスク側で作業しています。[ウィンドウ]→[アピアランス]を表示させます。以降はテクスチャや効果のかかり具合を確認しながら進めるとよいでしょう。
[オブジェクト]→[パス]→[パスのアウトライン]を選択し、線のオブジェクトをパスに変換します。

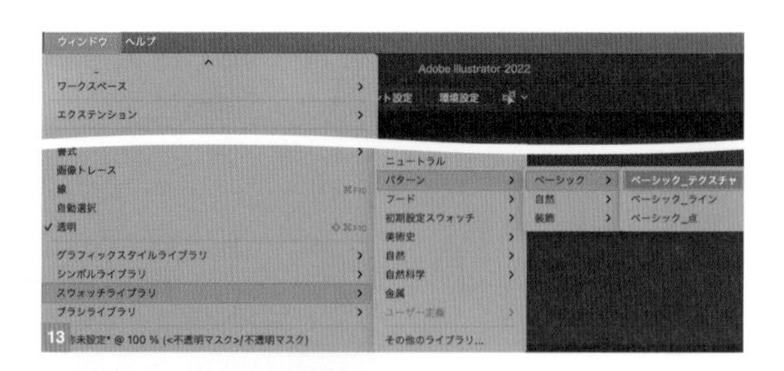

13

07 | テクスチャで質感を作る

[ウィンドウ]→[スウォッチライブラリ]→[パターン]→[ベーシック]→[ベーシック_テクスチャ]を選択します13。
ベーシック_テクスチャパネルから[USGD 21　複雑な地形]を選択します14 15。
ツールパネルの[拡大・縮小ツール]をダブルクリックし、パターンの変形だけにチェックを入れて[50%]でパターンを縮小させます16 17。
これでマスク側のオブジェクトにでこぼこしたテクスチャが入り、質感が出てきます。

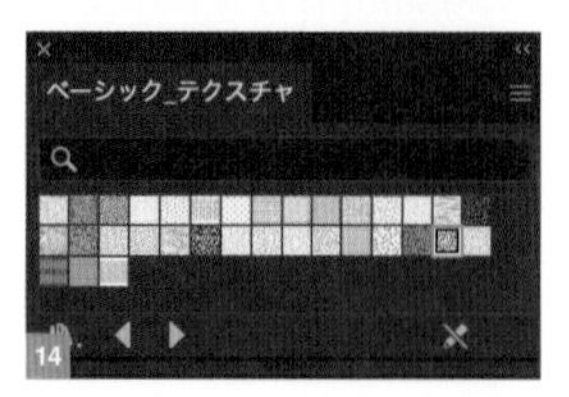

14

15

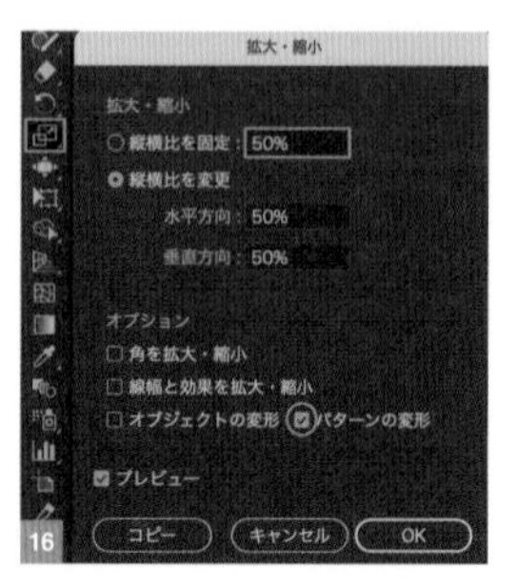

16

17

08 | ブラシでガサガサの表現を作る

[ウィンドウ]→[ブラシライブラリ]→[アート]→[アート_木炭・鉛筆]パネルを出し[木炭 - 羽]を選択し適用させます18。
[線幅：0.75pt][色：♯000000]に設定します19。
イラストと文字の輪郭がガサガサとした表現になりました。

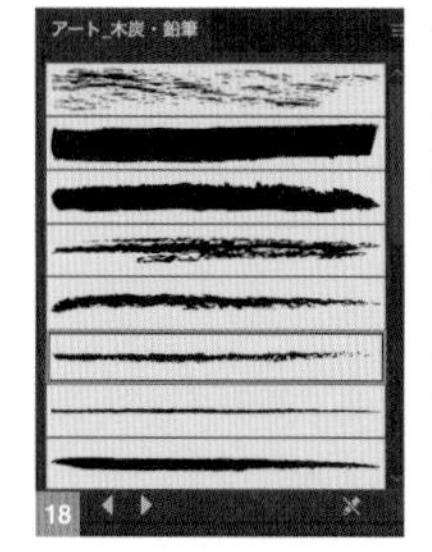

18

19

09 | 効果でクレヨンの質感に仕上げる

最後に効果で質感を加えます。[効果]→[アーティスティック]→[粗いパステル画]→[ストロークの長さ：10][ストロークの正確さ：5][テクスチャ：カンバス][拡大・縮小：200%][レリーフ：30][照射方向：右下へ]に設定します 20。かすれたアナログ感を出すことができました 21。

21

20

Chapter 03

column

Ai

スポイトの活用方法

- **Shift キーを押しながらクリック**

反映させたいオブジェクトを選択した後、抽出したいオブジェクトを[スポイトツール]で Shift キーを押しながら塗りや線など抜き出したい部分にカーソルを合わせてクリックします。塗りや線だけ抽出させたいときに便利なショートカットです。

- **option（Alt）＋ Shift キーを押しながらクリック**

塗りや線の情報を保ちながらアピアランスのみ反映させたい場合は option（Alt）＋ Shift キーを押しながらクリックします。

I WANT TO
RIDE
MY

Bicycle

Ps

背景までなじませたインクのようなラインを作る no.028

［境界線を描く］を使って、インクで描かれたような装飾文字を表現します。背景の画像に対してよりなじませるような作り方などIllustratorとはまた違った表現方法が可能です。

Point パスを作成し強さのシミュレートを使って、強弱のある境界線を描く

How to use 見出しや装飾的な文字が欲しい時に

01 | ベースとなるテキストを配置する

素材［背景.psd］を開きます。ツールパネルから［横書き文字ツール］を選択します 01。ここではAdobe Fontsに収録されている［Quimby Mayoral］フォントを選択し、カンバス中央に［フォントサイズ：115pt］で「Bicycle」と入力します 02 03。ツールパネルから［ペンツール］を選択し 04、テキストをガイドにしながら 05 のようにパスを作成します。なお、作例ではわかりやすいように［Bicycle］のレイヤーの不透明度を50％にしてあります。

［パスパネル］を開き［作業用パス］をダブルクリックして［パスを保存］します。その際にパス名を［bicycle］としておきます 06。

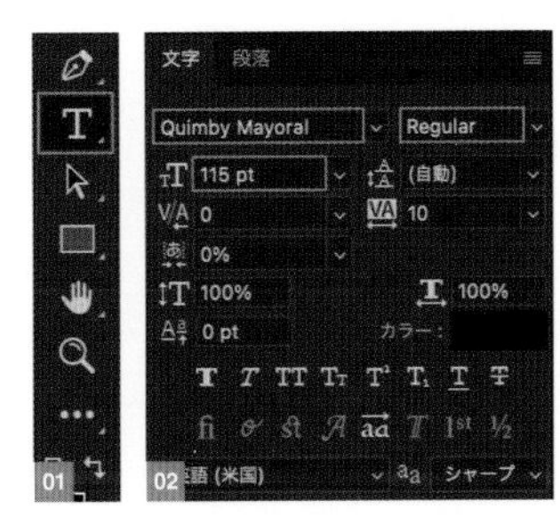

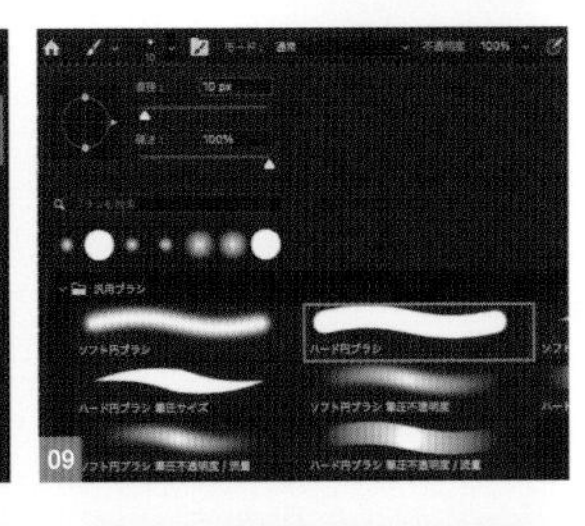

02 | ブラシの設定を調整

最上位に新規レイヤー［装飾文字］を作成し選択しておきます 07。

［ブラシツール］を選択し 08、［ハード円ブラシ］を選択します 09。

［ブラシ設定］パネルを開き、［ブラシ先端のシェイプ］を選択し、［直径：40px］［真円率：50%］とします 10。

［シェイプ］を選択し、［コントロール：筆圧］［最小の直径：10%］とします 11。

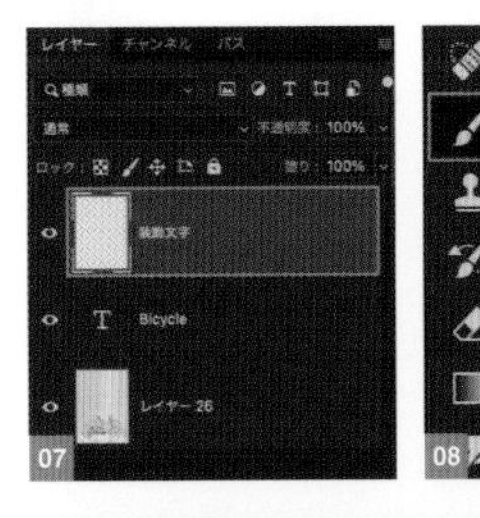

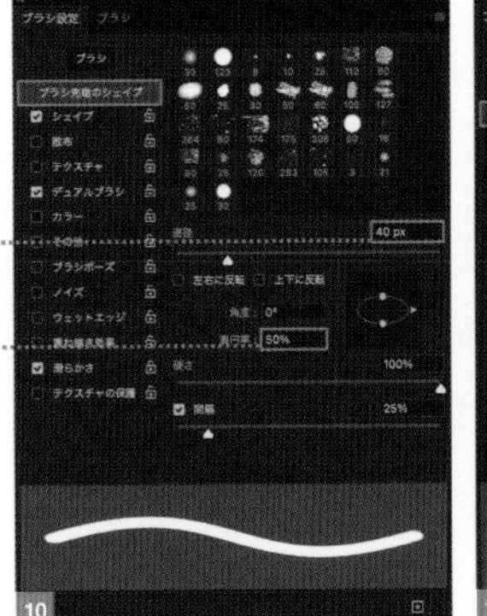

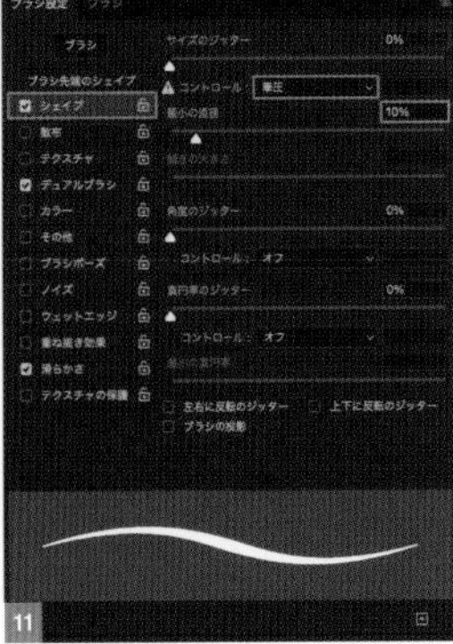

03 | パスの境界線を描く

パス [Bicycle] が選択された状態で、レイヤー [装飾文字] を選択します。
描画色 [#be1818] を選択しておきます12。
ツールパネルから [ペンツール] を選択し、カンバス上で [右クリック] → [パスの境界線を描く] を選択します13。
[ツール：ブラシ] [強さのシミュレート] にチェックを入れて [OK] をクリックします14。描画色でパスの境界線が描けました15。

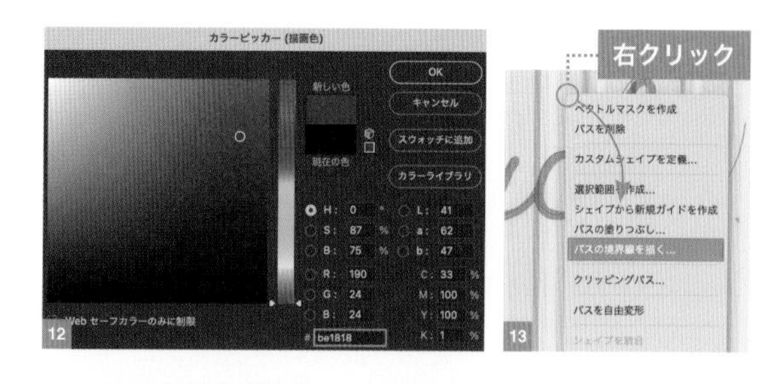

04 | 背景となじませて完成

レイヤー [装飾文字] を選択し [描画モード：乗算] とします16。
レイヤー[装飾文字]をダブルクリックして[レイヤースタイル]を開き、[レイヤー効果] を選択します。
[ブレンド条件] の [下になっているレイヤー] を [0：212/247] とします17。
この時、右側の調整ポイントの少し左で option (Alt) キーを押しながらドラッグすると、調整ポイントを分割することができます。背景になじみました18。
作例ではAdobe Fontsに収録されている [Azo Sans Uber] フォントで「I WANT TO RIDE MY」と装飾し、同じように [描画モード] [レイヤースタイル] を適用し完成としました19。

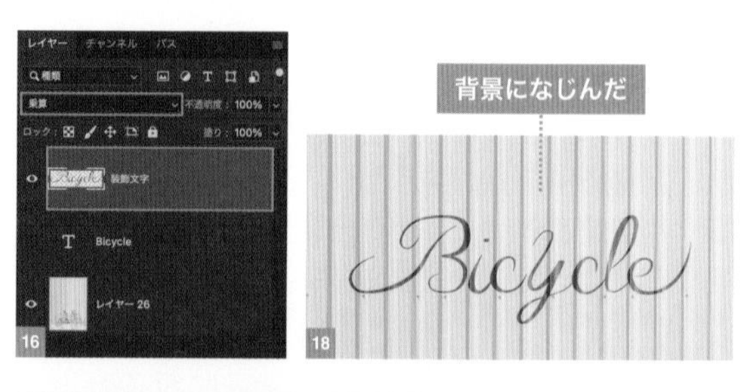

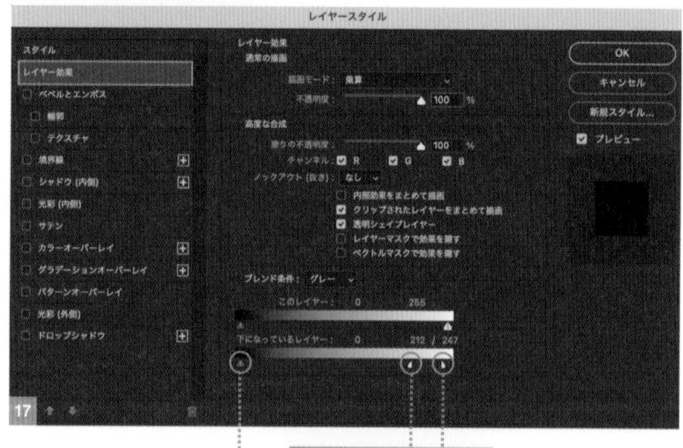

Illustrator
Design
calligraphy

Ai

インクのようなラインを作る no.029

インクで書いたようなカリグラフィ的なデザインはベジェ曲線を主体とするIllustratorの得意分野です。ブラシと文字を組み合わせて作ります。

Point　ブラシの調整はハンドルを修正しながら作成する

How to use　エレガントでスタイリッシュな雰囲気のデザインに

01 | 文字を用意する

［ファイル］→［新規］で新規ドキュメントを作成します。ここではB5サイズを選び作成しました。
テキストツールを選び、文字パネルからAdobe Fontsの［Bickham Script Pro 3］フォントを選び、文字をそれぞれ次の設定画像の通り、「Illustrator」01、「Design」02、「calligraphy」03と入力します。全て［塗り：#000000］と設定します04。

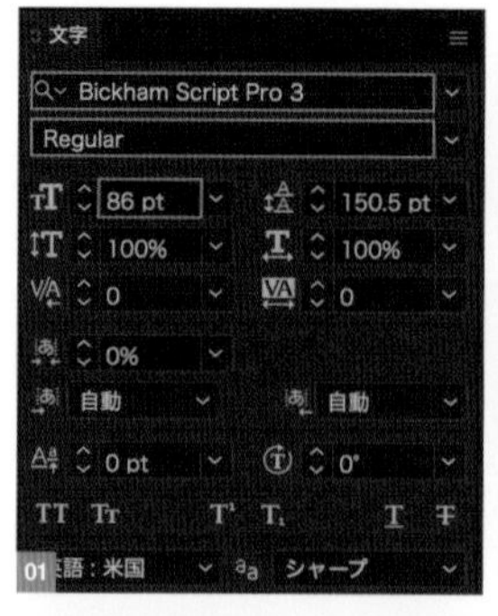

01

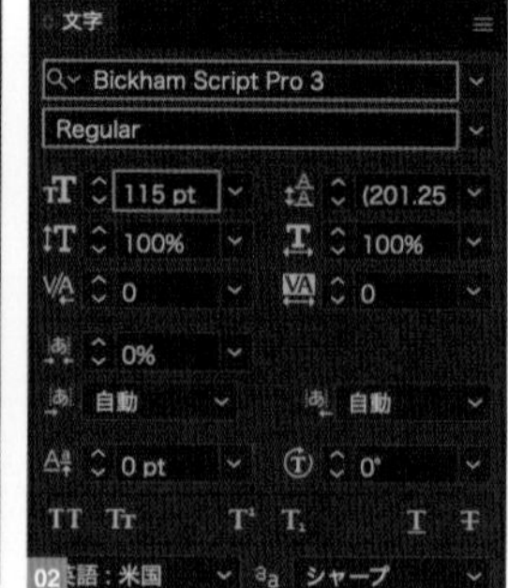

02

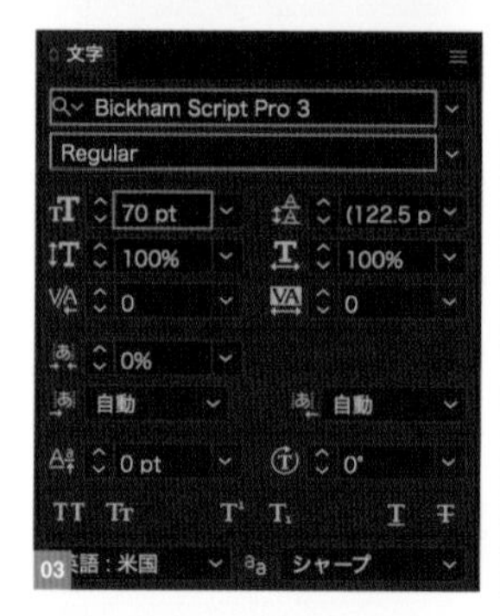

03

04

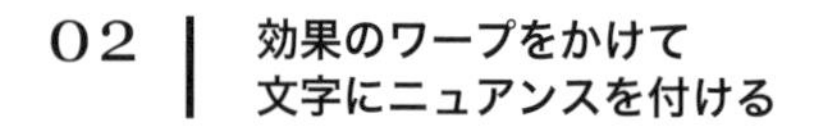

02 | 効果のワープをかけて文字にニュアンスを付ける

「Illustrator」の文字に［効果］→［ワープ］→［上昇］を選択し、ワープオプションで［カーブ：60%］に設定します05。
次に「Design」の文字に［効果］→［ワープ］→［貝殻（上向き）］を選択しワープオプションで［カーブ：25%］に設定します06。
「calligraphy」の文字には［効果］→［ワープ］→［魚形］を選択し、［ワープオプション］で［カーブ：30%］に設定します07 08。

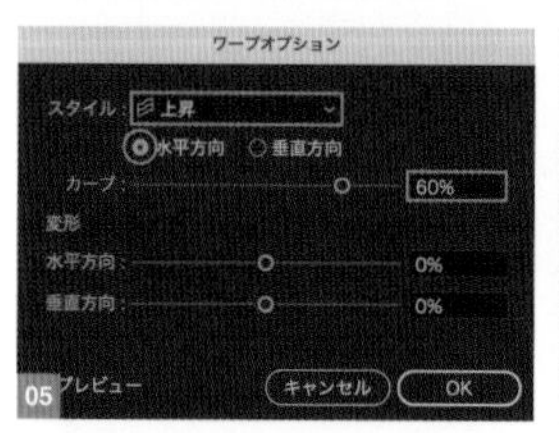

05

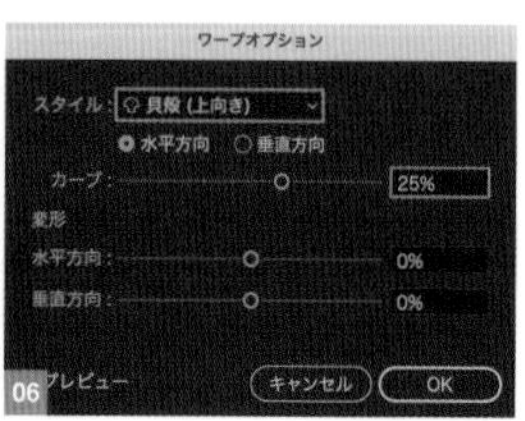

06

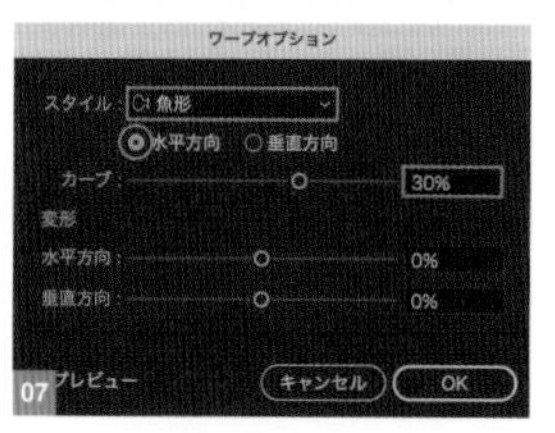

07

ワープが反映された
08

03 ｜ カリグラフィブラシで文字にデコレーションをする

ツールパネルからブラシツールを選択 09、[ウィンドウ] → [ブラシ] でブラシパネルを開き、パネルメニューから [ブラシライブラリを開く] → [アート] → [アート_カリグラフィ] を選択します 10。
アート_カリグラフィパネルから [3pt フラット] を追加し選択します 11。[線幅：1pt] にし、[塗り：#000000] と設定します。
文字に合わせて線の飾りを付け加えていきます 12。

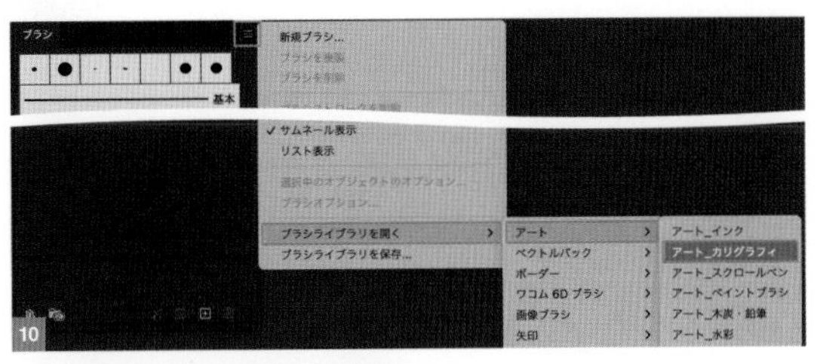

memo

文字と線のつなぎ目にズレができる場合は拡大してコーナーポイントのハンドルを修正しながらきれいに仕上げていきます。

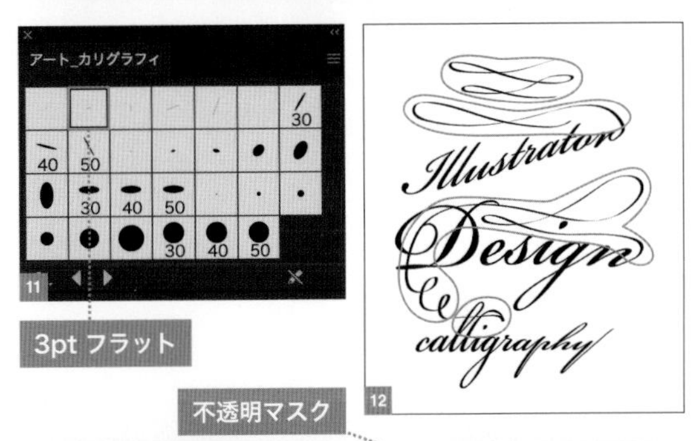

04 ｜ インクのかすれを表現する

文字とカリグラフィ線にマスクをかけます。[ウィンドウ] → [透明] を選択し透明パネルを表示します。
全てのオブジェクトを選択し、パネルメニュー→ [不透明マスクを作成] を選択し 13、[クリップ] と [マスクを反転] のチェックを外しておきます 14。
不透明マスクを選択しておきます。
[ウィンドウ] → [ブラシライブラリ] → [アート] → [アート_水彩] を選択します。ブラシパネルから [水彩画4] を選択します 15。
ペンツールを選択し、[線幅：1pt] で文字に沿って線を引きます。黒の文字に水彩のブラシの不透明マスクを上にかけることで、文字にアナログ感のあるグラデーションを付けることができます 16。上手にかすれるように水彩画の位置を調整しましょう。

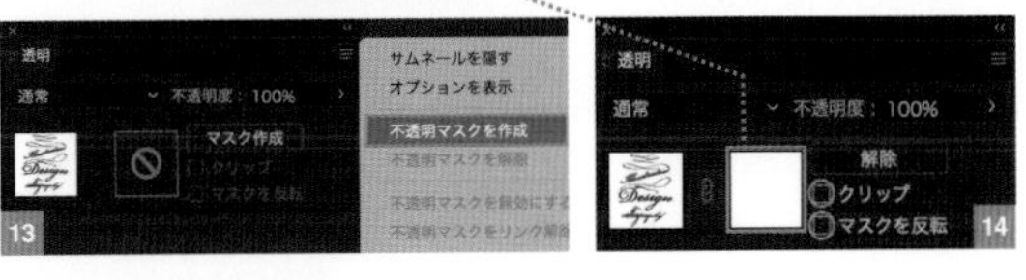

05 ｜ 写真と組み合わせてスタイリッシュに仕上げる

17 の赤い囲みの位置を選択し、不透明マスクではない状態にします。
素材 [背景.psd] を配置し、[ウィンドウ] → [重ね順] → [最背面] に配置し、位置を調整して完成としました 18。

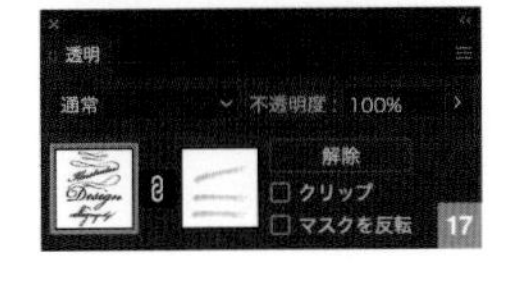

Chapter 03

Ps

スプレーのようなデザインを作る no.030

壁面にスプレーで描かれたようなグラフィティを表現します。スプレーのデザインはPhotoshopの得意分野です。直感的なので、すぐに作り出したい時はPhotoshopを利用するといいでしょう。

Point スプレー効果を使ったブラシでの描画がポイント

How to use カジュアル・スポーティー・クールなデザインに

01 ステンシル文字に合うフォントを選び、テキストを入力する

素材［背景.psd］を開きます。好みでステンシル文字（文字の一部を切り抜いたような文字）に合うフォントを選びましょう。作例では［Stencil Std］フォントを選択しました。
描画色［#ffffff］を選択しツールパネルから［横書き文字ツール］を使って中央に「GRAFFITI」と文字を入力します。
［編集］→［自由変形］を使って少し時計回りに回転しました 01。

01

02 ｜ テキストの選択範囲を切り替えて スプレーのように輪郭を描く

上位に3つの新規レイヤー［ペンキ］［内側］［外側］を作成します。
テキストレイヤー［GRAFFITI］は非表示にし、テキストレイヤーのサムネール部分にカーソルを合わせ ⌘ （Ctrl）キー＋クリックし、選択範囲を作成し 02 、そのまま［選択範囲］→［選択範囲を反転］とします 03 。
レイヤー［外側］を選択します。［ブラシツール］を選択し、［ブラシの種類：ソフト円ブラシ］［直径：400px］とし 04 、オプションバーの［エアブラシスタイルの効果を使用］にチェックを入れます 05 。
スプレー効果を利用して 06 のようにムラを意識して描画します。選択範囲は解除しておきます。

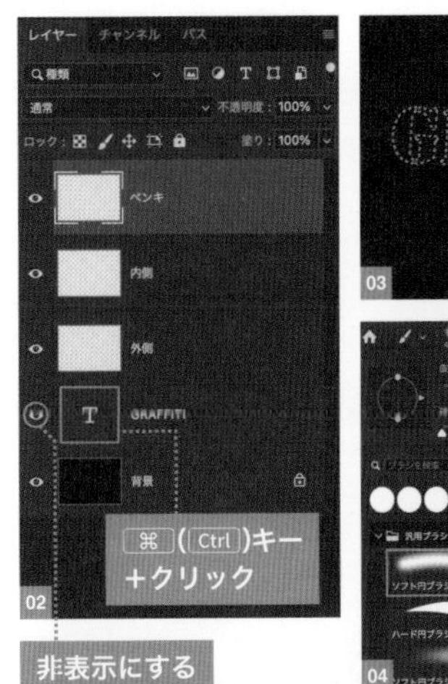

02

03

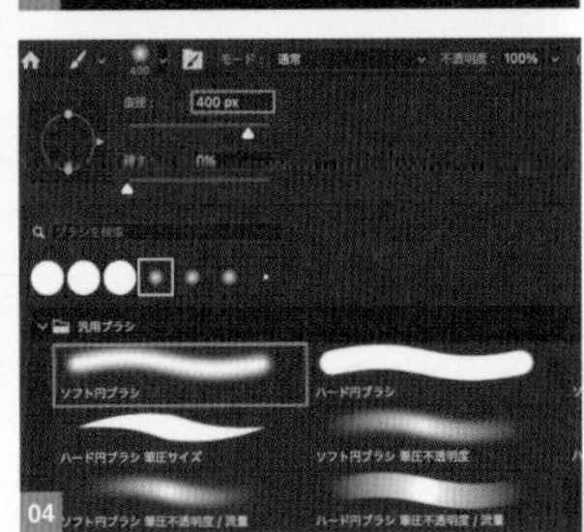

04

05
06

03 ｜ テキストの内側と ペンキが垂れた様子を描く

同じようにテキストレイヤー［GRAFFITI］のサムネール部分を ⌘ （Ctrl） キー＋クリックで選択範囲を作成します。
レイヤー［内側］を選択し、ブラシの種類はそのままに［直径：200px］として、描画します 07 。
レイヤー［ペンキ］を選択します。ブラシを［直径：15px］とし、08 のようにペンキが垂れたように描画します。
この際、Shift キーを押しながら上から下に描画すると直線を描くことができます。
液が溜まった様子も表現したいので、スプレー効果を利用して終点は少し時間を長めに描画するといいでしょう 09 。

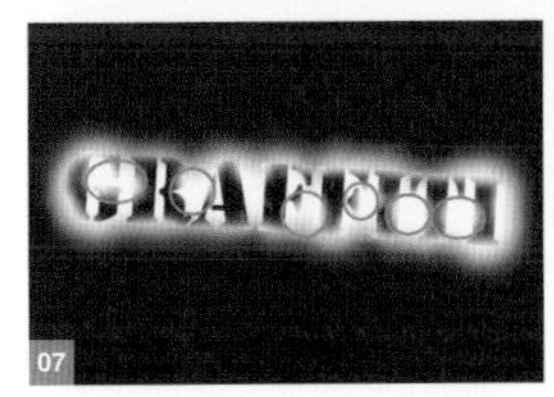
07

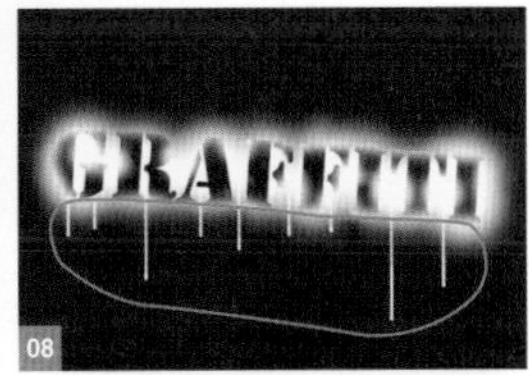
08

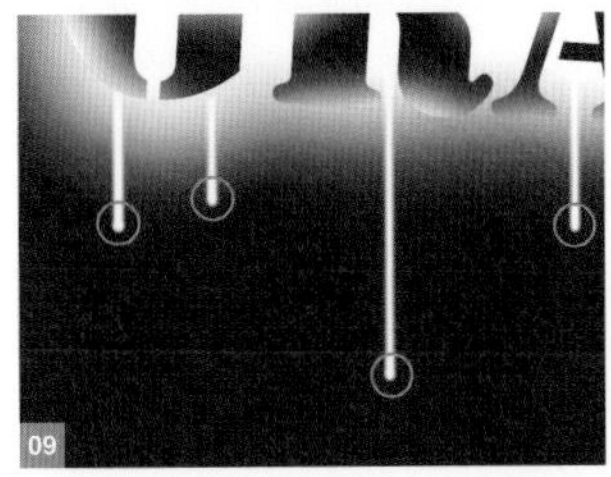
09

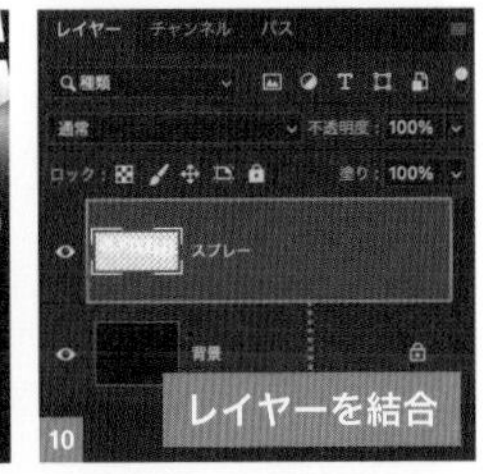

10

04 ｜ レイヤーを結合し レイヤー効果を適用して完成

レイヤー［内側］［外側］［ペンキ］の3つを選択し［右クリック］→［レイヤーを結合］でレイヤーを結合します。レイヤー名は［スプレー］としました 10 。
［レイヤースタイル］を開きます。［レイヤー効果］を選択し、［ブレンド条件］の［下になっているレイヤー］を［8/37：255］とします 11 。左側の調整ポイントの少し右で option （Alt） キーを押しながらドラッグすると、調整ポイントが分割されます。背景のコンクリートになじみました 12 。
作例ではテキストの上に円形を追加しました。こちらも円形の選択範囲を作成し、手順02〜04と同じ手順で作成できます。

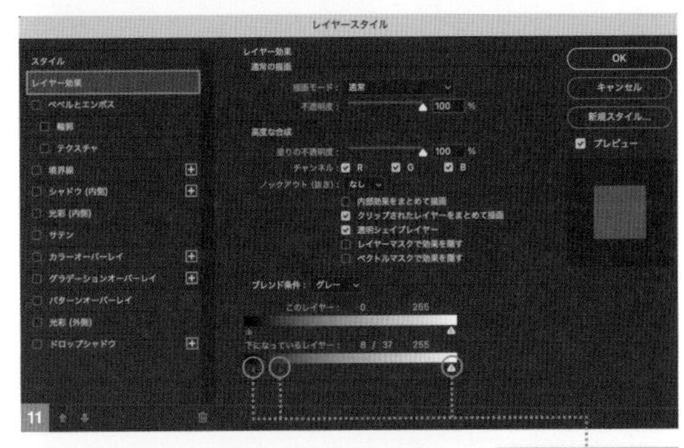

11

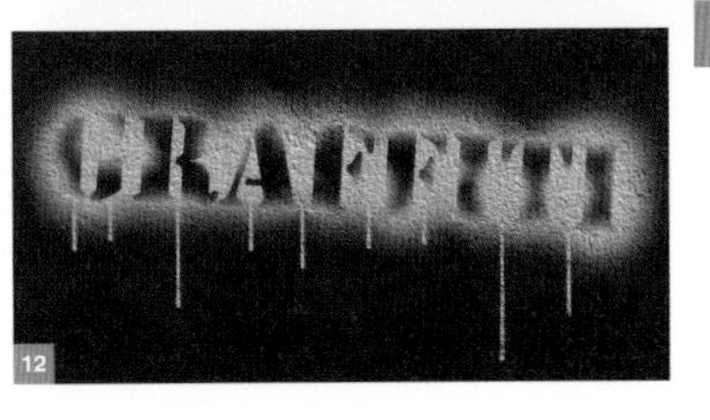
12

column

Ps　Ai

Adobe Fontsとは

本書の作例でも使われているAdobe Fontsのフォントライブラリは、PhotoshopやIllustratorなどのAdobe製品を利用する際に必要となるAdobe Creative Cloudに契約していれば、追加料金なしでご利用することができます。
Adobe Fontsには500を超える日本語フォントと、合計20,000以上の高品質なフォントが登録されています。
印刷、Web、映像などのご自身の制作物に使用することができますので利用するといいでしょう。

・使い方

[Adobe Creative Cloud] を起動します 01 Mac 01 Win 。
右上の [フォント] を選択し 02 、[別のフォントを参照] を選択します 03 。フォントライブラリのサイトが開きます 04 。
好みのフォントを探します。[すべてのフォント] からでも [おすすめ] からでも、右上の検索からでもいいでしょう 05 。
好みのフォントを見つけたら、[アクティベート] を選択します。これだけで、お使いのコンピュータにフォントが同期し、使用することができます。もしアクティベートしたフォントを除外したい場合は、[ディアクティベート] を選択します 06 。PhotoshopやIllustratorの [文字] パネルからアクティベートしたフォントを使用することができます 07 。

01 Mac

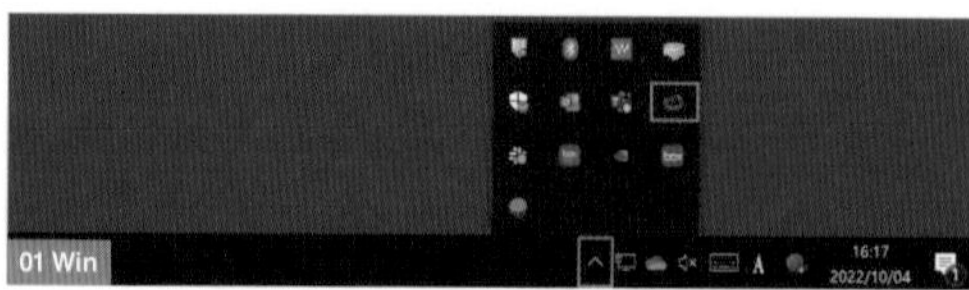

01 Win

02

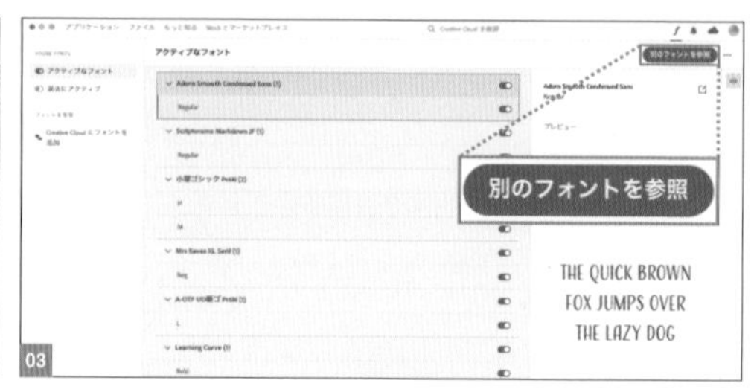

03

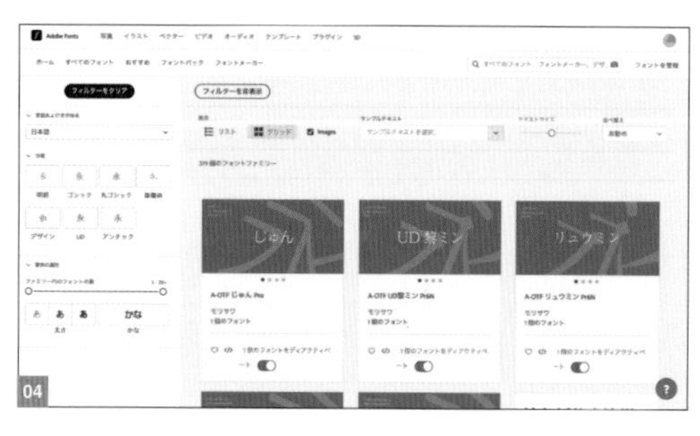
04

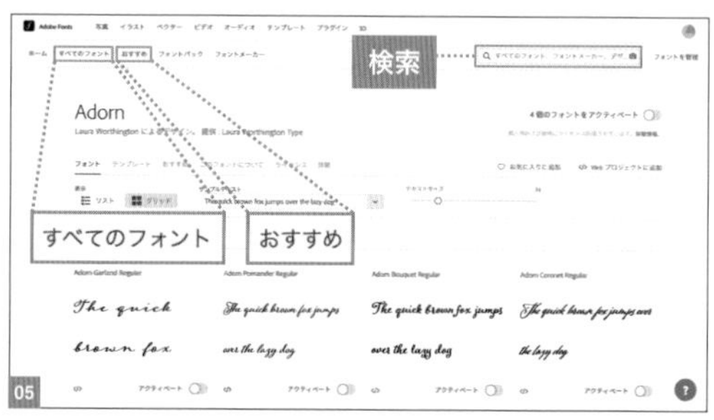

05

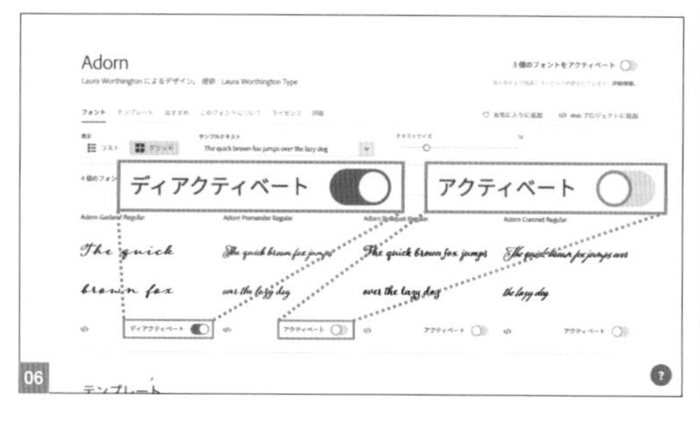

06

07

アナログの加工をする

パズルのピース、ちぎれたマスキングテープ、水のような金属、割れたガラス、大理石、破れた紙など、アナログの加工を作っていきます。フィルターやレイヤースタイルを使って再現する方法を学習します。

Chapter 04

Analog effect design techniques

Ps

パズル加工を作る　no.031

パズルのように加工し、ピースがばらけた様子を表現します。

Point　レイヤーの並びに注意して作業する

How to use　広告やグラフィックデザインに

01 | パズルのアウトラインとパズルの内側を作成する

素材［人物.psd］を開きます。素材［パズルアウトライン.psd］を開き上位に配置します 01。
ツールパネルから［自動選択ツール］を選択し、パズルの内側部分を選択します 02 03。
この際、オプションバーは次のページの 04 のように［隣接］のチェックが外れていることを確認しましょう。
新規レイヤー［パズル］を作成し、［描画色：#ffffff］とし選択範囲をツールパネルの［塗りつぶしツール］で塗りつぶします 05 06。

01

02

03

内側部分を選択

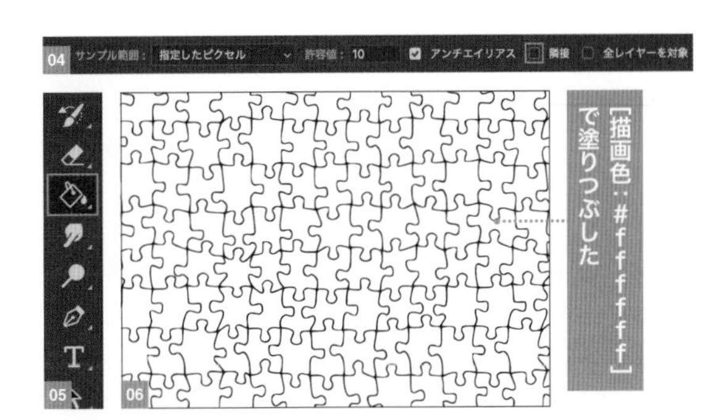

02 | パズルのイラストを重ねる

レイヤー［パズル］を選択します。
［塗り：0%］とします。［レイヤースタイル］を表示し［ベベルとエンボス］を07のように設定します。
［光沢輪郭］はプリセットの［くぼみ - 深く］を選択します。
立体感が追加されました08。

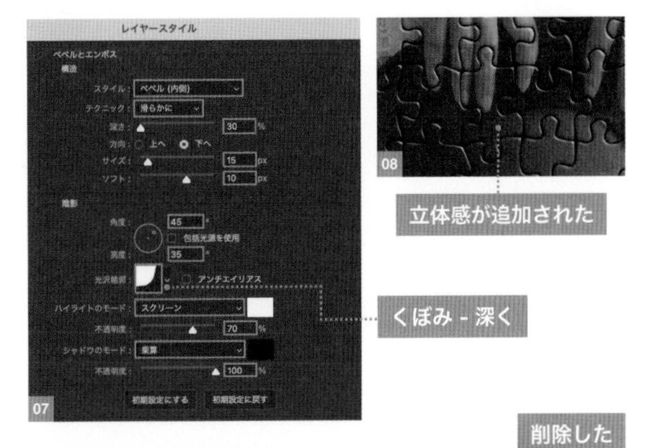

03 | 組み立て途中のパズルを演出する

レイヤー［パズル］を選択します。［自動選択ツール］を選択し、09のように右下のピースをいくつか選択します。
この時オプションバーの［隣接］にチェックを入れて作業することで、ピース単位で選択範囲を作成することができます10。
Deleteキーで範囲内を削除します。
そのまま選択範囲を解除せずに、レイヤー［人物］を選択し、Deleteキーで削除します11。
レイヤー［パズルアウトライン］と［人物］をグループ化します12。
グループを選択し、選択範囲が作成されていない状態で［レイヤーマスクを追加］を選択します13。
グループの［レイヤーマスクサムネール］を選択し、［ブラシツール］を使って、パズルのアウトラインだけになった部分をマスクします。［ハード円ブラシ］を選択し、大きなブラシサイズで大まかな線をマスクしてから、細かなブラシサイズでマスクすると素早く処理できます14。

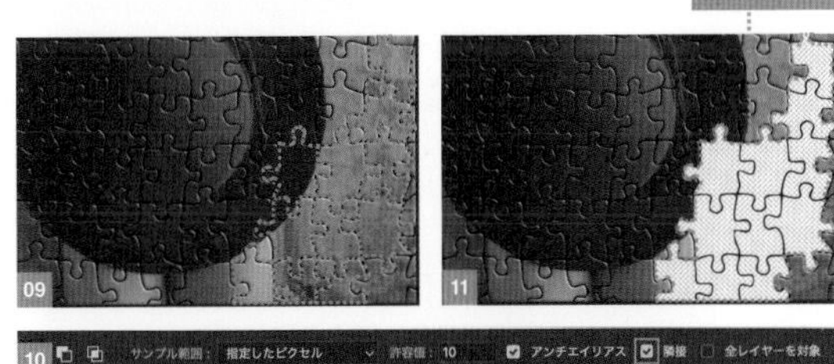

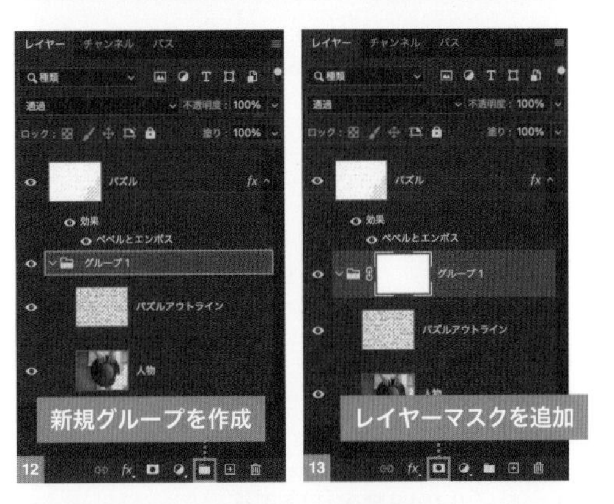

04 | 背景を配置し、パズルの影を付ける

素材［背景.psd］を開き、レイヤーの最下位に配置します 15 16。レイヤー［パズル］を選択し［レイヤースタイル］を表示します。［ドロップシャドウ］を 17 のように設定します。パズルの影が付きました 18。

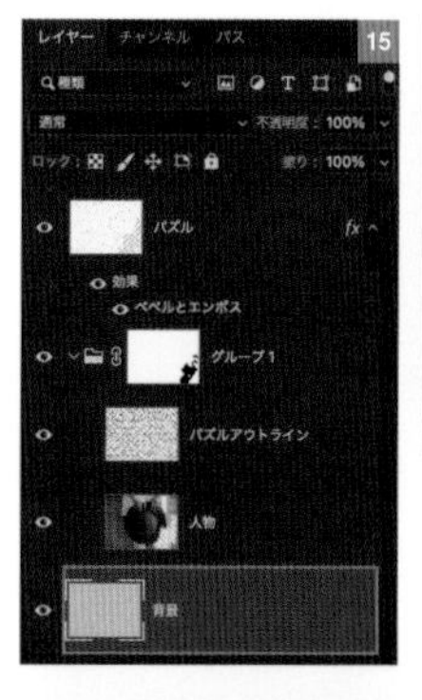

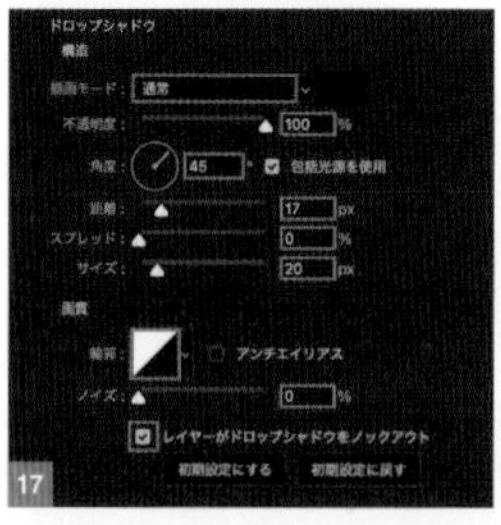

05 | ピースを切り取りレイアウトする

レイヤー［パズル］を選択します。
［自動選択ツール］を選択し、19 のように選択範囲を作成します。
Delete キーで削除します。選択範囲が作成された状態のまま、レイヤー［人物］を選択し［右クリック］→［選択範囲をカットしたレイヤー］とします 20。レイヤー名［ピース］とし、最上位に移動します 21。
レイヤー［パズル］を選択し［右クリック］→［レイヤースタイルをコピー］します。レイヤー［ピース］を選択し、［右クリック］→［レイヤースタイルをペースト］します 22。
［塗り］もコピーされるので、［塗り：100%］とします。ピースを移動し回転、好みの位置にレイアウトします 23。

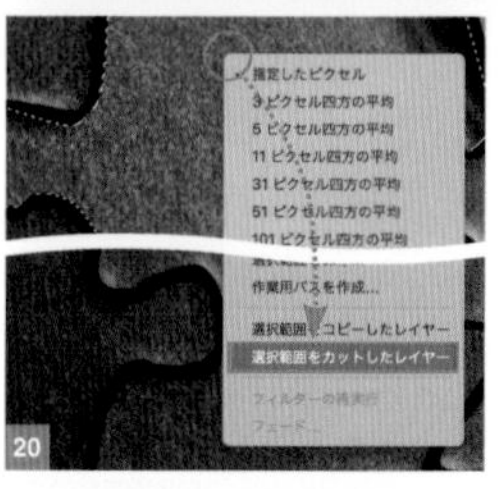

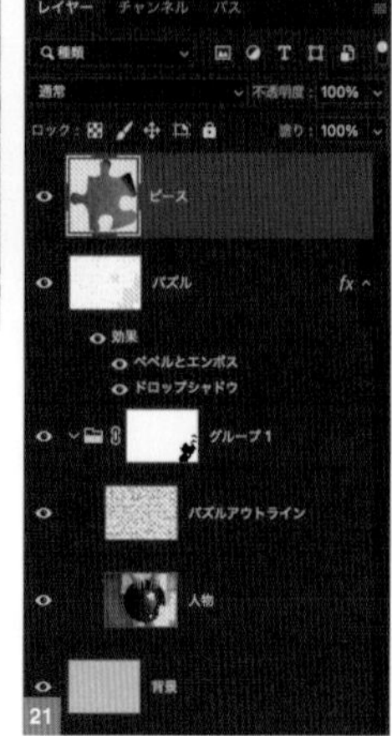

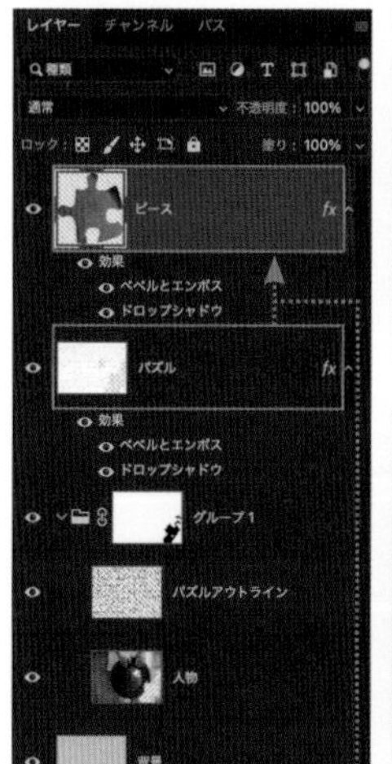

06 | 好みでピースをレイアウトして完成

手順05の要領で好みのピースを切り抜き、レイアウトしたら完成です 24。

Ps

マスキングテープで文字を作る　no.032

マスキングテープを表現し文字をデザインします。

Point　テープの切り口をきれいに処理する

How to use　見出しのデザインや装飾パーツに

01 ｜ テープを作成する

素材［背景.psd］を開きます。新規レイヤー［テープ］を作成します。
［長方形選択ツール］を選択し、長方形の選択範囲を作成し［塗りつぶしツール］で塗りつぶします 01。
作例では［幅：400px］［高さ：90px］の長方形を作りました 02。塗りつぶすカラーはわかりやすい色なら何色でもかまいません。なお、［スタイル：固定］にしておくと選択範囲を数値で指定することができます。

01

02　アンチエイリアス　スタイル：固定　幅：400 px　高さ：90 px

02 | テープの切り口を表現する

[消しゴムツール] を選択し、[チョーク (60 pixel)] を選択します 03。
テープの左外側からテープ内側にストロークして 04 のようにテープをちぎったような切り口を作ります。
縦にストロークすると 05 のようになってしまいますので注意してください。
反対側も同じように、右外側からテープ内側にストロークし 06 のように切り口を作ります。

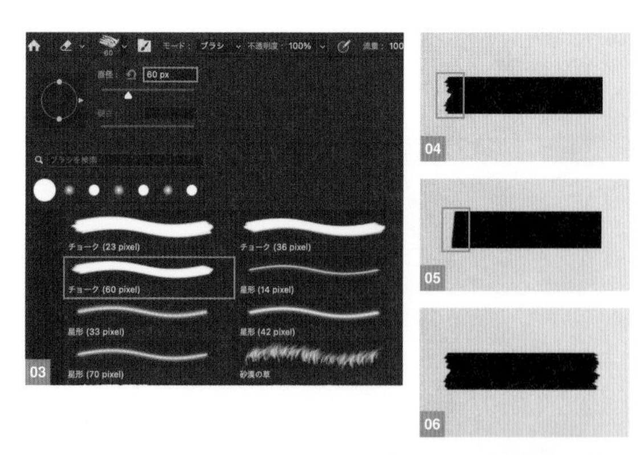

03 04 05 06

03 | 質感を加える

レイヤー [テープ] を選択し、[レイヤースタイル] を表示します。
[パターンオーバーレイ] を選択し 07 のように設定します。
パターンは [従来のパターンとその他] → [従来のパターン] → [カラーペーパー] にある [灰色の上質皮紙] を選択します。もしパターン一覧に表示されない場合は 08 のように [ウィンドウ] → [パターン] のメニューから [従来のパターンとその他] を追加してください。
[カラーオーバーレイ] を選択し、09 のように設定します。カラーは [#ed4141] とします 10。
[ドロップシャドウ] を選択し、11 のように設定します。
レイヤーの不透明度を [70%] とします 12。マスキングテープのような質感ができました 13。

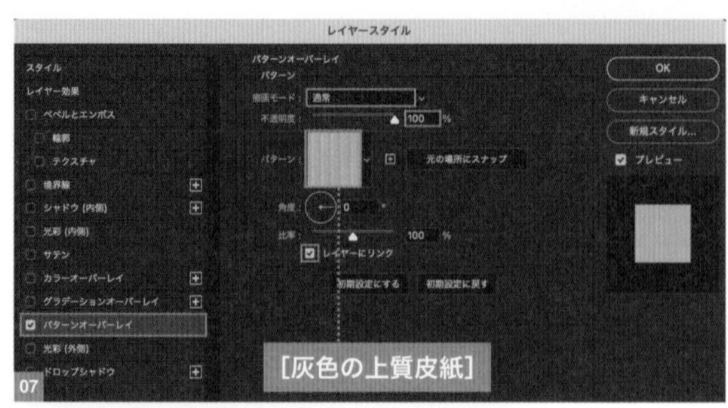

07

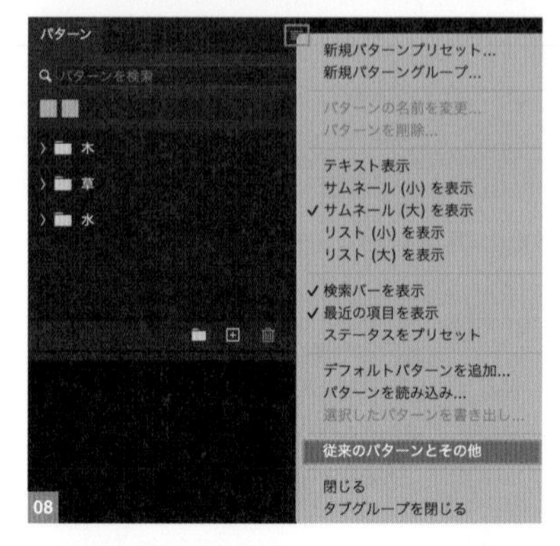

08

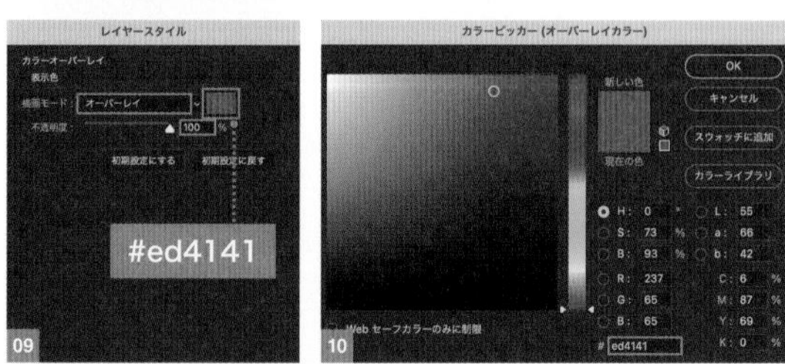

09 10

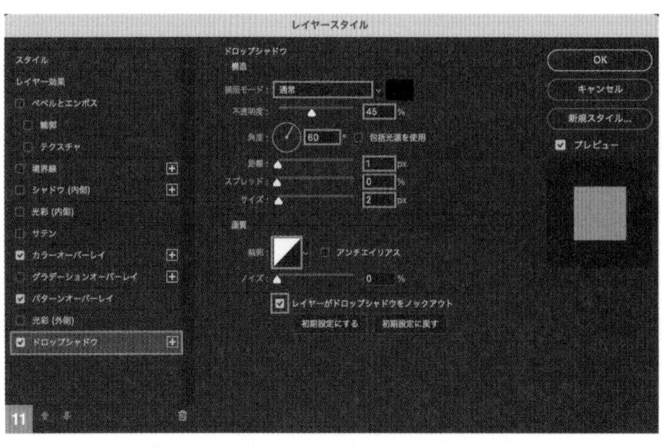

11

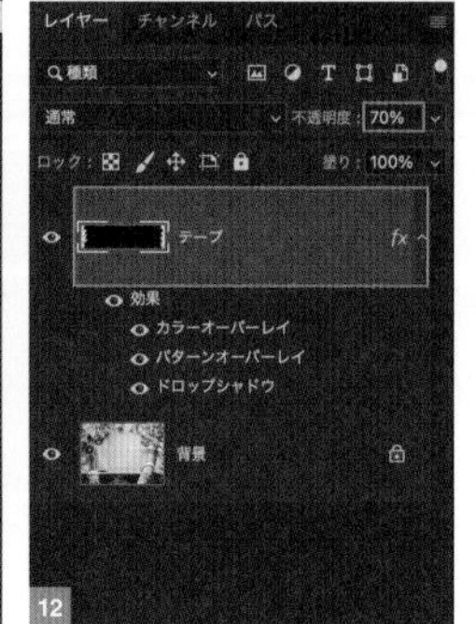

12

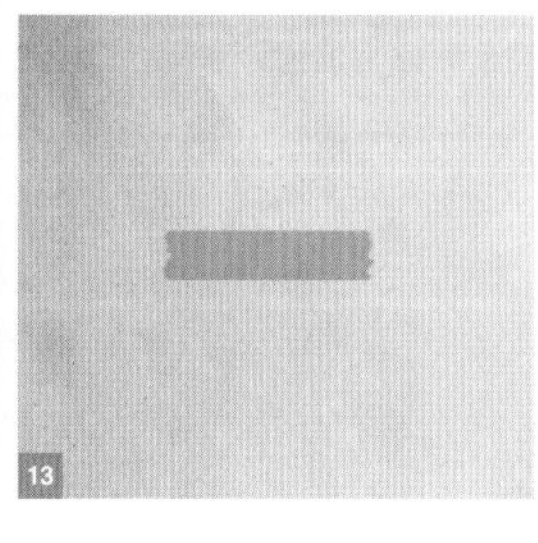
13

04 | 同じ要領でテープのパーツを作成する

手順01、02の要領で高さ［90px］は変えずに横幅が違うテープのパーツをいくつか作成します14。
レイヤーパネル上でレイヤー［テープ］を選択し［右クリック］→［レイヤースタイルをコピー］し、作成した他のテープのレイヤー上で［右クリック］→［レイヤースタイルをペースト］します15。

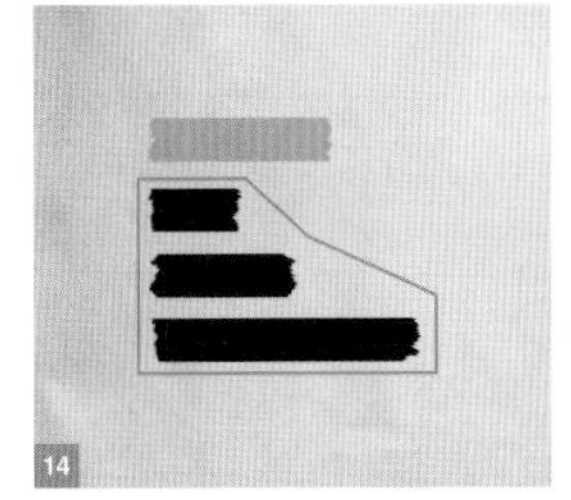
14

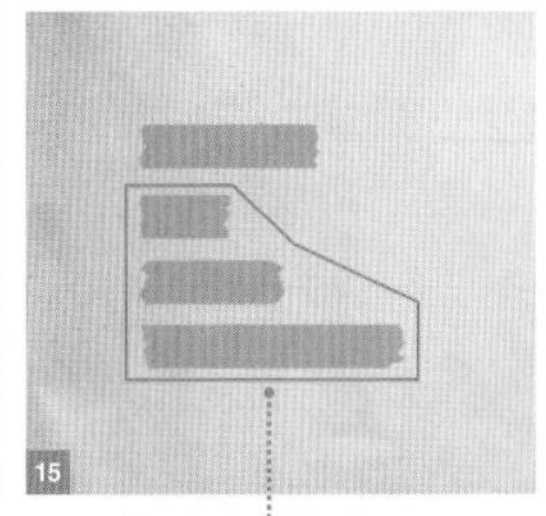
15

05 | 作成したパーツを並べて文字を組んだら完成

レイヤーを複製しながら、［自由変形］を使って好みの文字を組んだら完成です16。
作例では文字を組む途中で余ったパーツをそのまま残してクラフト感を出しました。

16

Chapter 04

column

ピクセルサイズを指定して選択範囲を作成する方法

Ps

Webデザインの制作などではピクセル単位のサイズで調整が必要な場面が多々あります。
そのような場合、ツールパネルの［選択ツール］を選択した後、［オプションバー］を右図のように［スタイル：固定］と設定することで［幅：400px］［高さ：90px］といった固定した選択範囲を作成することが可能です。

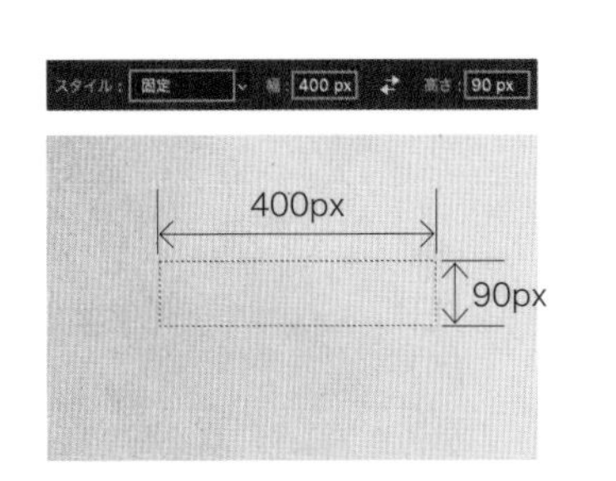

Ps

水のような金属を作る no.033

金属が溶けたようなグラフィックを制作します。

Point フィルター［ゆがみ］とレイヤースタイル［ベベルとエンボス］を丁寧に設定する

How to use 金属が溶けたような演出や光沢感のある演出に

01 | スプーンが溶けたような加工をする

素材［背景.psd］を開きます。レイヤー［スプーン］を選択し、［フィルター］→［ゆがみ］を選択します。
［前方ワープツール］を選択し、［サイズ：25〜100］と調整しながら、スプーンが溶けたように表現します 01 02。

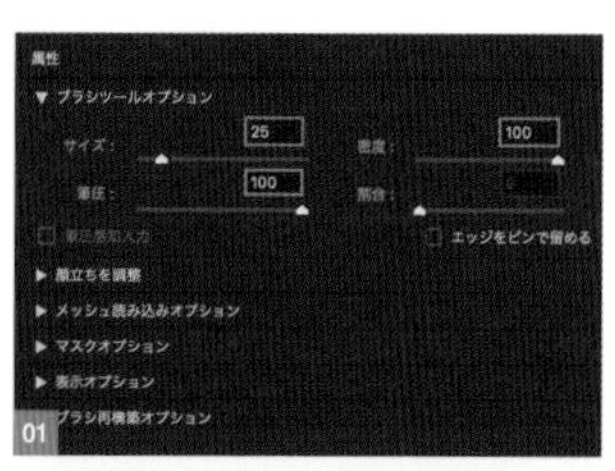

01

02

02 | テキストレイヤーをガイドに、溶けたテキストを描く

［描画色：#ffffff］と設定します。［横書き文字ツール］を選択し［フォント：小塚ゴシック Pr6N］、［フォントサイズ：171pt］とします。

03

04

「Liquid」と入力し、レイヤー［スプーン］の下位に配置します 03。
テキストレイヤー［Liquid］の上位に新規レイヤー［ロゴ］を作成します。
［ブラシツール］を選択し［ハード円ブラシ］を選択します。
［Liquid］のテキストをガイドにして溶けたように描きます。
［消しゴムツール］も使って形を整えます 04。
描き終えたらテキストレイヤー［Liquid］は削除します。

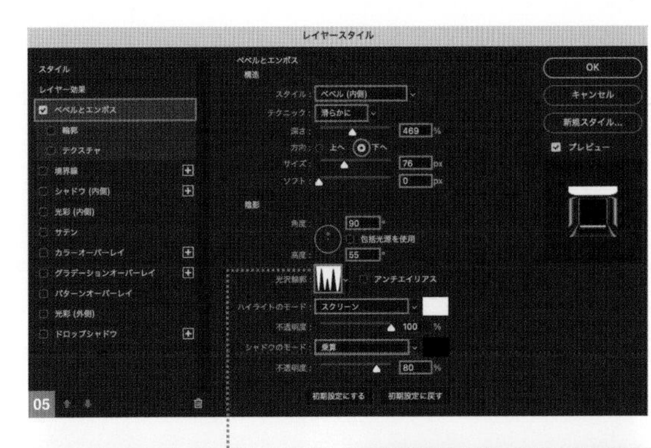

03 レイヤースタイルを使い金属の質感を加える

レイヤー［ロゴ］をダブルクリックし、［レイヤースタイル］パネルを表示します。
［ベベルとエンボス］を選択し、05 のように設定します。
［光沢輪郭］のサムネールを選択し［輪郭エディター］を表示し、06 のように設定します。
この設定により金属が溶けたような表現になります。反映具合を見ながら各ポイントを丁寧に調整しましょう 07。
［サテン］を選択し、08 のように設定します。
［カラーオーバーレイ］を選択し［カラー：#818181］とします 09。
［光彩（内側）］を選択し 10 のように設定します。
金属が溶けたような質感が表現できました 11。

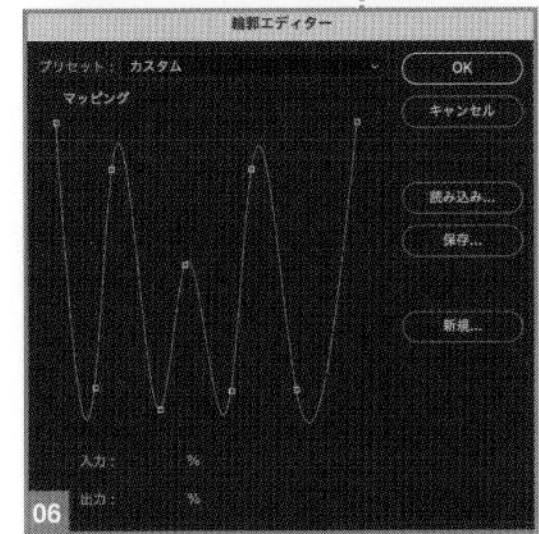

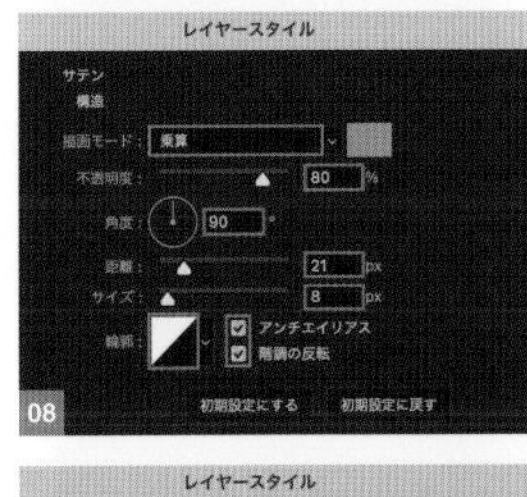

［#818181］

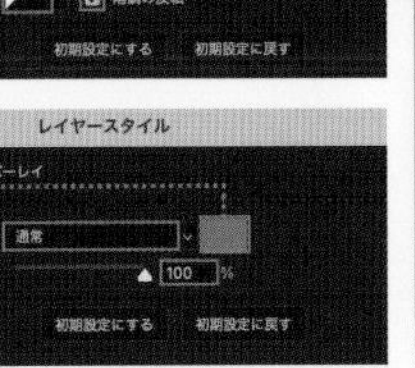

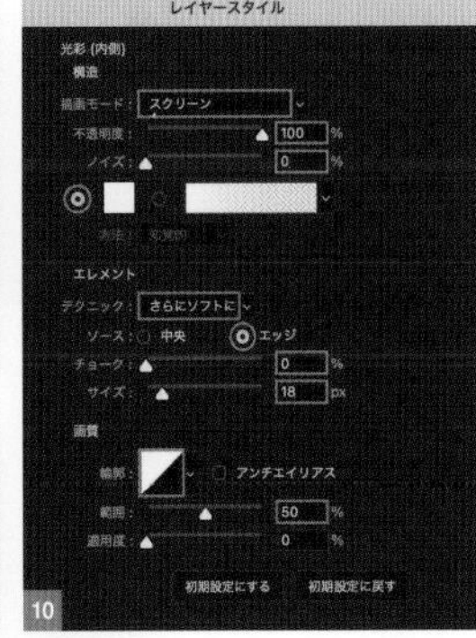

Chapter 04

column

Ps

水のような表現を作るテクニック

手順03の 09 のレイヤースタイル［カラーオーバーレイ］を変えることで、異なったイメージを作ることも可能です。右図の画像では［描画モード：#0078ff］の塗りに変更し水のような表現を目指して調整しました。

Ps

割れたガラスを作る　no.034

レイヤースタイルとガラスのテクスチャを使って、割れたガラスのエフェクトを作成します。

Point　エンボス、境界線、光彩を使ってガラスを表現する

How to use　ガラスのパーツやタイトルロゴなどに

01 | 文字を配置する

素材［背景.psd］を開きます。
［横書き文字ツール］を使って［フォント：小塚ゴシック Pr6N］［フォントスタイル：H］［フォントサイズ：150pt］とし「BROKEN」と入力します 01。
文字のカラーはわかりやすければ何色でもかまいません。テキストを中央に配置します 02。

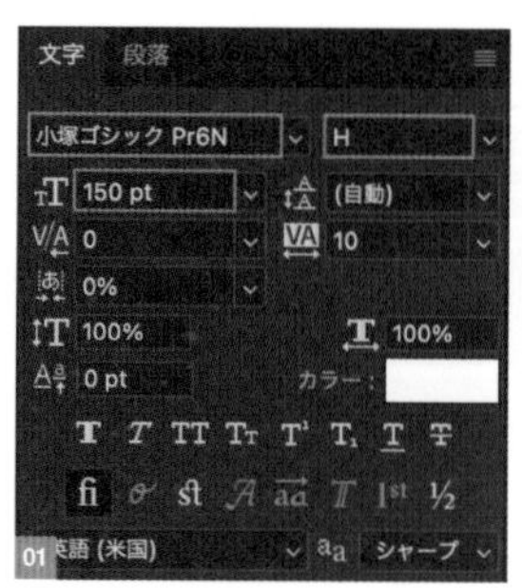

01

02

02 | 文字にガラスの質感を加える

P.67の「ガラスの板を作る」と同じ要領でテキストレイヤーにレイヤースタイルを適用します。
ここでは、より透明なガラスを作成していきます。
テキストレイヤー [BROKEN] を選択し [塗り：0%] とします 03。レイヤースタイルを開き、[ベベルとエンボス] を 04 のように設定します。[ハイライトのモード] で選択したカラーは [#ffffff]、[シャドウのモード] で選択したカラーは [#59fdf3] です。
[境界線] を選択し、05 のように設定します。カラーは [#59fdf3] です。
[光彩（内側）] を選択し 06 のように設定します。カラーは [#ffffff] です。
[グラデーションオーバーレイ] を選択し、07 のように設定します。グラデーションは描画色 [#ffffff] を選択した状態で、プリセットの [描画色から透明に] を選択し、不透明度の中間点を [位置：5%] とします 08。[OK] を選択し、レイヤースタイルに戻り、カンバス上でドラッグしグラデーションの位置を調整します 09。[OK] を選択し確定させます。

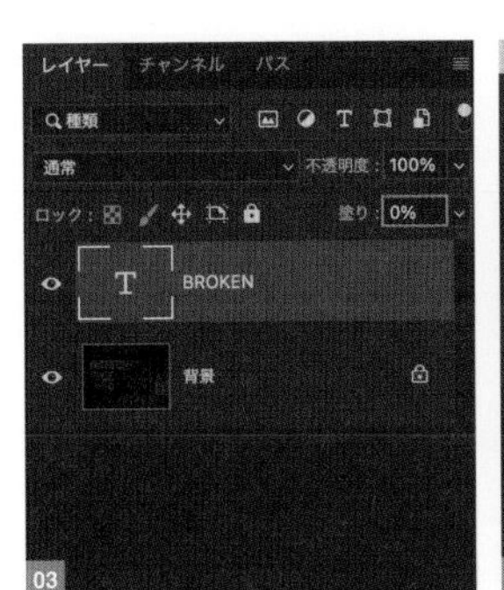

03

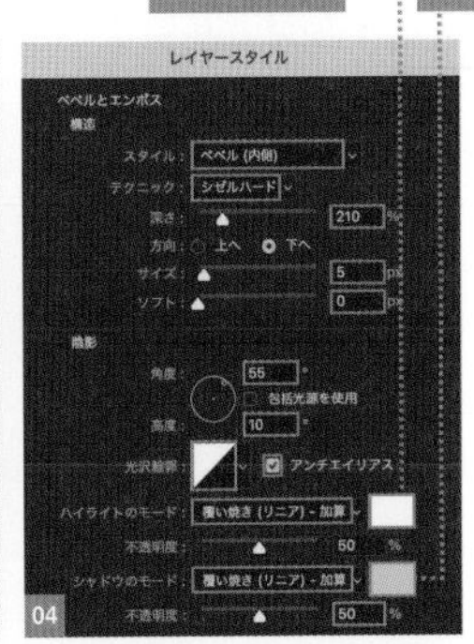

04

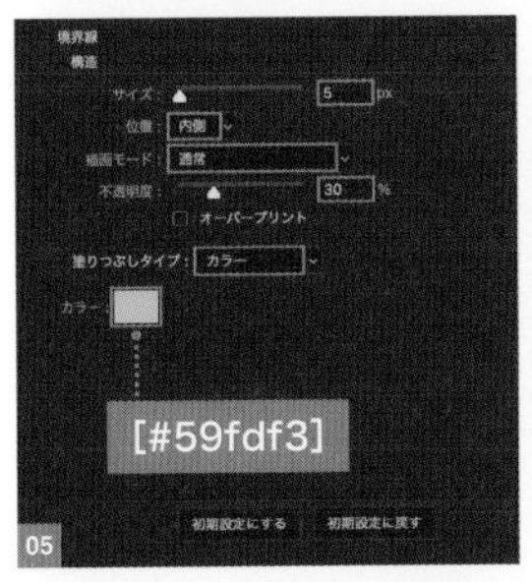

05

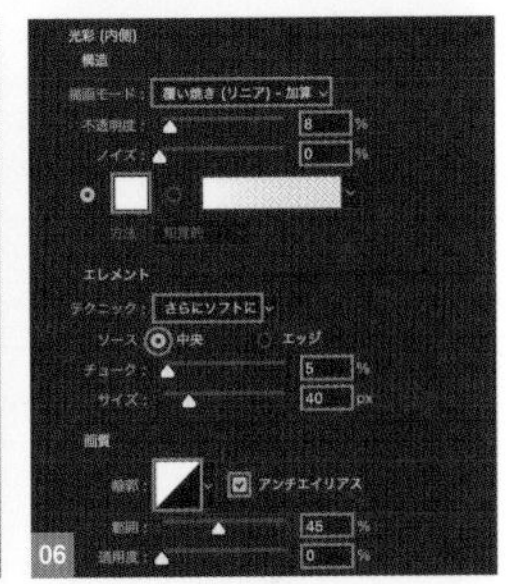

06

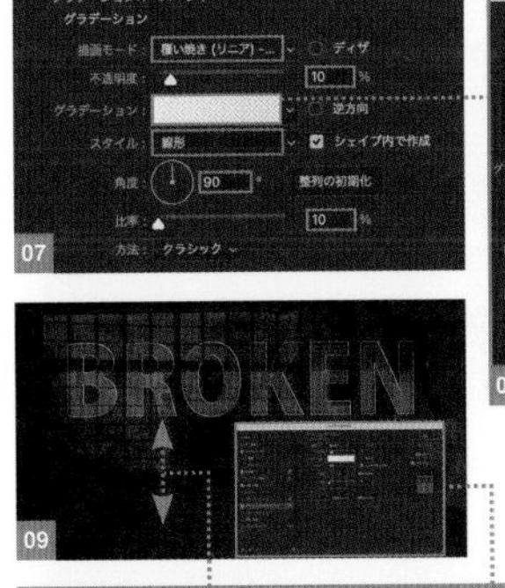

07

09

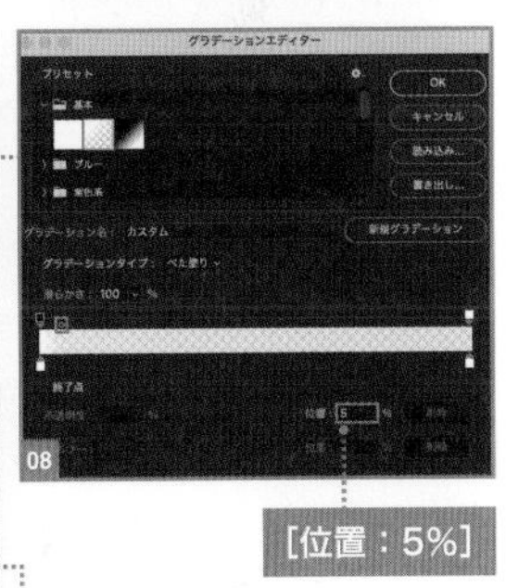

08

03 | ガラスが割れたように文字を分割する

レイヤー [BROKEN] を選択し [右クリック] → [テキストをラスタライズ] とします 10。
ここからは同じ作業が続くためショートカットキーで効率よく作業しましょう。
[多角形選択ツール]（ショートカットキー：L）を選択し、文字を分割したい選択範囲を作成します 11 12。なお、一度手動で [多角形ツール] を選択しておく必要があります。
そのまま [移動ツール]（ショートカットキー：V）に切り替え移動させます 13。
再度 [多角形選択ツール] を選択し選択範囲を作成します 14。そのまま [移動ツール] に切り替え、移動、[自由変形]（ショートカットキー：⌘（Ctrl）+T）を使って 15 のように少し回転させて配置します。
このように [多角形選択ツール]（ショートカットキー：L）→ [移動ツール]（ショートカットキー：V）、回転させる場合は [自由変形]（ショートカットキー：⌘（Ctrl）+T）を駆使して文字を分割していきます 16（大きく崩してしまうと視認性が悪くなるのでバランスを見て行いましょう）。

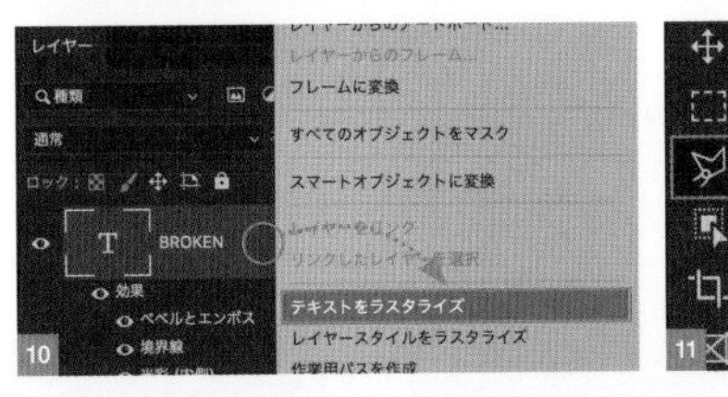

10 11

12

13

14

15

16

04 ｜ ガラスのテクスチャを重ねて リアルさを加える

素材［ガラス.psd］を開き、レイヤー［BROKEN］の上位に配置します。［描画モード：覆い焼きカラー］とします17。

レイヤー［BROKEN］のレイヤーサムネール上で⌘（Ctrl）キー＋クリックして選択範囲を作成します。

そのままレイヤー［ガラス］を選択し、レイヤーパネルから［レイヤーマスクを追加］を選択します18。

文字にガラスの割れた質感が加わりました19。

17

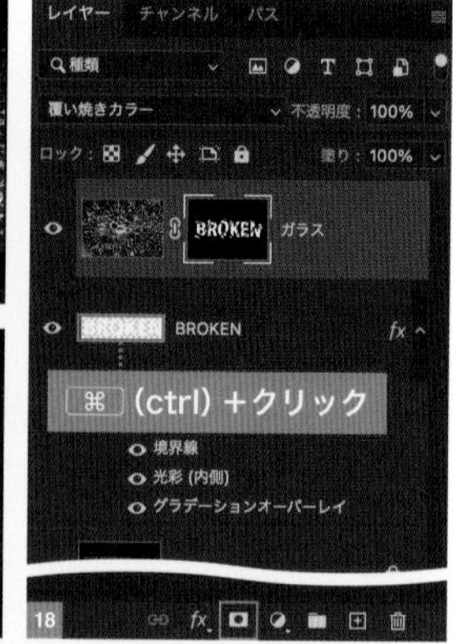

18

19

05 ｜ 飛び散るガラスで装飾して完成

素材［ガラス.psd］を開き、最上位に配置し、［描画モード：覆い焼きカラー］とします。

［多角形選択ツール］を選択し、ガラスのひびを目安にしながら飛び散る破片として使用したい部分の選択範囲を好みで作成します20（選択範囲がわかりやすいように黄色にしています）。

［右クリック］→［選択範囲をカットしたレイヤー］とし、選択範囲を切り抜いて破片のパーツを複数用意します。

切り抜いた破片のパーツをレイアウトしたら21、レイヤー［BROKEN］のレイヤースタイルをコピーして完成です22。

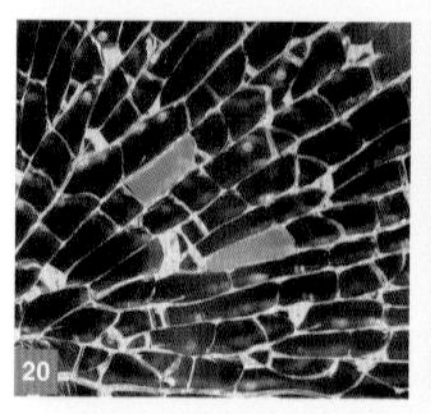
20

21

22

□ column

Ps

バードアイビュー

作品制作では全体のイメージを把握することが重要ですが、細かな作業が続くと、どうしても右図のようなズームした状態で作業を進めてしまいがちです。そのような時はHキー＋クリックすることで、いったん作品全体を確認することができます。

下図のようにウィンドウサイズに対応した枠が表示され、拡大したい場所にドラッグすることで元の拡大率の状態にズームされます。

Ps

大理石を作る　no.035

フィルターの雲模様を使ってリアルな大理石を再現します。

Point　［雲模様］で作成したイメージを複製し深みを作る　How to use　リアルな大理石の表現に

01 ｜ 雲模様を適用する

素材［背景.jpg］を開きます。
背景レイヤーの右側にある鍵のマーク 01 をクリックし、レイヤー化します。レイヤー名は［大理石］とします 02。
［描画色：#000000］［背景色：#ffffff］にしておきます（初期設定の状態）03。
［フィルター］→［描画］→［雲模様1］を選択します 04 05。
さらに［フィルター］→［描画］→［雲模様2］を選択します 06 07。

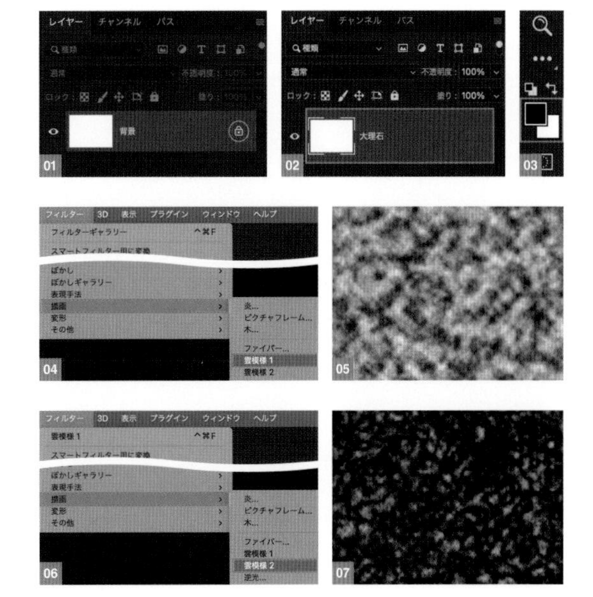

02 | コントラストを調整し、光沢のある質感を作る

［イメージ］→［色調補正］→［レベル補正］を選択します08。
入力レベルを［0/2.5/120］とし、細く黒いラインが見えるようにします09 10。
［フィルター］→［フィルターギャラリー］を選択します11。
ウィンドウが表示されたら、［アーティスティック］→［ラップ］を選択し、右側の数値を［ハイライトの強さ：10］［ディテール：10］［滑らかさ：5］とします12。
大理石の光沢感を再現しています13。

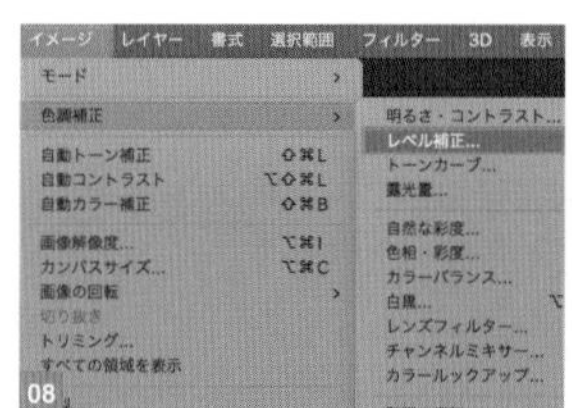

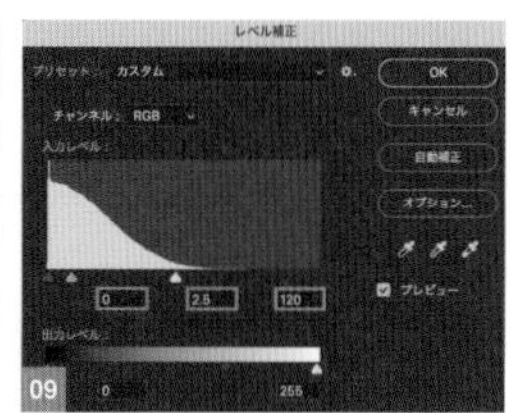

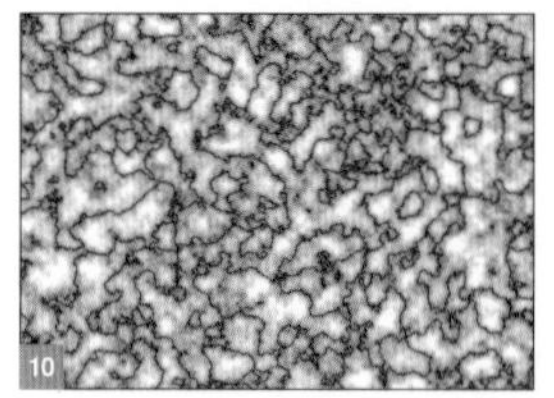

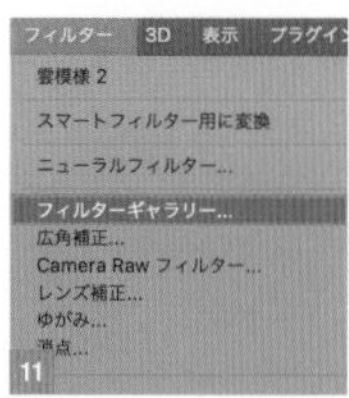

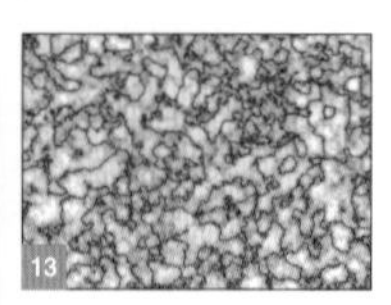

03 | レイヤーを複製し合成してリアルな質感にする

レイヤー［大理石］を上位に複製し、［描画モード：スクリーン］とします14 15。複製したレイヤー名は［大理石2］などわかりやすい名前にします。
［編集］→［自由変形］を選択し16、［140%］くらいに拡大し［15°］くらい時計回りに回転させます17。
複製したレイヤー［大理石2］の不透明度を［75%］にしてムラ感を出します18 19。
レイヤー［大理石2］をさらに上位に複製し、レイヤー名［大理石3］とします。
［編集］→［自由変形］を選択し、［-30°］反時計回りに回転させます20。
ムラ感を出すためにレイヤー［大理石3］の不透明度を［50%］にします。
白黒の大理石ができました21。
白黒の大理石を使いたい場合はこのまま使用してもいいでしょう。

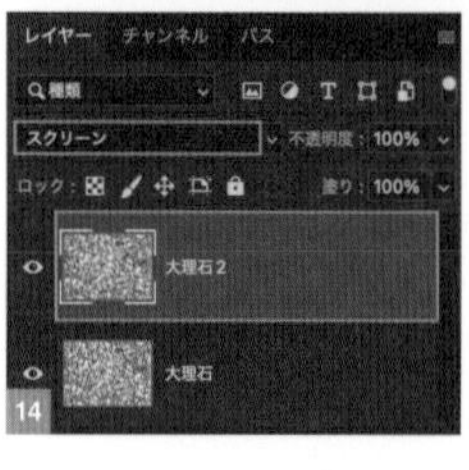

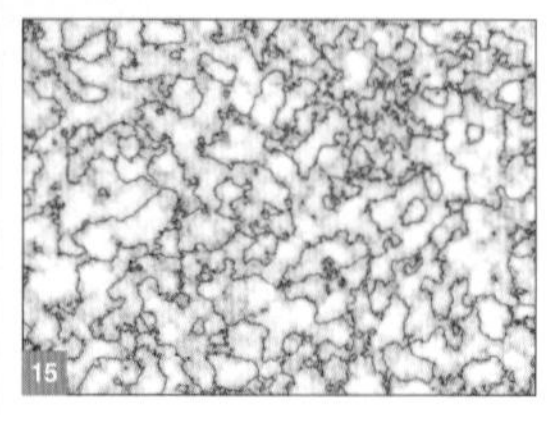

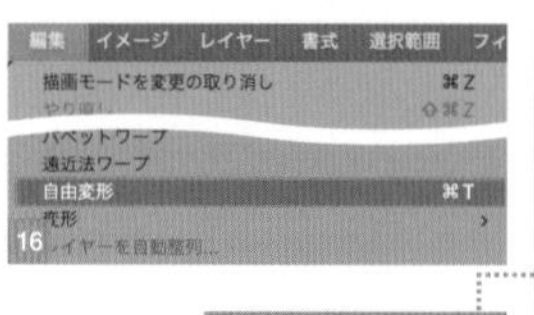

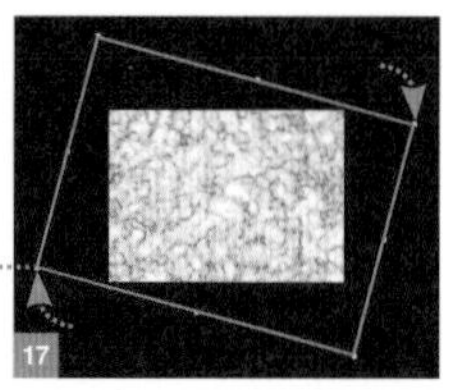

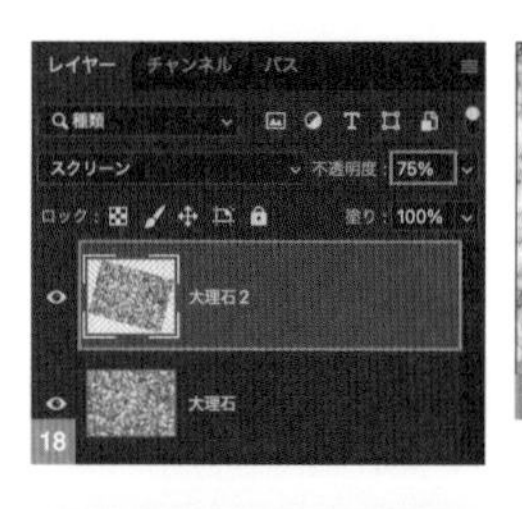

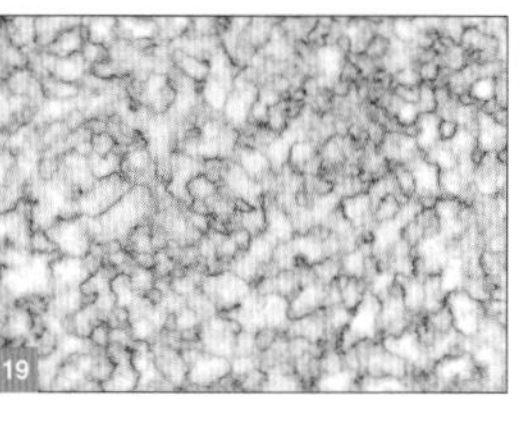

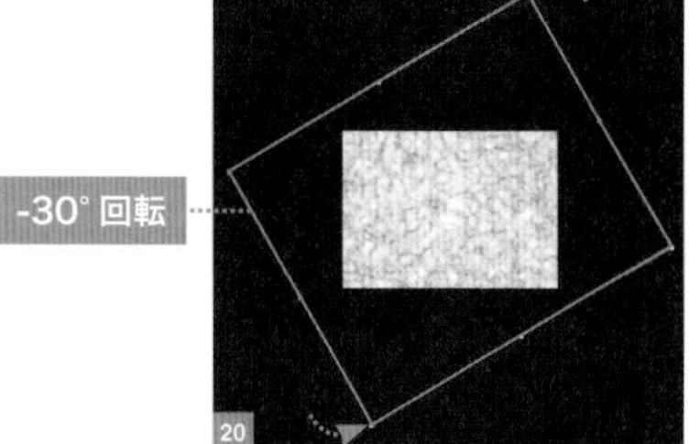

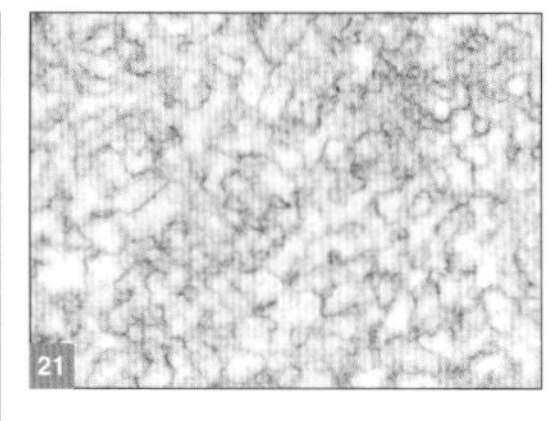

04 | 部分的に金が混ざった質感を再現する

部分的に金が混ざった大理石を作成していきます。
最上位に新規レイヤー［金色］を作成します。
［選択範囲］→［色域指定］を選択します 22。
画面を200%程度拡大し、カンバス上のグレーの部分を選択します。［許容量：70］とします。この数値は 23 の白黒の選択範囲のプレビューを参考に変えてください。選択範囲ができたら［OK］します。
24 のような選択範囲が作成できたら、ツールパネルの［塗りつぶしツール］を選択し、塗りつぶします。
カラーは次のレイヤースタイルで指定するのでわかりやすい色であれば何色でもかまいません 25。

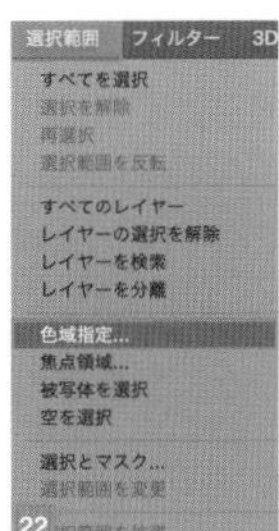

22

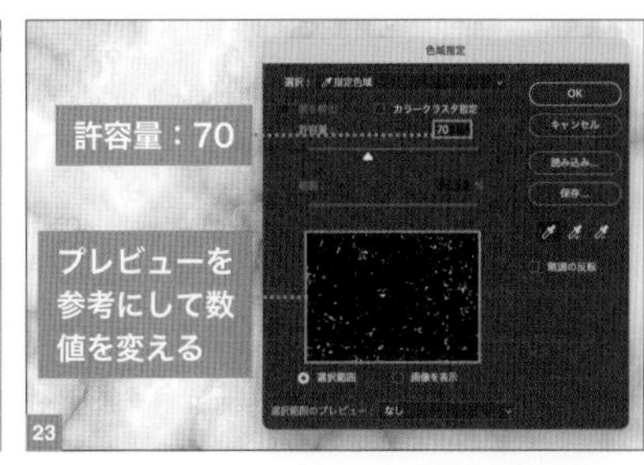

23

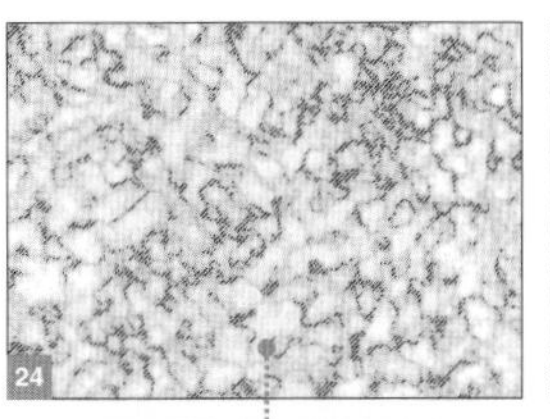
24

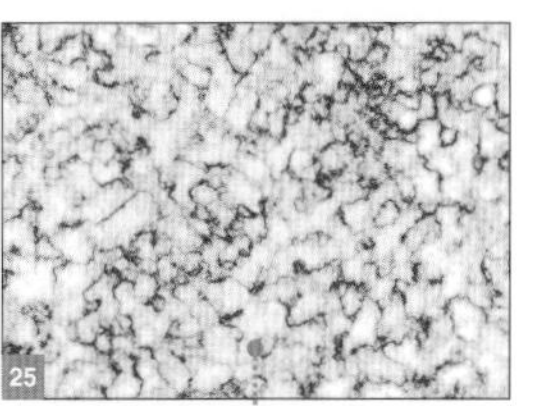
25

05 | 金色に着色し質感を加える

レイヤー［金色］を選択し、［レイヤー］→［レイヤースタイル］→［パターンオーバーレイ］を選択します 26。
初期設定のまま、［パターン］→［パターン］のプレビューを選択し、［従来のパターンとその他］→［従来のパターン］→［岩］→［土］を選択します 27。

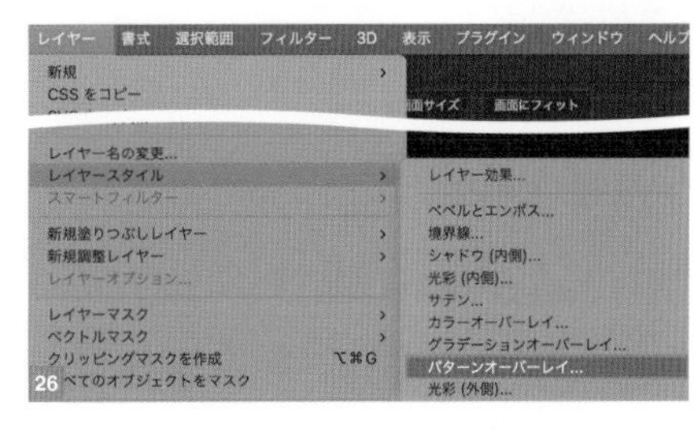

26

memo

Photoshopのバージョンによりパターンの位置が変更になることがあります。もし［従来のパターン］が見つからない場合は、［ウィンドウ］→［パターン］を選択し、パターンパネルを表示します。パネル右上のダイアログから、［従来のパターンとその他］をクリックして表示させてください。

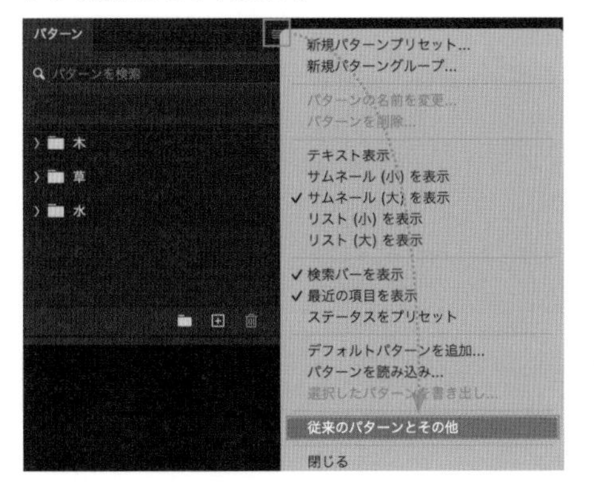

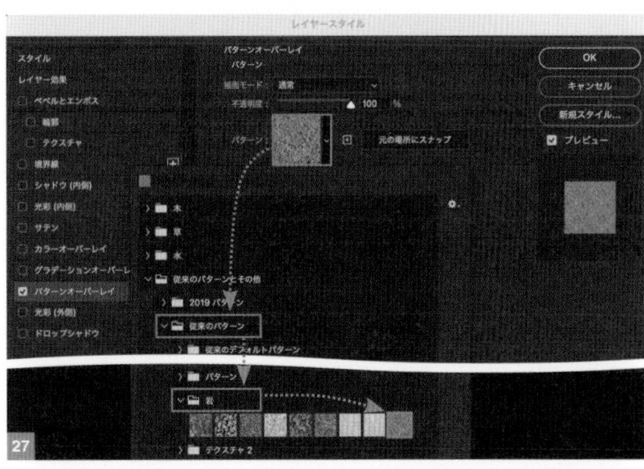

27

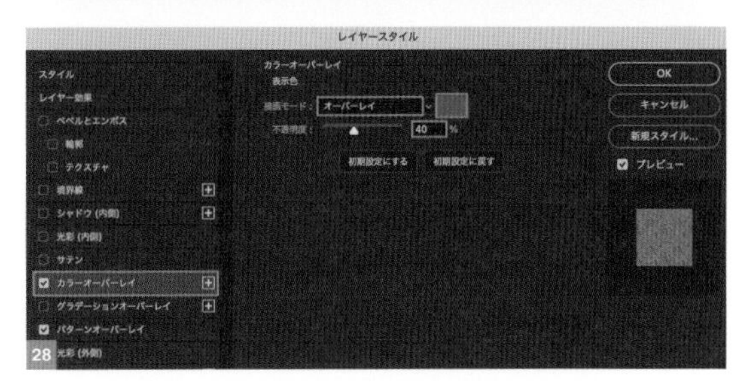

28

ざらついた質感になりますがカラーはあせた印象なので、［スタイル］→［カラーオーバーレイ］にチェックを入れて選択します。［描画モード：オーバーレイ］［カラー：#8d601f］とし、不透明度を［40%］にします 28。
金が混ざった大理石ができました 29。

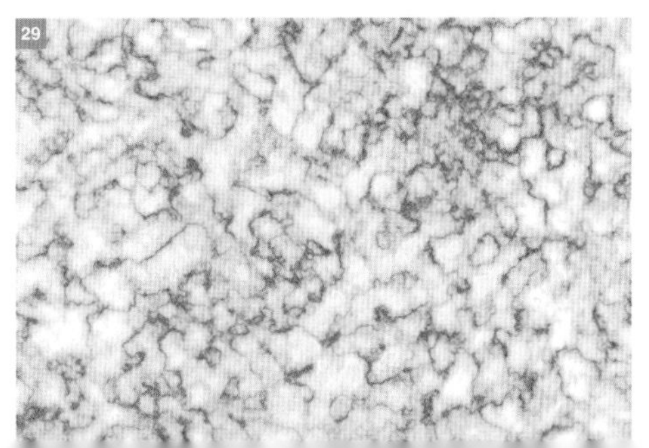
29

Ps

破れた紙を作る

no.036

紙を破いたようなグラフィックを制作します。

Point	破れて毛羽立った部分をブラシを使って表現する
How to use	画面を仕切る時の利用や、デザインパーツのワンポイントに

01 紙を破ったように表現したい範囲を削除する

素材［ふくろう.jpg］を開きます 01。素材［森.jpg］を開き 02、［ふくろう.jpg］の最上位にレイヤー［森］として配置します 03。［なげなわツール］を使って破ったように表現したい範囲を選択します 04。

Delete キーで選択範囲内を削除します 05。下位にあるレイヤー［ふくろう］の目の部分が見えるようになりました。

01

02

03

04

05

削除した

02 | 画像の境界線に質感を加える

レイヤー［森］の下位に新規レイヤー［毛羽立ち］を作成します。［描画色：#ffffff］とし、［ブラシの種類：チョーク（60pixel）］を選択します06。
［ブラシ設定］パネルを表示し、［シェイプ］を選択し［角度のジッター：30%］とします07。
作成したブラシを使って画像の切り口からはみ出すようにして破れた質感を描画します。
一定の太さではなく、細いところ、太いところ、とムラのある描画をするとリアルになります08。

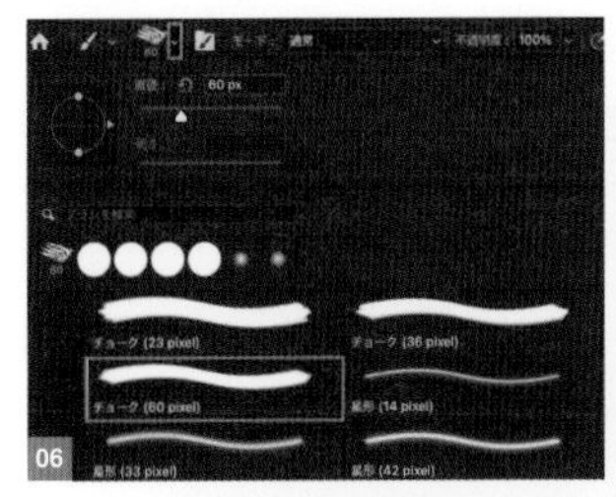

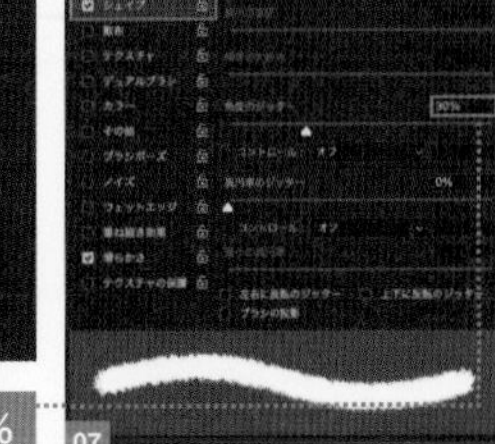

03 | 破れて毛羽立った質感を加える

［消しゴムツール］を選択し、作成したブラシを使って画像の切り口をなぞり、画像の内側もギザギザとした境界線にします09。

04 | 切り口に影を付ける

レイヤー［毛羽立ち］のレイヤースタイルを表示し［ドロップシャドウ］を選択し、10のように設定します。
影が付き立体感が加わり完成です11。

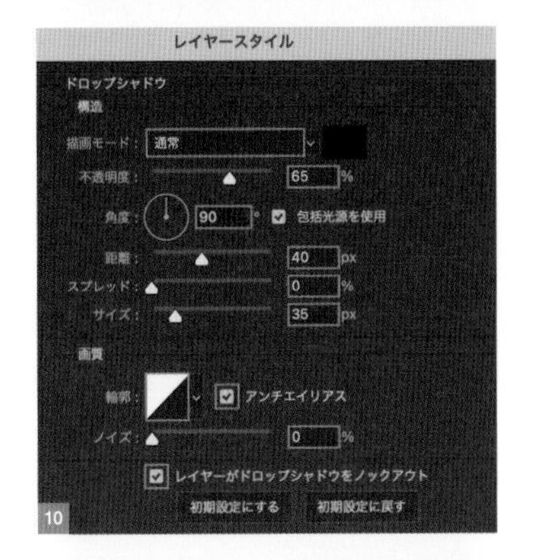

Chapter 04

Ps

紙の質感を作る

no.037

Photoshop の機能だけを使って、紙の質感を表現します。

Point　フィルターで紙の質感を、グラデーションで折り目を表現する

How to use　素材のない状態で紙やしわを表現したい時に

01 | 雲模様の質感を表現する

[ファイル] → [新規] → [印刷] から [B5 (JIS)] サイズを選択し [解像度：350ppi] としドキュメントを作成します 01。
[フィルター] → [描画] → [雲模様1] を選択します 02。
[フィルター] → [描画] → [雲模様2] を選択します 03。

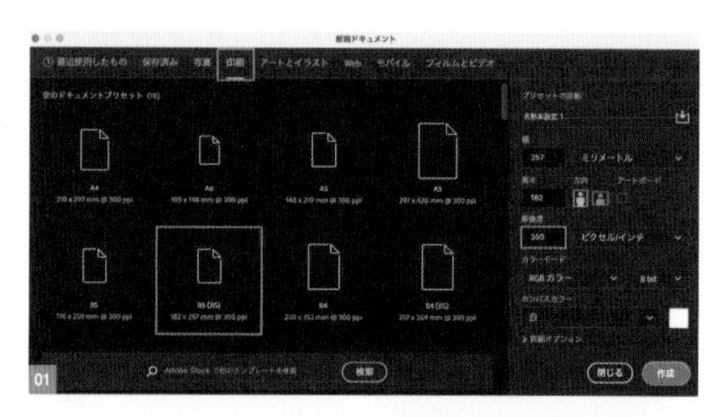
01

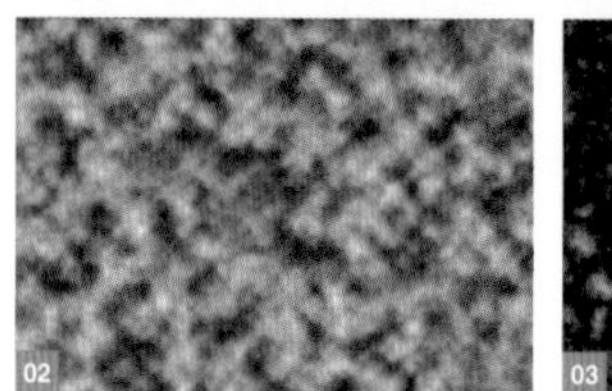
02

03

02 | エンボスを使い クラフト紙のような質感を表現する

[フィルター] → [表現手法] → [エンボス] を選択し 04 のように設定します 05。

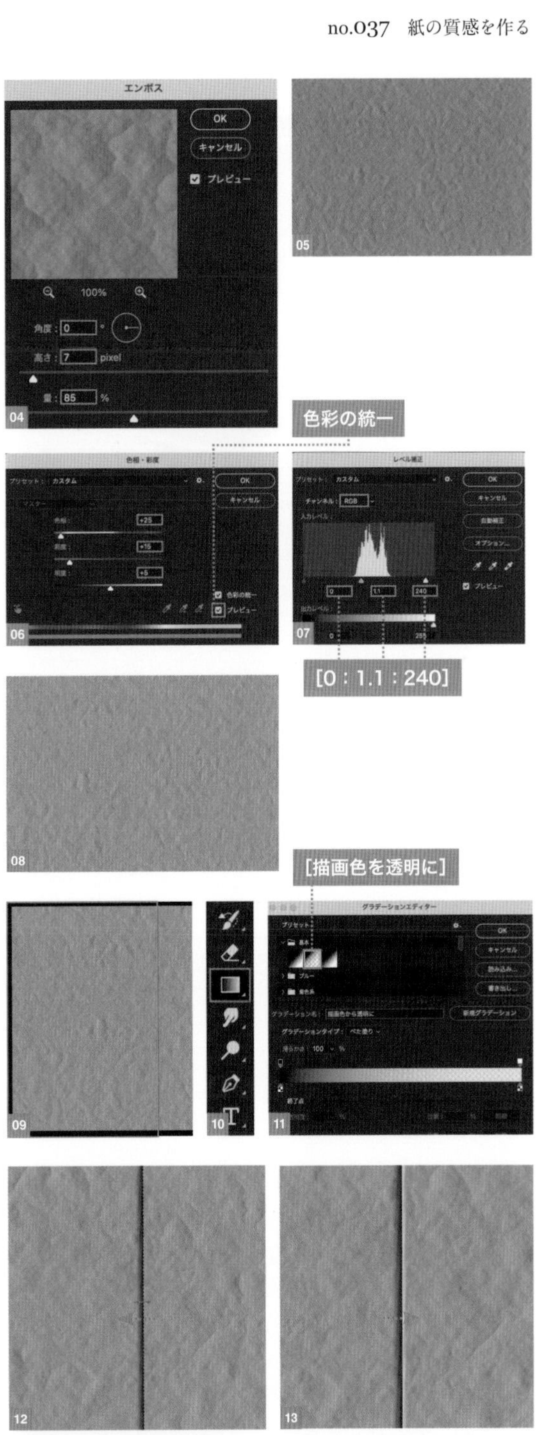

03 | 着色しクラフト紙の色みを表現する

[イメージ] → [色調補正] → [色相・彩度] を選択し、06 のように [色相：25] [彩度：15] [明度：5] と設定します。[色彩の統一] にチェック入れておくことでクラフト紙のような色みに調整することができます。

[レベル補正] を 07 のように適用し、明るさを調整しました。紙の質感の完成です 08。

04 | しわを表現する

新規レイヤー [しわ] を作成します。

画面の真ん中あたりを目安に左半分を選択します 09。

[描画色：#000000] を選択します。

[グラデーションツール] を選択します 10。グラデーションの種類は [描画色から透明に] を選択します 11。

Shift キーを押しながら、選択範囲の右の外側から内側に向かって 12 のように短い距離でグラデーションを適用します。

Shift + ⌘ (Ctrl) + I キーのショートカットキーを押して選択範囲を反転します。[描画色：#ffffff] を選択し、選択範囲の左側から内側に向かって同じようにグラデーションを適用します 13。

レイヤー [しわ] の描画モードを [ソフトライト] [不透明度：50%] としなじませます 14 15。

レイヤーを複製し、好みの位置にレイアウトしたら完成です 16。

作例では文字のデザインを追加で入れてみました。

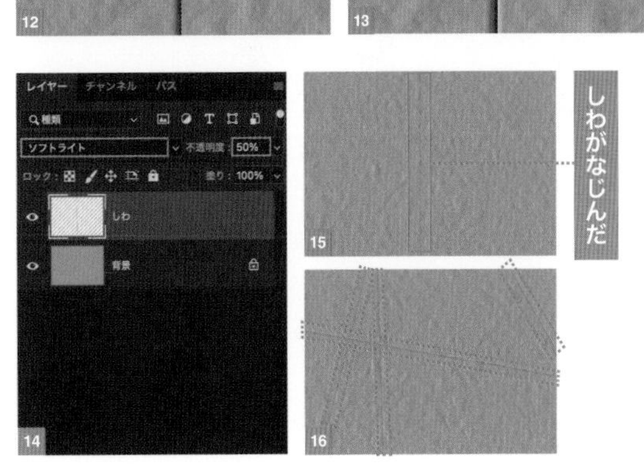

Ai

ラベルを作る

no.038

ラベルやステッカーやロゴなどで使えるデザインを作ります。このような均一の線で作るデザインはIllustratorが向いています。

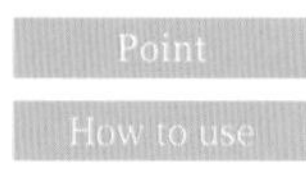

角の種類を変更してラベルを作る

ラベルやステッカーなどのデザインに利用

01 ┃ ラベルの形を作る

ツールパネルの［長方形ツール］を選択します。［線の塗り：#000000］［線幅：6pt］［幅：80mm］［高さ：80mm］の長方形を作成します 01 02 03。

［ウィンドウ］→［変形］を選択し［変形］パネルを表示します。［角丸の半径形値のリンク］を解除し、長方形のプロパティの上の角の２辺の種類を［角丸（内側）:10mm］に設定します。さらに下の角の２辺の種類を［角丸（外側）:40mm］に設定します。ラベルの形ができました 04 05。

memo

［変形］パネルの［角の形状］を使うと簡単に様々な形のオブジェクトが作成できます。設定の結果を見ながら試行錯誤し、バリエーションを増やしていくとよいでしょう。

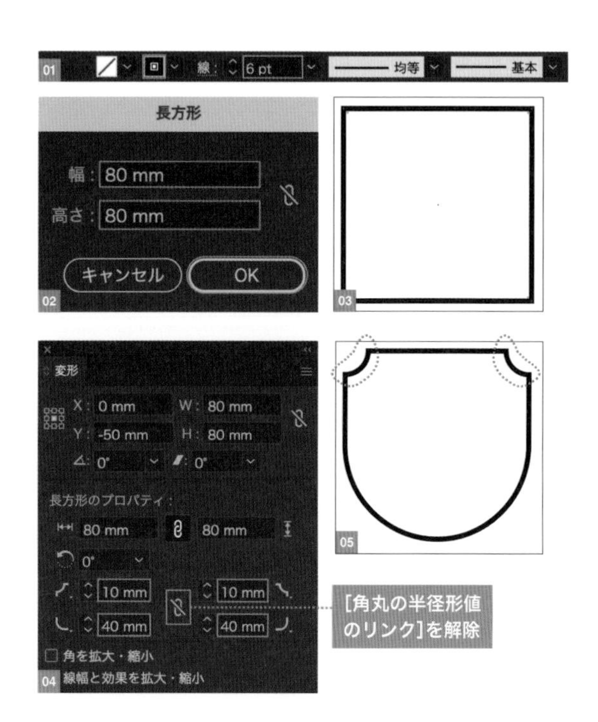

02 | 内側のオブジェクトを作成する

[オブジェクト] → [パス] → [パスのオフセット] を選択し 06、[オフセット：-7mm] [角の形状：マイター] [角の比率：4] と設定し [OK] を選択します 07。
[塗り：#d7d7d8] [線の塗り：なし] に変更します。内側のオブジェクトができました 08。

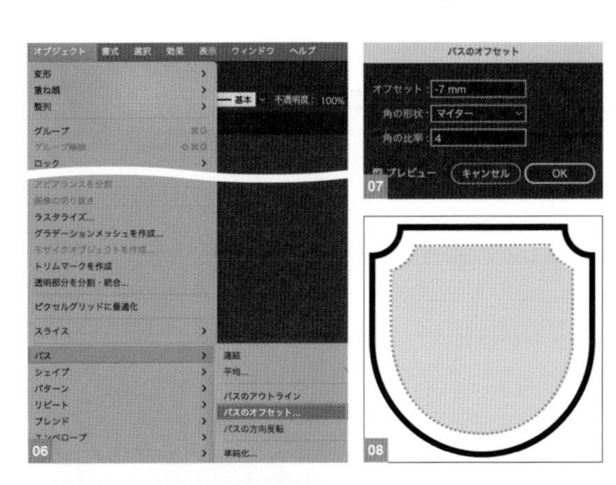

03 | ダーツの的のような模様を作成する

ツールパネルから [楕円形ツール] を選択し、[塗り：なし] [線の塗り：#efefef] [幅：40mm] [高さ：40mm] の円を作成します。[ウィンドウ] → [線] を選択し、09 のように設定するとダーツの的のような模様ができます 10。
手順02で作成した内側のオブジェクトを ⌘ (Ctrl) + C キーで [コピー]、アートボード内の余白をクリック、一旦選択範囲を解除します。⌘ (Ctrl) + F キーで [前面へペースト] し、ダーツの的のような模様と合わせます。ダーツの的のような模様はやや上に配置するとバランスが合うでしょう 11。
2つのオブジェクトを選択し、⌘ (Ctrl) + 7 キーでクリッピングマスクを作成します 12。

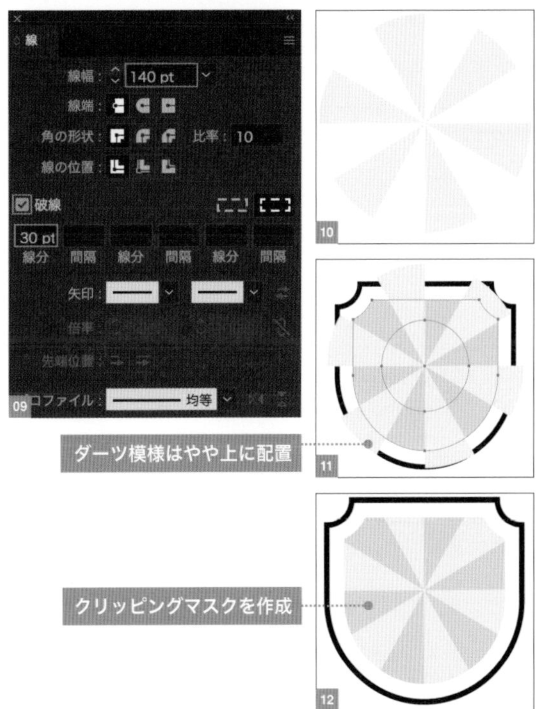

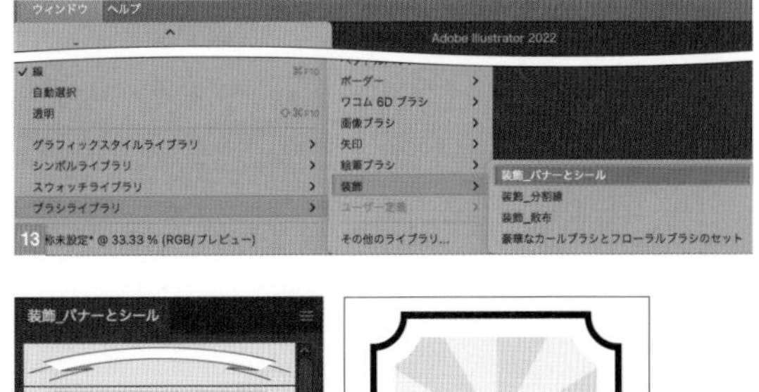

04 | リボンを作成する

[ウィンドウ] → [ブラシライブラリ] → [装飾] → [装飾_バナーとシール] を選択します 13。[バナー4] を選択し [線：1.5pt] の設定で線を引きます 14 15。

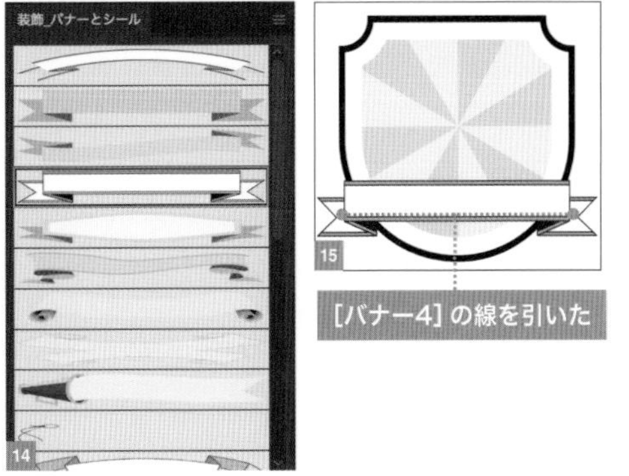

05 | アピアランスパネルでリボンを曲げる

[アピアランスパネル] で [新規効果] から [ワープ] → [円孤] を選択します。16 17 のように設定します。リボンが曲がりました 18。線の長さはラベルの形に合わせて調節します。

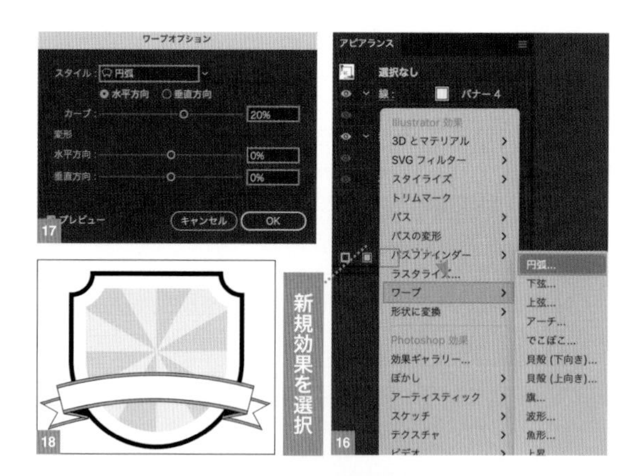

06 | リボンのカラーをモノクロにする

[編集] → [カラーを編集] → [オブジェクトを再配色] を選択します 19。

右下の [詳細オプション] をクリックして詳細を表示します 20。

[オブジェクトを再配色] ダイアログボックスの [配色オプション] をクリックします 21。

[保持] の [ホワイト] と [ブラック] のチェックを外します。デフォルトでは [黒] と [白] が対象外となり選択できないのですが、この設定で扱えるようになります。意図せずカラーを薄めないために [彩色方法：変更しない] に変更します 22。

ダイアログボックスの変更したいカラーを選び色を変更します。新規の部分をダブルクリックし、カラーパレットを変更したい色に設定します。ここでは緑の色を [#ffffff]、白の部分を [#000000] と設定しました 23 24 25。モノクロのリボンができました 26。

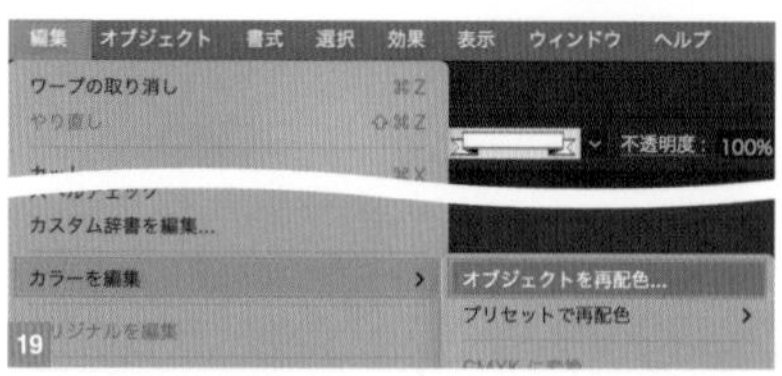

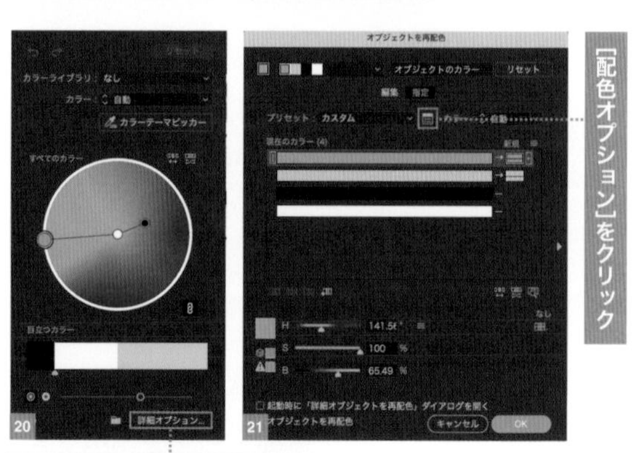

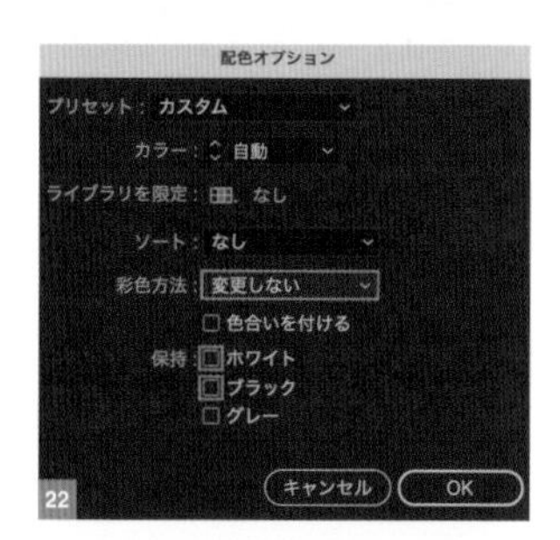

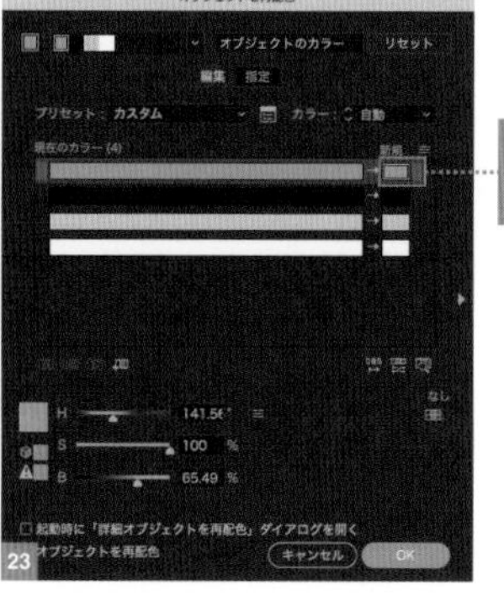

memo

色を変更する場合、[オブジェクト] → [アピアランスの分割] でも対応できますが、[オブジェクトを再配色] (通称：**ライブカラー**) では編集情報を保ったまま色を変更することができます。使い所も多い機能ですので、覚えておくとよいでしょう。詳しくはP.327を参照して下さい。

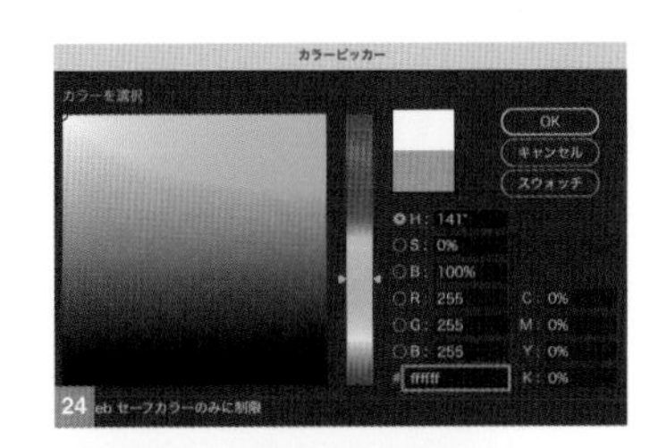

24

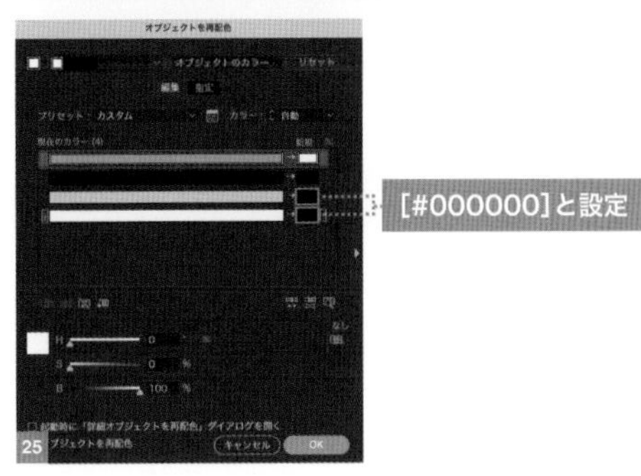

25

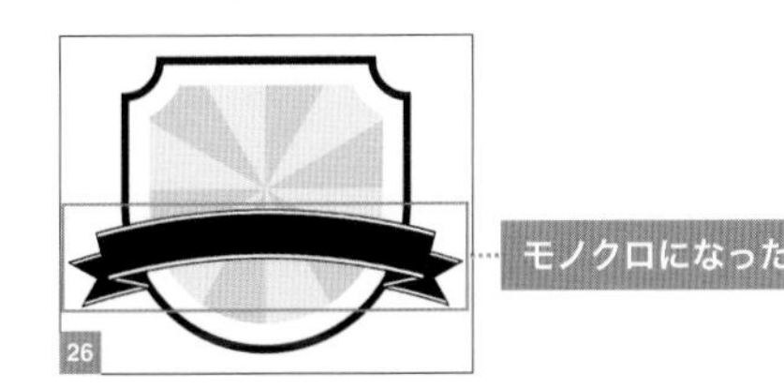

26

07 | 飾りや文字を入れる

ツールパネルの［スターツール］で［塗り：#000000］の［第1半径：4mm］［第2半径：2mm］［点の数：5］の星を作成し、コピーして2つをラベルに配置します 27 28。
［フォントサイズ：24pt］［フォント：Paralucent Text Bold］と設定し「PREMIUM」と入力します。下に［フォントサイズ：62pt］［フォント：Number Five Smooth］の設定し「Quality」と入力します 29。フォントはAdobe Fontsのものを使用しています。

スター
第１半径：4 mm
第２半径：2 mm
点の数：5
キャンセル　OK
27

28

29

08 | リボンに文字を入れて完成

ツールパネルの［楕円形ツール］でリボンに合わせて円を描きます 30。
ツールパネルの［パス上文字ツール］に切り替え、円の上で選択し 31、［塗り：#ffffff］［フォント：Paralucent Text Bold］［サイズ：23pt］で「THE BEST CHOICE」と入力します。
ツールパネルの［回転ツール］で文字を調整し完成です 32 33。
作例では背景に画像を追加しました。

30 33 31 32

Ps

no. 039 スタンプの質感を作る

かすれたテクスチャをブラシ化して、簡単に質感を加えることができます。

Point	2階調化した画像にフィルターを適用し、扱いやすい質感に
How to use	アナログな質感を加えたい時に

01 ビンテージ感のあるテクスチャからブラシを作成する

素材［スタンプ用テクスチャ.psd］を開きます。なお、このような素材はP.132で学習したラベルのようにIllustratorで作ると楽です。［イメージ］→［色調補正］→［2階調化］を選択し［2階調化する境界のしきい値：150］で［OK］とします 01 02。

描画色と背景色を初期化しておきます。［フィルター］→［フィルターギャラリー］を選択し［スタンプ］を 03 のように適用します 04。

［編集］→［ブラシを定義］を選択し［名前：スタンプ用テクスチャ］とし［OK］します 05。

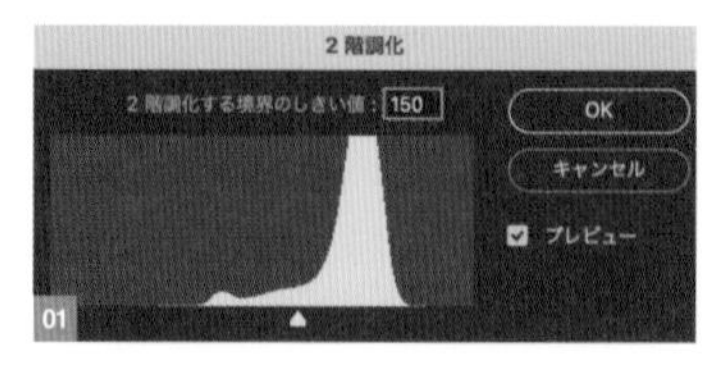

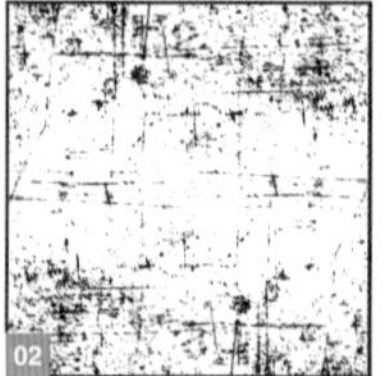

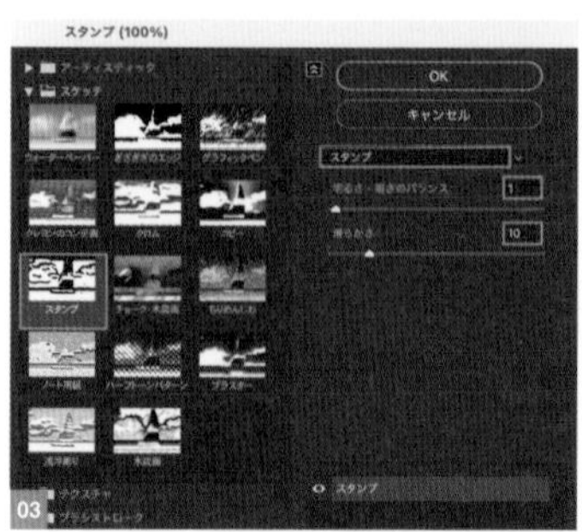

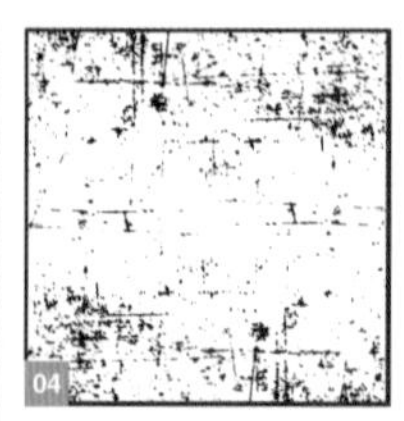

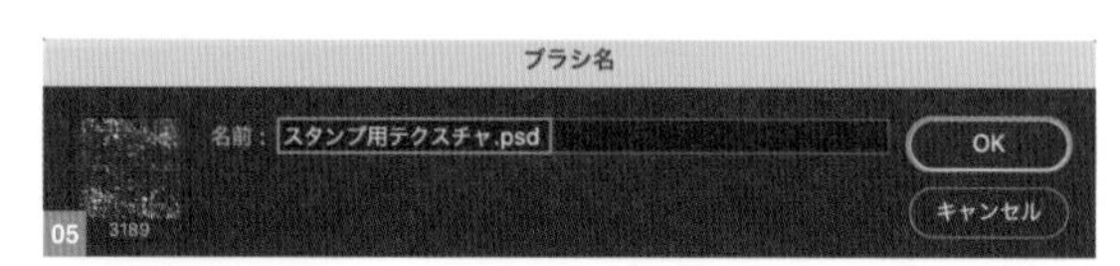

02 作成したブラシを使ってマスクし質感を加える

素材［ベース.psd］を開きます。

レイヤーパネルからレイヤー［ロゴ］を選択し、［レイヤーマスクを追加］し、レイヤーマスクサムネールを選択します 06。

［描画色：#000000］を選択します。

［ブラシツール］を選択し、手順01で作成した［スタンプ用テクスチャ］を選択します 07。

ブラシを好みの位置に合わせて複数回マスクし完成です 08。

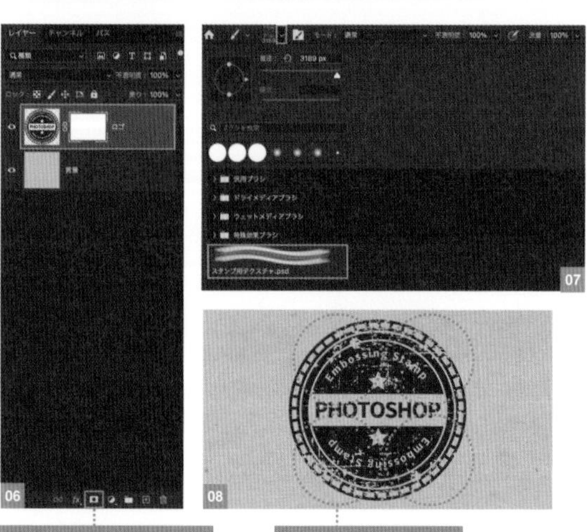

レイヤーマスクを追加

複数回マスクする

Ps

no. 040 型押しスタンプを作る

レイヤースタイルを使ってリアルな型押し加工を表現します。

Point	細かなレイヤースタイルの設定を行う
How to use	広告、型押しデザインのサンプル提案などにも利用可能

01 | レイヤースタイルを使って質感を加える

素材［ベース.psd］を開きます。レイヤー［ロゴ］を選択し［描画モード：乗算］とし、［レイヤースタイル］を表示します 01。［ベベルとエンボス］を選択し 02 のように設定します 03。［シャドウ（内側）］を選択し 04 のように設定します 05。［ドロップシャドウ］を選択し 06 のように設定します。ドロップシャドウを明るい色［#ffffff］で設定することで、ふくらみを表現しました 07。

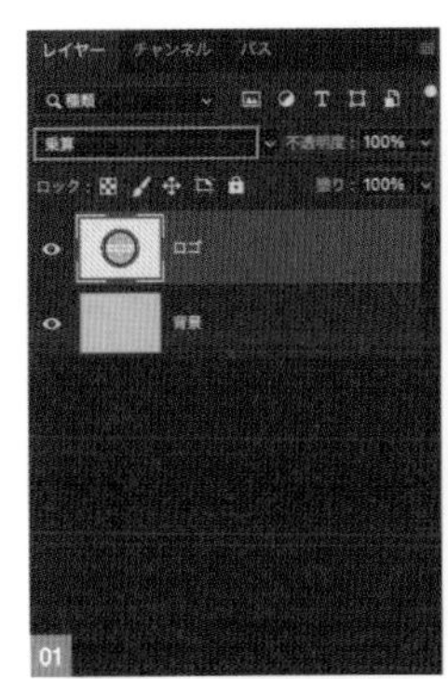

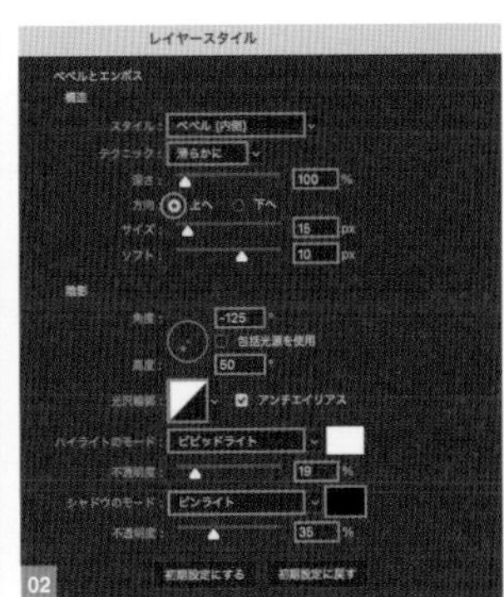

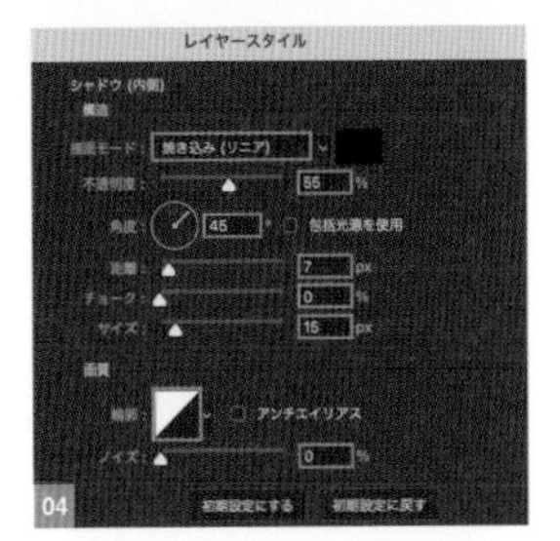

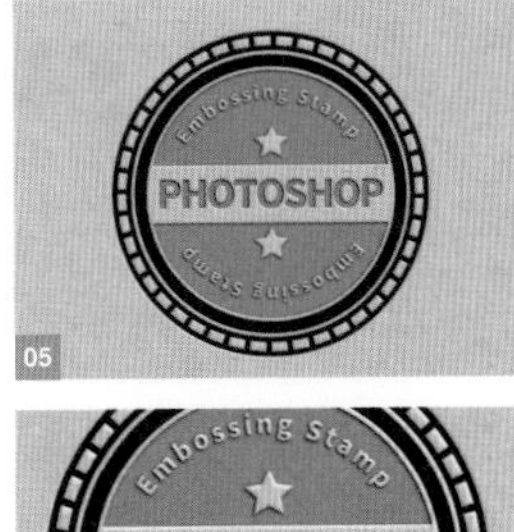

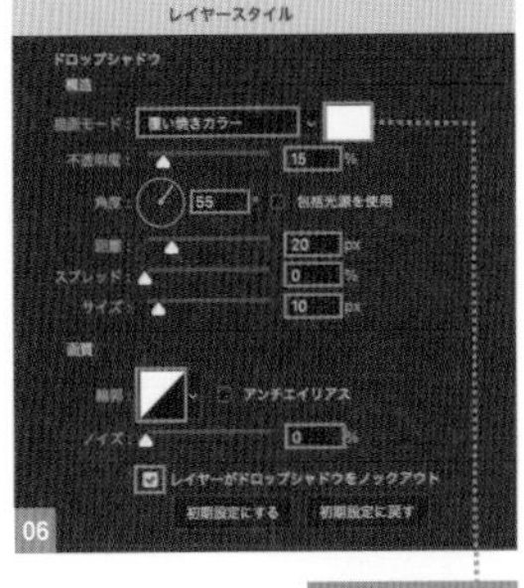

［#ffffff］

Chapter 04

02 ｜ ロゴに紙の質感を加える

レイヤー［背景］を複製し、レイヤー名［テクスチャ］とし、レイヤー［ロゴ］の上位に配置します。
レイヤーパネル上でレイヤー［テクスチャ］を選択し、［右クリック］→［クリッピングマスクを作成］とします 08。
ロゴに背景と同じ紙の質感が適用されました 09。
レイヤー［テクスチャ］を［描画モード：ハードライト］［不透明度：90%］としてなじませました 10 11。
レイヤー［ロゴ］を選択し、［フィルター］→［ぼかし］→［ぼかし（ガウス）］を選択し、［半径：0.7pixel］で適用し紙の柔らかさを出します 12。

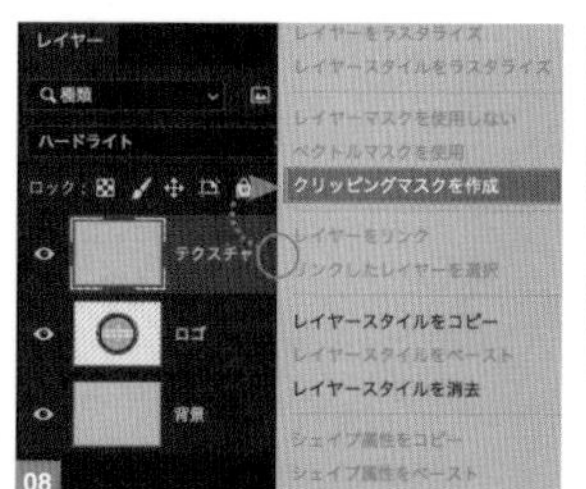

08

09

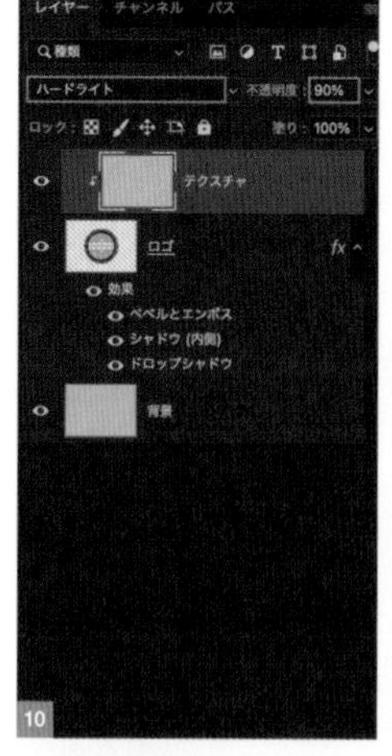

10

11

12

03 ｜ 最上位に光を追加して全体を整えて完成

［描画色：#ffffff］とします。レイヤーパネルから［調整レイヤー］→［グラデーション］を追加し、最上位に配置します 13。
［描画モード：オーバーレイ］［不透明度：35%］とします 14。
レイヤー［グラデーション1］をダブルクリックし［グラデーションで塗りつぶし］パネルを開き、グラデーションは［描画色から透明に］とし、15 のように設定します。
そのままカンバス上でドラッグして画面右上から光が当たっているようにグラデーションの位置を調整しましょう。
全体が整ったら完成です 16。

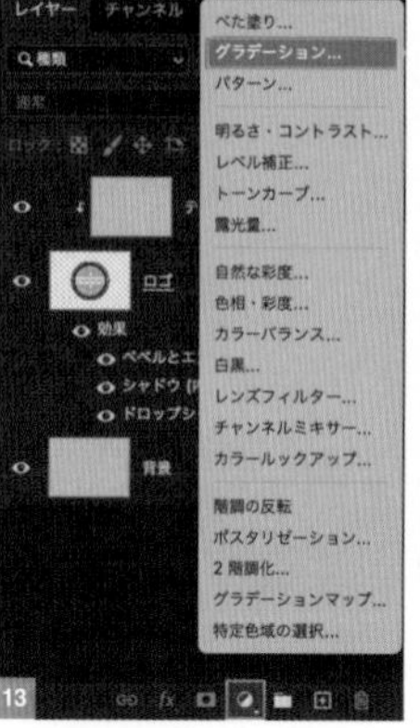

13

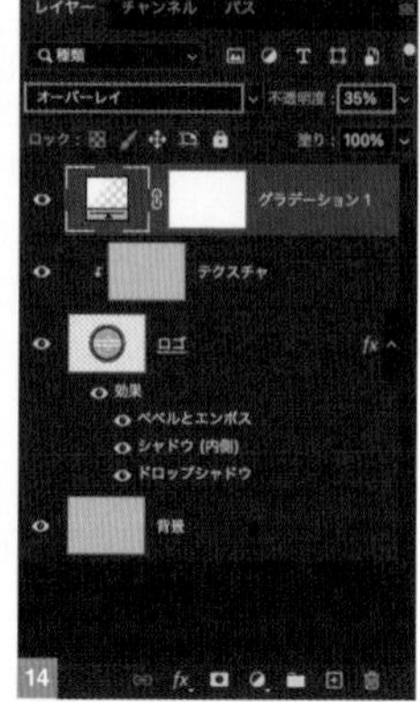

14

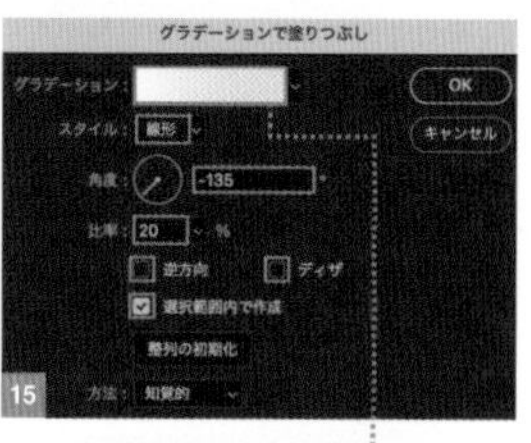

15

16

光の加工を施す

キラキラした星空や、湯気のような光、光のエフェクト、ネオン管、
ダイヤモンドの光など、光の加工を作っていきます。また、斜光や逆光、
昼を夜にするなど、風景の演出に効果的なテクニックも学べます。

Chapter 05

Lighting effect design techniques

Ps

キラキラした光を作る no.041

ブラシを使い複数回描いていくことでリアルな星空を再現します。

Point	ブラシの散布やサイズのジッターの設定
How to use	星空の演出に

01 | ブラシを読み込む

素材［星空ブラシ.abr］をダブルクリックしてブラシをPhotoshopに読み込みます。このブラシは素材［星空ブラシ用素材.jpg］から作成したブラシです 01 。
ブラシのポイントは［シェイプ］→［サイズのジッター］の設定 02 、［散布］→［散布：1000%］とした点です 03 。

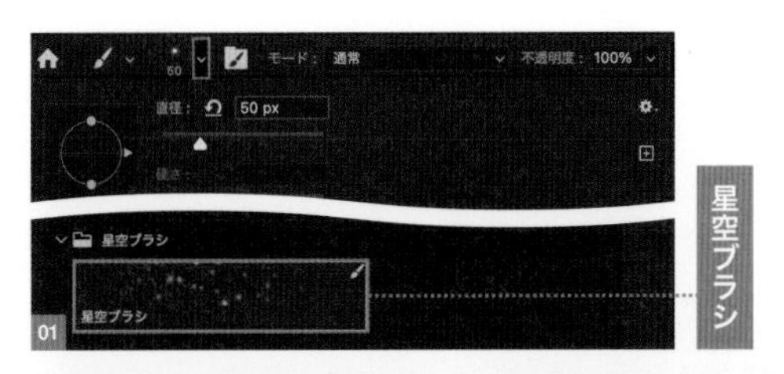

01

星空ブラシ

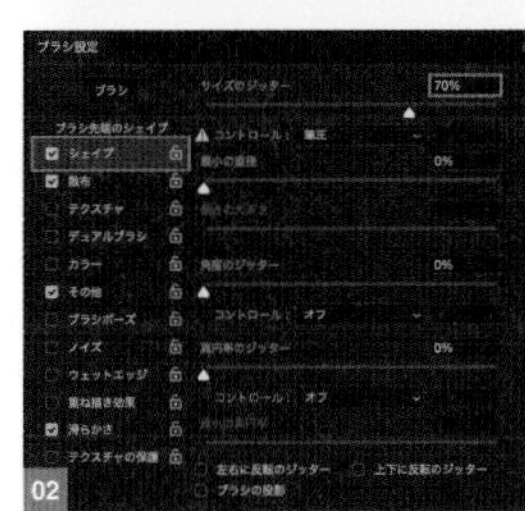

02

03

02 | 複数のレイヤーに分けて星空を描く

素材［背景.psd］を開きます。
あらかじめ用意しているレイヤー［人物シルエット］の下位に、新規レイヤー［星（奥）］［星（中）］［星（手前）］の3つのレイヤーを作成します。
奥の空から描いていきます。レイヤー［星（奥）］を選択します。［描画色：#ffffff］とし、［ブラシツール］［星空ブラシ］を選択します。
［直径：50px］としカンバス全体に星を描きます 04 。
［レイヤースタイル］パネルを表示し［光彩（外側）］を選択し 05 のように設定します。レイヤーを［不透明度：30%］と薄くして遠くの星空のように表現します 06 。
レイヤー［星（中）］を選択し、同じ［直径：50px］のブラシで星空を描きます。レイヤー［星（奥）］のレイヤースタイルをコピーし、貼り付けます。不透明度もコピーされるので、［不透明度：40%］とします 07 。
レイヤー［星（手前）］を選択し［直径：150］として星空を描きます。同じようにレイヤースタイルを貼り付け、［不透明度：60%］とします 08 。

04

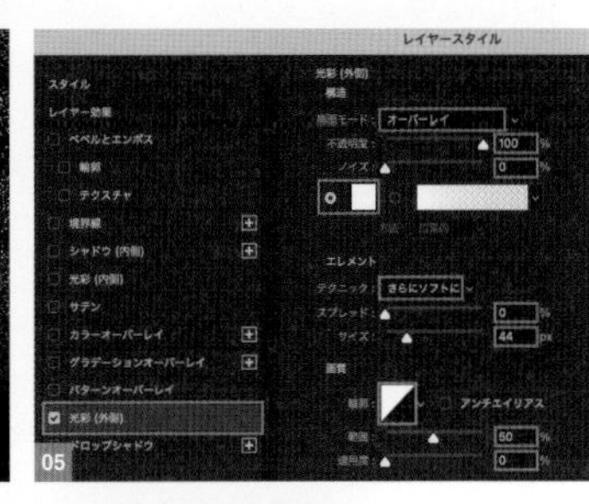

05

06

［不透明度：30%］に設定

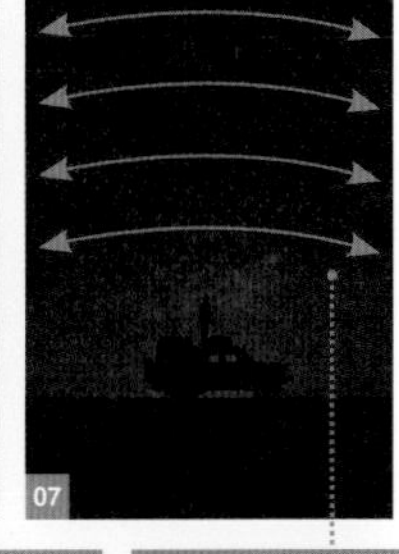
07

［不透明度：40%］に設定

03 | 全体に光を足す

最上位に新規レイヤー［光］を作成し、［描画モード：オーバーレイ］とします。［ブラシツール］を選択し、［ソフト円ブラシ］を使って光を追加します。ブラシサイズはお好みで設定し、全体に光を追加するように描いて完成です 09 。

［不透明度：60%］に設定

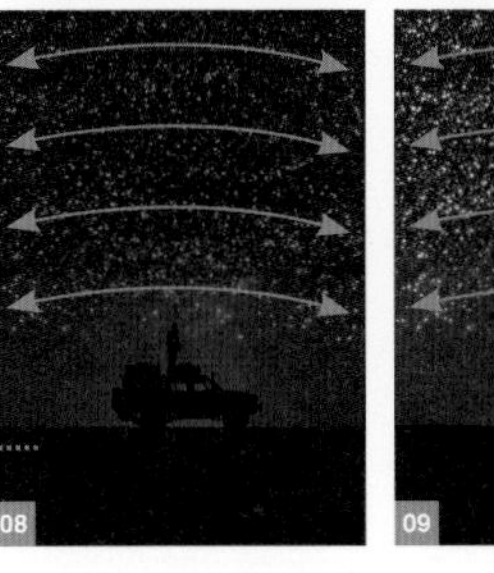
08

09

Chapter 05

Ps

湯気のような光を作る no.042

人物にからむ光の煙を作ります。独特な質感を表現します。

Point 明るさの最大値を使って独特な質感に加工する

How to use クールなグラフィックや幻想的な表現に

01 | ブラシで煙を描く

素材［人物.psd］を開きます。新規レイヤー［煙］を作成します。［ブラシツール］を選択し［ソフト円ブラシ］を選択します。ブラシサイズを変えながら 01 のように太い線と細い線を描きます。さらに細いブラシで動きのある線を描きます 02。

01

02

02 | フィルターで煙を作る

［フィルター］→［ぼかし］→［ぼかし（ガウス）］を選択し［半径：20pixel］で適用します 03 04 05。

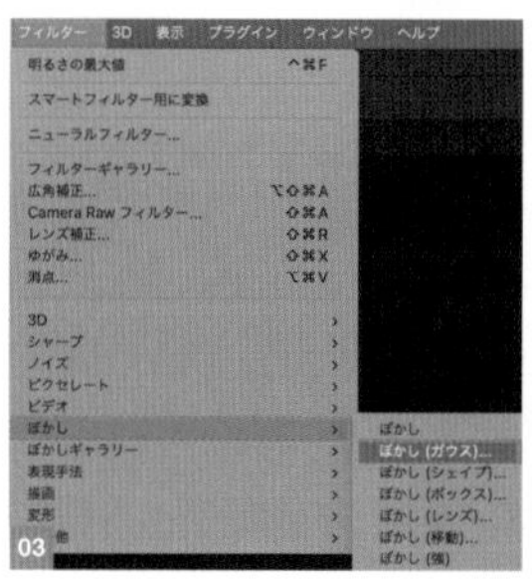

03

04

05

［フィルター］→［その他］→［明るさの最大値］を選択し、［半径：20pixel］で適用します 06 07 08。
ぼかしたラインが独特な質感となりました。

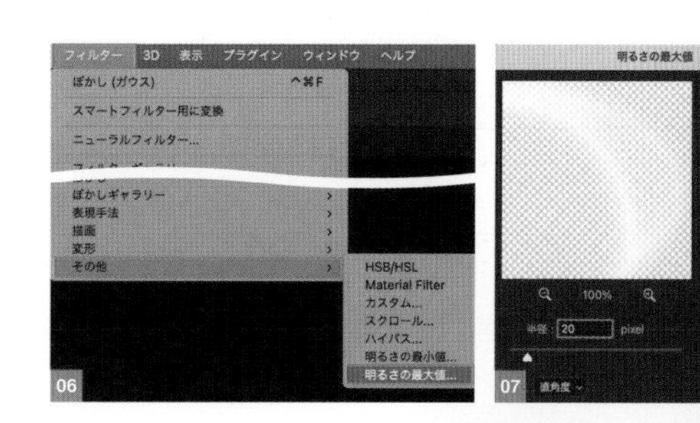

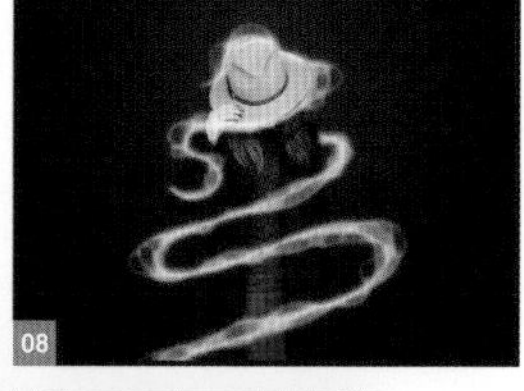

03 ｜ 煙に光を加える

レイヤー［煙］をダブルクリックし、［レイヤースタイル］を表示します。
［光彩（外側）］を選択し 09 のように設定します。［構造］のカラーは［#f09cfc］としました 10 11。
［グラデーションオーバーレイ］を選択し 12 のように設定します。［グラデーション］は 13 のように衣装のカラーに合わせて、［#0e00ff］［#ff0000］［#ffffff］の3色を使いました 14。
レイヤーパネル上でレイヤー［煙］を選択し［レイヤーマスクを追加］とします 15。
レイヤーマスクサムネールを選択し、人物に煙がからまるように、手・腕・腰部分をマスクします 16。

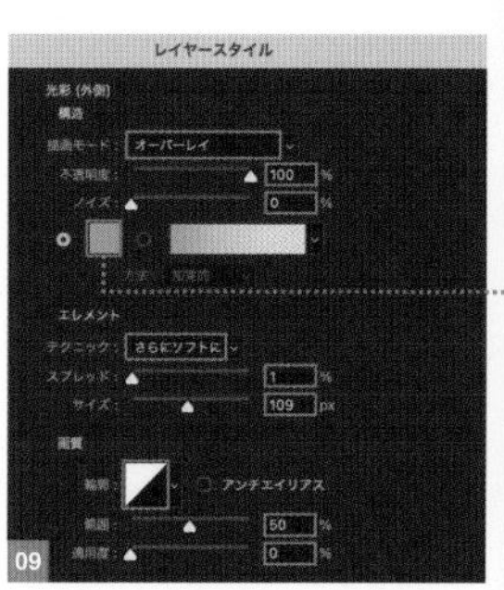

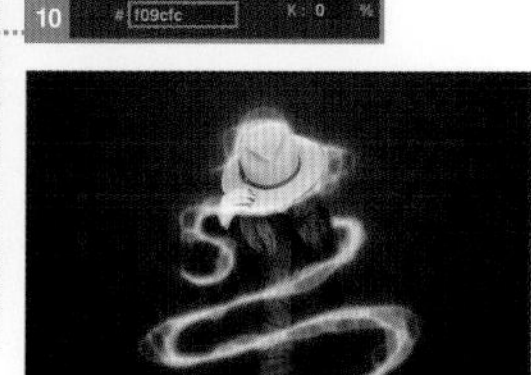

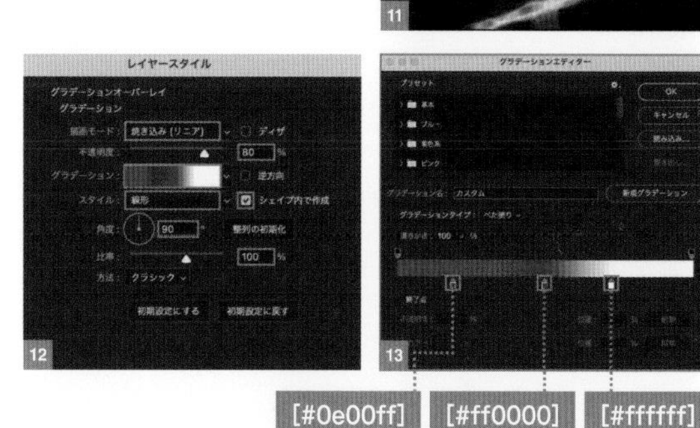

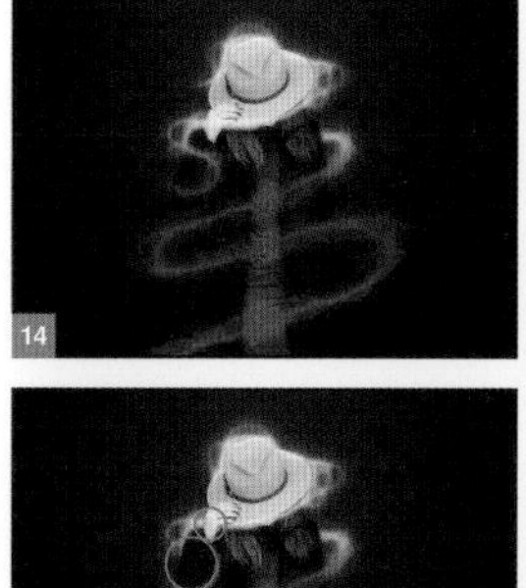

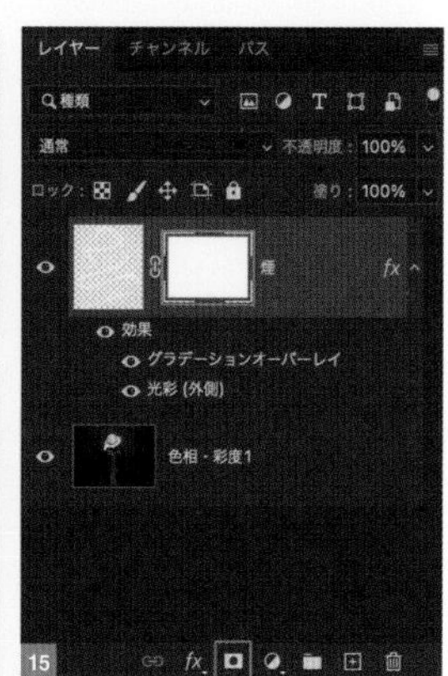

04 ｜ ポイントで光を加えて完成

最上位に新規レイヤー［光］を作成し、［描画モード：オーバーレイ］とします。
［描画色：#ffffff］とし、［ブラシツール］を使い、ポイントで光を強調したい部分を描き足し完成です 17。

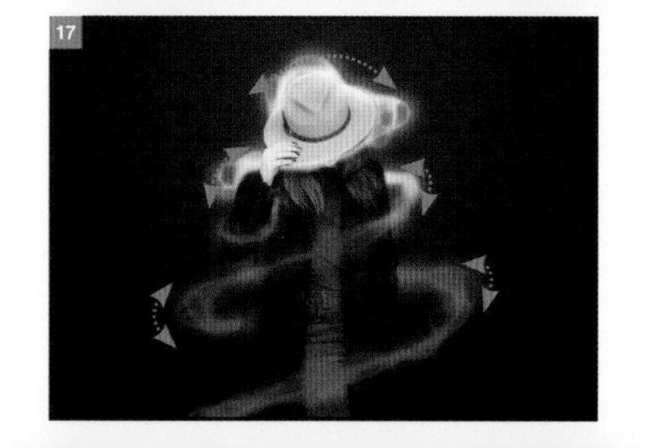

Chapter 05

Ps

光のエフェクトを作る　no.043

ぼかし（移動）のブレを利用して光のエフェクトを作成します。

Point　フィルター［クロム］で加工したイメージを［ぼかし(移動)］で加工する

How to use　動きのある印象のビジュアル制作に

01 ｜ レイヤーを複製しブレを表現する

素材［人物.psd］を開きます。あらかじめ背景と、人物のみを切り抜いたレイヤーで構成しています 01。

レイヤー［人物（切り抜き）］を上位に複製し、レイヤー名［ブレ］とします。不透明度を［20%］にして 02、右上方向に移動させてブレを表現します 03。

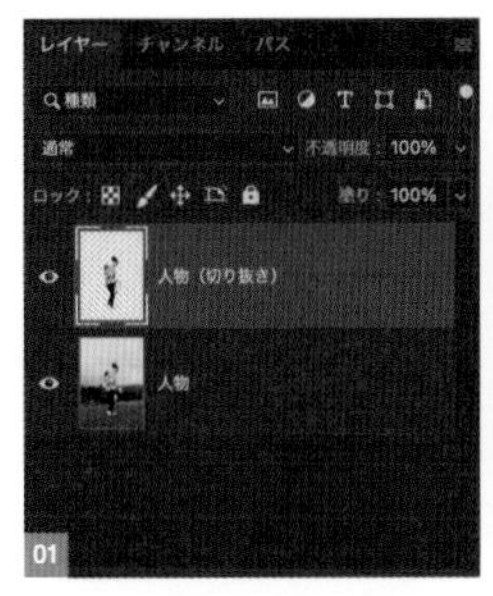

01

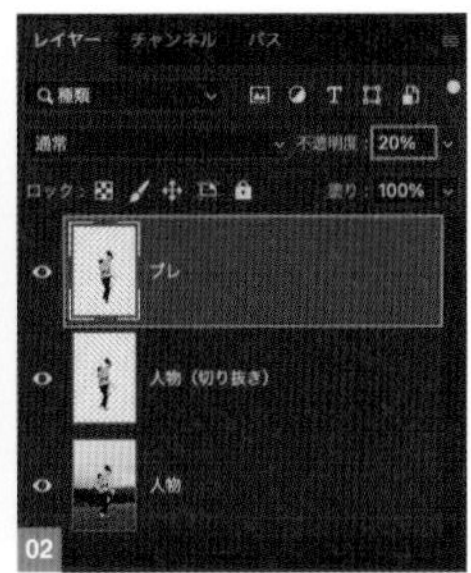

02

02 ｜ レイヤーを複製しフィルターを当てる

さらにレイヤー［人物（切り抜き）］を最上位に複製し、レイヤー名を［光］とし、描画モード［スクリーン］とします 04 05。

レイヤー［光］を選択し［フィルター］→［フィルターギャラリー］を選択します 06。

［スケッチ］→［クロム］を選択し、右側のメニューを［ディテール：10］［滑らかさ：10］として［OK］します 07 08。

03

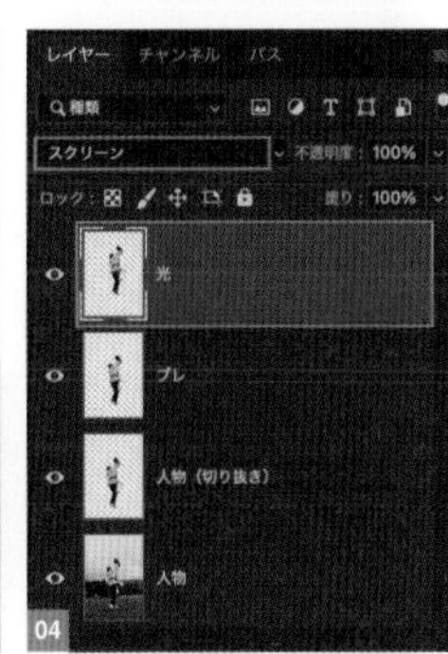

04

05

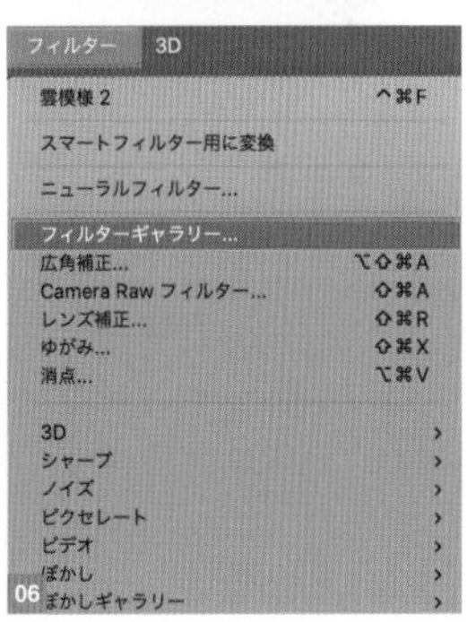

06

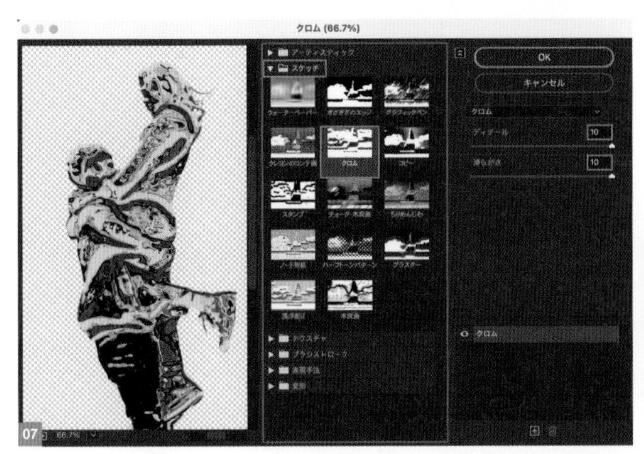

07

08

Chapter 05

03 | 光のエフェクトを作成する

レイヤー[光]を選択し、[フィルター]→[ぼかし]→[ぼかし(移動)]を選択します09。
[角度：75°][距離：1000pixel]とします10。
クロムのフィルターを適用しているので、ぼかしを加えた際にシャープなラインが現れます11。

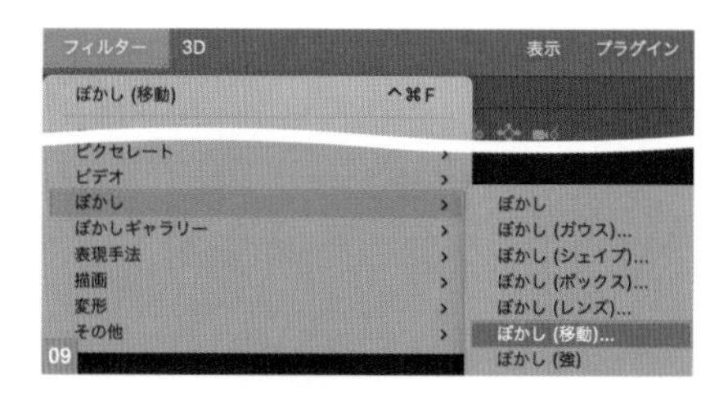

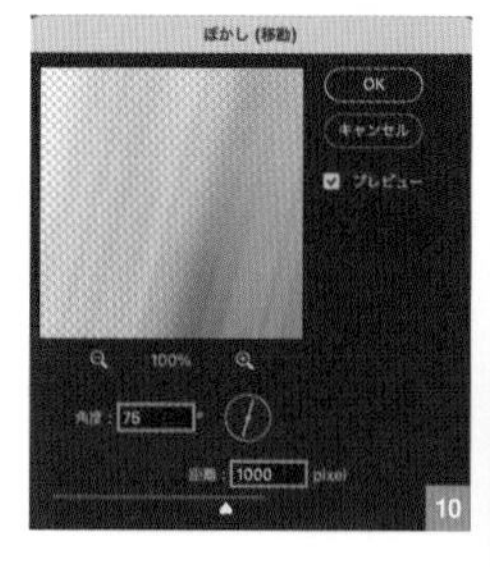

04 | 光のエフェクトに着色する

レイヤー[光]を選択します。[イメージ]→[色調補正]→[色相・彩度]を選択します12。
レイヤー[光]は白く、カラーを持っていないので、[色彩の統一]にチェックを入れた状態で[色相：+325][彩度：+65]とし13、マゼンタ系の色に着色します14。
ツールパネルの[移動ツール]を選択し、人物より左側に光がはみ出ないように右上方向に移動させ位置を整えます15。
位置を決めたら光のコントラストを調整します。
[イメージ]→[色調補正]→[レベル補正]を選択します16。
入力レベルを[30/0.8/185]としコントラストを高めます17 18。

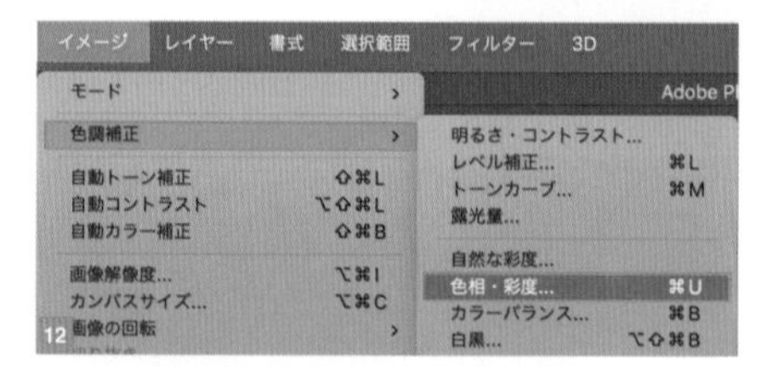

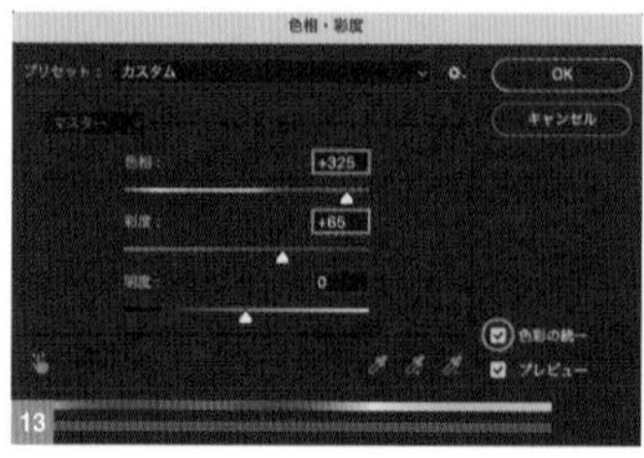

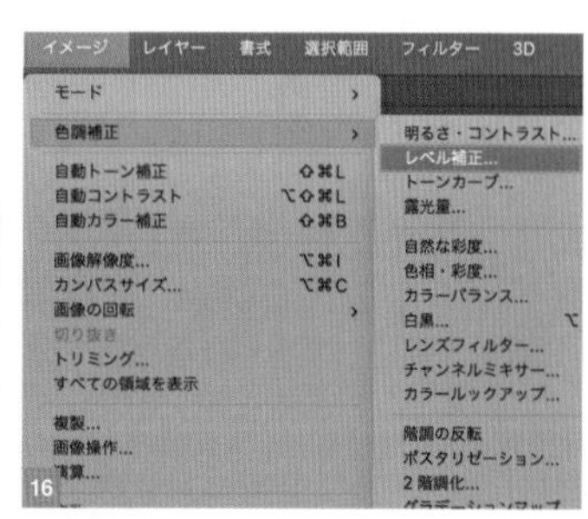

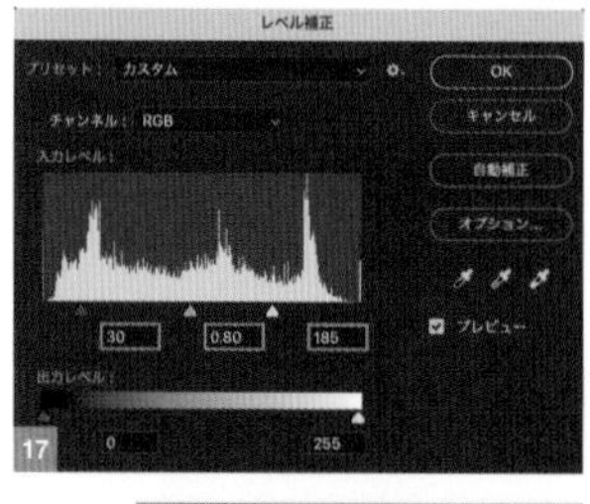

05 ｜ 光が目立つように背景の色みを調整する

レイヤーパネルの[塗りつぶしまたは調整レイヤーを新規作成]→[グラデーションマップ]を選択します 19 20。
[プロパティ]パネルからグラデーションをクリックし 21、[カラー分岐点]の位置を左から[0％：#352018][50％：#1f8b97][100％：#ffeb90]と指定します 22。

memo

このグラデーションはダウンロード素材に付属しています。[ぼかし(移動)グラデーション.grd]をダブルクリックすることで読み込ませて使用できます。

調整レイヤー[グラデーションマップ1]は、レイヤー[光]の下位に配置します 23。そうすることで、レイヤー[光]のカラーは影響を受けずに、下位レイヤーが指定したカラーで統一されます。
光のエフェクトが強調されました 24。

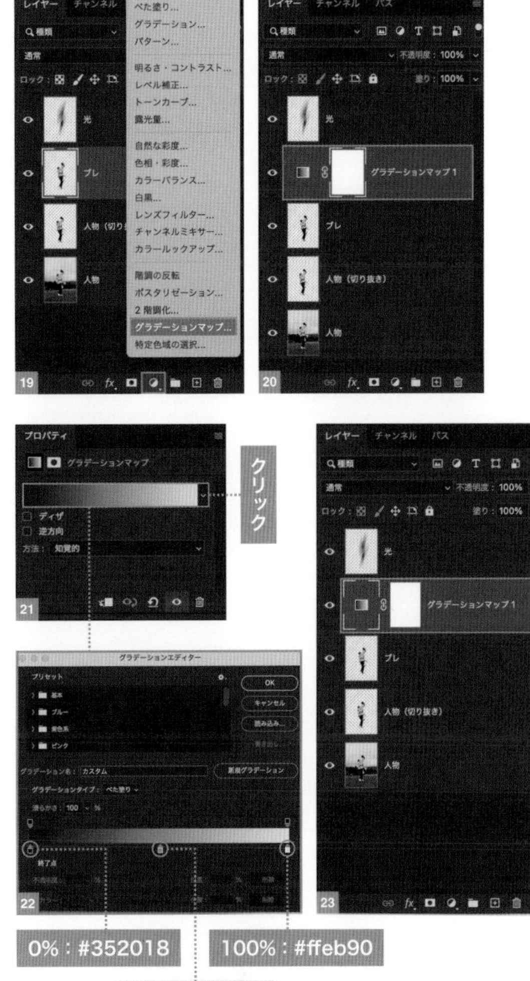

Ps

集中する光を作る　no.044

グラフィックを印象的に仕上げる放射状の光を表現します。

Point　強弱のある光の重ね方に注意して作業する

How to use　夕方の風景や主役を強調したい時に

01 | グラデーションを加工し縦の光を作成する

素材[背景.psd]を開きます。上位に新規レイヤー[放射状の光]を作成します。

ツールパネルの[グラデーションツール]を選択します 01。描画色と背景色を初期値に戻し[グラデーション：描画色から背景色へ]とし 02、下から上へグラデーションを作成します 03。[フィルター]→[変形]→[波形]を選択し[種類：短形波][波数：5][波長：最小9/最大183][振幅：最小5/最大120][比率：水平100%/垂直100%][端のピクセルを繰り返して埋める]にチェックと設定します 04。縦にラインの入った加工にします 05。

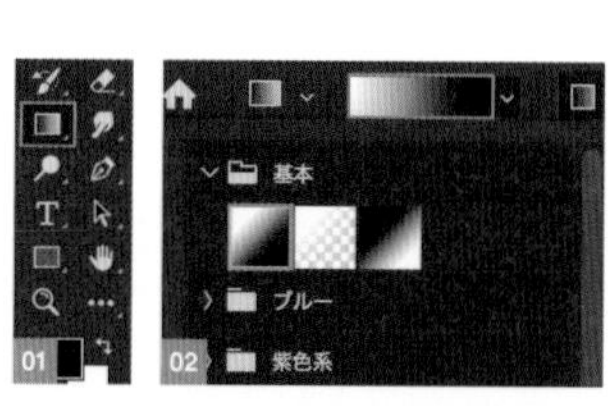

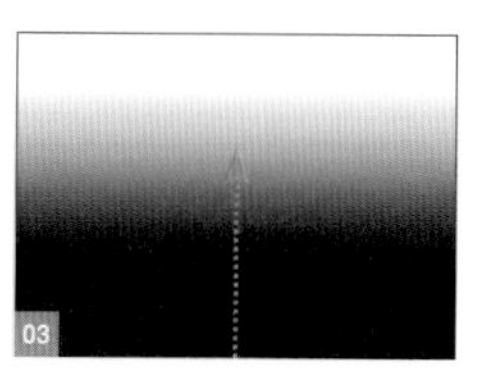

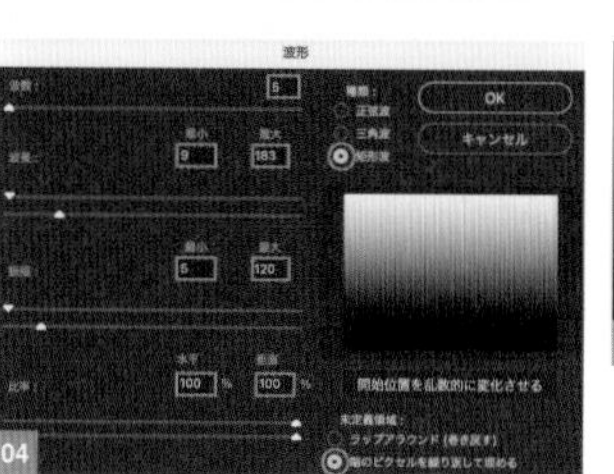

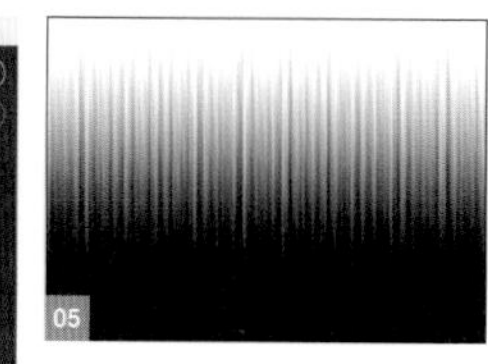

02 ｜ 放射状の光を作成する

［フィルター］→［変形］→［極座標］を選択し 06 のように設定します。放射状の加工ができました 07。

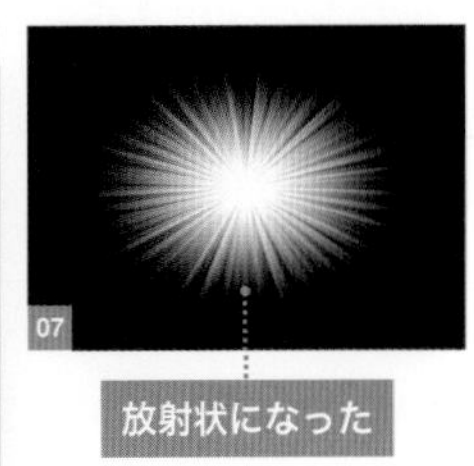

03 ｜ 着色する

［イメージ］→［色調補正］→［色相・彩度］を選択し 08 のように設定し、［色彩の統一］にチェックを入れて変更します 09。
［イメージ］→［色調補正］→［レベル補正］を選択し 10 のように設定し、コントラストを高くします。
［フィルター］→［ぼかし］→［ぼかし（ガウス）］を選択し 11 のように［半径：10pixel］で設定します 12。

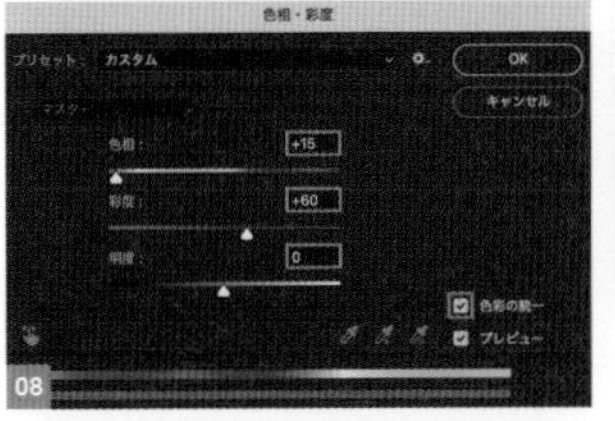

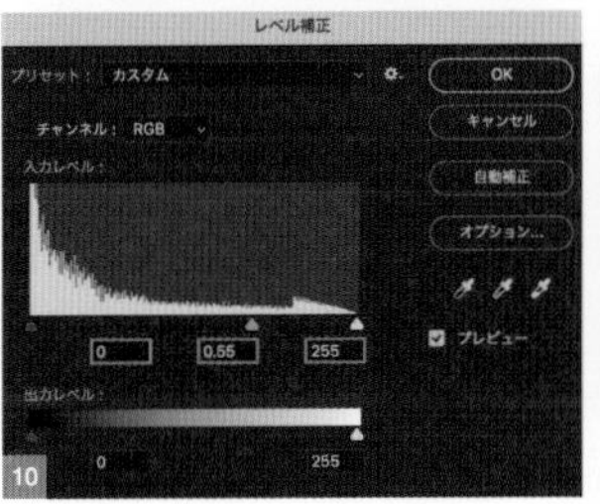

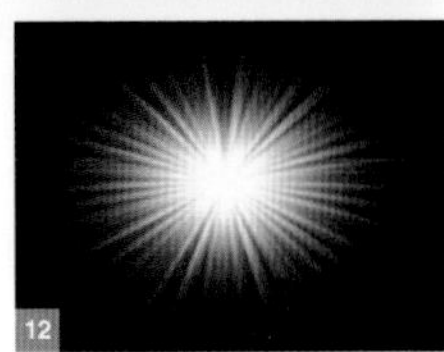

04 ｜ 背景となじませる

レイヤー［放射状の光］を下位に複製し［放射状の光2］とします。
レイヤー［放射状の光］は［描画モード：スクリーン］とします。
レイヤー［放射状の光2］は［描画モード：オーバーレイ］［不透明度：30%］とします 13 14。
レイヤー［放射状の光2］を選択し［編集］→［自由変形］を使って［200%］に拡大します 15。拡大率はオプションバーでサイズの指定が可能です 16。
レイヤー［放射状の光］を選択し、同じように［自由変形］を使って［45%］に縮小します 17。
縮小したことで光のラインが目立つので、再度［フィルター］→［ぼかし］→［ぼかし（ガウス）］を［半径：10pixel］で設定し完成です 18。

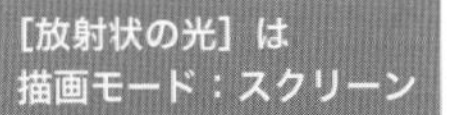

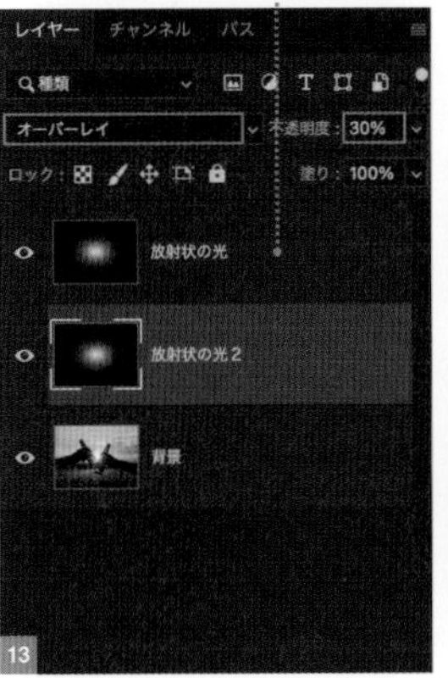

Chapter 05

Ps

火花のように拡散する光を作る no.045

オリジナルブラシを使って火花の演出をします。

Point　オリジナルブラシの設定

How to use　火花の演出に

01 ｜ ブラシを読み込む

素材［火花ブラシ.abr］をダブルクリックで読み込みます。
素材では［火花ブラシ01］［火花ブラシ02］の2つのブラシを用意しました。
なお、ブラシは［火花ブラシ01元画像.jpg］［火花ブラシ02元画像.jpg］の画像をもとに、［イメージ］→［色調補正］→［階調の反転］01をしてから、［編集］→［ブラシを定義］で作成したものです02。

※詳しくはP.319の「オリジナルブラシ」の項目を参照して下さい

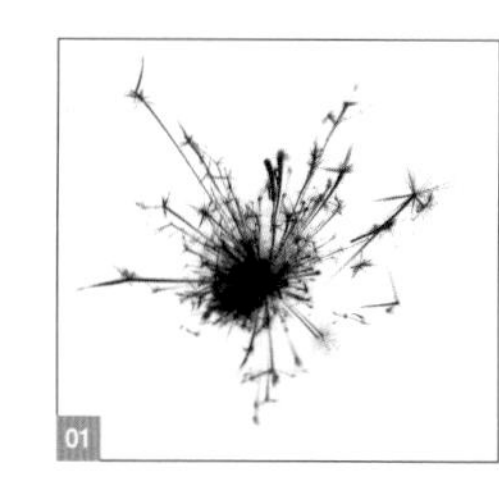
01

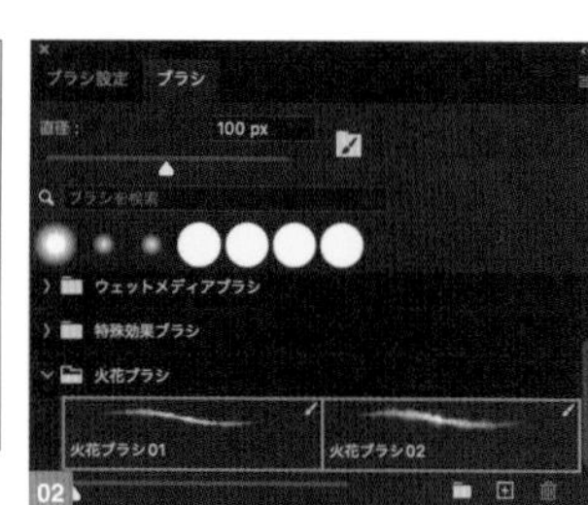

02

02 ｜ ペンツールでパスを作成し境界を描く

素材 [人物.psd] を開きます。
[ペンツール] を使い女の子のまわりを囲むようにパスを作成します 03。[パス] パネルでパス名を [火花の軌道] としておきます 04。
上位に新規レイヤー [火花の軌道] を作成します。
[ブラシツール] を選択し [火花ブラシ01] のブラシを選択します。[描画色：#ffffff] [直径：30px] とします。
[ペンツール] を選択し、パス [火花の軌道] を選択した状態で、パスパネル上で [右クリック] → [パスの境界線を描く] を選択します 05。[パスの境界線を描く] は [ツール：ブラシ] を確認し [OK] を選択します 06 07。

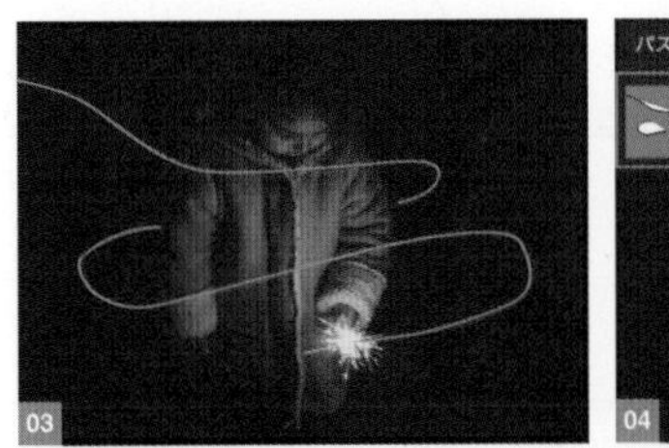

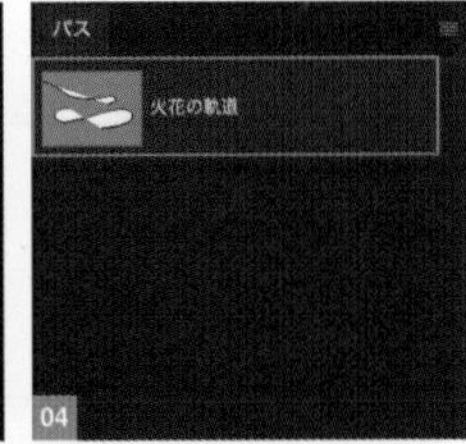

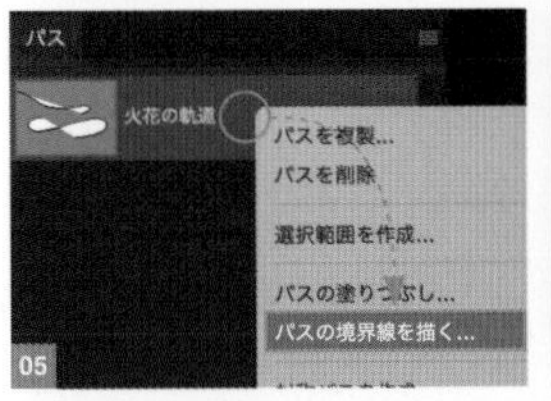

03 ｜ レイヤースタイルで光の色みを調整する

[レイヤースタイル] を表示し [光彩 (外側)] を選択し、08 のように設定します。[構造] のカラーは [#ffa800] とします 09。

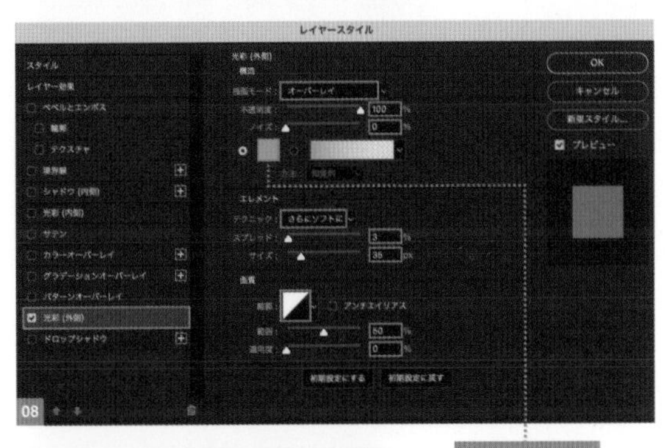

[#ffa800]

色みが調整された

04 ｜ 火花を加える

上位に新規レイヤー [火花の軌道 (大)] を作成します。
[火花ブラシ02] を選択し、軌道に沿ってブラシサイズを [100～200px] としてムラがあるように描きます。
レイヤー [火花の軌道] のレイヤースタイルをコピーし、[火花の軌道 (大)] に貼り付けます 10。
さらに上位に新規レイヤー [火花] を作成します。ブラシサイズを [600px] 前後に設定し、ポイントで火花を追加します。こちらも同じようにレイヤースタイルを貼り付けて完成です 11。
作例では同じ要領で文字を追加しました。

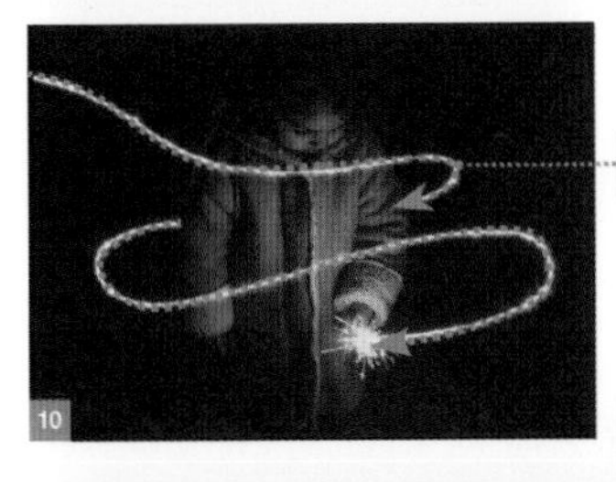

[火花ブラシ 02] で描く

ポイントで火花を追加

Chapter 05

Ps

ネオン管のデザインを作る　no.046

パスからネオン管のある風景を表現します。

Point　パスの境界線からラインを作成する

How to use　BARなどの広告やグラフィックに

01 | 文字を入力する

素材［背景.psd］を開きます。このデータはあらかじめ猫のシルエットでパス［CAT］を作成しています 01 02。

ツールパネルの［横書き文字ツール］を選択し「CAT BAR」と入力します。作例ではAdobe Fontsに収録されている［VDL V７丸ゴシック］フォントを選び［フォントサイズ：89pt］［フォントスタイル：U］［垂直比率：120％］［カラー：#ffffff］としています 03 04。

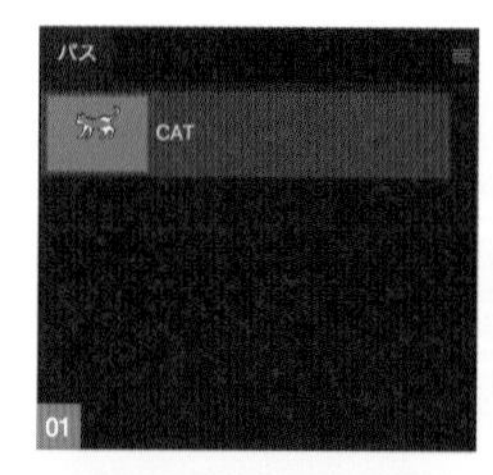

01

02

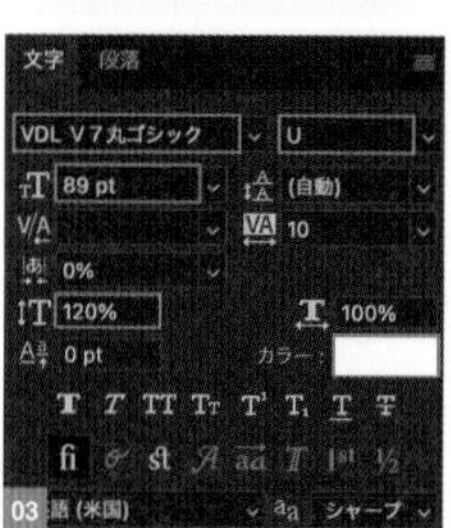

03

04

02 | 文字からパスを作成する

レイヤーパネル上でテキストレイヤー［CAT BAR］を選択し、［右クリック］→［作業用パスを作成］とします05。
パス名は［CAT BAR］としておきます06。テキストレイヤー［CAT BAR］は削除します。

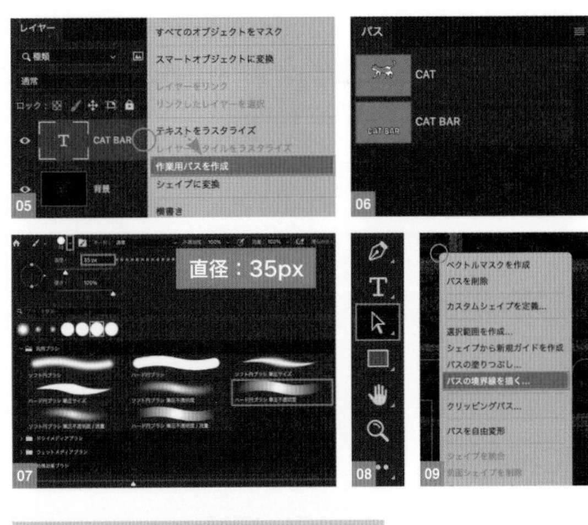

03 | パスからラインを作成する

［ブラシツール］を選択し、［描画色：#ffffff］［ハード円ブラシ筆圧不透明度］［直径：35px］とします07。
パス［CAT BAR］を選択した状態で、新規レイヤー［テキスト］を作成し選択します。
［パスコンポーネント選択ツール］を選択し08、カンバス上で［右クリック］→［パスの境界線を描く］とします09。
10のように設定し［OK］をクリックします。アウトラインが描かれました11。

04 | 猫のアウトラインを作成する

あらかじめ用意しているパス［CAT］を選択します。新規レイヤー［CAT］を作成し、手順03と同じようにパスのアウトラインを描きます12。

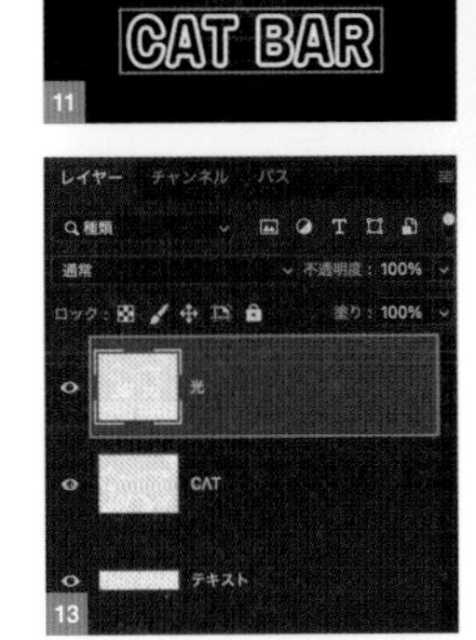

05 | レイヤーを複製し結合しておく

作成した2つのレイヤー［CAT］［テキスト］を複製し結合します。レイヤー名を［光］にして、最上位に配置しておきます13。
レイヤー［光］は非表示にしておきます。

06 | レイヤースタイルでネオン管の質感や光を追加する

レイヤー［CAT］を選択し［レイヤースタイル］を開きます。
［ベベルとエンボス］を14のように設定します。［光沢輪郭］はプリセットの［円錐－反転］とします。
［シャドウ（内側）］を選択し15のように設定します。
［光彩（内側）］を選択し16のように設定します。［構造］のカラーは［#ff00e4］とします。
［光彩（外側）］を選択し、17のように設定します。［構造］のカラーは［#ff00e4］とします。

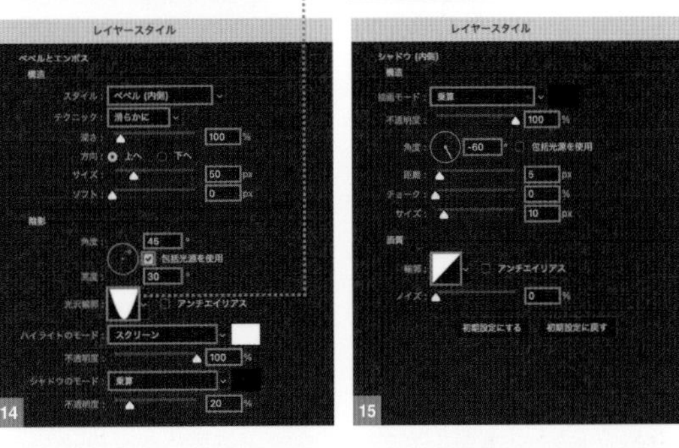

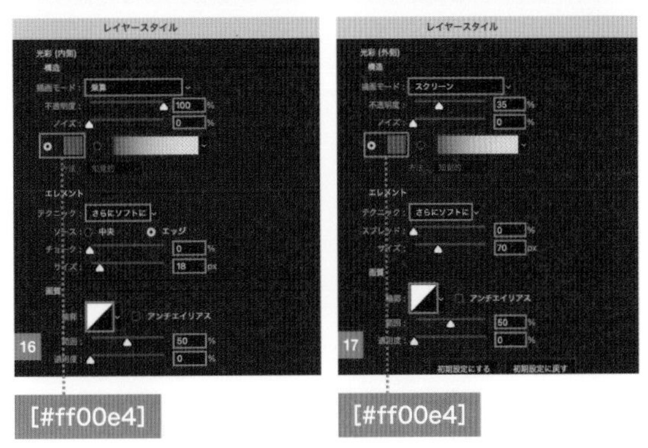

07 さらにレイヤースタイルで ネオン管の質感や光を追加する

[ドロップシャドウ] を選択し、18のように設定します。
ネオン管の質感が表現できました19。
レイヤー [CAT] を選択し、[レイヤースタイルをコピー] し、レイヤー [テキスト] を選択し [レイヤースタイルをペースト] します20。

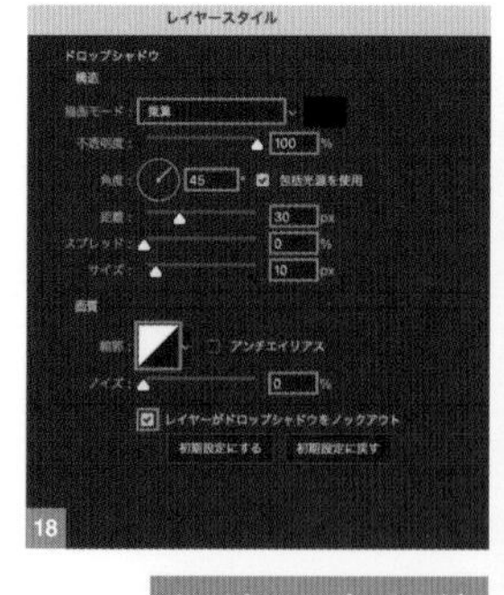

08 ネオン管と全体の光を整える

レイヤー [光] を表示し、[描画モード：オーバーレイ] とします21。
[フィルター]→[ぼかし]→[ぼかし(ガウス)] を選択し、[半径：50pixel] で適用します22。
レイヤー [光] を上位に複製し、光を強めます23。
レイヤーパネルから [塗りつぶしまたは調整レイヤーを新規作成]→[レンズフィルター] を選択し、最上位に配置します24。
[属性] パネルを [カスタム：#ff00e4] とし、25のように設定します。
全体に色みが追加され完成です26。

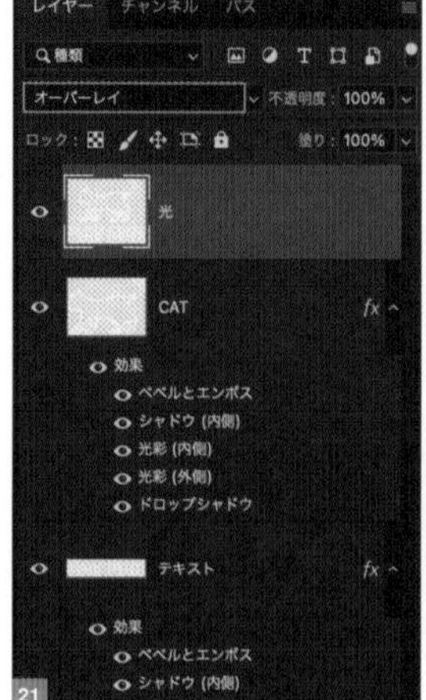

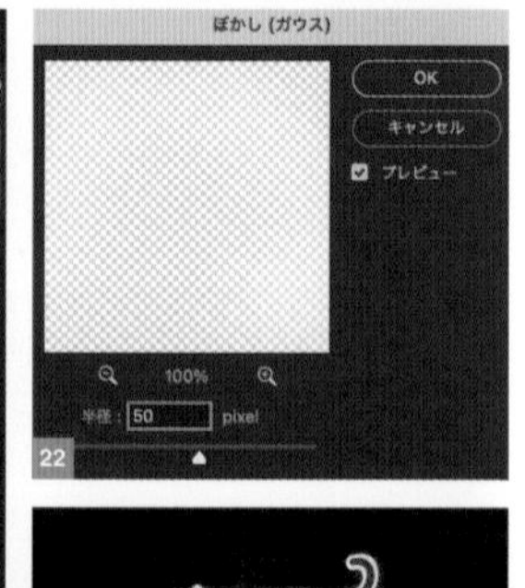

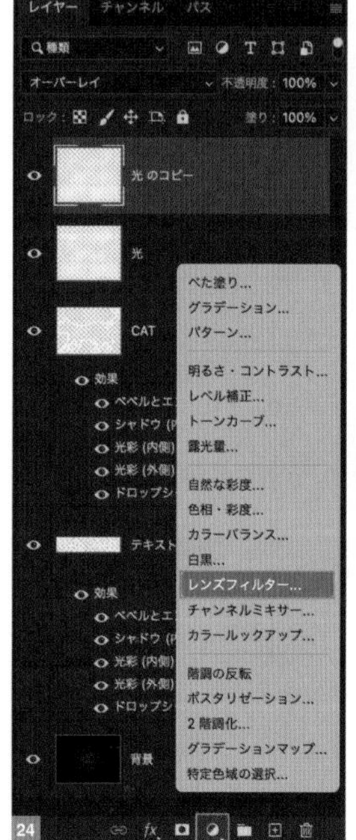

Ps

柔らかな光を作る

no.047

Chapter 05

光のさす柔らかな印象に仕上げます。

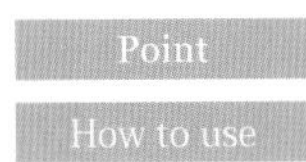

Point　斜光やグラデーションのあしらい方で印象を変える

How to use　柔らかさや優しい印象を出したい時に

01 | 画像を複製し柔らかな印象に加工する

素材［風景.psd］を開きます。レイヤーを上位に複製し、レイヤー名［フィルター］とします 01。
レイヤー［フィルター］を選択し、［フィルター］→［ぼかし］→［ぼかし（ガウス）］を［半径：18pixel］で適用します 02。
レイヤーの描画モードを［オーバーレイ］とします 03。柔らかな印象になりました 04。

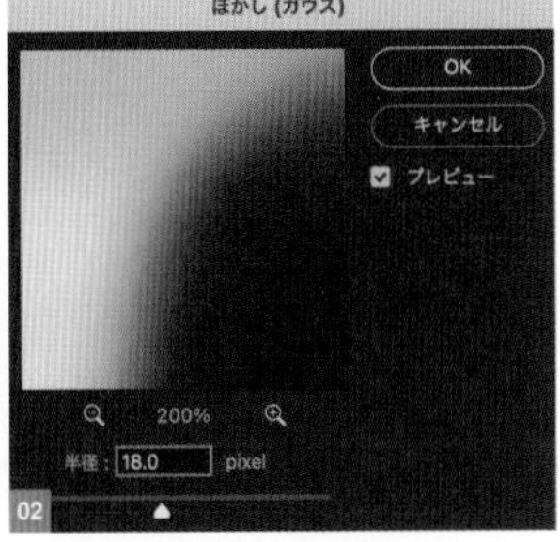

柔らかな印象になった

02 ｜ 雲模様を２階調化する

上位に新規レイヤー［斜光］を作成します。
［フィルター］→［描画］→［雲模様1］を選択します 05。
［イメージ］→［色調補正］→［2階調化］を選択し、［2階調化する境界のしきい値：170］で適用します 06 07。

03 ｜ ぼかし（放射状）で斜光を作る

［フィルター］→［ぼかし］→［ぼかし（放射状）］を選択し 08 のように［方法：ズーム］とし、ぼかしの中心をドラッグして、右上に設定します。
もう一度同じ設定で［ぼかし（放射状）］を適用します 09 10。
レイヤーの描画モードを［スクリーン］［不透明度：60%］とします 11 12。
上から光が落ちているように、［編集］→［自由変形］を使って斜光の位置を調整します 13。
最終的に160%拡大し、［-23°］回転としました 14。斜光が作成されました 15。

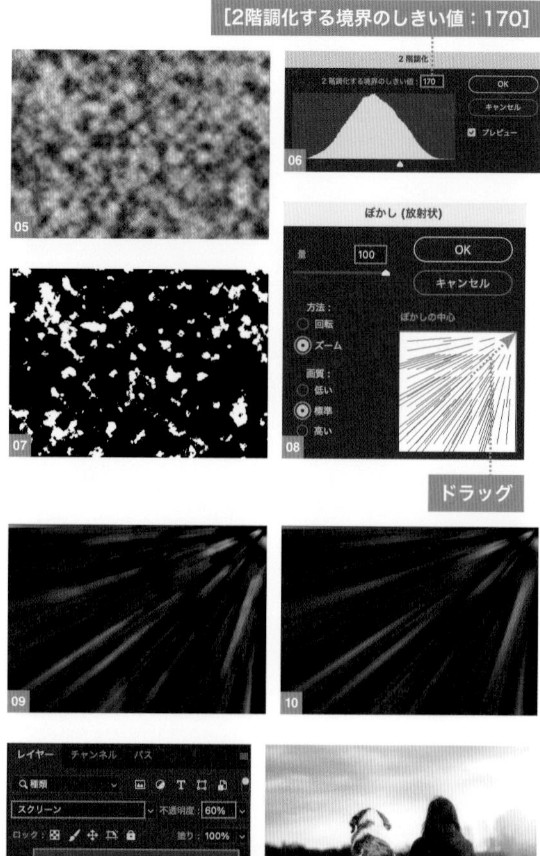

05
06
07
08

09
10
11
12
13

14
15

04 | グラデーションを追加し さらに柔らかな雰囲気に仕上げる

[描画色：#ffffff] を選択し、レイヤーパネルから新規調整レイヤー [グラデーション] を追加し最上位に配置します 16。
17 のように設定し、グラデーションの中心をカンバス上で右上にドラッグします 18。
調整レイヤー [グラデーション1] を [不透明度：30%] とします 19。さらに柔らかな雰囲気になりました 20。

16

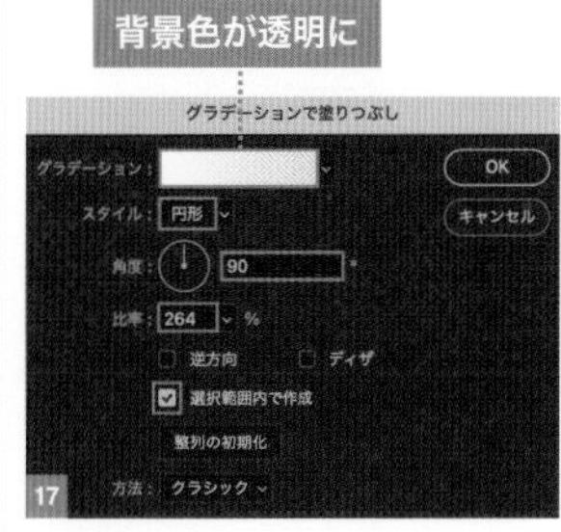

17

18

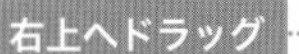

19

20

05 | レンズフィルターを追加し 暖かなイメージに仕上げる

最上位に新規調整レイヤー [レンズフィルター] を追加し 21、属性パネルのレンズフィルターを 22 のように [Warming Filter (85) (フィルター暖色系 (85) と表示されるバージョンもあり)] で設定します。暖かなイメージになりました 23。

21

22

23

06 | トーンカーブを追加し 淡い色みに仕上げる

さらに最上位に新規調整レイヤー [トーンカーブ] を追加し 24、属性パネルのトーンカーブを 25 のように [入力：0] [出力：25] と設定し、淡い色みに加工して完成です 26。

24
26

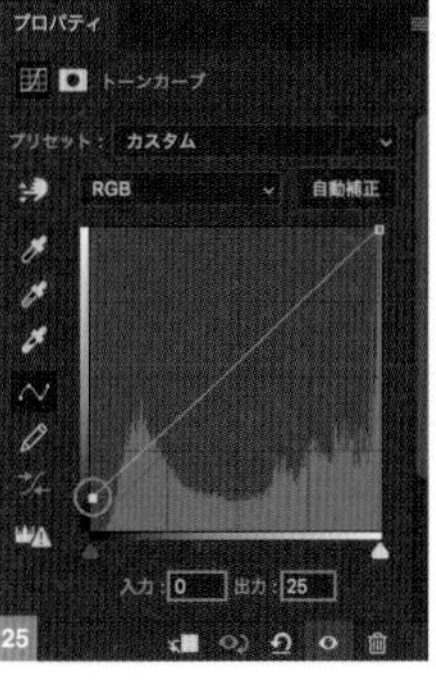

25

Chapter 05

Ps

逆光で印象的な街並みを表現する

no. 048

街並みに逆光を追加し、ドラマチックな風景に加工します。

Point 画面奥はおもいきって白く飛ばし、陰影をはっきりとさせる

How to use 逆光を使った様々な風景に

01 | 奥の風景を白く飛ばす

素材［風景.psd］を開きます。上位に新規レイヤー［奥の光］を作成し選択します。
ツールパネルから［ペンツール］を選択し、空と奥の街並み部分のパスを作成し、［右クリック］→［選択範囲を作成］で［ぼかしの半径：20pixel］と設定し選択範囲を作成します 01 02。

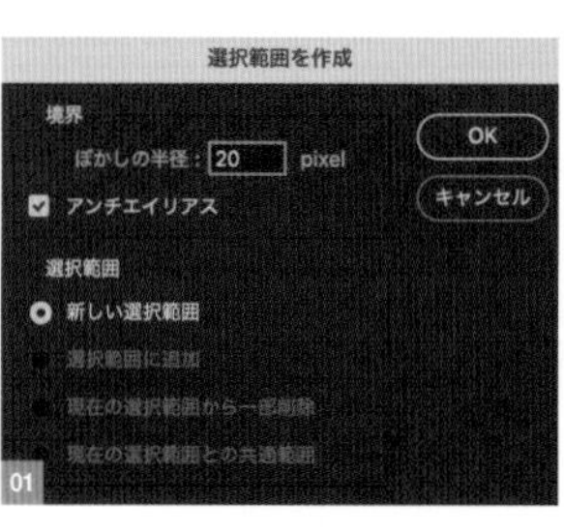

パスから選択範囲を作成した

02 | 選択範囲を塗りつぶす

[描画色：#ffffff] と設定し、[塗りつぶしツール] で塗りつぶします 03。

03

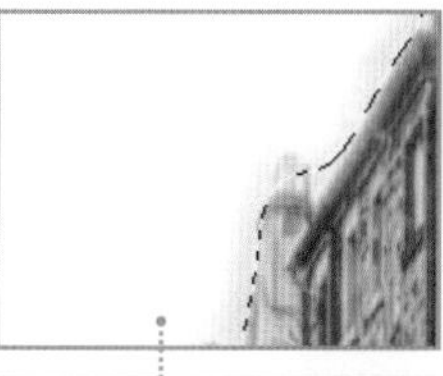

ぼかしの半径:20pixel分、ボケているのがわかる

03 | 路地と建物に光を描き足す

上位に新規レイヤー [建物の光] を作成し選択します。
[描画モード：オーバーレイ] とします。[ブラシツール] を選択し、[描画色：#ffffff] [ソフト円ブラシ] を選択し、路地と建物の通りに面した側に光を足します 04 05。奥から手前にかけて少しずつ薄くなるようにブラシの不透明度を調整しながら描きましょう。

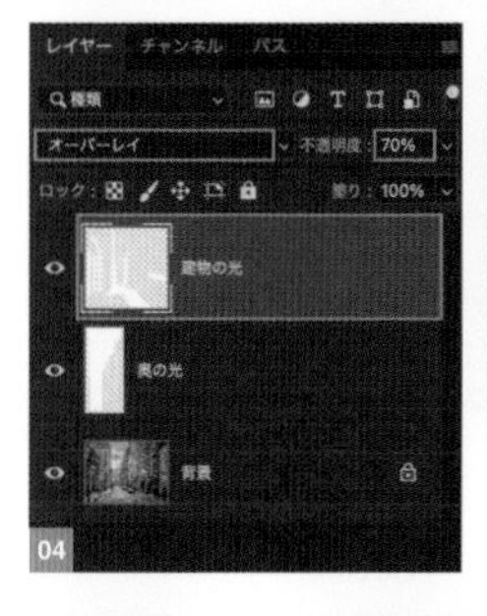

04

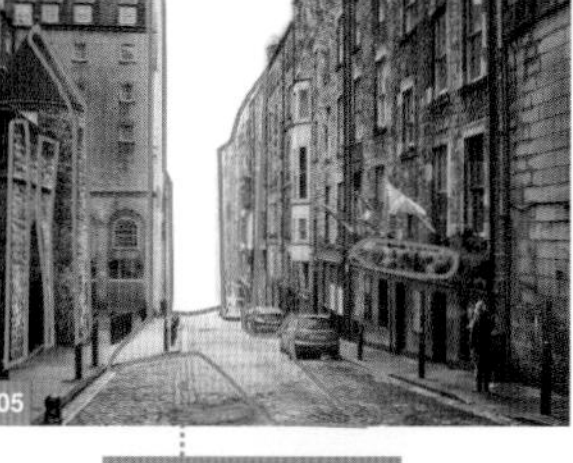
05

光を描き足した

04 | 影を描き足す

上位に新規レイヤー [影] を作成します。
[ペンツール] を選択し、影になる部分のパスを作成します（わかりやすいように赤色にしています） 06。
[右クリック] → [選択範囲を作成] を選択し 07 のように [ぼかしの半径：0pixel] とし [OK] をクリックします。
[描画色：#000000] とし [塗りつぶしツール] を選択し塗りつぶします。レイヤーを [不透明度：50%] とします 08 09。

06

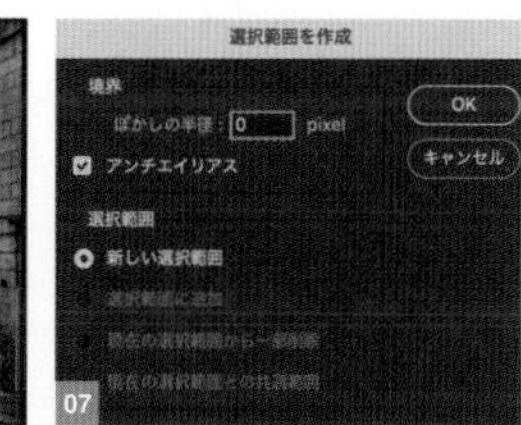

07

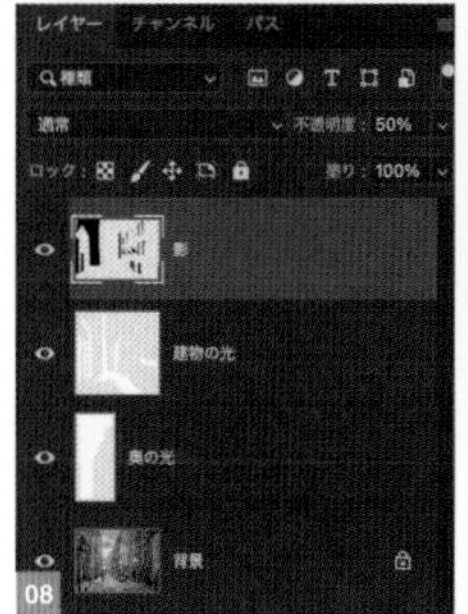

08

09

影ができた

05 | 車の影を描く

[ブラシツール] を選択し、[描画色：#000000] [ソフト円ブラシ] を選択し、車の影や、車から落ちる影を描きます 10。
[フィルター] → [ぼかし] → [ぼかし（ガウス）] を選択し [半径：3pixel] でぼかし境界をなじませます 11。

10

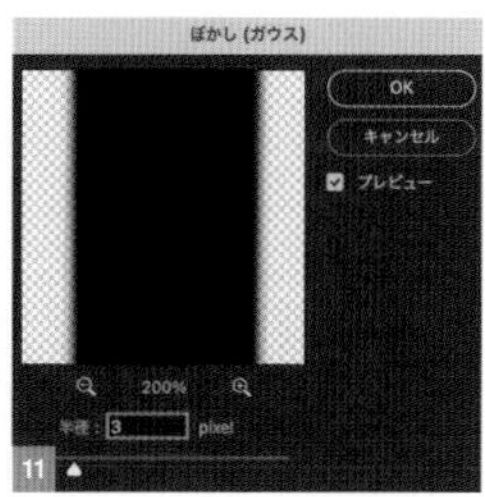

11

06 ｜ 逆光フィルターを重ねて完成

最上位に新規レイヤー［逆光］を作成します。
［描画色：#000000］を選択し塗りつぶします12。
［フィルター］→［描画］→［逆光］を選択し、13のように［レンズの種類：50-300mmズーム］としパネル上でドラッグし、光が中心で重なるようにし［OK］をクリックします14。
［フィルター］→［ぼかし］→［ぼかし（放射状）］を選択し15のように設定し［OK］します16。

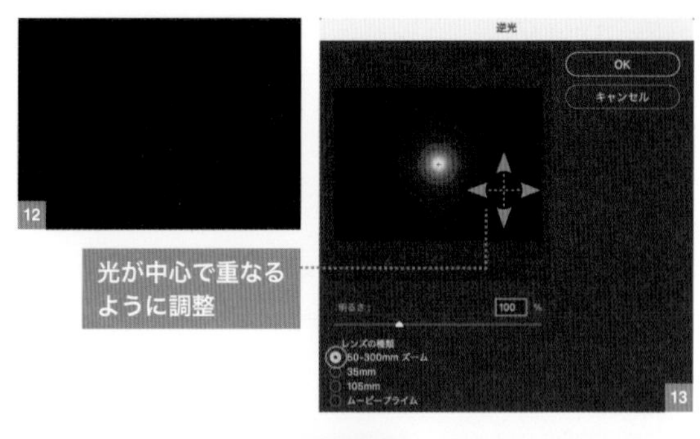

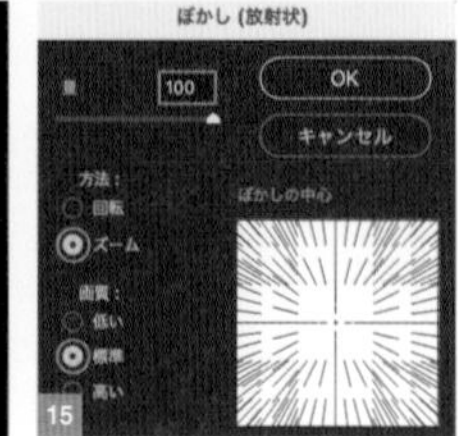

07 ｜ 光を移動し拡大する

［描画モード：スクリーン］とし、光の中心を路地の奥に移動させます17 18。
［自由変形］を選択し、縦横［250%］に拡大します19 20。

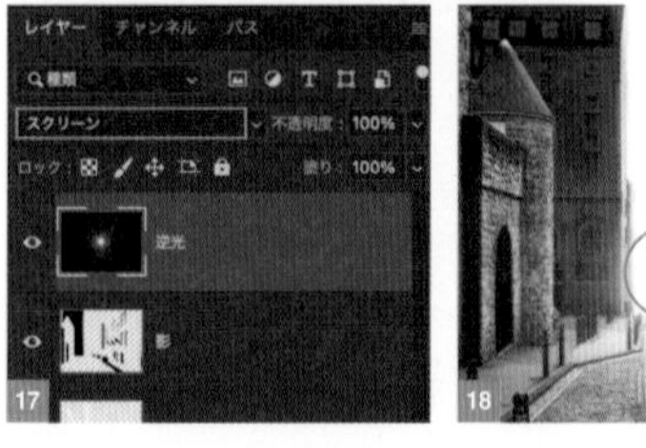

08 ｜ 色みを整えて完成

［イメージ］→［色調補正］→［色相・彩度］を選択し21のように設定し色みを調整します。
路地の奥から光がさしこむ風景が完成です22。

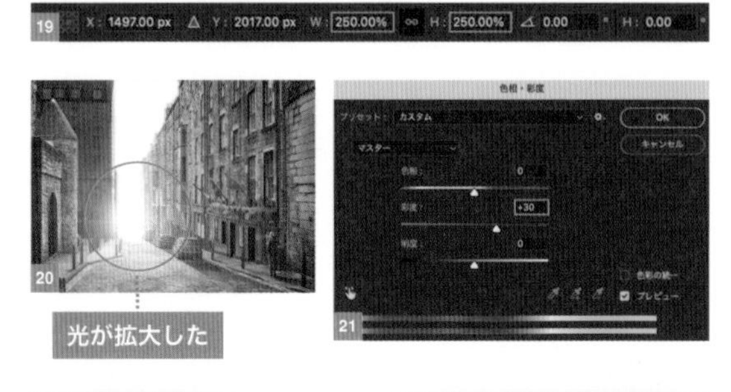

Ps

昼を夜の風景にする　no.049

昼の風景を夜の幻想的な風景に加工します。

Point　複数の光のレイヤーを重ね合わせる

How to use　幻想的な光の表現に

01 ｜ 色相・明度・彩度を調整する

素材［風景.psd］を開きます。
［イメージ］→［色調補正］→［色相・彩度］を選択し［色彩の統一］にチェックを入れ 01 のように［色相：240］［彩度：35］［明度：-50］と設定し、全体を青く補正します 02。
［レベル補正］を選択し 03 のように設定します。
コントラストを高くし、全体をより暗く補正しました 04。
夜の風景のベースとなります。

元画像

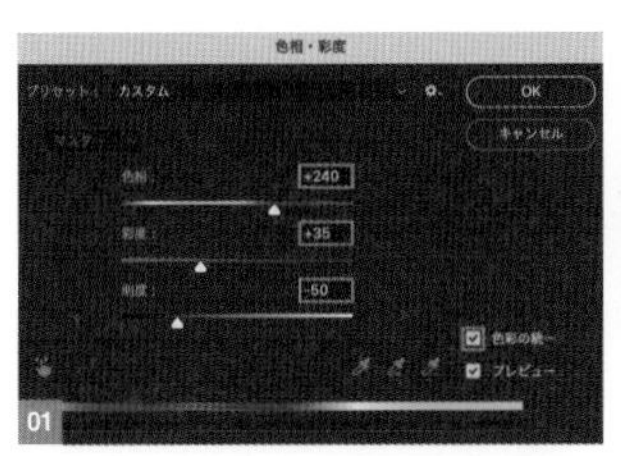

01

02
青く補正した

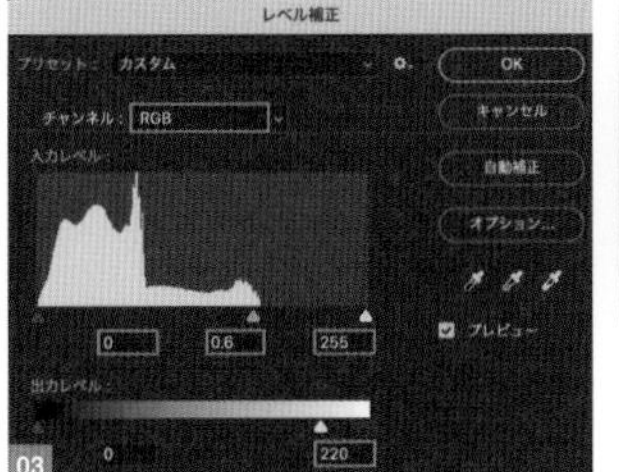

03

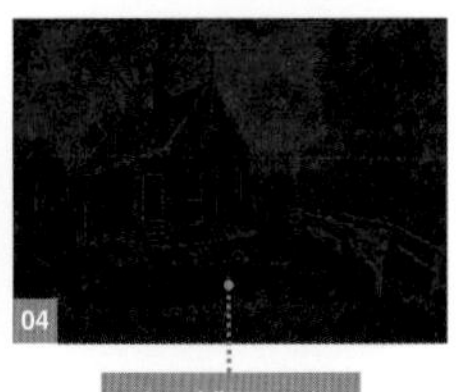
04
暗く補正した

02 | 窓に光を追加する

上位に新規レイヤー［光01］を作成します。
［ペンツール］を選択し、窓の形でパスを作成し、カンバス上で［右クリック］→［選択範囲を作成］します 05。
［描画色：#ffffff］を選択し塗りつぶします 06。
レイヤー［光01］を選択し、［フィルター］→［ぼかし］→［ぼかし（ガウス）］を選択し、07 のように設定します。
レイヤー［光01］を上位に複製し［光02］とします。
レイヤー［光01］は［不透明度：5%］とし、上位のレイヤー［光02］は［描画モード：オーバーレイ］とします 08 09。

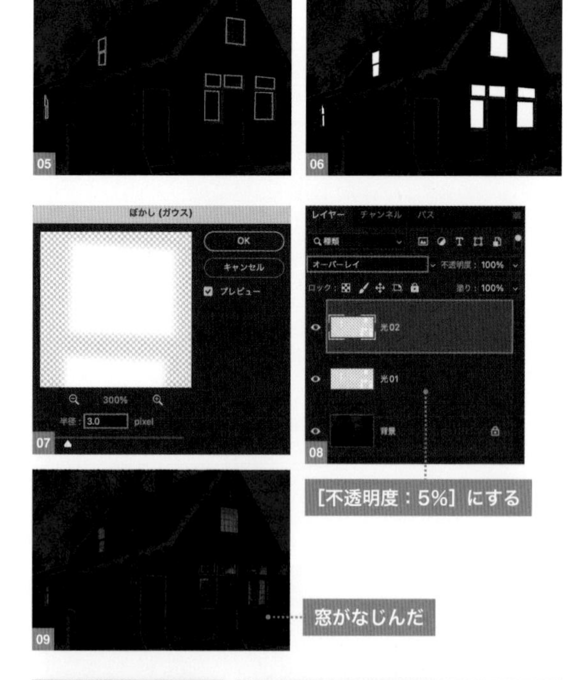

03 | レイヤーを複製し、光を強くしていく

レイヤー［光02］を上位に複製し、レイヤー［光03］とします 10。
さらにレイヤー［光03］を上位に複製し［光04］とします。
［イメージ］→［色調補正］→［色相・彩度］を選択し 11 のように設定します 12。

04 | ブラシを使い部分的に光を足していく

上位に新規レイヤー［ポイント光01］を作成します。［描画モード：オーバーレイ］とします 13。
［ブラシツール］を選択します。［描画色：#f2dc22］を選択し、［ソフト円ブラシ］を使い、窓や、窓からこぼれる光をイメージして描画します 14（［描画モード：通常］の状態だと 15 のような塗りになります）。
入り口付近の階段は光が当たる部分、影になる部分を想像して描きます 16（［描画モード：通常］状態だと 17 のような塗りになります）。
上位に新規レイヤー［ポイント光02］を作成し、同じ要領で光を描画します。
18 のように、特に強くしたい部分を描くとよいでしょう。19 のようになりました。

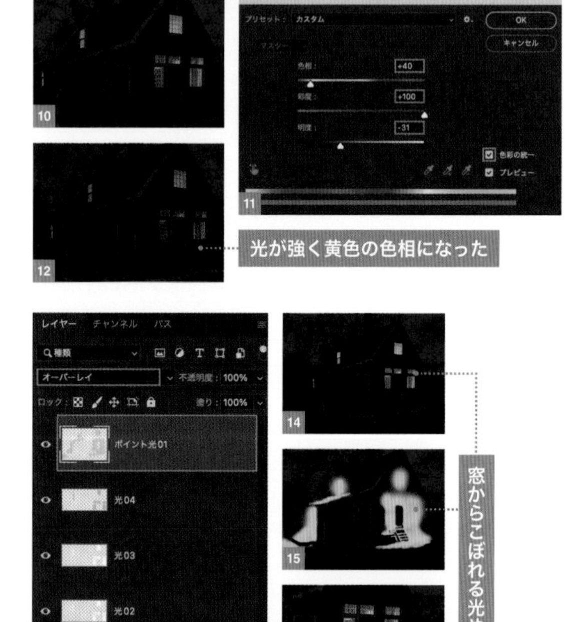

05 ｜ 全体に光を足し、統一感を出す

レイヤーパネルから［塗りつぶしまたは調整レイヤーを新規作成］→［グラデーション］を追加し、上位に配置します20。グラデーションはプリセットの［描画色から透明に］を選択し［カラー：#f4b122］とします21 22。
［描画モード：オーバーレイ］とします23 24。

06 ｜ 画面周辺に影を足す

手順05と同様にレイヤーパネルから［塗りつぶしまたは調整レイヤーを新規作成］→［グラデーション］を選択し、上位に配置します。［描画色から透明に］を選択し［カラー：#000000］とします25 26。
［描画モード：ソフトライト］［不透明度：75%］とします27。
隅が暗くなり光が目立つようになります28。

07 ｜ 空に着色する

最上位に新規レイヤー［全体の光］を作成し、［描画モード：オーバーレイ］［不透明度：50%］とします29。
［ブラシツール］を選択し、［描画色：#f2dc22］とし、空と森の境界付近を大まかに着色します。この時点でさらに建物や窓にも光を足すこともできます。全体が整ったら完成です30。

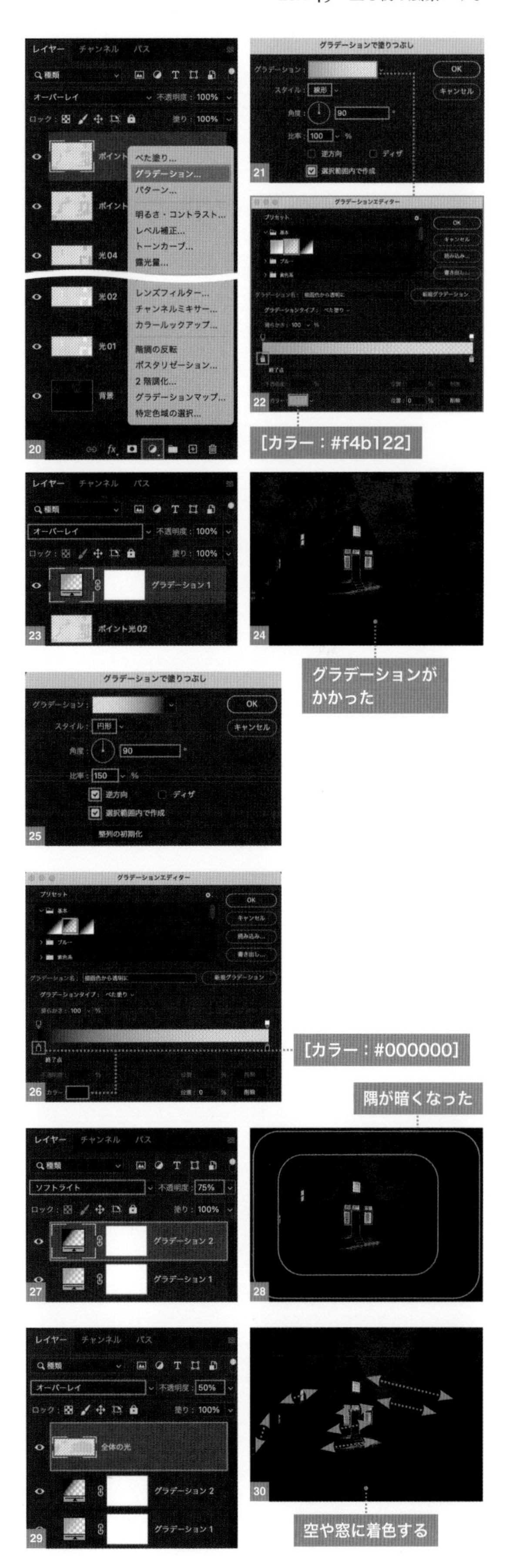

Ai

ダイヤモンドの輝きを作る no.050

ダイヤモンドの輝きを作ります。硬い宝石のような光はIllustratorとも相性がよく、パキッとした印象の光を見せることができます。

Point	ブレンド機能やオブジェクトを再配色のランダムの機能を使う
How to use	リアルな宝石や幾何学模様への活用

01 ┃ ベースの多角形を作成する

新規ドキュメントを作成します。
ツールパネルの［多角形ツール］を選択し 01、［塗り：なし］［線：#000000］［線幅：1pt］とし、［半径：20mm］［辺の数：16］に設定し16角形を作成します 02 03。

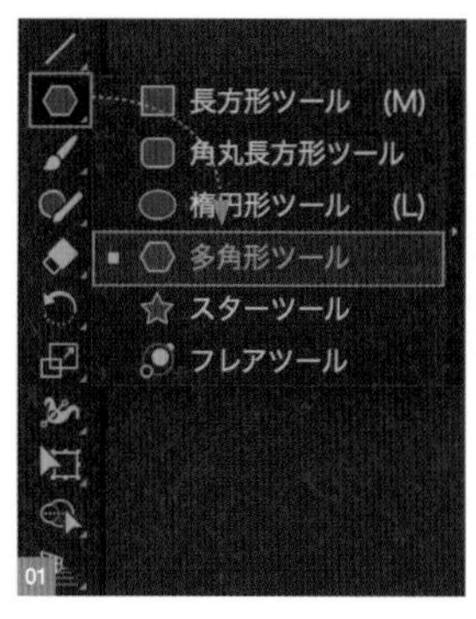

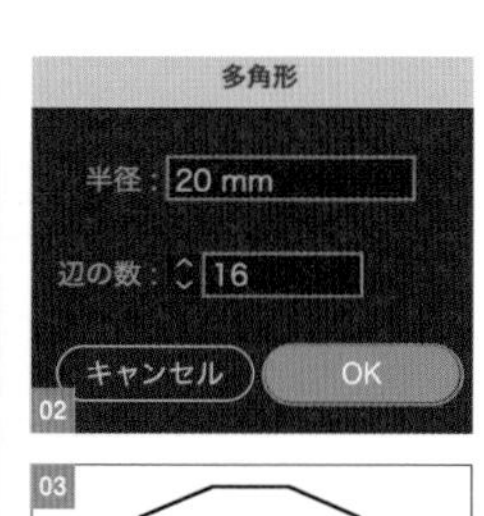

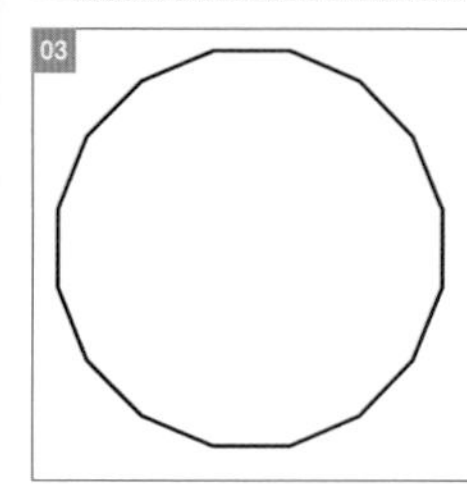

02 | 回転させ整列する

ツールパネルの［回転ツール］をダブルクリックし04、［11.25°］で回転させます05。
同様のやり方で［多角形ツール］で［半径：7mm］［辺の数：8］の8角形を作成し06、［回転ツール］で22.5°回転させます07。
なお、2つのオブジェクトを選択し整列パネルで［水平方向中央に整列］［垂直方向中央に整列］で上下・左右・中央に揃えておくとよいでしょう08。

03 | V字線と対角線を描く

次に中央の8角形の外側の16角形の頂点を結ぶVの形に直線を［ペンツール］で描きます09。ツールパネルの［回転ツール］をダブルクリックし、［角度：45°］でコピーを選択します10。
Vの形の直線を8角形の頂点に合わせます11。合計で8本になるように増やしていきます12。
ペンツールで16角形の対角線を結ぶ線を描きます。45°回転させてコピーし4本の線になるようにします13。
外側の16角形以外を選択し、⌘（Ctrl）＋3キーで隠しておきましょう。

04 | ダイヤの外枠を作る

ツールパネルの［長方形ツール］を選択し［幅：20mm］［高さ：20mm］の正方形を作成して中心に配置します14。正方形を［回転ツール］で45°回転させコピーします15。
正方形の頂点から外周の16角形の頂点にWの形になるようにペンツールで結びます16。先程と同じように45°回転、コピーして全体に配置していきます17。

memo

この作例では多角形の頂点が真上になるように回転の角度を合わせています。

05 | 全てオブジェクトを表示し、線をなしにする

⌘（Ctrl）＋Option（Alt）＋3キーで全てのオブジェクトを表示させ、手順01〜04で作ったオブジェクトを重ね合わせます18。［ウィンドウ］→［パスファインダー］パネルを表示し、［分割］を選択します19 20。［塗り：#ffffff］［線：なし］に設定します21。

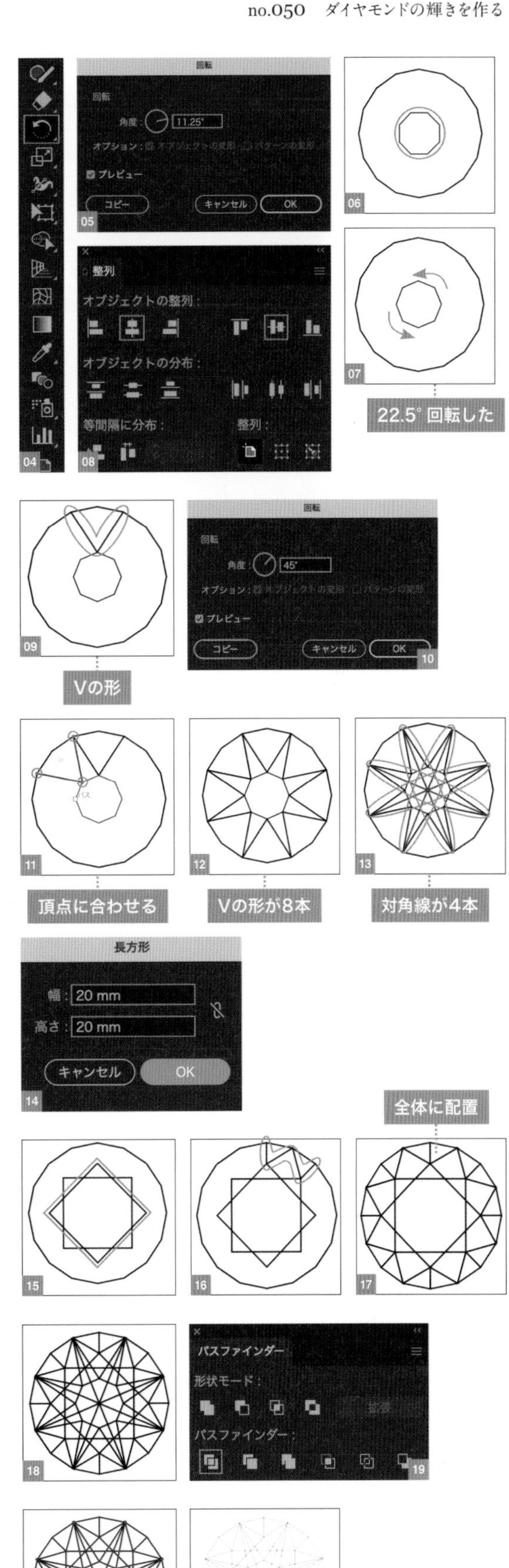

06 ┃ 一番上のオブジェクトを塗る

ダイヤモンドのオブジェクトを選択した状態で、レイヤーパネルの右三角をクリックし詳細を確認します 22。

一番上のオブジェクトを選択します（レイヤーパネルの一番下にあるパスを確認し、右端の◯をクリックし◎にすることで選択することができます）23。［塗り：#707070］に設定します 24。

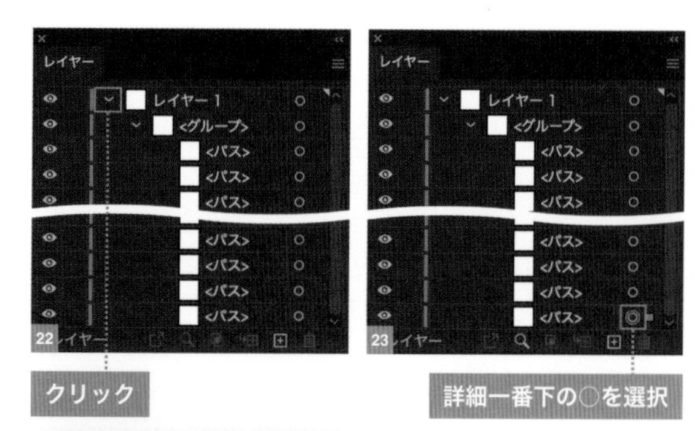

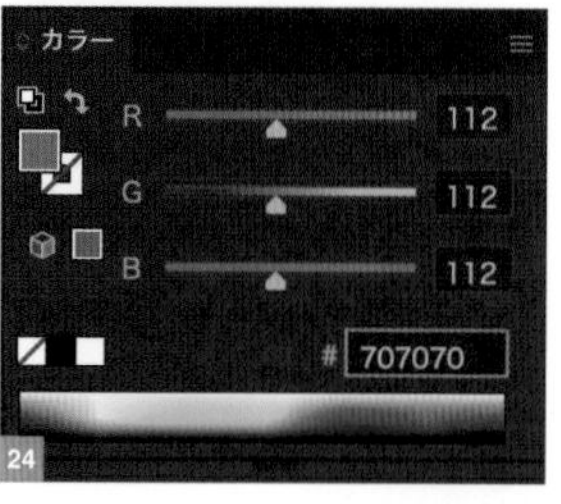

07 ┃ ランダムに配色する

ダイヤモンドのオブジェクトを全て選択します 25。

［編集］→［カラーを編集］→［前後にブレンド］を選択します。先程設定した塗りが選択範囲のオブジェクトにブレンドとして広がりました 26 27。

［編集］→［カラーを編集］→［オブジェクトを再配色］を選択します 28。［カラー配列をランダムに変更］を選択し［OK］をクリックします 29。ランダムな配色になりました 30。

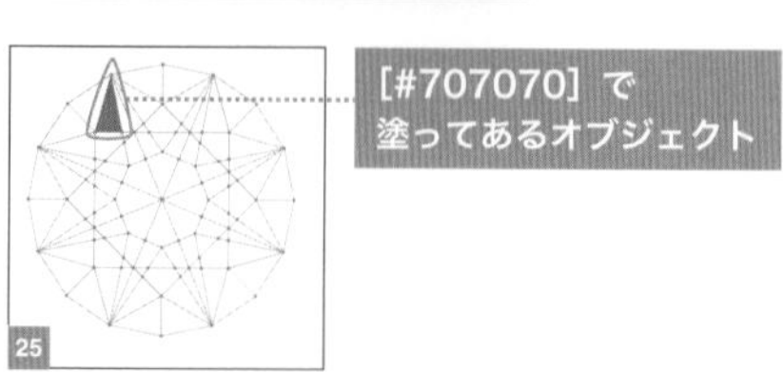

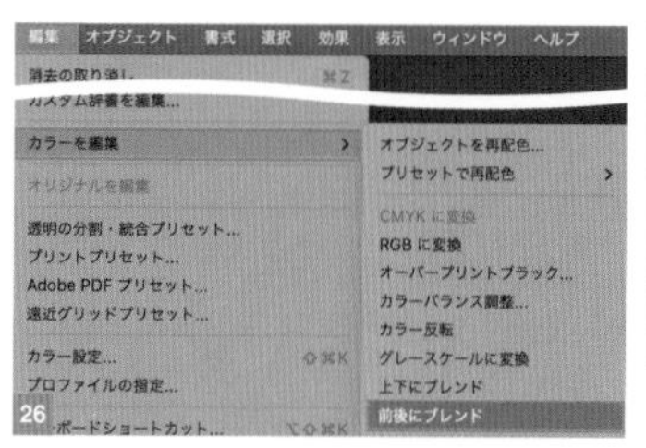

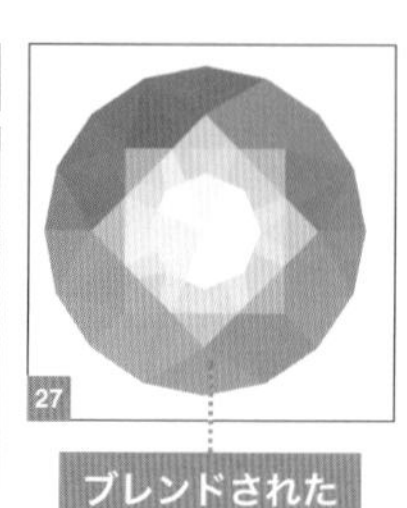

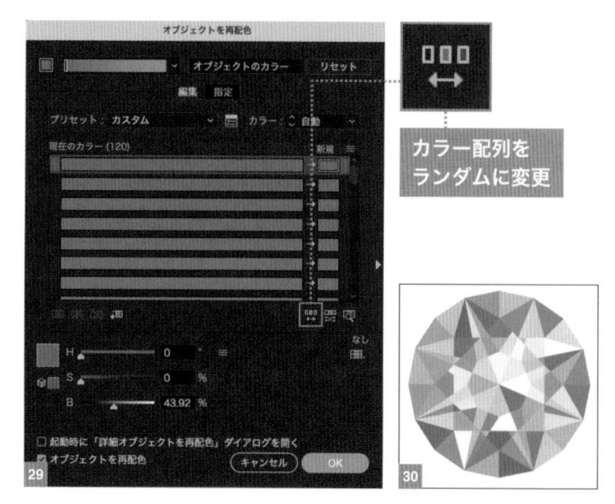

08 | 乱反射を作成する

ツールパネルの［長方形ツール］から［塗り：#707070］の長方形を作り、［ナイフツール］で 31 のように切ります 32。
一番上のカラーを［塗り：#ffffff］に変更します 33。
長方形全てを選択し［編集］→［カラーを編集］→［上下にブレンド］をクリックします 34。上下にブレンドが広がりました 35。
手順07と同様に［編集］→［カラーを編集］→［オブジェクトを再配色］をクリックし［カラー配列をランダムに変更］を選択し［OK］をクリックします。ランダムに配色された長方形ができました 36。

31

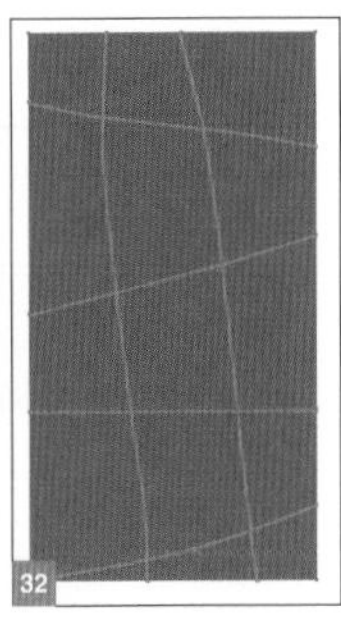
32

33

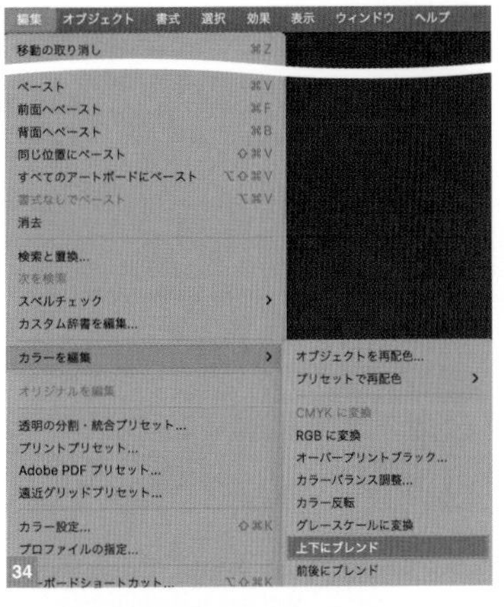

34

35

36

09 | 乱反射を重ねる

［ウィンドウ］→［透明パネル］を選択し、［描画モード：ソフトライト］に変更します 37。長方形をコピー＆ペーストし、手順07のオブジェクトの前面に配置します 38。
角度や大きさを調整し、乱反射に見えるように複数配置していきます。細かい乱反射ができました 39。

37

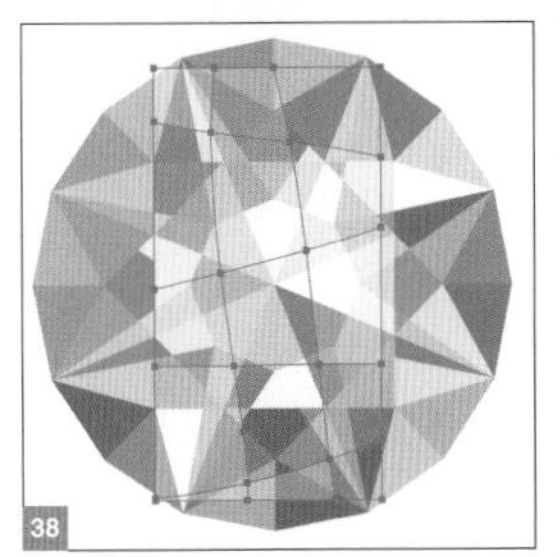
38

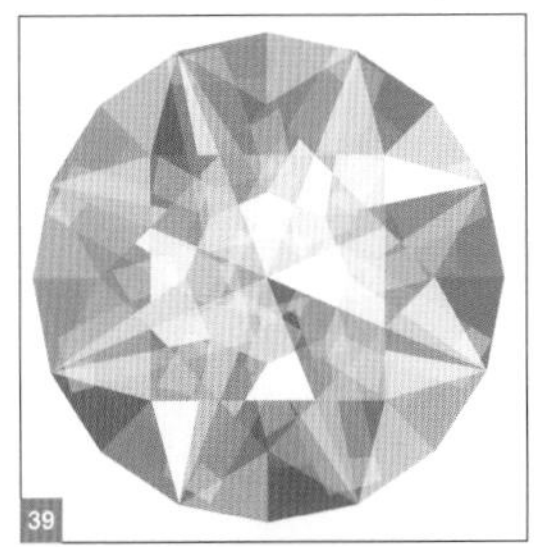
39

10 | さらにコントラストを強める

［ペンツール］で 40 のような放射状のオブジェクトを描きます。
［透明］パネルで［描画モード：焼き込みカラー］に設定します 41 42。
最後にハイライトを［ペンツール］で［塗り：#ffffff］の設定で描いて完成です 43。
作例では背景に画像と文字を配置し、レイアウトしました。

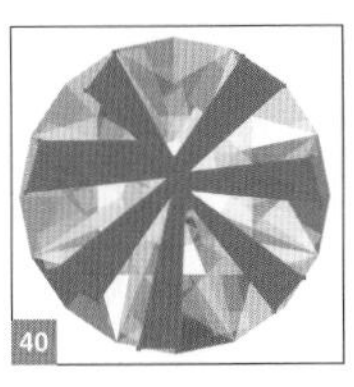
40

41

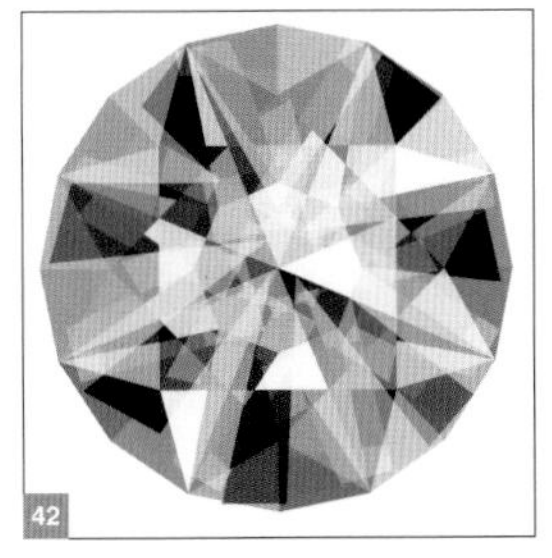
42

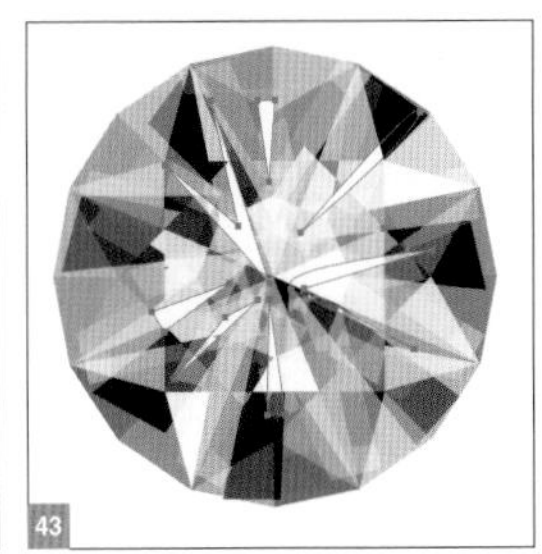
43

Chapter 05

column

Ps

フィルターギャラリー

Photoshopのフィルターは組み合わせによっては予想していなかったような面白い効果を得られることもあり、また複数のフィルターを重ね合わせる事もできます。ここではその一部を紹介します。

■元画像　■アーティスティック

エッジのポスタリゼーション

スポンジ

ネオン光彩

フレスコ

色鉛筆

水彩画

粗描き

粒状フィルム

■スケッチ

ぎざぎざのエッジ

コピー

ノート用紙

プラスター

■テクスチャ

クラッキング

モザイクタイル

■表現手法

エッジの光彩

■変形

海の波紋

テクスチャを作る

ファー、布、和紙、カンバス、スクリーントーン、グラデーション、レース、ドットパターンなど、様々なテクスチャを作ることができます。写真素材なしで作れるものも多く手軽に再現できます。

Chapter 06

Texture making design techniques

Ps

ファーのテクスチャを作る no.051

動物の毛並みから作成したブラシを使って毛皮でできたロゴを作成します。

Point ブラシの大小を切り替え、毛の質感を出す

How to use 印象的な見出しやタイトルロゴなどのグラフィック作成に

01 | テキストと毛皮の画像を重ねる

素材［背景.psd］を開きます。素材［毛皮ブラシ.abr］をダブルクリックし読み込みます。
なお、［毛皮ブラシ］は素材［ライオン.jpg］（01）の02部分を切り抜き、［2階調化］し、円形になるよう組み合わせ［ブラシを定義］したものです03 04。
好みのフォントで［CALF］と入力します05。加工しやすいように太いフォントを選ぶとよいでしょう。作例ではAdobe Fontsから［Azo Sans Uber］フォントを選びました。
素材［毛皮.psd］を開き、レイヤー［背景］の上位に配置します06。
レイヤーパネル上でテキストレイヤー［CALF］のレイヤーサムネールを⌘（Ctrl）キー＋クリックして選択範囲を作成します07。

01

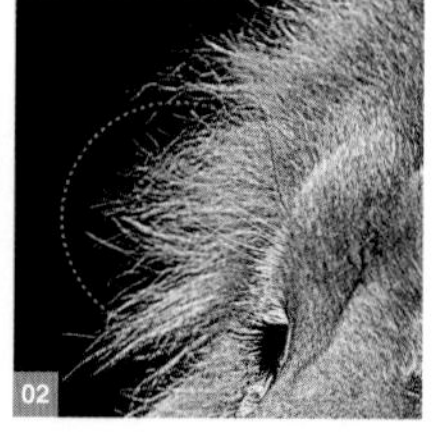
02

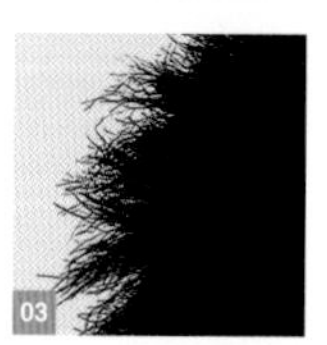
03

04

05

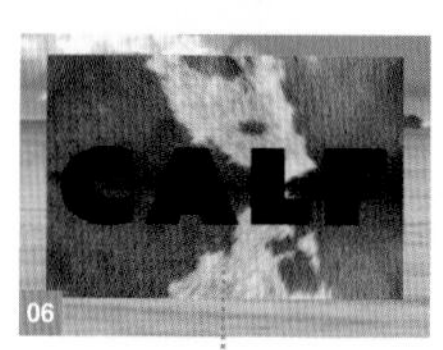

06

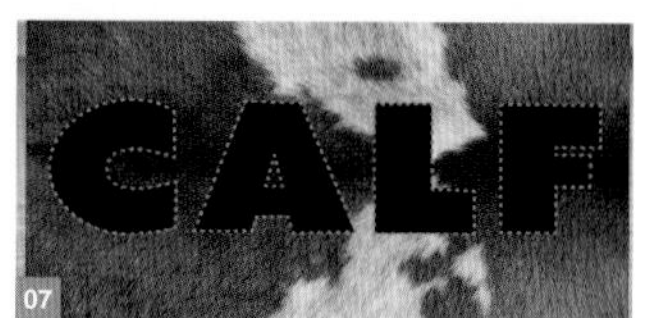

07

［毛皮.psd］を配置

02 | レイヤーマスクを追加して位置を整える

レイヤーパネル上でレイヤー [毛皮] を選択し、[レイヤーマスクを追加] を選択します。テキストレイヤー [CALF] は非表示または削除します 08。[レイヤーマスクのレイヤーへのリンク(鎖マーク)] を外して位置を整えます 09 10。

03 | 毛並みを追加する

レイヤー [毛皮] のレイヤーマスクサムネールを選択します。[ブラシツール] を選択し、[描画色：#ffffff] とし、読み込んだ [毛皮ブラシ] を選択します 11。
ブラシ設定パネルを開き [シェイプ] を選択し、[角度のジッター：100%] とします 12。
文字のアウトラインに沿って毛並みを描いていきます。まずは [直径：100px] 前後にして輪郭を描きます 13。
次に [直径：200〜500px] 前後でストロークせず点を置くように毛並みを追加していきます 14。
レイヤー [毛皮] の [レイヤースタイル] を表示します。
[ベベルとエンボス] を選択し 15 のように設定します。
[シャドウ (内側)] を選択し 16 のように設定します。構造のシャドウのカラーは [#000000] に設定しています 17。

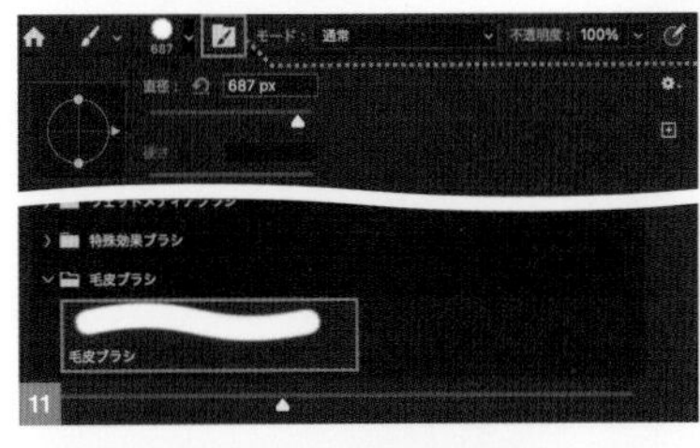
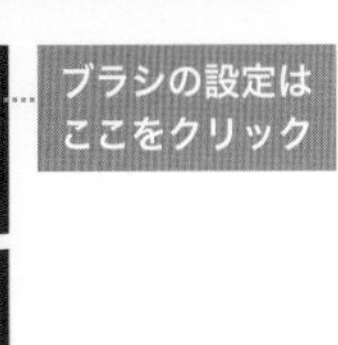

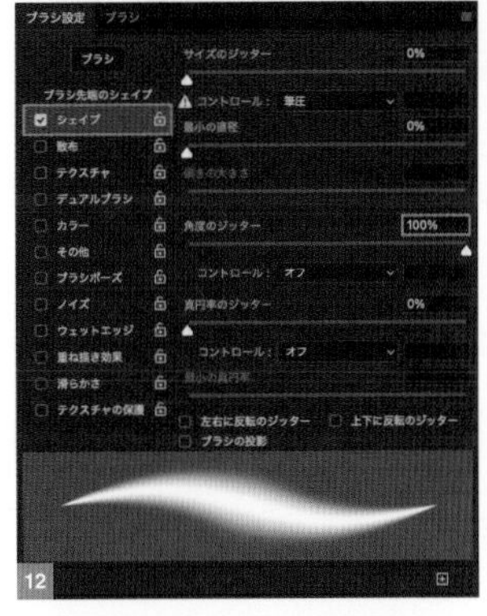
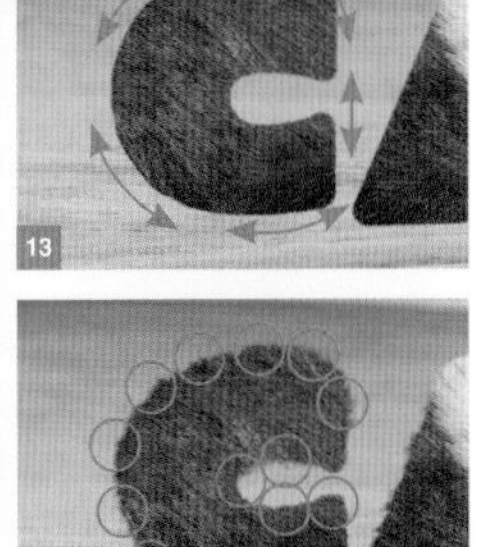

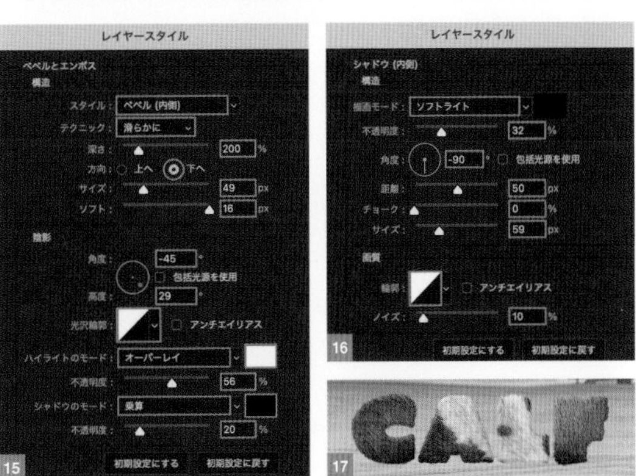
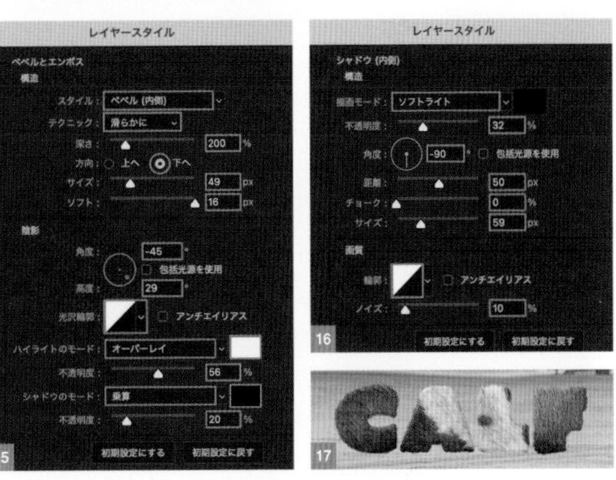

04 | 影を付けて完成

レイヤー [毛皮] の下位に新規レイヤー [影] を追加します。[ブラシツール] を選択し、[塗り：#000000] [ソフト円ブラシ] で毛皮の下に影を描いたら完成です 18。

Chapter 06

Ps

布のテクスチャを作る no.052

布の質感を作成し、縫い目で文字を表現します。

Point 複数のフィルターを使い分ける

How to use 布地のテクスチャが欲しい時に

01 | フィルターを重ね布の質感を作る

素材［背景.psd］を開きます。描画色と背景色を初期値に戻しておきます。レイヤー［背景］を選択し［フィルター］→［フィルターギャラリー］を選択します 01。

［スケッチ］→［ハーフトーンパターン］を選択し、02 のように設定します。

［フィルター］→［ノイズ］→［ノイズを加える］を選択し 03 のように設定し質感を加えます。

［フィルター］→［ぼかし］→［ぼかし（移動）］を選択し 04 のように斜めのラインが入るように設定します。

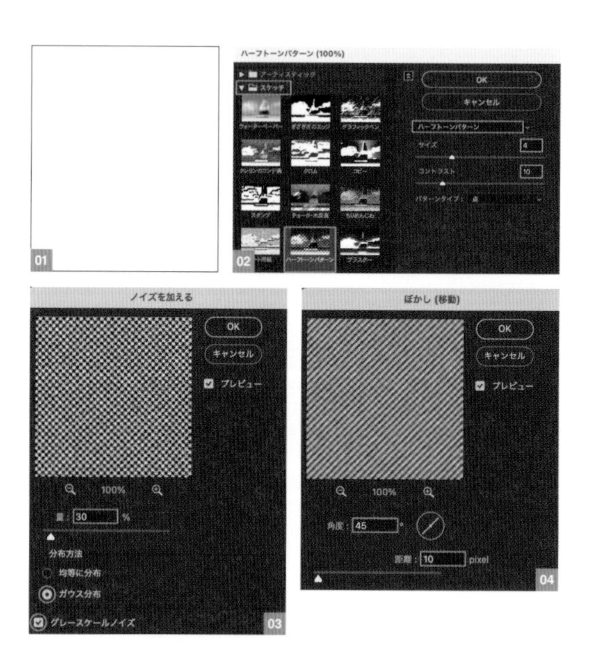

02 | 色を付ける

[イメージ] → [色調補正] → [色相・彩度] を選択し、05のように [色彩の統一] にチェックを入れて色を変更します06。

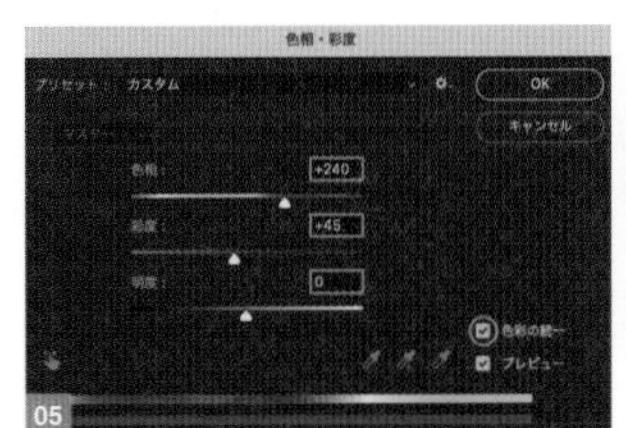
05

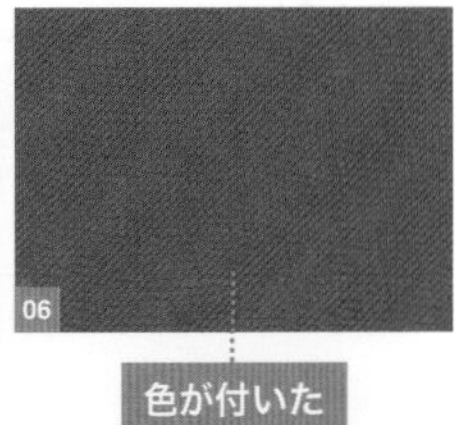
06

色が付いた

03 | 生地の質感を加える

上位に新規レイヤー [テクスチャ] を作成します。
[描画色：#ffffff] [背景色：#000000] とします。
[フィルター] → [描画] → [ファイバー] を選択し、07のように設定します08。ランダムに形成されるので [開始位置を乱数的に変化させる] を何度かクリックして好みの質感を探しましょう。
[描画モード：スクリーン] とし、背景になじませたら布のテクスチャの完成です09 10。

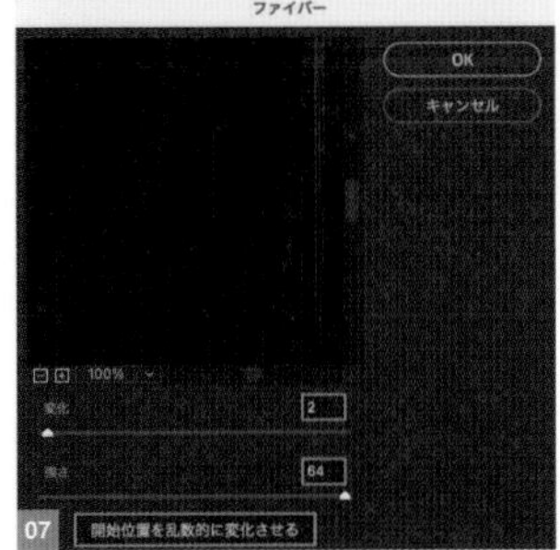
07

08

縦の線が入った

09

10

04 | 文字を縫い目で表現する

好みのフォントを選択し「DENIM」と入力します。作例ではAdobe Fontsから [Azo Sans Uber] フォントを選んでいます11。
レイヤーパネル上で [右クリック] → [シェイプに変換] を選択します12 13。レイヤー [DENIM] を選択し、[パスコンポーネント選択ツール] を選択します14。線のカラーは [#eed0be]、線オプションは15、[詳細オプション] をクリックして表示される [線] は16のように設定します。オプションバーを17のように設定します。

11

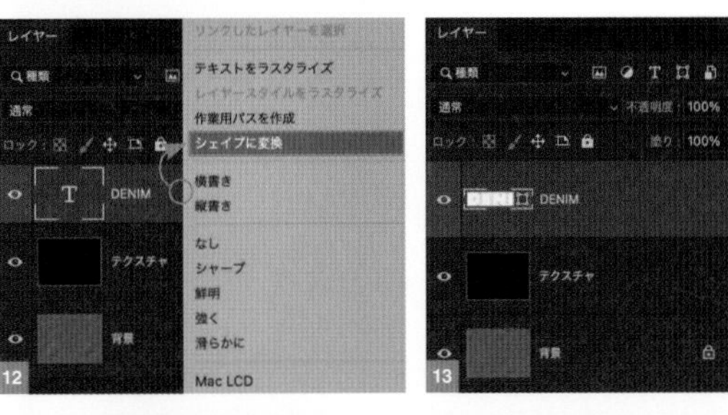
12 13

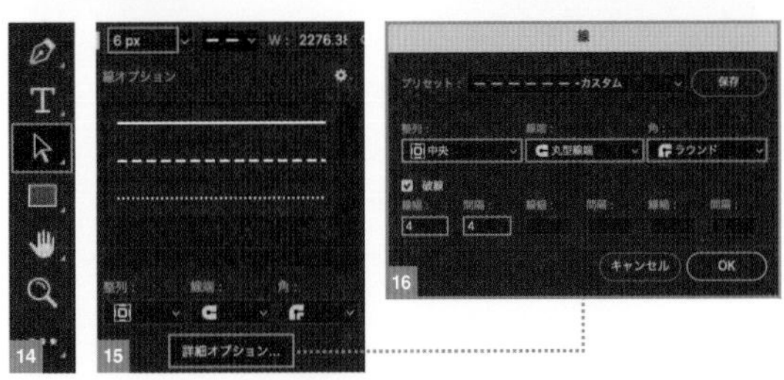
14 15 16

17

[#eed0be]

05 ｜ 縫い目に立体感を加えて完成

レイヤー [DENIM] をダブルクリックし [レイヤースタイル] を表示します。
[ドロップシャドウ] を 18 のように設定します。[構造] のカラーは [#0e0e43] とします。
[シャドウ (内側)] を選択し 19 のように設定します。
[ベベルとエンボス] を選択し、20 のように設定します。
[輪郭] を選択し 21 のように設定します。
縫い目に立体感が付きました 22。
作例では文字の両サイドにレイヤー [DENIM] のレイヤースタイルの設定で、[ペンツール] のシェイプのラインを引き装飾を行いました 23 24。

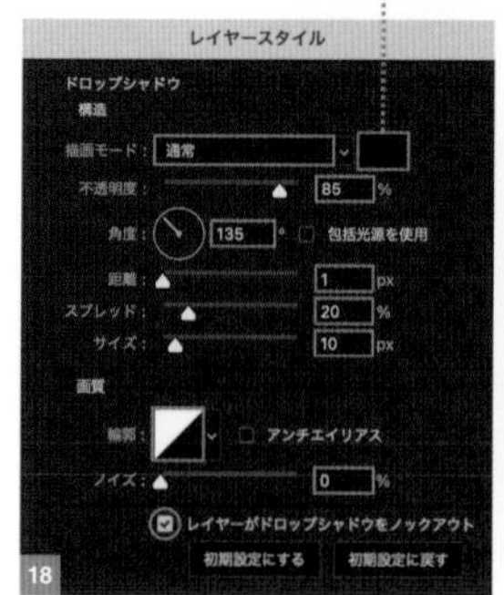

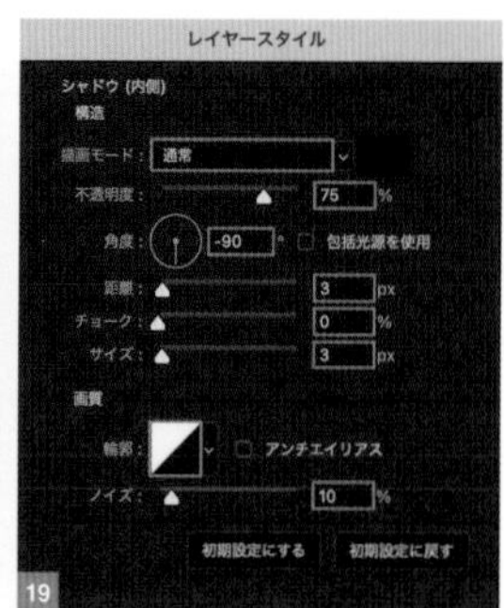

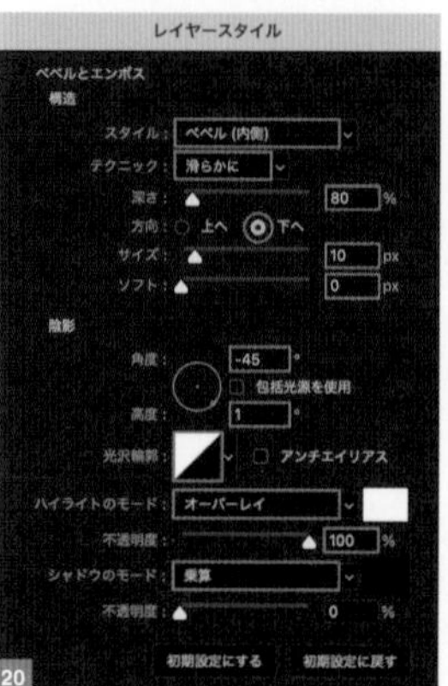

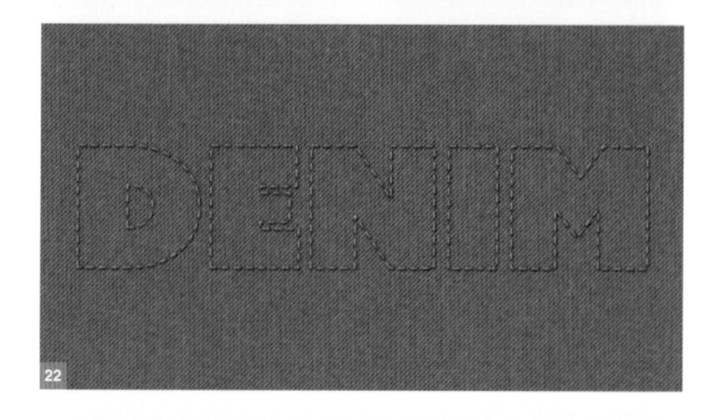

23　シェイプ　塗り：　線：　6 px　W：1919 px

Ps

和紙のようなデザインを作る no.053

一からリアルな和紙のテクスチャを作成します。

Point	フィルターを使う
How to use	和風の素材やデザインに

01 | ベースとなるテクスチャを作成する

素材［背景.psd］を開きます。上位に新規レイヤー［和紙］を作成し、レイヤー上で［右クリック］→［スマートオブジェクトに変換］を選択します 01。

描画色と背景色を初期設定に戻した上で、［フィルター］→［描画］→［雲模様1］を適用します 02 03。［フィルター］→［表現手法］→［輪郭検出］を適用します 04。

［イメージ］→［色調補正］→［レベル補正］を選択し、入力レベルを［206：0.4：255］とします 05。

テクスチャの質感が強調されました 06。

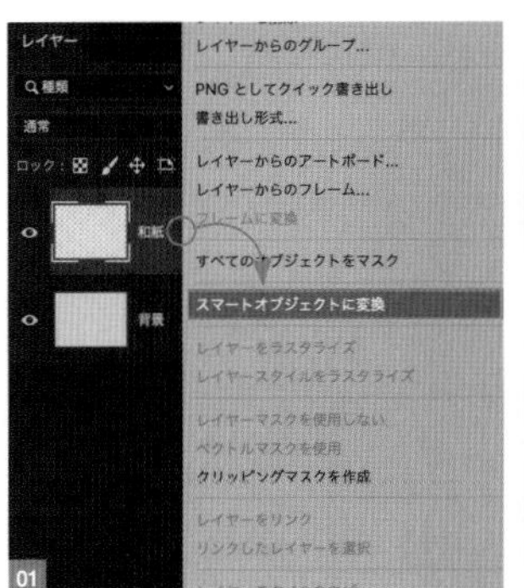

01

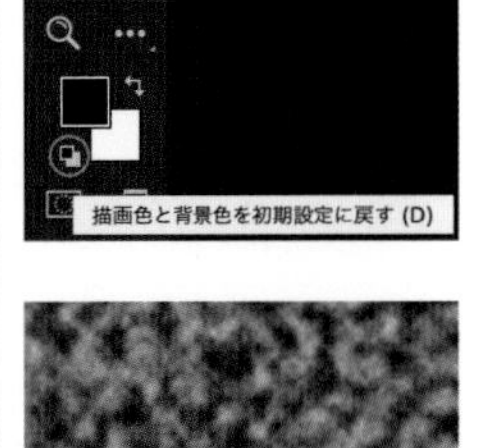

02

03

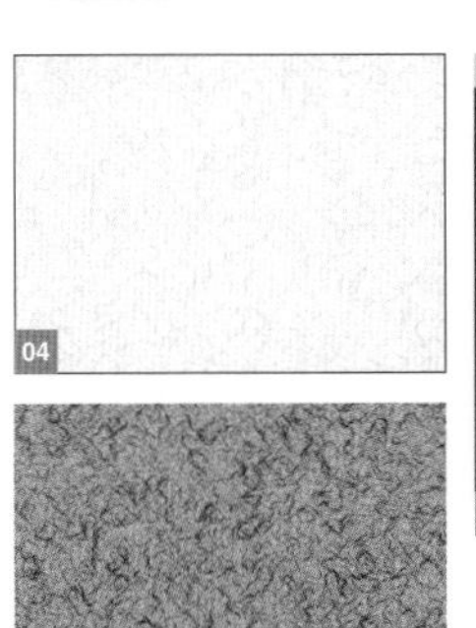
04

06

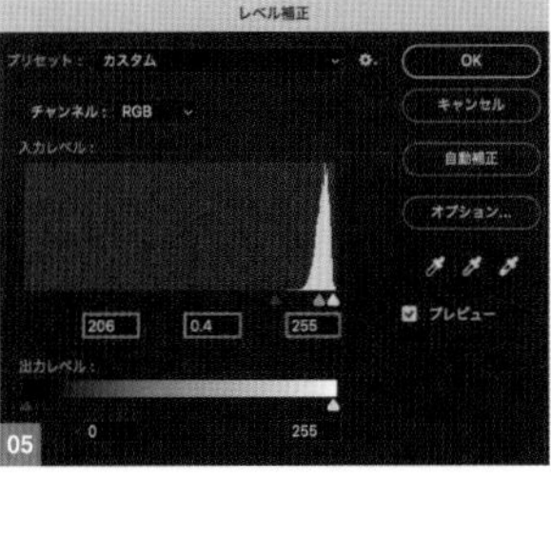

05

02 ┃ 和紙のテクスチャに色を付ける

レイヤー［和紙］を選択し、［イメージ］→［色調補正］→［グラデーションマップ］を選択します07。
［グラデーションマップ］パネルが開いたら、グラデーション部分をクリックし、［グラデーションエディター］を開きます。プリセットの1番目（左上）にある［描画色から背景色へ］を選択し、左側のカラー分岐点を［#ffffff］、右側のカラー分岐点を［#caced0］と変更します08。
［グラデーションエディター］［グラデーションマップ］でそれぞれ［OK］を選択します。和紙のテクスチャに着色することができました09。

07

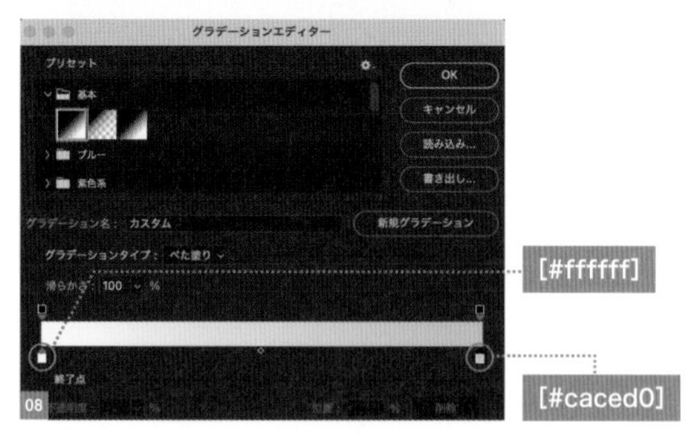

08

09

03 ┃ 和紙のテクスチャに素材感を加える

［フィルター］→［フィルターギャラリー］を選択し、［テクスチャ］→［テクスチャライザー］を選択します。
［テクスチャ：砂岩］［拡大・縮小：100%］［レリーフ：3］［照射方向：下へ］とし、ざらついた質感を加えます10。
和紙のテクスチャが完成です。

10

04 ┃ 和紙の四隅をマスクする

カンバスの少し内側に選択範囲を作成します11。
レイヤー［和紙］を選択した状態で、レイヤーパネル下の［レイヤーマスクを追加］12を選択します。四隅がマスクされました13。

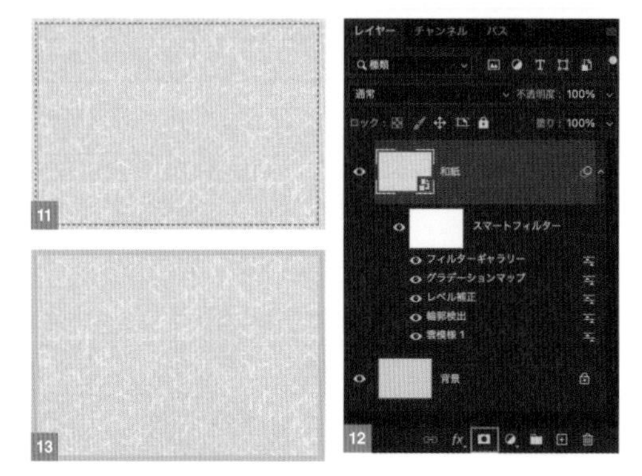

11　12　13

05 | 和紙の四隅に質感を加えてリアルにする

追加したレイヤー［和紙］のレイヤーマスクサムネールを選択した状態で、［フィルター］→［フィルターギャラリー］を選択します。
［ブラシストローク］→［はね］を選択し、［スプレー半径：10］［滑らかさ：5］とします14。
そのまま、パネル右下の「新しいエフェクトレイヤー］を選択し［スケッチ］→［ぎざぎざのエッジ］を選択します。
［画像のバランス：25］［滑らかさ：11］［コントラスト：17］とします15。
もっと粗い印象にしたい場合はこの2つのフィルターを好みで調整しましょう。

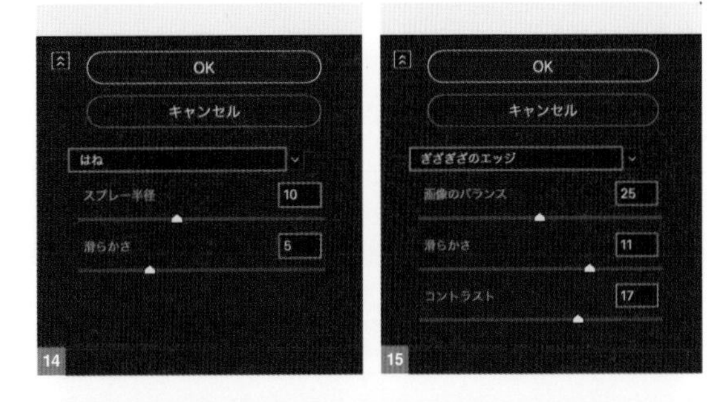

06 | 和紙に光とドロップシャドウを足す

レイヤー［和紙］の右側でダブルクリックし、［レイヤースタイル］を表示します。
［グラデーションオーバーレイ］を選択し16のように設定し左上から光があたっているイメージにします。
なお、グラデーションはプリセットの［描画色から透明に］を選択しています。この際、選んでいる描画色が反映されるのでツールパネルの描画色は白にしておきましょう。
次に［ドロップシャドウ］を選択し17のように、右下に影が落ちているように設定します。
立体的に表現できました18。

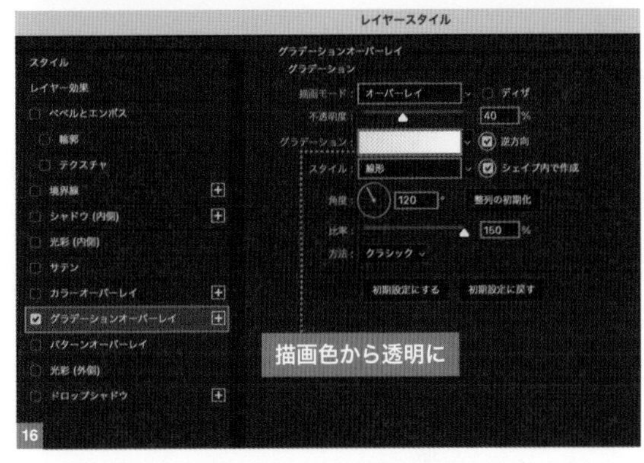

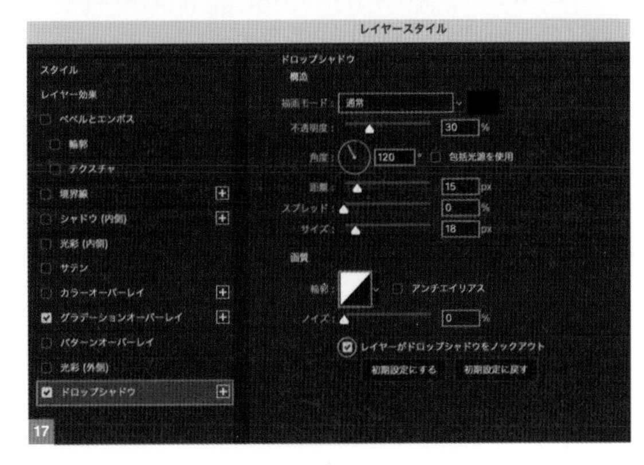

07 | 装飾して完成

素材［四角パーツ.psd］を開き最上位に移動させます。レイヤーの描画モードを［乗算］としなじませたら完成です19。

Ps

no.054 カンバスのテクスチャを作る

ラインを重ねてカンバスのテクスチャを作成します。

Point	縦横にラインを重ねて凹凸のある質感を作成
How to use	油彩表現の下地作りに

01 ハーフトーンパターンでラインを作成する

素材［背景.psd］を開きます。
［フィルター］→［フィルターギャラリー］を選択し、［スケッチ］→［ハーフトーンパターン］を 01 のように設定します。
［フィルター］→［ノイズ］→［ノイズを加える］を選択し 02 のように設定します。
レイヤー［背景］を上位に複製し［自由変形］を使って［-90°］回転します 03。
［描画モード：焼き込みカラー］とします 04。
2つのレイヤーを統合し、レイヤー名［カンバス］とします。

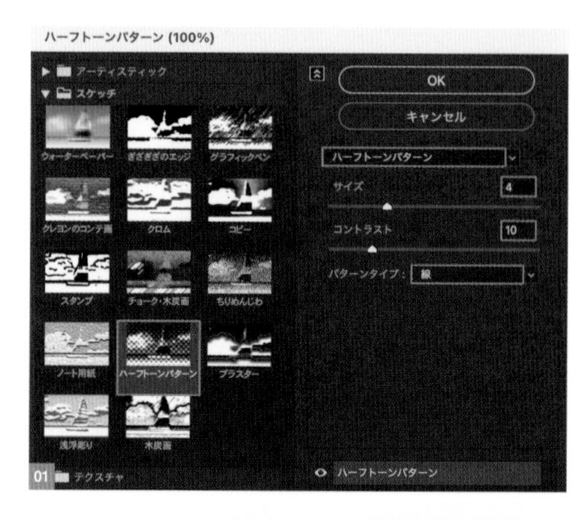

01

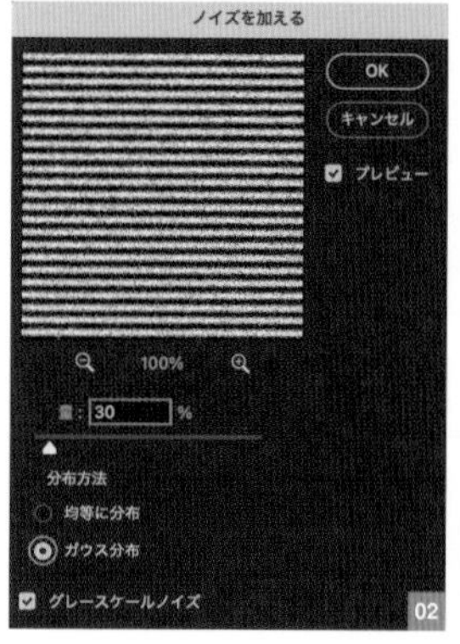

02

03

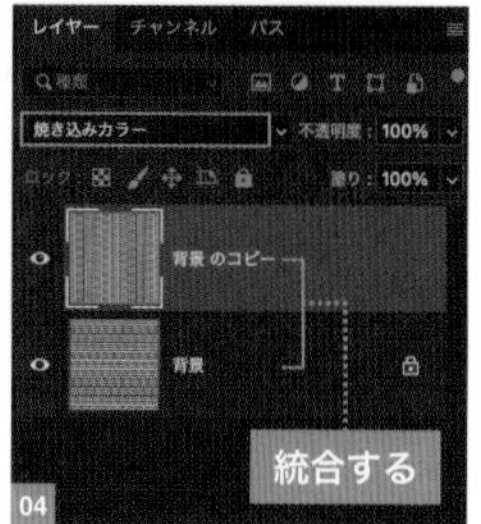

04

02 | 着色し、凹凸のある質感を加える

レイヤーパネルから新規調整レイヤー［べた塗り］を選択し 05、カラーを［#d2cab8］とします 06。
上位に配置し、描画モードを［ハードライト］とします 07 08。
レイヤー［カンバス］を選択し、［フィルター］→［表現手法］→［エンボス］を選択し 09 のように設定します。
立体感のあるカンバス生地ができました 10。

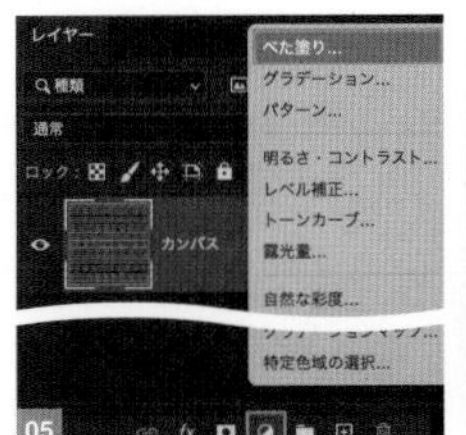

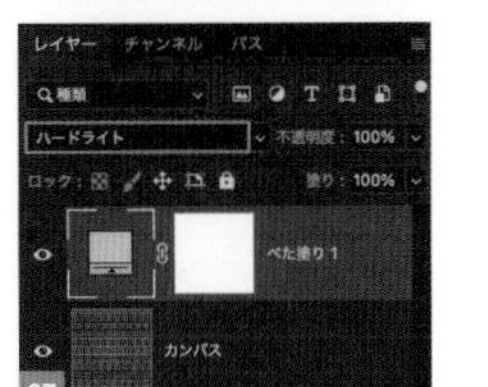

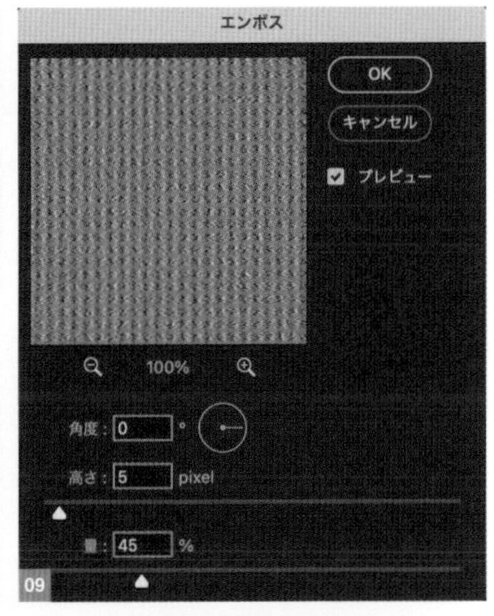

03 | 油彩加工した画像をなじませて完成

素材［ひまわり.psd］を開き、最上位に配置します。
［描画モード：焼き込みカラー］［不透明度：85%］とします 11 12。
［フィルター］→［表現手法］→［油彩］を選択し 13 のように設定します。
カンバスの質感を生かした油彩表現ができました 14。

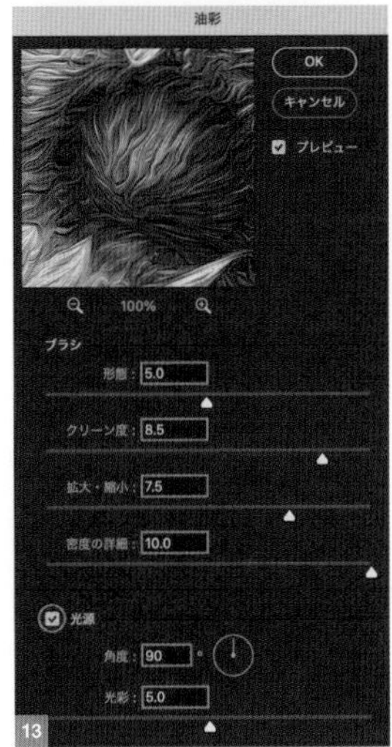

CLASSIC MOTOR SHOW

DOT EFFECT

POP ART

PHOTO EFFECT

Ps

スクリーントーンを作る no.055

ドットスタイルのグラフィックを作成します。

Point　カラーハーフトーンを使って手軽にドットスタイルに

How to use　古い印刷物風な加工やポップな表現に

01 | ハーフトーンパターンで加工する

素材［人物.psd］を開きます。あらかじめ人物を切り抜いたレイヤーと背景を配置してあります。
描画色と背景色を初期値に戻し、レイヤー［人物］を選択し［フィルター］→［フィルターギャラリー］を選択します。
［スケッチ］→［ハーフトーンパターン］を選択し［サイズ:6］［コントラスト：0］［パターンタイプ：点］のように設定します 01 02。
［レベル補正］を選択し入力レベル［3：0.35：130］のように設定しコントラストを高くします 03 04。
［フィルター］→［シャープ］→［アンシャープマスク］を選択し 05 のように設定します。
ドット感が強調されました 06。
レイヤーの描画モードを［乗算］、［不透明度：70%］とし背景となじませます 07。

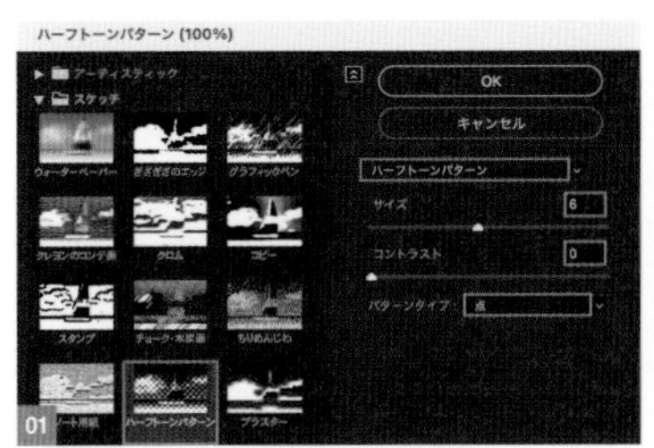

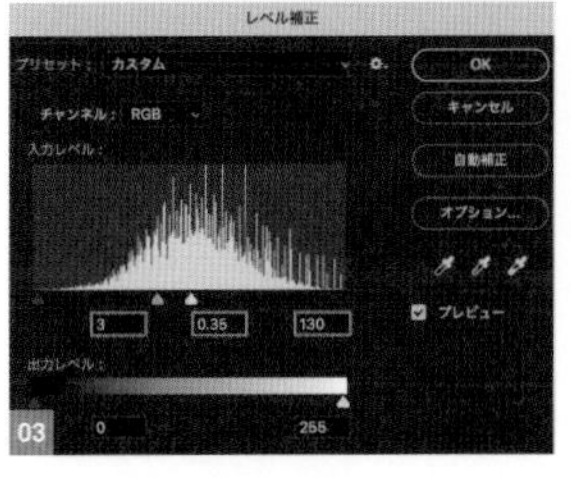

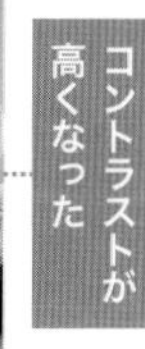

02 | 人物を着色し、境界線を付ける

レイヤー［人物］の下位に、新規レイヤー［塗り］を作成します。
［ブラシツール］を選択し、好みの色で着色します 08。
レイヤーパネル上で、レイヤー［人物］を選択し［レイヤースタイル］を表示します。
［境界線］を選択し、09 のように外側への境界線を設定します 10。

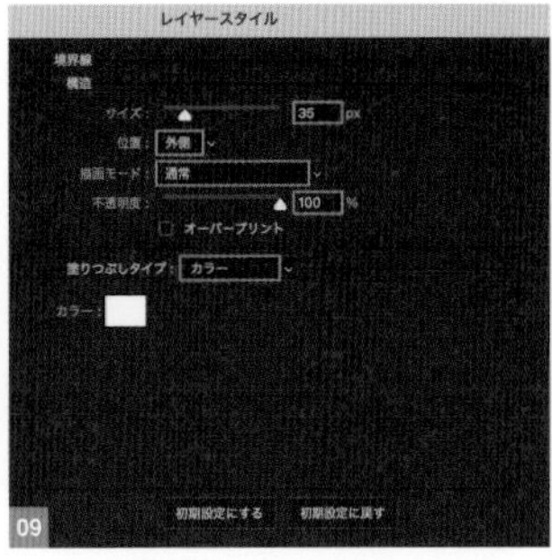

03 | 紙の質感を追加して完成

素材［テクスチャ.psd］を開き、最上位に配置します。
［描画モード：乗算］［不透明度：70%］とします 11。
好みで文字などをレイアウトして完成です。作例では古いモーターショーのイメージでデザインしました。

11

Ps

グラデーションが重なったような テクスチャを作る　no.056

シェイプの重ね合わせを使って、複雑なグラデーションを作成します。

Point　シェイプの重なりを把握する

How to use　様々なバックグラウンドの画像に

01 | 背景にグラデーションを配置する

素材［背景.psd］を開きます。［描画色：#2256be］［背景色：#8cb2e3］とします。ツールパネルから［グラデーションツール］を選択し、プリセットの［描画色から背景色へ］を選択します 01。
カンバスの上から下にドラッグし、グラデーションを作成します 02。

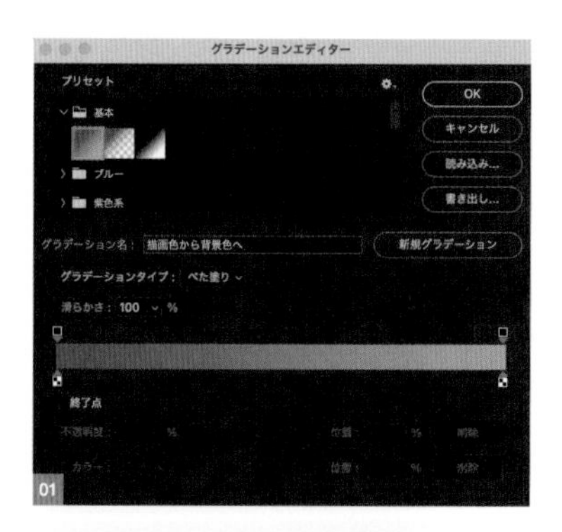

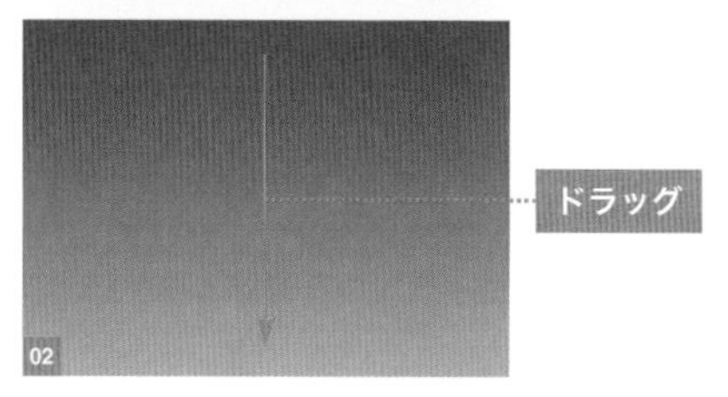

02 ❙ ペンツールでシェイプを作成する

ツールパネルから［ペンツール］を選択し、オプションバーを 03 のように［ツールモード：シェイプ］［パスの操作：新規レイヤー］と設定します。次の手順で透明となり反映されないため［塗り］は何色でもかまいません。
好みの形でシェイプを作成します 04。レイヤーの［塗り：0%］とします 05。作成したシェイプはレイヤー名［シェイプ1］とします。

03 ❙ レイヤースタイルでアレンジする

シェイプレイヤーをダブルクリックし、［レイヤースタイル］を表示し、［境界線］を 06 のように、［光彩（内側）］を 07 のように設定します 08。

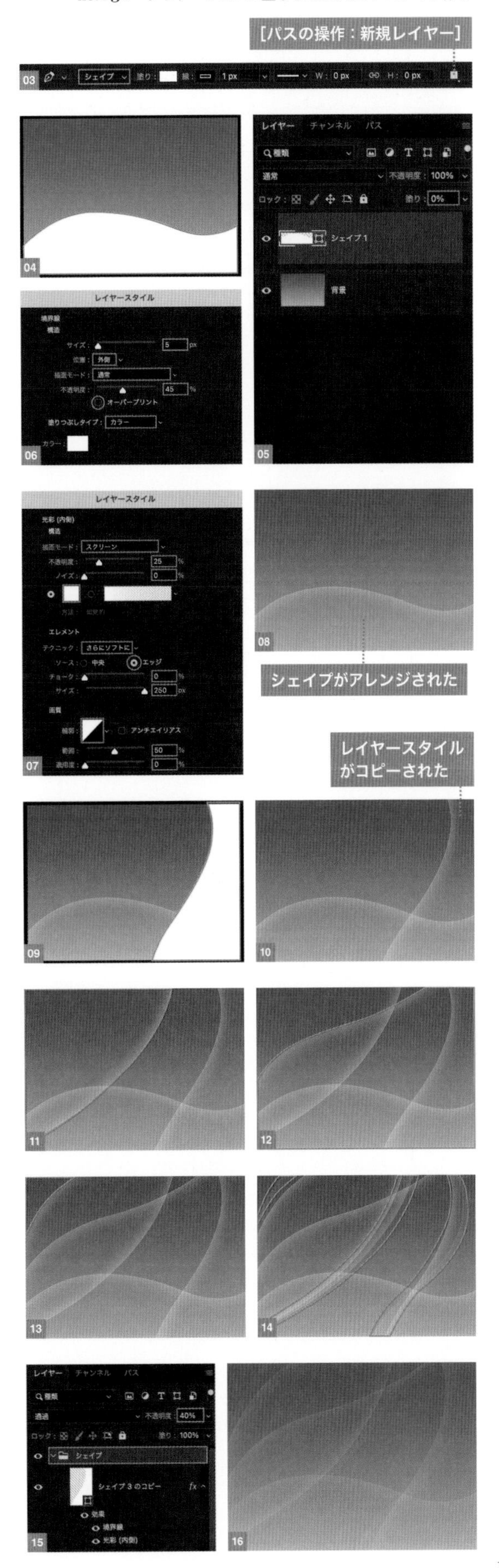

04 ❙ 同じ手順でシェイプを追加していく

手順02と同じ要領で上位に［ペンツール］でシェイプを追加します 09。
レイヤーパネルで、レイヤー［シェイプ1］を選択し［右クリック］→［レイヤースタイルをコピー］します。
先程作成したレイヤー［シェイプ2］を選択し、［右クリック］→［レイヤースタイルをペースト］します 10。
同様に、11 12 13 とシェイプを追加します。
さらに同様に、3つのシェイプを追加し［不透明度：40%］とすることでシェイプの重なりや柔らかな質感を出します 14。
作成したシェイプレイヤーはグループ名［シェイプ］としてグループ化し、グループを［不透明度：40%］とします 15 16。

05 ┃ 調整レイヤーでグラデーションを作る

［描画色：#ffffff］を選択します。レイヤーパネルから［新規調整レイヤー］→［グラデーション］を選択します。
17のように設定し、グラデーションはプリセットの［描画色から透明に］とします18。
グループ［シェイプ］外の上位に配置し、［描画モード：覆い焼きカラー］［不透明度：30%］とします19。
レイヤーマスクサムネールを選択し［右クリック］→［レイヤーマスクを削除］とします20 21。

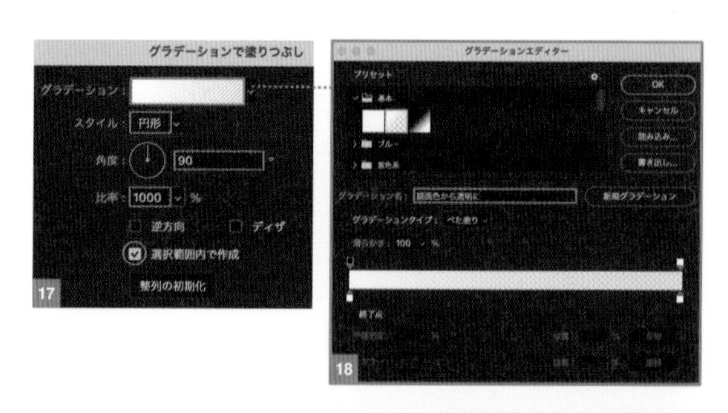

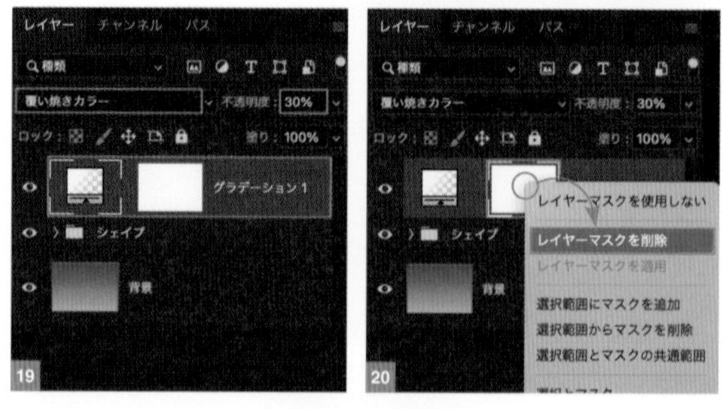

06 ┃ シェイプの重なり部分にグラデーションを適用する

シェイプを観察し、グラデーションを適用したい部分を選びます。
赤色で指定した22の範囲を選択したい場合、23の赤で囲んでいるシェイプと24の赤で囲んでいるシェイプが交差する範囲、25を選択することになります。
まずは、レイヤーパネル上で該当するいずれかのレイヤーを ⌘（Ctrl）キー＋クリックして選択範囲を作成します。
次に該当するレイヤーを ⌘（Ctrl）＋ Shift ＋ Option（Alt）キー＋クリックすることで交差する範囲のみが選択されます26。
選択範囲を作成したら、レイヤーパネル上でレイヤー［グラデーション1］を選択し［レイヤーマスクを追加］とします27。

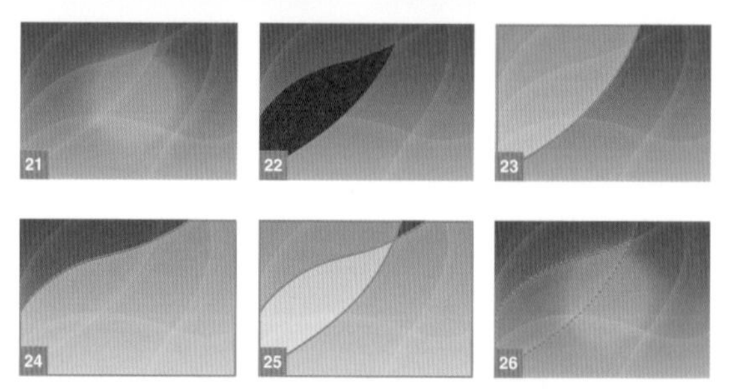

07 ┃ グラデーションを追加し位置やサイズの調整を行う

レイヤー［グラデーション1］のサムネールをダブルクリックし、［グラデーションで塗りつぶし］パネルを開きます28。［比率］を変えたりカンバス上でドラッグすることで、グラデーションの適用具合や位置を調整します29 30。
同じ要領でレイヤーパネルから［新規調整レイヤー］→［グラデーション］を追加し、シェイプの交差する範囲の選択範囲を好みで作成し、グラデーションをマスクしていきます。グラデーションの［比率］やレイヤーの［不透明度］を調整しながら作業を進めて完成です31。

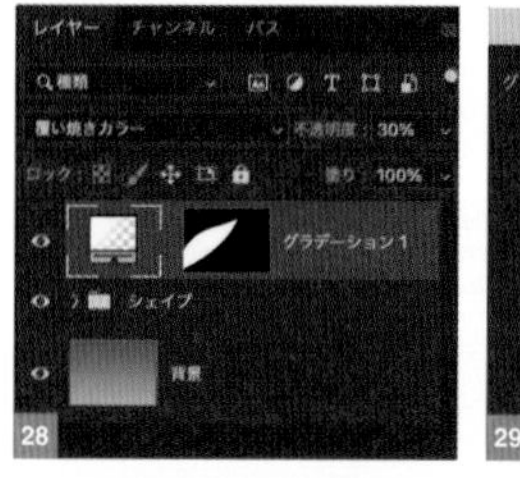

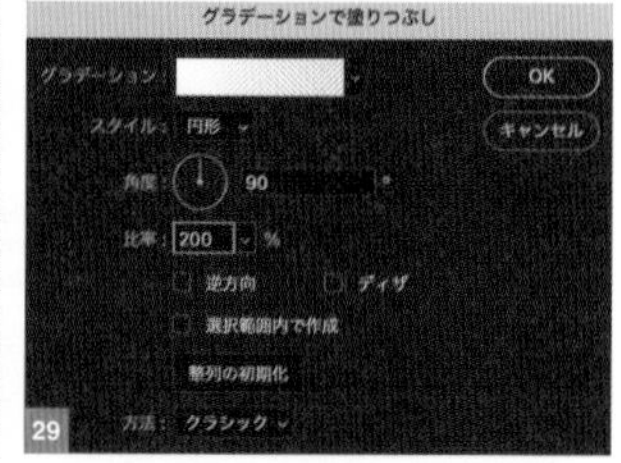

Ai

レースのテクスチャを作る　no.057

レースを作成し、ブラシやパターンに登録します。
汎用性が高いレース模様を複数作成します。

Point　ブラシやパターンに登録し汎用的に使用する

How to use　ゴージャスやエレガントなイメージに

01 | レースの模様を作成する

新規ファイルを作成します。ツールパネルより［ペンツール］を選択し、［線幅：4pt］［線幅プロファイル1］を選択し［ペンツール］で模様を作ります 01 02。
塗りを［#000000］にし飾り部分を描きます 03。

02 ｜ コピーし、反転させる

すべてを選択し、並行にコピーし反転させます。ツールパネルのリフレクトツールをダブルクリックし［リフレクト］パネルの［垂直］を選んで［OK］を選択し反転させるといいでしょう 04 05 06。

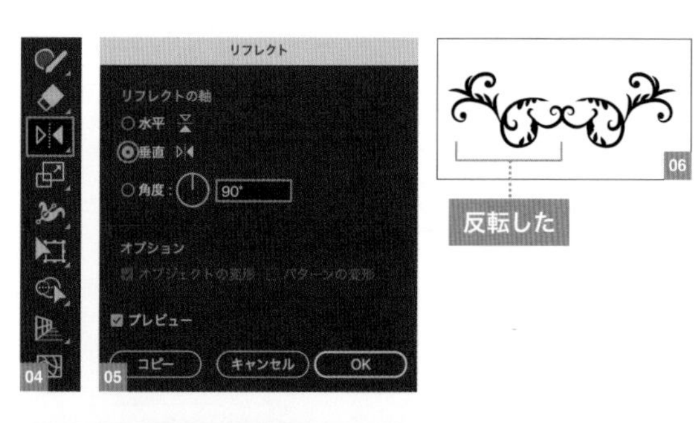

03 ｜ レースのブラシを登録する

作成した模様を選択します。［ウィンドウ］→［ブラシ］を選択し、［ブラシ］パネルのパネルメニューから新規ブラシを選択し［ブラシライブラリ］に登録します 07。［パターンブラシ］にチェックを入れ［OK］をクリックします 08。
［パターンブラシオプション］パネルで［名前：レースのブラシ1］［着色方式：彩色］として登録します 09。［レースのブラシ1］がブラシに登録・表示されました 10。

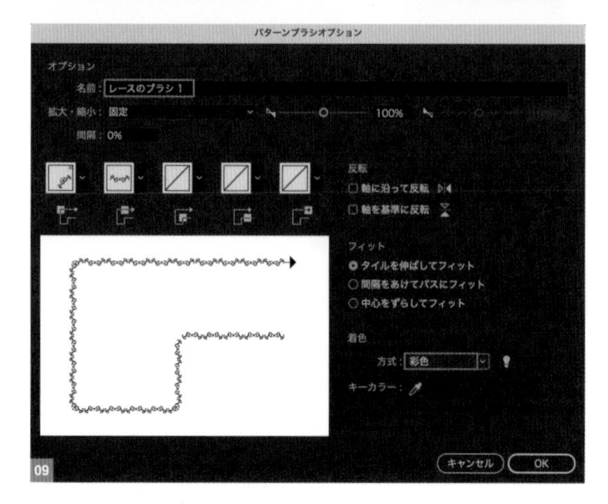

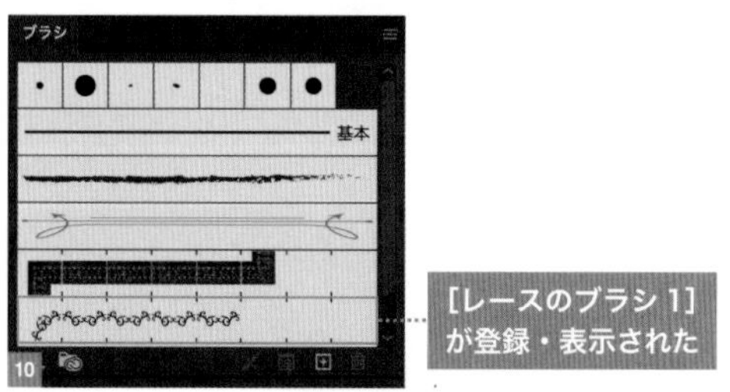

04 ｜ メッシュレースを作成する

ツールパネルの［長方形ツール］で［横：2.5mm］［高さ：3.5mm］の長方形を作成します 11。
［オブジェクト］→［パス］→［パスのオフセット］を選択し 12 のように設定します。内側に四角ができました。内側の四角は［塗り：#ffffff］で塗りつぶしておきます 13。
内側の四角をクリックし、コントロールパネルで［シェイプ］を［長方形の幅：3mm］［長方形の高さ：2mm］にし、［角の種類：角丸（外側）］［角の半径：1mm］にします 14。角が丸くなりました 15。
［ウィンドウ］→［パスファインダー］を選択します。2つの図形を選択し［パスファインダー］パネルで［形状モード：前面オブジェクトで型抜き］をクリックします 16。17 のように切り抜かれました。

05 ｜ パターンに登録する

切り抜かれたオブジェクトを選択し［ウィンドウ］→［パターンオプション］を選択します。［パターンオプション］パネルの［パターンを作成］をクリックします 18。
パターンオプションを 19 のように設定し［パターン］が［スウォッチ］に登録されます 20。
スウォッチにレースのパターンができました。なお、これを使用するときは45°傾けると見栄えよくなります 21。

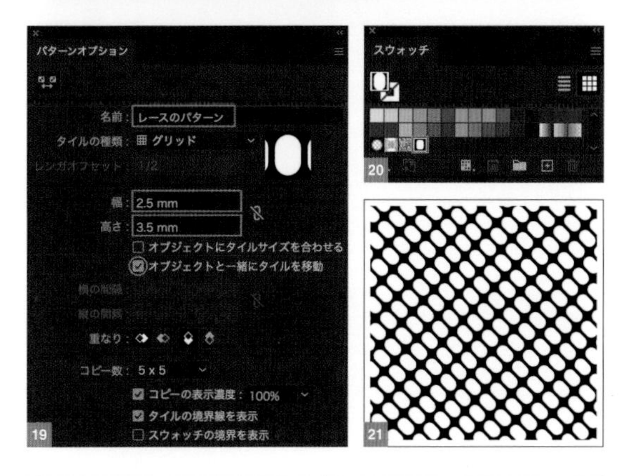

06 ｜ シンプルなレースの作成

ツールパネルの［ブラシツール］で［塗り：#000000］［線：なし］として楕円を描き、上に花のような模様を白で描きます 22 23。
白い花の部分だけ選択し［オブジェクト］→［複合パス］→［作成］を選択します 24。
楕円と模様の2つを選択し［ウィンドウ］→［パスファインダー］を選択します。［パスファインダー］で［形状モード：前面オブジェクトで型抜き］をクリックします 25。
四角を長方形ツールで作成します（わかりやすいようにグレーの四角にしています） 26。四角と前面オブジェクトで型抜きした2つのオブジェクトを選択し［パスファインダー］の［形状モード：交差］をクリックします 27。左右がまっすぐにカットされました 28。

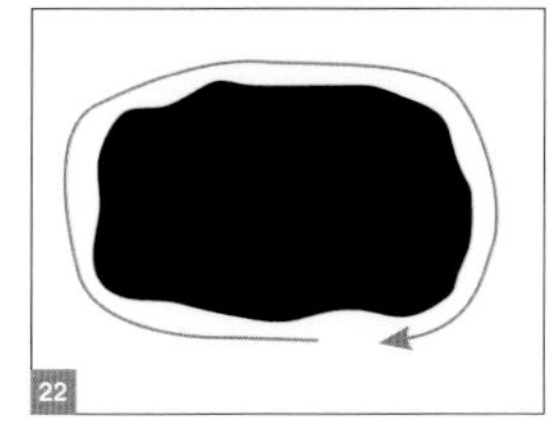
22

23

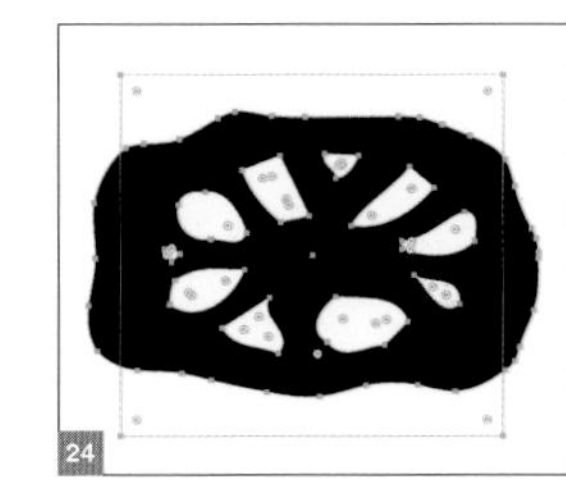
24

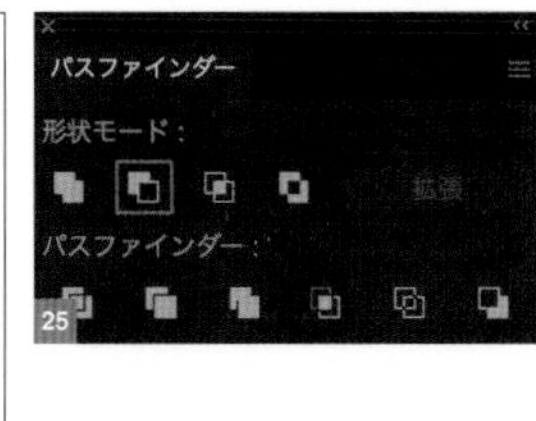

25

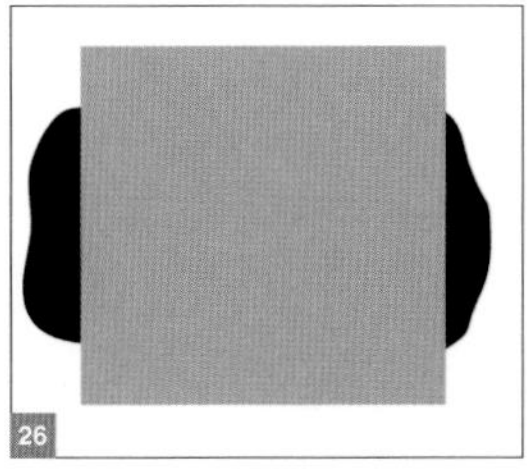
26

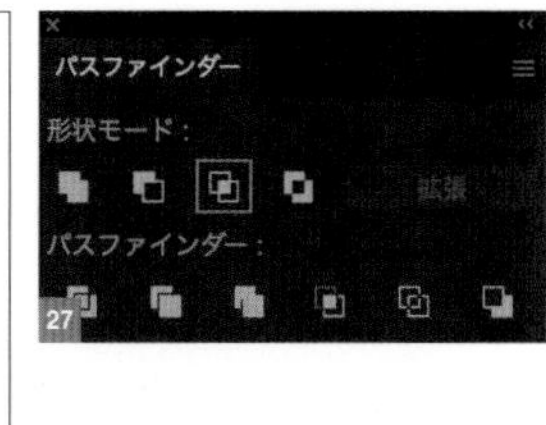

27

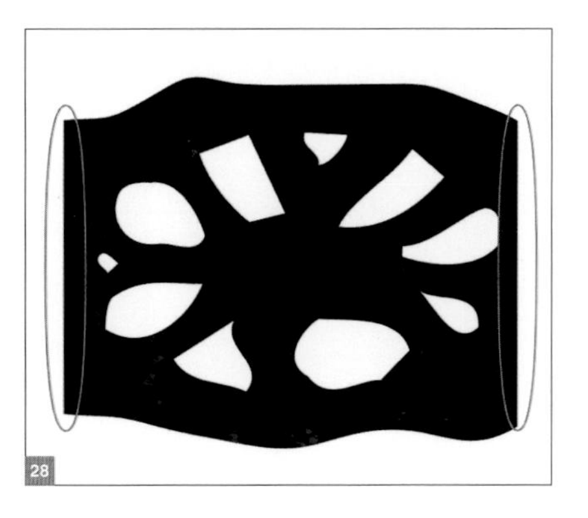
28

Chapter 06

07 ｜ レースのブラシを登録する

［ダイレクト選択ツール］で両端のポイントを選択し［オブジェクト］→［パス］→［平均］を選択し、［水平軸］をチェックし［OK］を押します29。
手順03と同じ要領で［ブラシライブラリ］に登録します30。名前を［レースのブラシ2］［方式：彩色］として登録します。2つ目のシンプルなレースのブラシができました31。
作例ではこの節で作った2つのレースのブラシとパターンを重ねてデザインを作っています32。

29

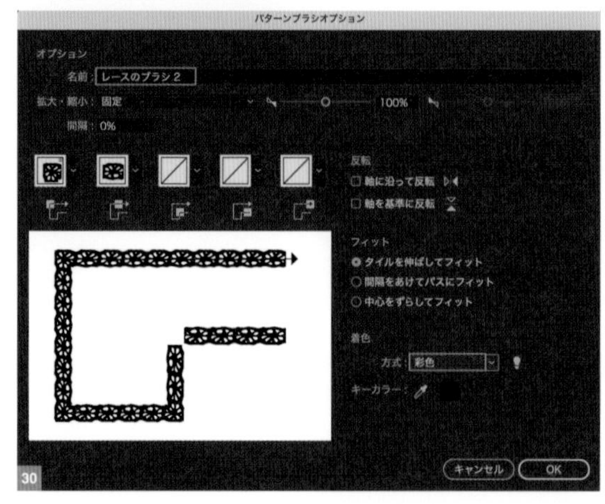

30

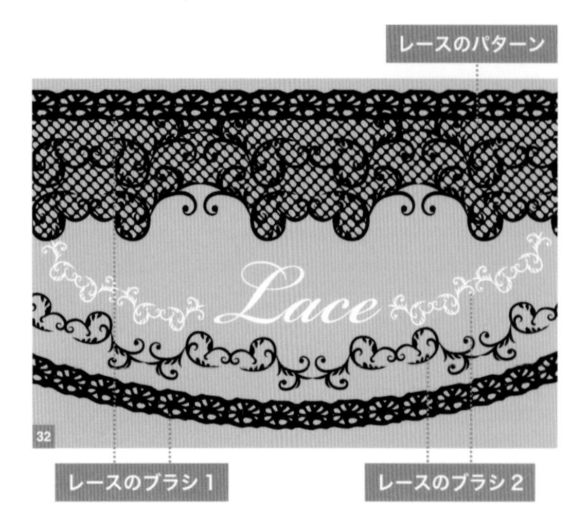

32

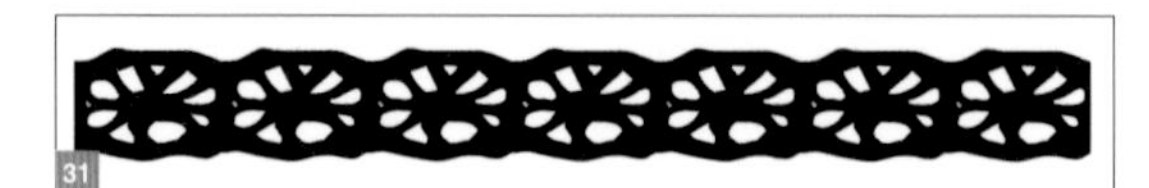
31

column

パターンの回転や拡大・縮小

Ai

ツールパネルの［回転ツール］や［拡大・縮小ツール］で［パターンの変形］にのみチェックすることでパターンだけの調整が可能です。

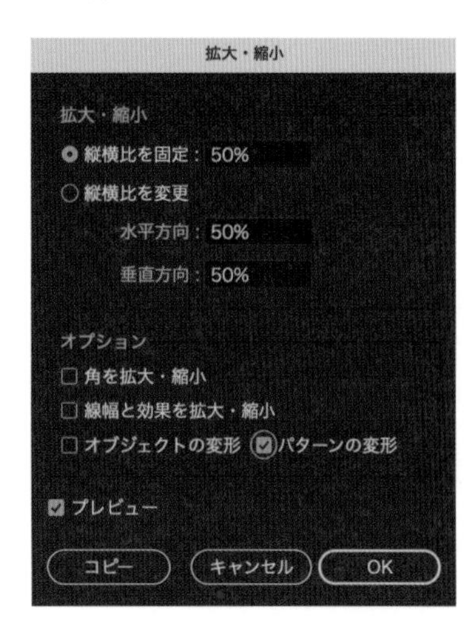

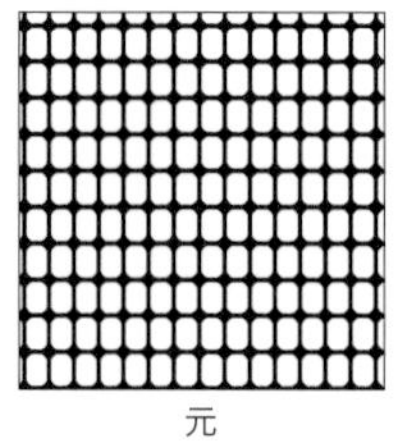
元

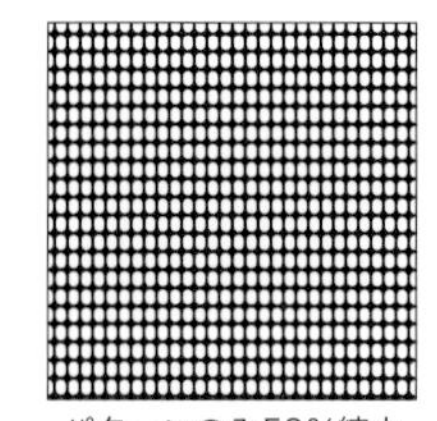
パターンのみ50%縮小

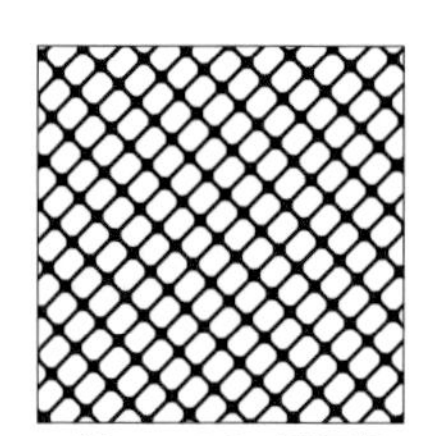
パターンのみ-45°回転

Ps

ドットパターンを作る no.058

ドットパターンを作成し、洋服の柄に適用します。

Point 同じ手順でシェイプだけでなく、写真の切り抜きもパターンとして登録できる

How to use 様々な広告やグラフィックに

01 | パターンを作成する

[ファイル] → [新規] を選択し、[幅：200px] [高さ：200px] の新規ドキュメントを作成します 01。
ツールパネルの [楕円形ツール] を選択します 02。
[描画色：#000000] と設定し、カンバス上でクリックし [楕円を作成] パネルを表示し 03 のように直径 [85px] の正円を作成します。作成したシェイプ [楕円形1] を中心に配置します 04。
なお、中心に配置するには、ツールパネルの [移動ツール] を選択し、⌘ (Ctrl) ＋Aキーでカンバス全体を選択した状態で、[オプションバー]の[垂直方向中央揃え]と[水平方向中央揃え]を選択するといいでしょう 05。

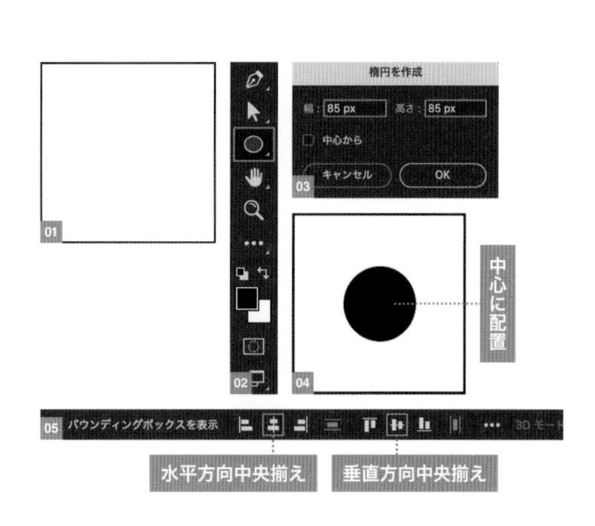

02 | シームレスなパターンに加工する

レイヤー［楕円形1］を複製します。
［フィルター］→［その他］→［スクロール］を選択します。［このシェイプレイヤーは、あらかじめラスタライズするかスマートオブジェクトに変換する必要があります～］とアラート表示されるので、［スマートオブジェクトに変換］を選びます06。
［スクロール］を07のように設定します。カンバスサイズが［200px］なので、水平、垂直方向に［100px］スクロールさせることでシームレスなパターンが作成できます08。
背景を非表示にします09。［編集］→［パターンを定義］を選択します。パターン名を［ドットパターン］とし［OK］します10。これでパターンが定義されました。

08　09　背景が非表示になった

10　パターン名：ドットパターン　OK　キャンセル

03 | 洋服にパターンを合成する

素材［女性.psd］を開きます。上位に新規レイヤー［ドット］を作成します。［編集］→［塗りつぶし］を選択し、11のように［内容：パターン］とし、先程作成した［カスタムパターン：ドットパターン］を選択し、［OK］をクリックします12。
一旦、レイヤー［ドット］は非表示にして、［ペンツール］や［クイック選択ツール］などを使い、ドットを適用したい部分の選択範囲を作成します13。レイヤー［ドット］を表示します。選択範囲を作成した状態で、レイヤー［ドット］を選択し、［レイヤーマスクを追加］とします14。

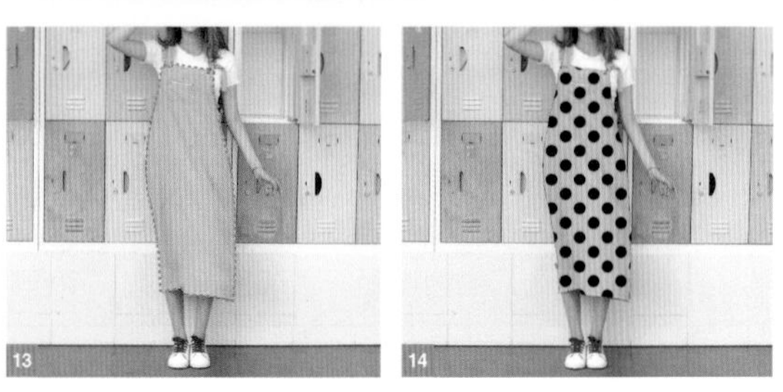

04 | 服にドットをなじませる

レイヤー［ドット］をダブルクリックし、［レイヤースタイル］パネルの［レイヤー効果］を選択します。［ブレンド条件］→［下になっているレイヤー］を［0：196/237］とします15。［ブレンド条件］では左側の調整ポイントの少し右で option （ Alt ）キーを押しながらドラッグすると、調整ポイントが分割されます。レイヤー［ドット］の［描画モード：乗算］とし、服にドットがなじみました16。

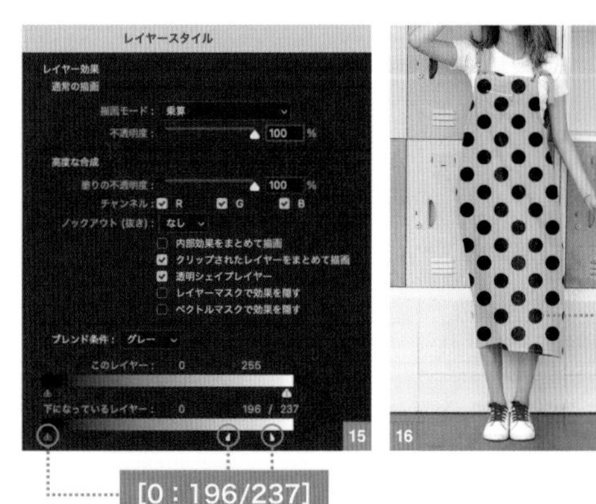

05 | ドットのサイズやカラーを変えて完成する

好みでサイズや着色を行います。
ドットのサイズ感を変えるには、レイヤーパネル上でレイヤー［ドット］を選択し、［レイヤーマスクのレイヤーへのリンク（鎖マーク）］を外してから、［自由変形］を使って変形します。
着色は［イメージ］→［色調補正］→［色相・彩度］を開き［色彩の統一］にチェックを入れて好みの色に調整しましょう。ドットの位置やカラーが決まったら、レイヤー［ドット］のレイヤーマスクを選択し、［ブラシツール］を選択し、ジッパー部分や布が重なっている部分など17の細かなマスクを追加して完成です18。

Ps

no.059

シームレスなパターンを作る

[パターンプレビュー] でシームレスなパターンを作成します。ビンテージ感のあるイラストを使い統一感のあるイメージに仕上げます。

Point 統一感のあるイメージにする

How to use パターン、背景など

01 | パターンプレビューを表示する

[ファイル]→[新規]を選択し[幅:1000px][高さ:1000px]のドキュメントを作成します 01。[表示]→[パターンプレビュー]を選択します 02。この設定を行うと 03 のようにカンバスの外にも背景の画像が続いたような状態になります。

memo

パターンプレビューを使用する際は各レイヤーを[スマートオブジェクト化]しておくとよいでしょう。通常のレイヤーで作業を進めると画像が切れてしまうなどの予期せぬ結果になる場合があります。

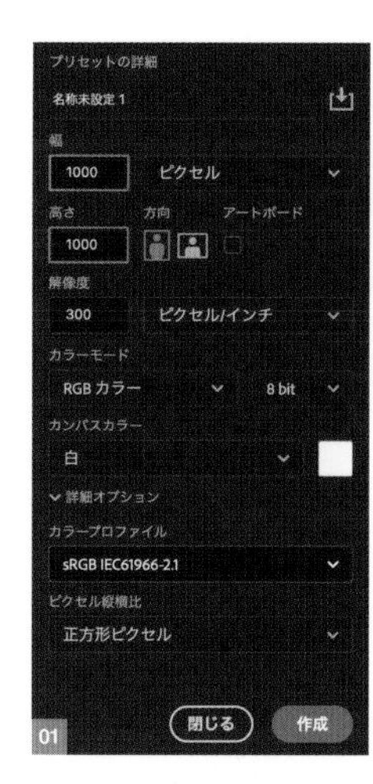

01

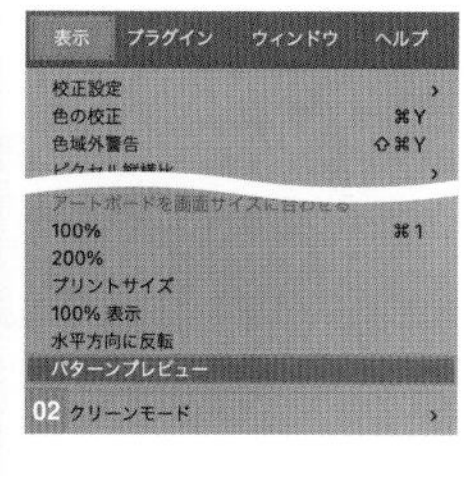

02

03

02 | 素材を配置する

素材[素材集.psd]を開きます。このファイルに複数のビンテージ風なイラスト素材を用意しました 04。素材集からレイヤー[鳥01]を移動させます。パターンプレビューの状態ではカンバス上に配置すると自動的にシームレスなパターンになります 05。実際に作成される画像は[ウインドウ]→[ナビゲーター]で確認することができます 06。

04

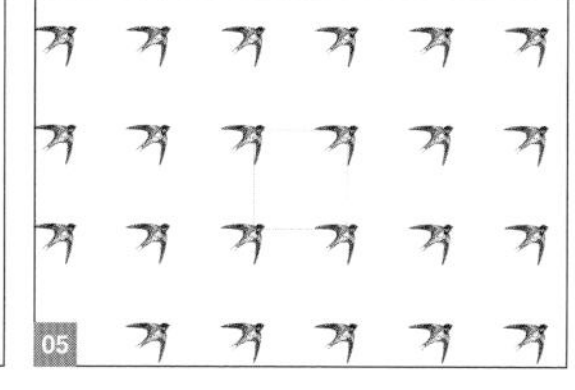
05

06

03 | 好みで素材をレイアウトする

素材集から各レイヤーを移動させ、レイアウトします。ここでは、それぞれの素材を重ねずに、等間隔の余白ができるようにレイアウトしました。好みのレイアウトを作ってください 07。

07

04 ｜ 素材同士の統一感を出す

背景などで扱いやすいように、全体のトーンを揃え統一感を出します。

最上位のレイヤーを選択し［塗りつぶしまたは調整レイヤーを新規作成］→［トーンカーブ］を選択します 08。

左下のコントロールポイントを［入力：0］［出力：80］とし 09、さらにコントロールポイントを追加して［入力：50］［出力：85］とします 10。全体的にマットな質感に統一されました 11。

次に調整レイヤー［トーンカーブ1］を選択した状態で、［塗りつぶしまたは調整レイヤーを新規作成］→［グラデーションマップ］を選択します 12。

好みのグラデーションを作成してみましょう。作例ではブルー系の［#0c2442］からイエロー系の［#dedac6］へグラデーションを作成しました 13 14。

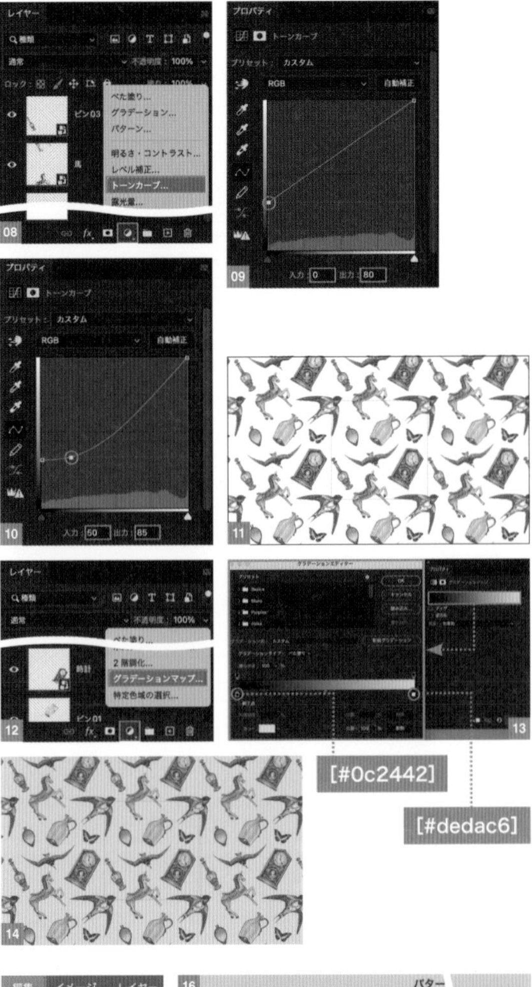

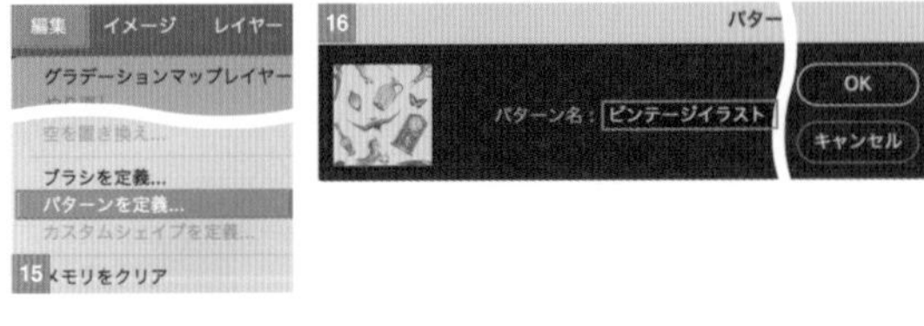

05 ｜ パターンとして登録後、パターンを適用する

イメージが完成したら、［編集］→［パターンを定義］を選択します 15。

好みでパターンに名前を付けて［OK］します。ここでは「ビンテージイラスト」としました 16。

［ファイル］→［新規］を選択し、プリセット［印刷］から［A6］を選択し作成します（好みのサイズでかまいません）17。

［レイヤー］→［新規塗りつぶしレイヤー］→［パターン］を選択します 18。

［OK］をクリックしたら、表示されるウィンドウの左側のプレビューを選択し、パターンピッカーから作成したパターンを選択します 19。

［パターンで塗りつぶし］のウィンドウが表示されている間は、カンバス上でドラッグすることで位置を調整できます。また［比率］を変えるとカンバス上のパターンの比率が変わり拡大・縮小することができます 20。好みの位置と比率で適用し完成です。

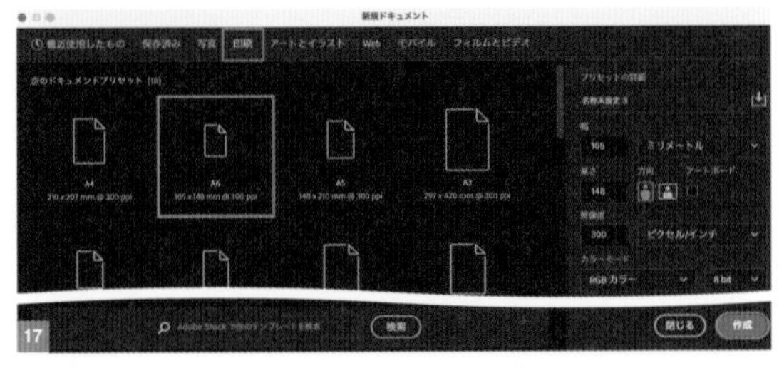

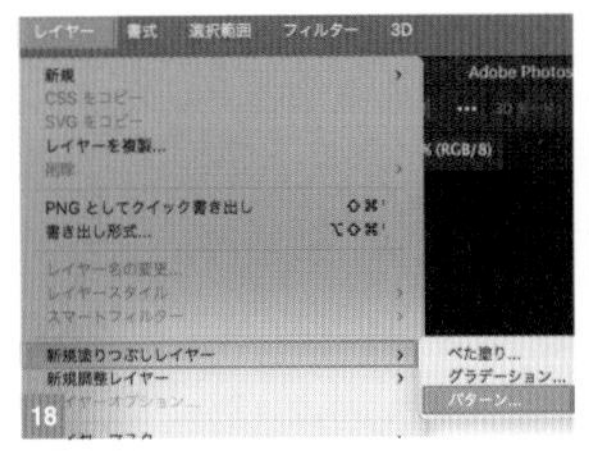

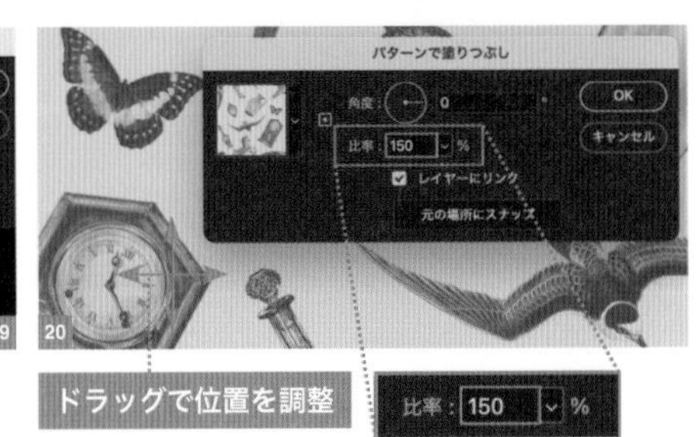

Ps

しわにあわせて画像を貼りつける

no.060

布などのしわにあわせて画像を変形させることで、自然な印象に合成します。P.191 で作ったパターンを元にした画像を貼りつけてみましょう。

Point　［置き換え］を使って画像にゆがみを加える

How to use　しわや凹凸のある画像と合成する際に

01 ベースとなる画像のコントラストを高くする

素材［テクスチャ.jpg］を開きます。

［イメージ］→［色調補正］→［レベル補正］を選択し、01 のようにコントラストを高く補正します 02。

［フィルター］→［ぼかし］→［ぼかし（ガウス）］を選択し、［半径：5pixel］で適用します 03 04。

□ memo

コントラストが高くなるとゆがみの量が増えてしまいます。ぼかしを加えることでゆがみを加えた時の画像の荒れを抑えています。

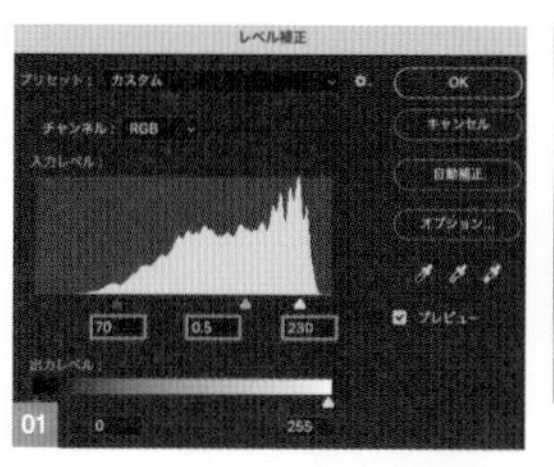

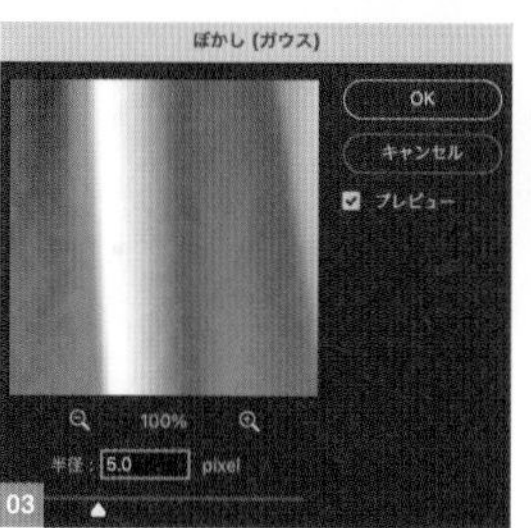

ぼかしが加えられた

02 ｜ psdファイルとして保存する

[ファイル]→[別名で保存]を選択しデスクトップなどわかりやすい任意の場所にpsdファイルとして保存します。
ファイル名は「ゆがみ.psd」などのわかりやすい名前にします。

03 ｜ もう一度素材を開きパターンを重ねる

もう一度素材[テクスチャ.jpg]を開きます 05。
素材[パターン.jpg](この素材はP.191で作り方を紹介しています)を開き、移動させ上位レイヤーとして重ねます 06。
レイヤーの描画モードを[乗算]にします 07 08。

05

06

パターンを重ねた

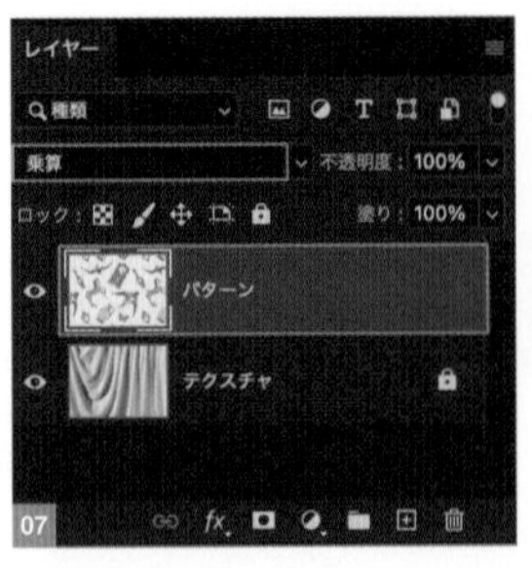

07

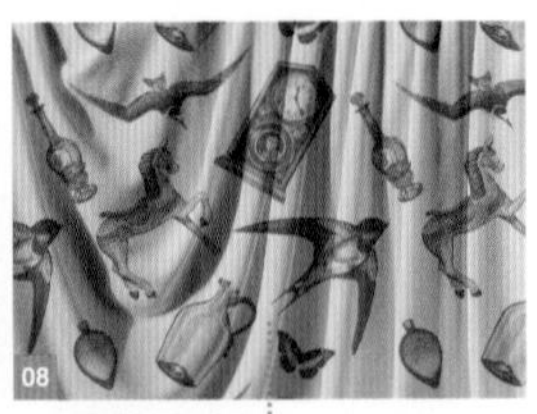
08

パターンが乗算になった

04 ｜ パターンにゆがみを加える

レイヤー[パターン]を選択し、[フィルター]→[変形]→[置き換え]を選択します 09。10 のように初期設定のまま[OK]します。
置き換えを指定するウィンドウが表示されるので、手順02で保存した[ゆがみ.psd]を選択し[開く]をクリックします 11。
しわをあわせてパターンにゆがみを加わえることができました 12。

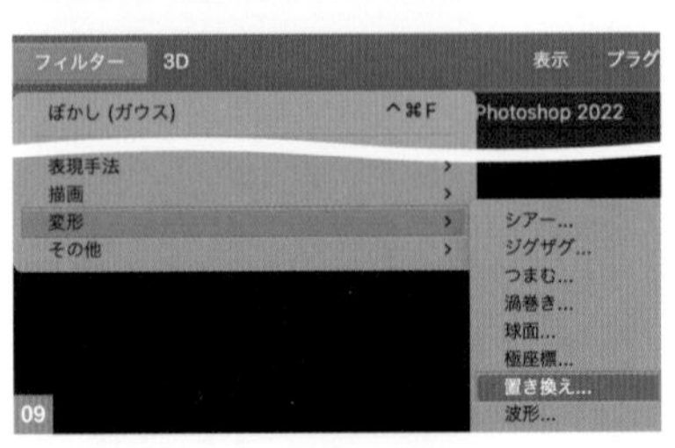

09

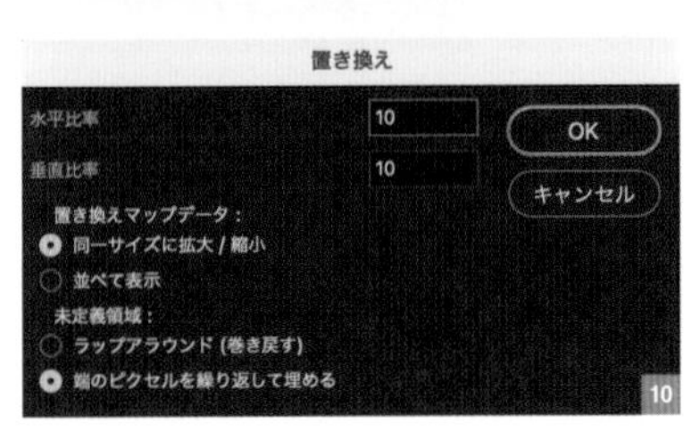

10

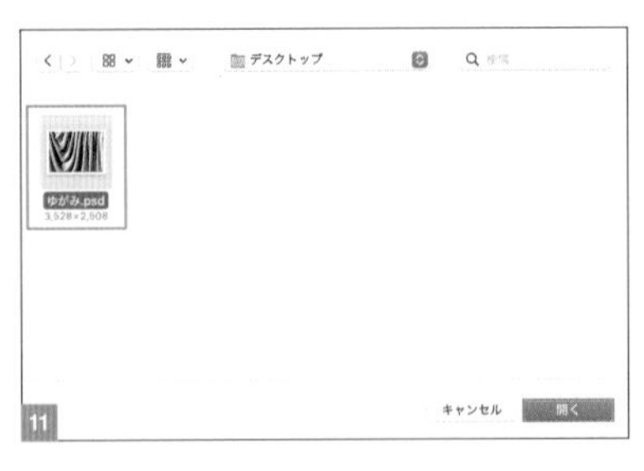

11

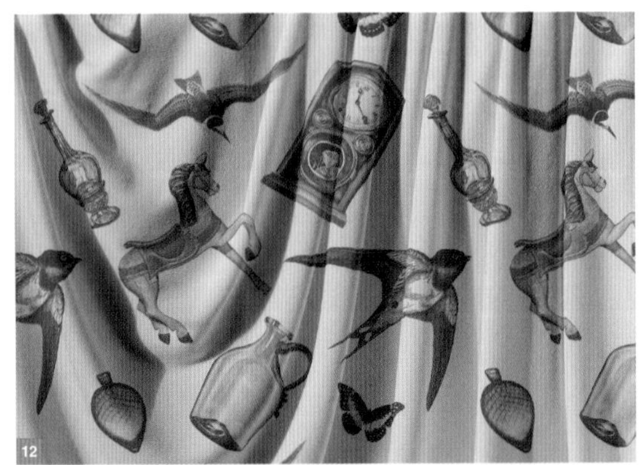
12

☐ *memo*

乗算に比べて、ゆがみを加えた方が画像にあわさっていることがわかります。

乗算のみ。重ねたパターンはフラットな状態になっている。

[フィルター]→[変形]→[置き換え]でゆがみを加えている。重ねたパターンにゆがみが入り、素材[テクスチャ]の奥行きが感じられ、自然な印象に見える。

イラストを作る

鉛筆風、ペン、植物、花、リボン、切り絵、リアルなスマートフォンなどを作っていきます。この章はIllustratorで作る作例を集めており、Illustratorのテクニックを集中して学ぶことができます。

Chapter 07

Illustration making design techniques

Ai

no.061 鉛筆風のイラストを作る

オリジナルのブラシを作ることで、アナログ独特の温かい雰囲気のイラストを作ることができます。

Point ブラシツールを使う
How to use 温かい雰囲気のイラストの作成に

01 | ブラシを読み込み下地に画像を配置する

新規ドキュメントを作成します。ここではイラストのサイズや使用用途が決まっていることを想定して［幅：186mm］［高さ：131.5mm］［カラーモード：CMYK］とし作成します。
［ウィンドウ］→［ブラシライブラリ］→［アート］→［アート_木炭・鉛筆］を選択します。［アート_木炭・鉛筆］パネルから［チョーク（落書き）］を選択します 01。［ブラシ］パネルに登録されました。
［ファイル］→［配置］で素材［うさぎ.png］を読み込んで配置します。拡大・縮小し、適切な位置に調整したら ⌘（Ctrl）+ 2 キーのショートカットで画像をロックします 02。

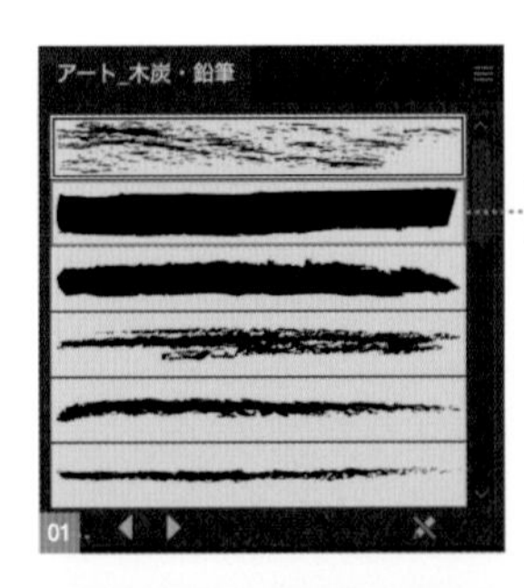

02 | ブラシツールで画像を下地にしてイラストを作成する

ツールパネルの［ブラシツール］を選択し、［線：C0 M57 Y32 K49］［線幅：0.1pt］に設定します。
ブラシツールで写真の輪郭をなぞりながら描いていきます 03。

memo

ブラシツールと鉛筆ツールは感覚的に線が描けるのでイラストを描くときのツールとしてオススメです。

memo

なぞる際に線がカクカクして気になる場合はツールパネルの［鉛筆ツール］を長押しして出てくる［スムーズツール］を選択し、パスの上をなぞると線が整います。
ラインの作り直しがしやすいのもベクターならではの利便性です。

03 | オリジナルブラシを作成する

[線：C0 M11 Y23 K19] としてブラシツールでラフな線を描きます 04。
[ウィンドウ] → [ブラシ] を選択し [ブラシパネル] を表示したら、描いた線をパネルにドラッグ＆ドロップします 05。
新規ブラシのパネルが表示されるので [アートブラシ] を選択し [OK] を押します 06。
[アートブラシオプション] を [名前：鉛筆ラフ] [折り重なり：重ならないように角と折り目を調整する] と変更します。それ以外は設定を変更しません 07。ブラシに登録されました 08。

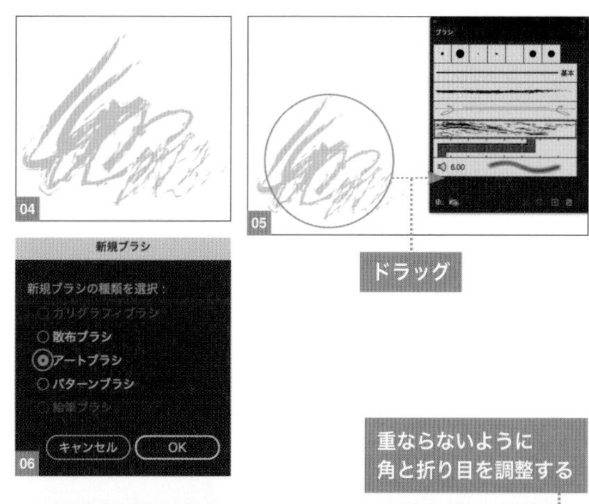

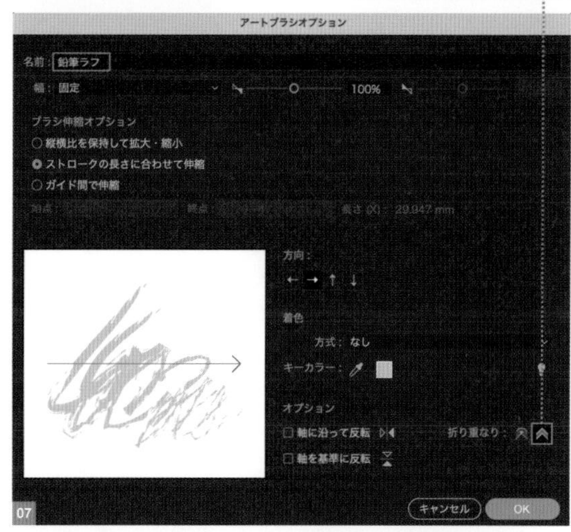

04 | イラストの影を追加する

作成した [鉛筆ラフ] のブラシを選択し、ペンツールで太さを調整しながら影を書き足していきます 09。
描き終えたら ⌘ (Ctrl) + option (Alt) + 2 キーでロックを解除し、背景の素材は Delete キーで削除します 10。

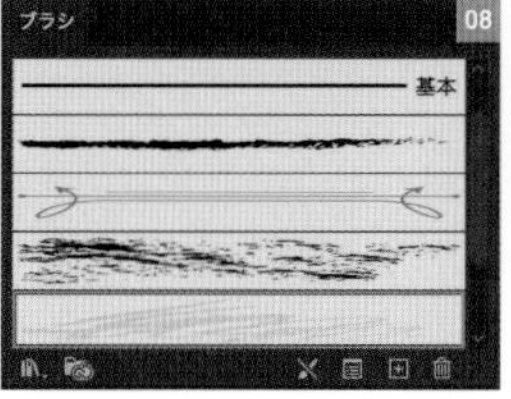

memo

影を描く際にブラシツールだと、ブラシの形状が歪んでしまうことがあります。その時はペンツールを使って描いてもいいでしょう。

05 | テクスチャを背面に配置

ファイルから [テクスチャ.png] を配置します。[オブジェクト] → [重ね順] → [最背面へ] を選択し最背面に配置します。背景を変えるとより温かみのある雰囲気が出ます 11。
うさぎのイラストだけを選択し [ウィンドウ] から [透明] を選び [透明パネル] の [描画モード：乗算] に変更してイラストをなじませたら完成です 12。

Chapter 07

Ai

ペンのイラストを作る

no.062

ペンツールの設定や塗りに効果を与えることで簡単に手描きの風合いが作れます。

Point　線の設定を行いフリーハンドで描く

How to use　手描きのイラストを用いて様々な媒体に

01 ｜ イラストを作成の準備をする

ツールパネルから［ペンツール］を選択します。［塗り：なし］［線：#1b2c76］［線幅：3pt］［可変線幅プロファイル：線幅プロファイル1］とします 01。
イラスト作成に慣れないうちはP.196の「鉛筆風のイラストを作る」のように参考になる画像を配置してトレースするように描いていくとよいでしょう。ここでははじめから終わりまでフリーハンドでイラストを描いていきます。

3pt

[#1b2c76]

02 ｜ フリーハンドでイラストを作成する

人物の横顔をイメージして鼻、口、耳、髪と描いていきます。目は［楕円形ツール］で描きました 02。
続けて［ペンツール］で帽子を描いていきます 03。
さらに体や足も描きます。胸のボタンは［楕円形ツール］で描いています 04。
さらに腕とお盆を描き加えました。目と胸のボタン、お盆は［塗り：#000000］、［テキストツール］で「GOOD COOK」と文字を入力し、お盆の上に配置します。ここではイラストと相性の良い［フォント：Bourton Hand Sketch A］という手描き風フォントを使用しました 05。

04

05

03 ｜ 色を塗る

選択ツールで塗りたいパスを選択します。ここでは髪のパスを選択しました 06。
⌘（Ctrl）＋Cキーで［コピー］、⌘（Ctrl）＋Fキーで［前面へペースト］します。ツールパネルから塗りと線を入れ替え、塗りつぶします 07 08。

06

選択した

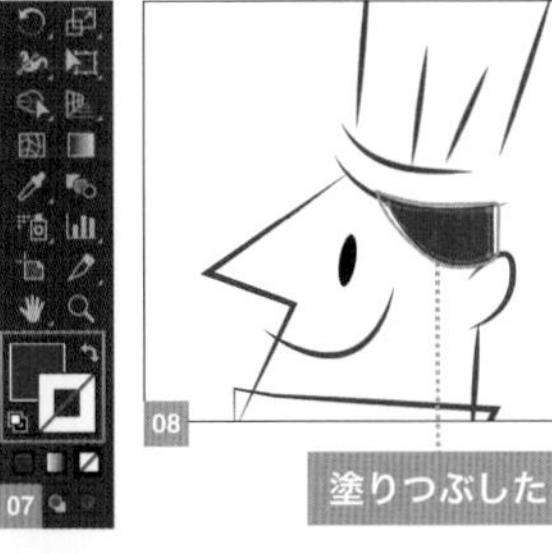
07 08

塗りつぶした

04 ｜ 落書きを反映する

［効果］→［スタイライズ］→［落書き］を選択します 09。
［落書きオプション］の［スタイル：タイト］を選択し［OK］をクリックします 10。
ペンでラフに塗ったような雰囲気になりました 11。
同様にエプロン、靴に色を塗り落書きを反映します。スカーフ、料理は［塗り：#c11920］と色を変え、落書きを反映します。コックのイラストができました 12。
作例ではさらに飾りを追加し、レストランのメニューに入るイラストのような雰囲気に作り込んでいます。

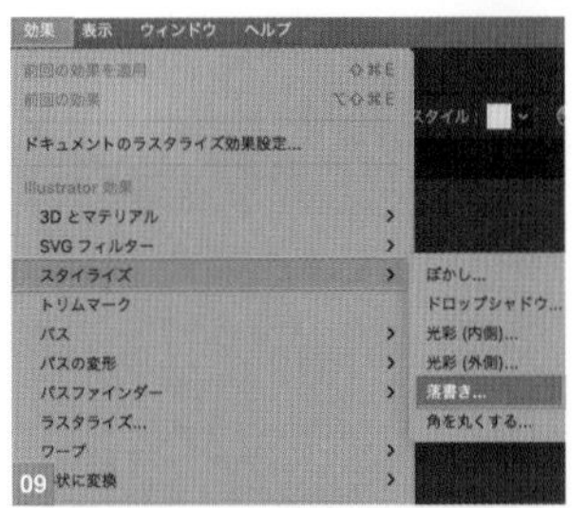

09

11

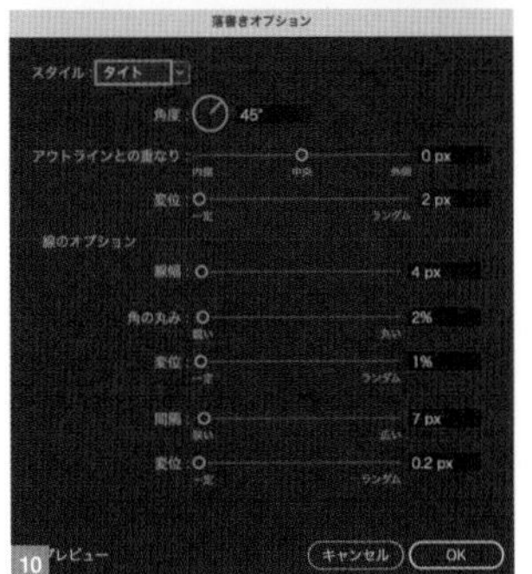

10

12

Chapter 07

Flower
Green

Ai

植物のデザインを作る no.063

植物のイラストを作成します。淡い色を設定することで水彩で描いたような質感を作っています。

Point ブラシに登録し、線幅を調整する

How to use ワンポイントの利用や飾り枠、デザインのアクセントに

01 | 植物の葉を描く

新規ドキュメントを作成します。ツールパネルの［ペンツール］を選択します。［塗り：#cbcbcb］として葉の輪郭を描きます 01。

［ウィンドウ］→［ブラシライブラリ］→［アート］→［アート_水彩］を選択し、［アート_水彩］パネルから［水彩：細］を選択します。［2pt］でブラシで影を描いていきます 02。

［線：#ffffff］［可変線幅プロファイル1］に設定し葉脈を描き加えます 03 04。

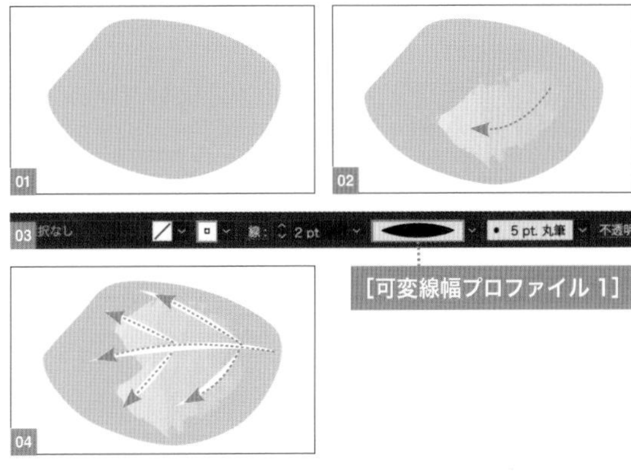

02 | 植物をブラシに登録する

葉と影を選択し［ウィンドウ］から［ブラシ］を表示しブラシのパネルメニューから［新規ブラシ］を選択します 05。

［新規ブラシ］パネルで［アートブラシ］にチェックを入れて［OK］を選択します 06。

［アートブラシオプション］で［名前：葉］［ブラシ伸縮オプション：ストロークの長さに合わせて伸縮］［方式：彩色と陰影］と設定します 07。

［ブラシ］パネルに［葉］の登録ができました 08。

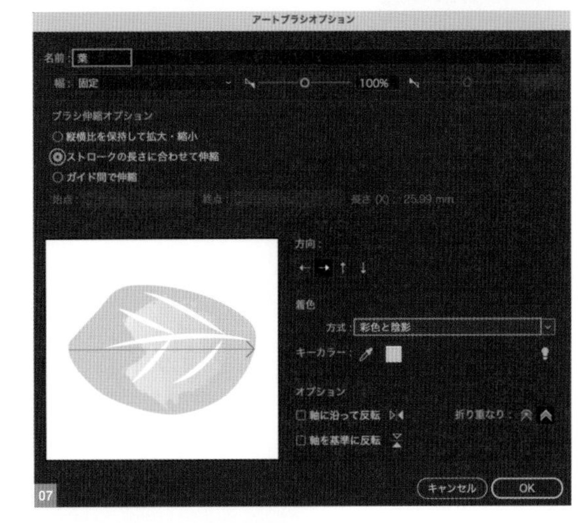

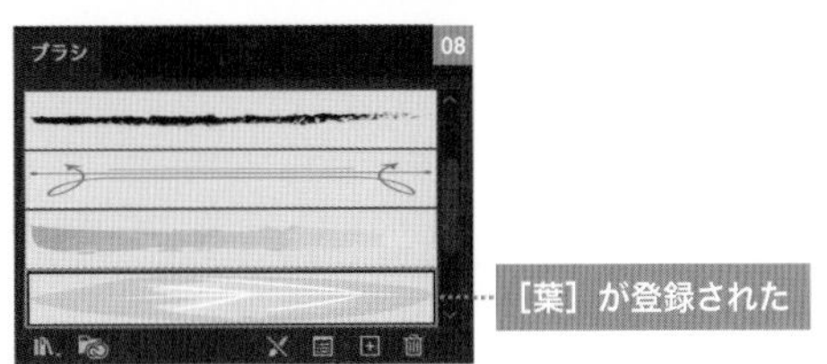

Chapter 07

03 違う種類の葉を作りブラシに登録する

手順01～02と同様の作業を繰り返し、茎や種類の違う葉などを描き登録します 09。

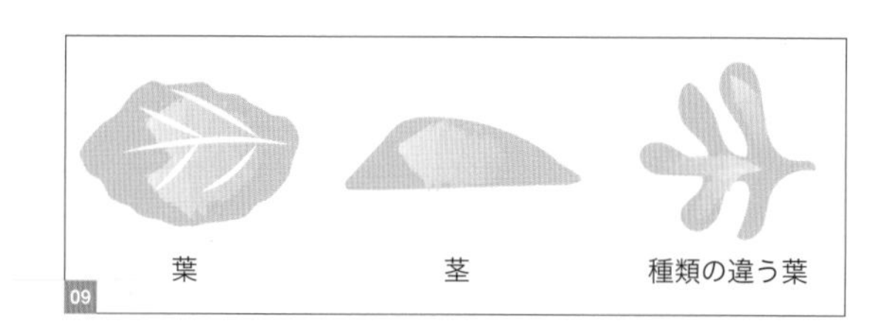

04 植物ブラシを使いイラストを描く

手順01～03で登録したブラシを使って植物を描いていきます。サイズとカラーを変更しながら、バランスを考えて描いていくといいでしょう。またシンプルな［茎］のブラシは茎と葉の両方に使用することができます。
葉を2つ繋げたり、長さを調節したりしながら描いていくとバリエーション豊かに様々な種類の植物があるようにイラストを作成できます 10。
作例では植物で装飾し、額のデザインを作ってみました。

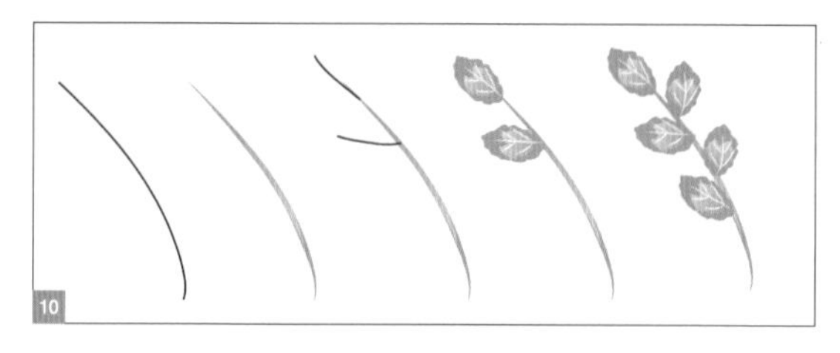

写真やイラスト資料などを見ながら描いていくと植物のイメージが湧きやすく、おすすめです。

memo

コントロールパネルで［可変線幅プロパティ］や線幅を操作すると簡単に形状の違う葉っぱなどが描けます。様々なブラシを登録したり、線幅などを調整したりすることで豊かなイラスト表現が可能です。

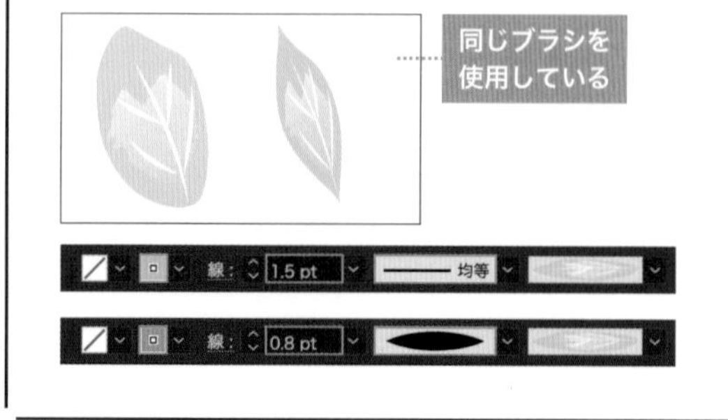

column

ダイナミックシンボルとスタティックシンボル

［ダイナミックシンボル］は「子」の色を変更しても「親」は変更されず、また「親」を変更しても「子」のカラーは保持されます（変更したいときは分割拡張が必要になります）。
［スタティックシンボル］は「親（シンボル）」に編集を加えると「子（インスタンス）」も変更され、また「子」を編集すると「親」も変更されます。
［スタティックシンボル］はIllustrator CC2015より追加された機能であり、かつ一気に更新を行う際に便利に使えます。

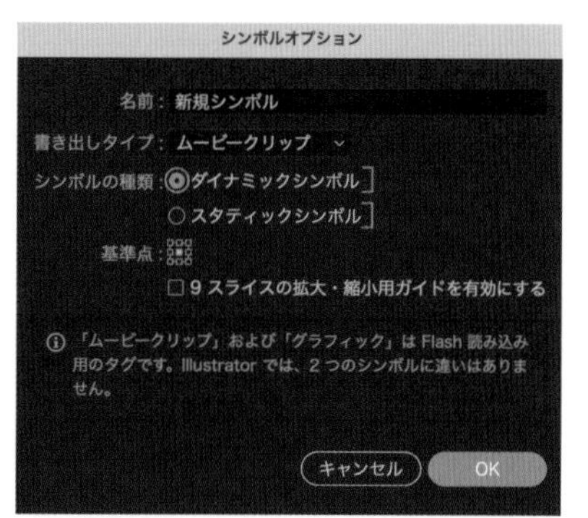

［シンボルオプション］で選べるシンボルの種類

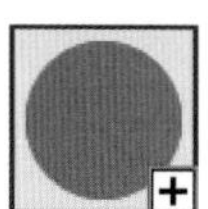

「＋」の表示があるのが［ダイナミックシンボル］、表示がないのが［スタティックシンボル］

Ai

no. 064

花のデザインを作る

花のイラストを作成します。前節、「no.063 植物のデザインを作る」と合わせて花束のイラストを作ってみましょう。

Point	パスの距離や線幅、可変線幅プロファイルを調整する
How to use	飾りやデザインのアクセントに

01 ｜ 花びらを作成しブラシに登録する

ツールパネルのペンツールで［塗り：#cbcbcb］［線：なし］の設定で花びらを描きます 01。

［ウィンドウ］→［ブラシライブラリ］→［アート］→［水彩：細］を選択します。［線幅：2pt］のブラシで影を描き、花びらの筋を描き加えます 02 03。

［ウィンドウ］→［ブラシ］を選択し［ブラシ］パネルを表示します。すべてのオブジェクトを選択し［ブラシ］パネルのパネルメニューより新規ブラシを選択します 04。［アートブラシ］を選択し［OK］をクリックします 05。

［アートブラシオプション］で［名前：花びら］［方式：彩色と陰影］を選択します 06。

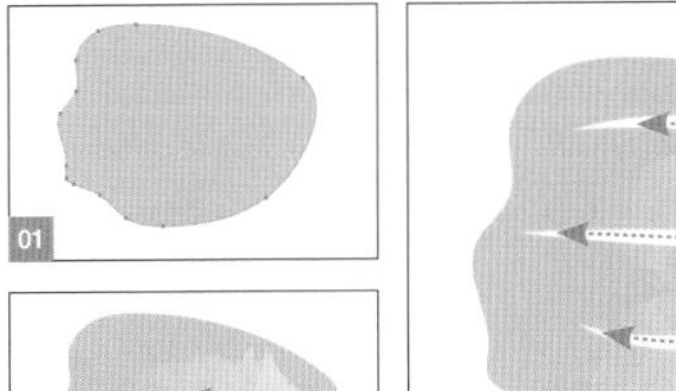

01

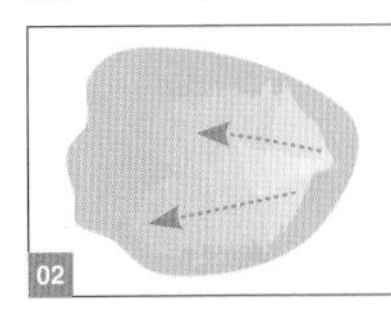

02

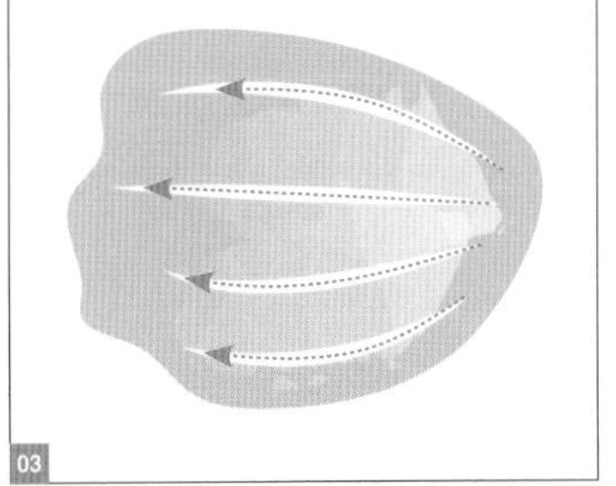

03

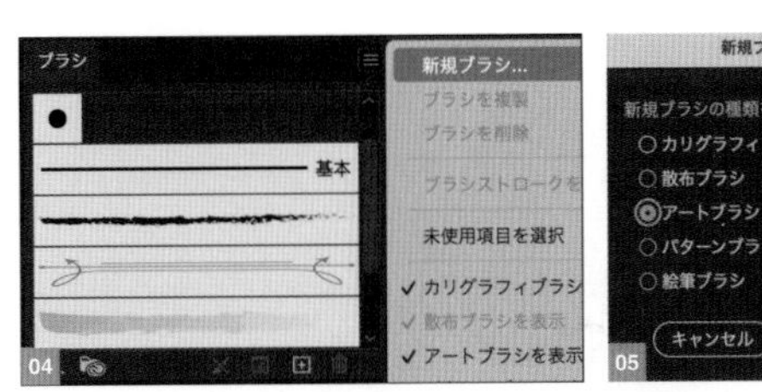

04 05

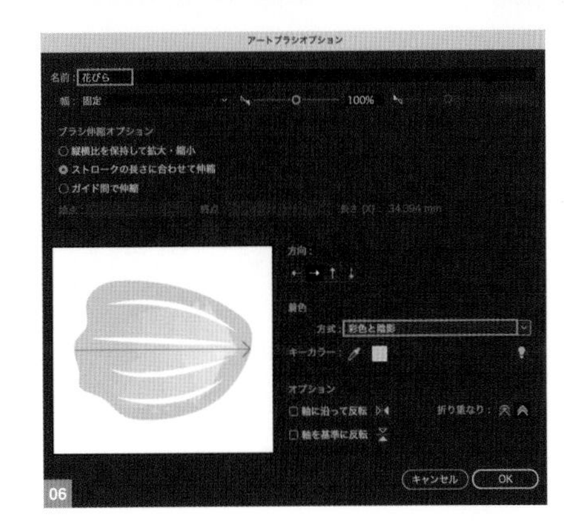

06

02 ｜ 巻いた花びらを作りブラシに登録する

先程の花びらに追加して花びらが「くるん」と巻いたようなデザインのものを作ります。

［塗り：#a9a9a9］で花びらの巻いた部分を作ります 07。

さらに巻いた花びらに影を描きます 08。

巻いた花びらのオブジェクトをブラシに登録します。［アートブラシオプション］は［名前:巻いた花びら］［方式:彩色と陰影］を選択します。

※影の描き方、ブラシの登録は前節「no.063 植物のデザインを作る」と同様の作業になります。参考にするといいでしょう。

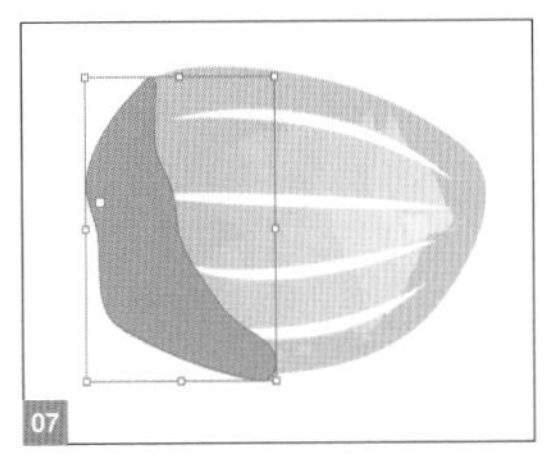

07

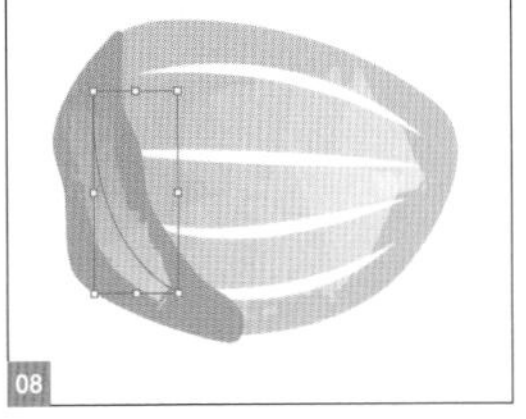

08

Chapter 07

03 ｜ 花の雄しべを描く

[塗り：#724b0c][線：なし]の設定で[ブラシツール]で楕円を描きます 09。
⌘(Ctrl)+Cキーで[コピー]、⌘(Ctrl)+Fキーで[前面へペースト]して縮小します。[塗り：#beba66]に設定します 10。
[オブジェクト]→[パス]→[アンカーポイントの追加]を選択します。アンカーポイントが増えました 11。
次に[効果]→[パスの変形]→[パンク・膨張]を選び[膨張：5%]に設定します 12。雄しべができました 13。

04 ｜ 花を作る

作成した[花びら]のブラシで花びらを描き、色を変更します 14。[巻いた花びら]のブラシも使い、バランスをみながら5枚の花弁を作成します 15。真ん中に雄しべを配置して花の完成です 16。

05 ｜ 角度の違う花を描く

[茎]ブラシを同じ方法で作成します 17。コントロールパネルの[可変線幅プロファイル]を[線幅プロファイル1]に設定します 18。これを3枚の花びらと組み合わせます。角度の違う花が描けました 19。

06 ｜ つぼみを作成する

[花びら]のブラシを応用し、つぼみを描きます。[線：#474488][線幅：0.7pt]の設定でやや距離の短い花びらを作ります 20。
コントロールパネルより[可変線幅プロファイル]を[線幅プロファイル5]に設定します 21。つぼみの形になりました。
このようにパスを描く距離や線幅、可変線幅プロファイルの調整を行うことで様々なデザインに応用することができます。茎も各項目を調整して描き加えました 22。
作例では前節「no.063 植物のデザインを作る」で作成した植物のブラシと組み合わせて花束を作りました。

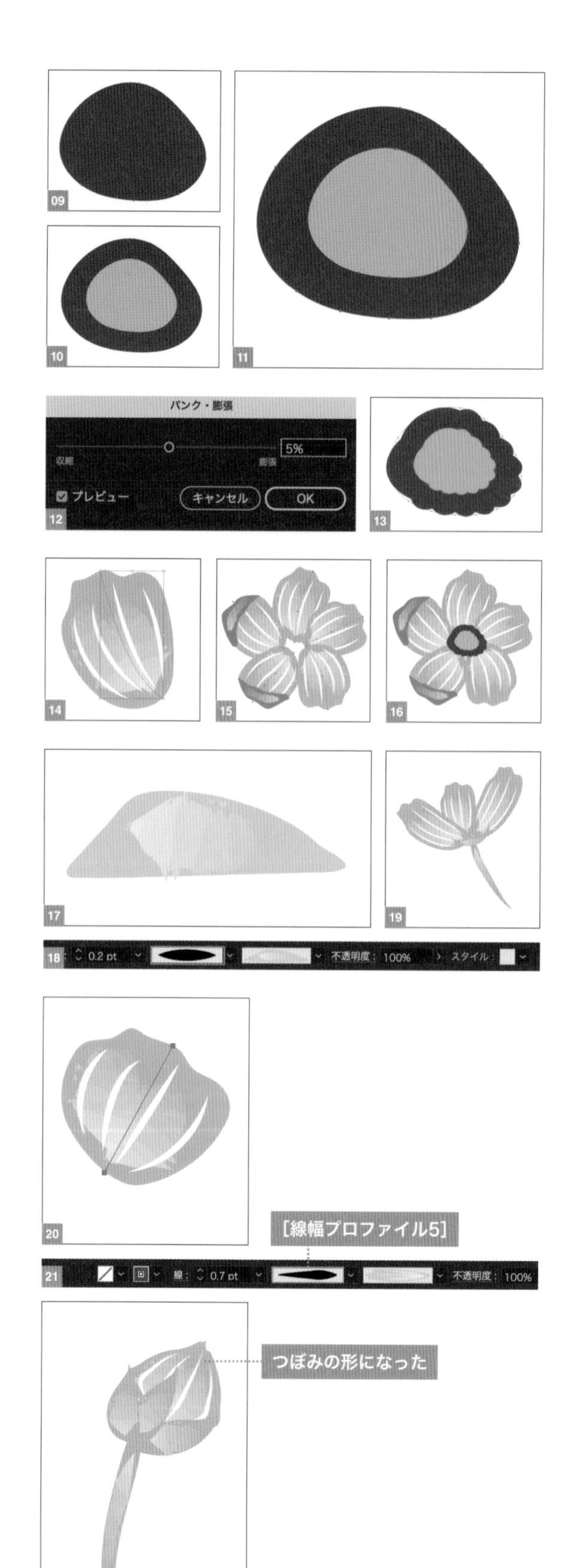

memo

花や茎の色を変えることでも様々な花のアレンジをすることができます。

Ai

リボンを作る　no.065

イラストや見出しなどで使えるレトロな雰囲気のリボンを作成します。

Point　3D効果で簡単にリボンの立体感を出す

How to use　イラストや見出しデザインのアクセントに

01 | 立体的なリボンのラインを作成する

新規ドキュメントを作成し、ツールパネルの［ペンツール］で任意のカラーで［線幅：1pt］横幅160mmぐらいの波線を描きます 01。
［効果］→［3Dとマテリアル］→［3D（クラシック）］→［押し出しとベベル（クラシック）］を選択し［3D押し出し・ベベルオプション］を上から［位置：自由回転］［50°］［10°］［0°］［遠近感：0°］［押し出しの奥行き：60pt］［表面：陰影なし］に設定します 02。
立体的なリボンの形ができました 03。

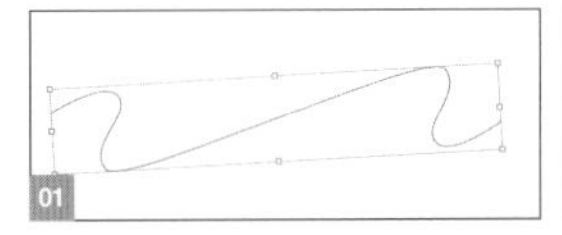
01

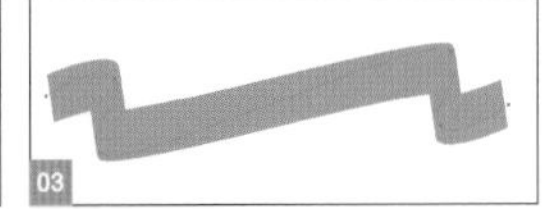
03

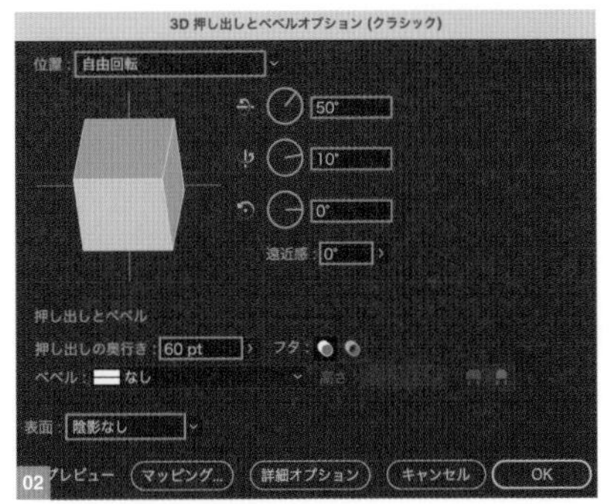

02

02 ｜ 色を塗り、ラインを調整する

[オブジェクト]→[アピアランスを分割]を選択します。[塗り：#c0aa99] [線幅：1pt] [線：#310a03] に変更します04。
上部分に余計なオブジェクトがあるのでDeleteキーで消去します05 06。
見た目にずれが出ているので、選択ツールで移動して形を整えます07 08。

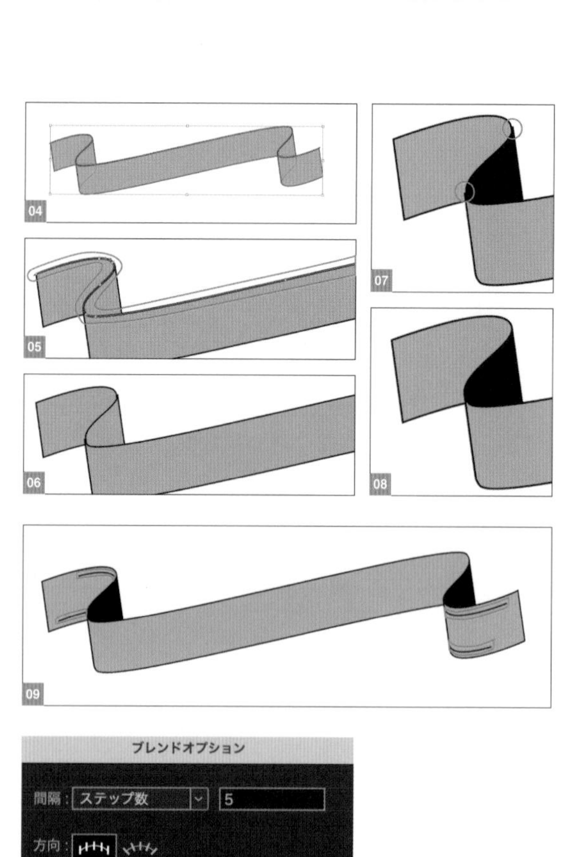

03 ｜ 影を作成する

リボンの両端に線に沿った [線幅：1pt] [線：#310a03] のラインを2本作ります09。
[オブジェクト] → [ブレンド] → [ブレンドオプション] を10のように設定します。
左端の2本の線を選択し、[オブジェクト] → [ブレンド] → [作成] を行います。2本の線がブレンドされリボンに影ができました。右端にも同じ作業を行います11。

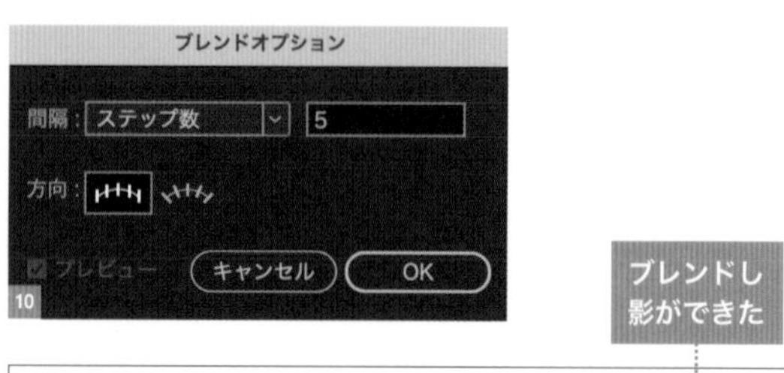

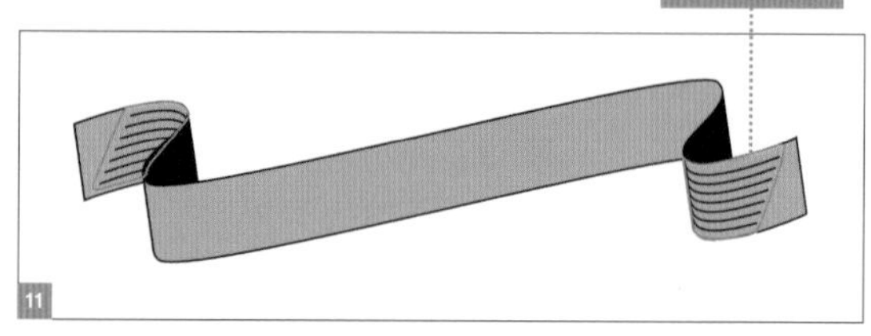

04 ｜ リボンの横端を変更する

リボンの端の真ん中にツールパネルの [アンカーポイント追加ツール] でアンカーポイントを追加します12 13。[ダイレクト選択ツール] で内側に引っ張ります。リボンの端に切り込みが入りました14。反対側にも同じ作業をします15。

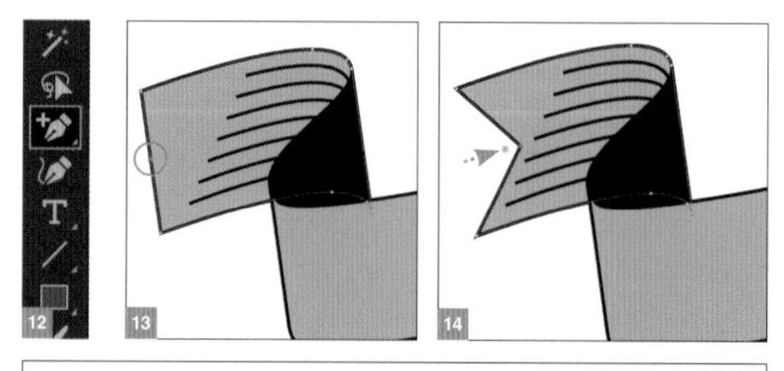

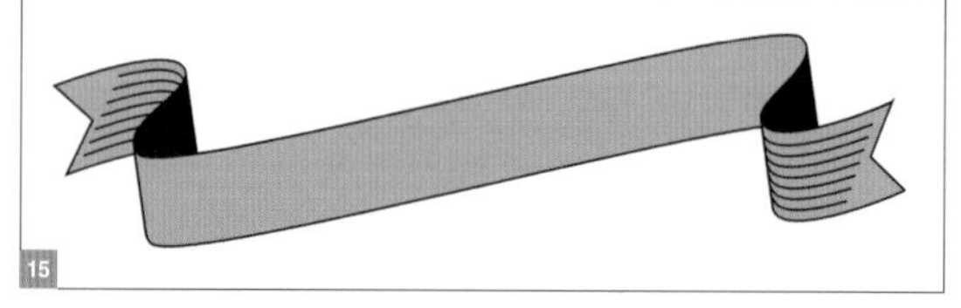

05 ｜ 文字を加える

リボンに沿って好みのフォントで文字を入力します。ここではAdobe Fontsの [フォント：AdornS Condensed Sans] フォントで「VALENTINE'S DAY」と入力しました16。
作例では見出しの利用シーンをイメージしてイラストと合わせました。

memo

手順01の波線を変えることで様々な形のリボンにすることが可能です。

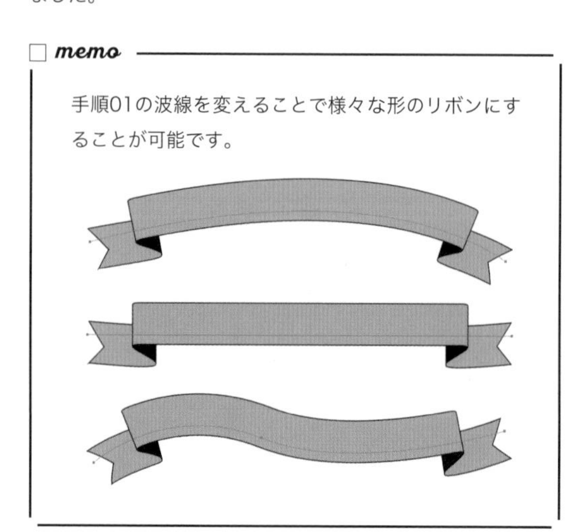

column

Ai

[ブレンドツール] のブレンドと [カラーを編集] のブレンドの違い

ブレンドを行うと形状も変化する [ブレンドツール] のブレンドと違い、カラーだけブレンドさせるのが [カラーを編集] の [上下にブレンド] [左右にブレンド] [前後にブレンド] の３つです。
[カラーを編集] のブレンドは形状を維持したままオブジェクトにグラデーションのような効果を作りたいときに便利です。それぞれの特色を理解して用途に合わせて選択していくとよいでしょう。

・**[ブレンドツール] でのブレンドの特徴**：形状も変化する

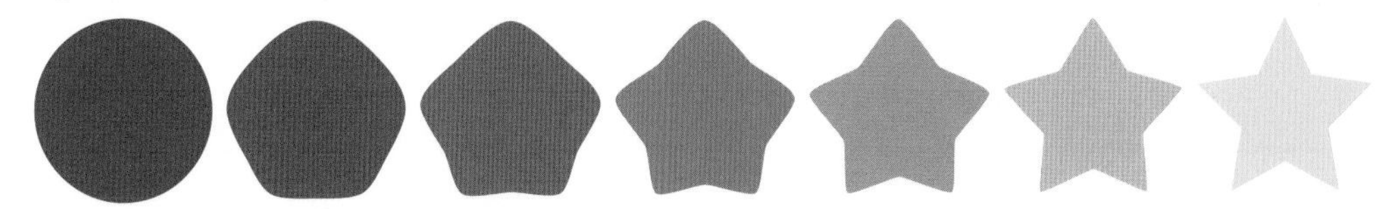

・**[カラーを編集] でのブレンドの特徴**

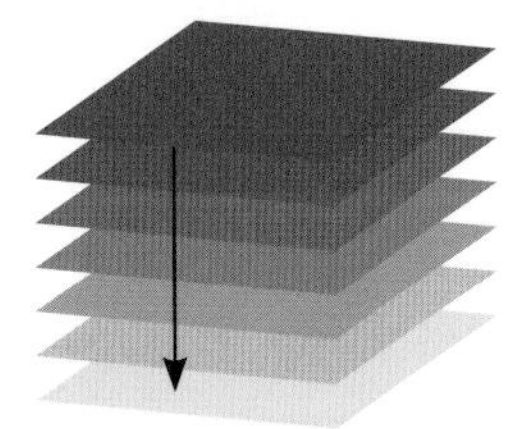

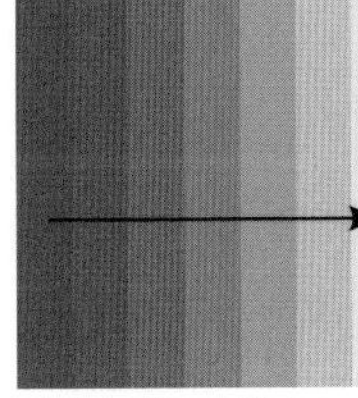

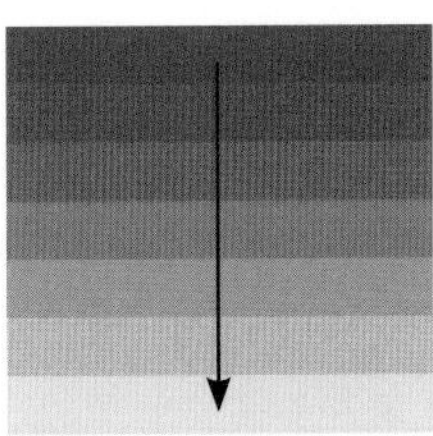

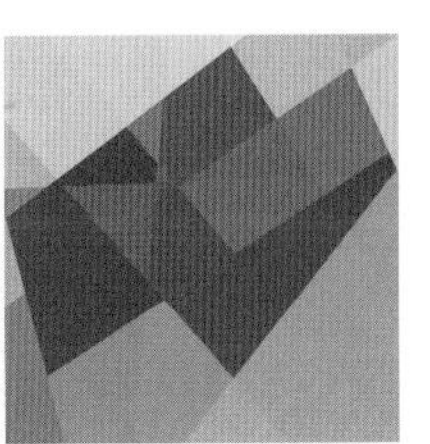

前後にブレンドイメージ　左右にブレンドイメージ　上下にブレンドイメージ　前後にブレンドイメージ

・**[上下にブレンド]**：上下の色のグラデーションのみ変化する

・**[左右にブレンド]**：左右の色のグラデーションのみ変化する

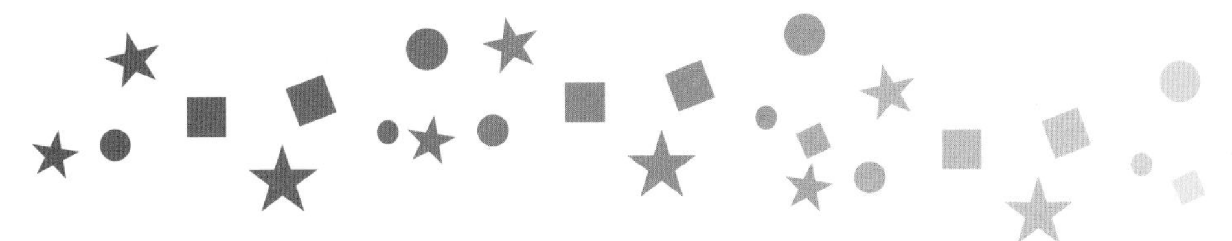

・**[前後にブレンド]**：
レイヤーの構造の前後なので、複雑に切り抜かれたオブジェクトの色を変換したいときなどに使用します。

Chapter 07

Ai

切り絵のようなイラストを作る no.066

切り絵のような優しい風合いのイラストを一から作成します。やや長い手順になりますが、Illustrator でイラストを作成する一連の流れを学びましょう。

Point　ペンツールで作成し、ブラシやテクスチャでアナログ感を出す

How to use　手描きで描いたような温かみのあるイラスト作成に

01 | 背景を作成する

⌘（Ctrl）+Nキーで新規ドキュメントを作成します。Web、印刷など利用したいメディアに合わせて選ぶといいでしょう。ここでは［Web］を選択し、余裕を持たせて大きなサイズに設定しています 01。

ツールパネルの［長方形ツール］を選択し、赤い色で床［塗り：#e13a18］とピンクで壁［塗り：#efbb98］を描きます 02。

床と壁を選択し［効果］→［パスの変形］→［ラフ］を選択し［サイズ:0.5%］［詳細:5/inch］に設定し［ポイント:丸く］をチェックし［OK］を選択します 03。

外側がラフなイメージになりました 04。レイヤー名を［背景］としておきます。

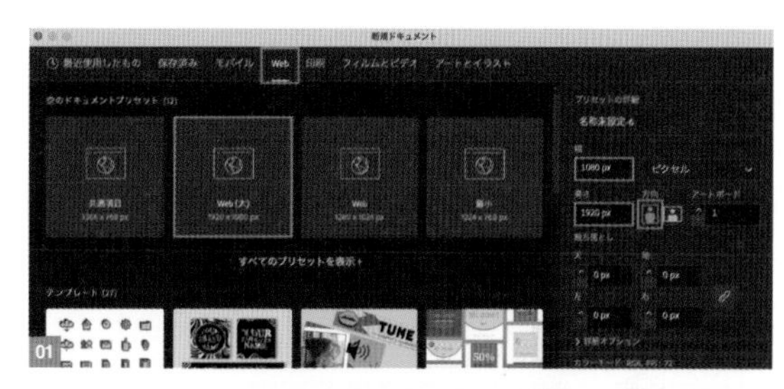

01

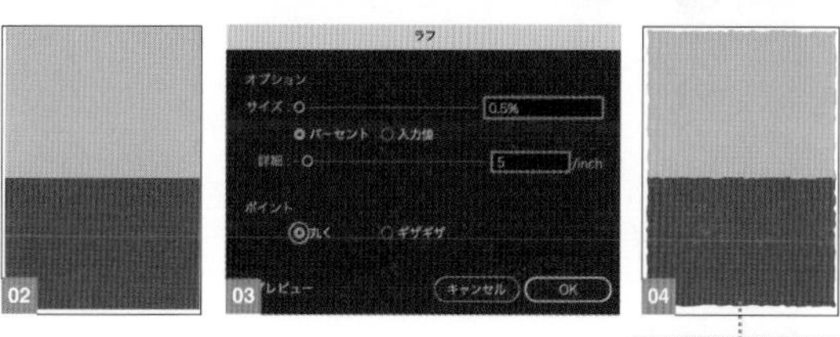

02 03 04

02 | 箪笥を作成しラフを適用する

新規レイヤーを作成し、レイヤー名を［イラスト作成］とします。ここでイラストを作成していきます。

［ペンツール］で箪笥を描きます。手描きのイラストらしく、やや不揃いなラインで箪笥を描いていくといいでしょう 05 06。

同様に［ペンツール］で扉に飾り付けをしていきます。葉や茎は［塗り：#eba024］、箪笥の戸は［塗り：#ffffff］［線幅：2pt］で設定しています。取っ手は［楕円形ツール］を使って描いてもいいでしょう。

葉は全て選択した状態で［効果］→［パスの変形］→［ラフ］を選択し 07 のように設定します。手描き感が出ました 08 09。

箪笥全体を見ると 10 のようになります。

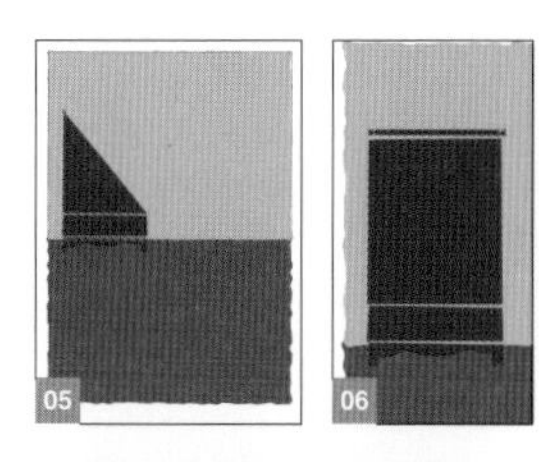

05 06

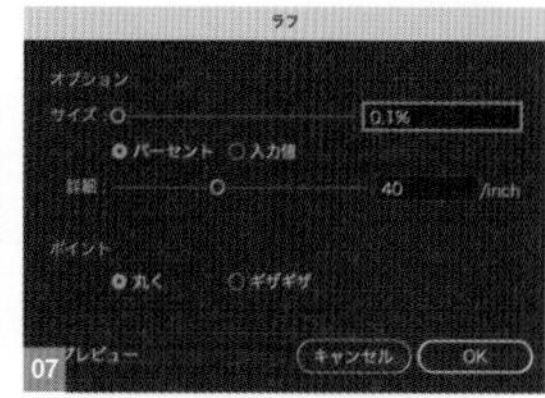

07

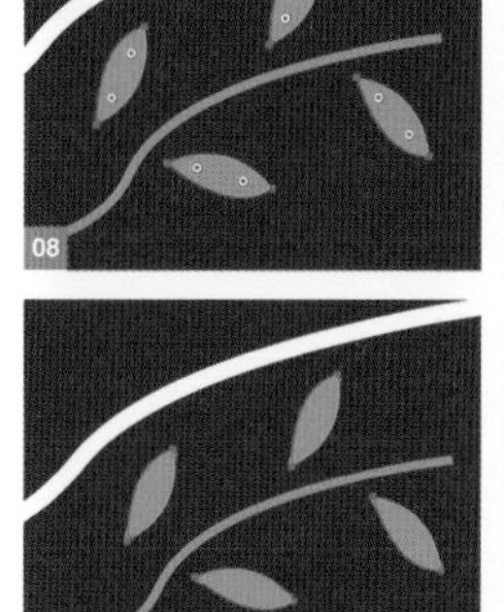

08 09

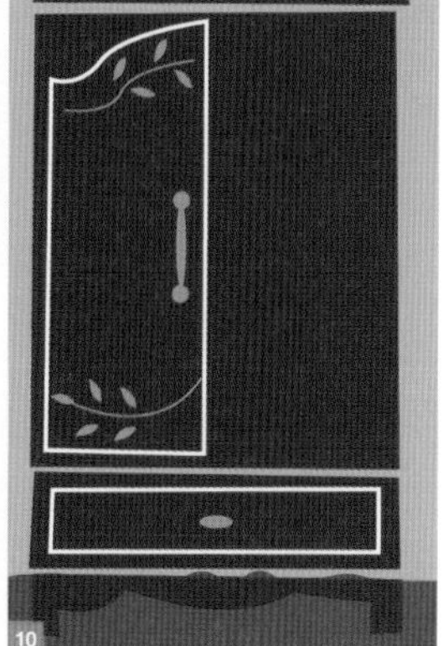

10

03 | 点線を作る

茎は手描き風の点線を作りブラシに登録します。

［鉛筆ツール］で楕円を描きます。ここでは塗りも線も［#000000］に設定しています 11。

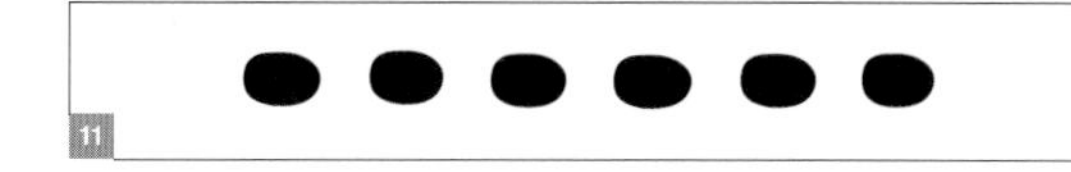

11

Chapter 07

04 ┃ 点線をオリジナルブラシに登録する

点線を選択し、[ウィンドウ]→[ブラシ]を選択して[ブラシ]パネルを表示します。右上のパネルメニューから[新規ブラシ]を選択し、[パターンブラシ]を選択します 12 13。
[パターンブラシオプション]でブラシの名前を[点線]とし、14 のように設定し[OK]を選択します。[ブラシ]パネルに手描き風の点線が追加されました。
茎を選択し、[ブラシ]パネルの[点線]を選択します 15 16。
箪笥の扉を選択し、ツールパネルの[リフレクト]をダブルクリックし、17 のように設定し、コピーを選択します。
Shift キーを押しながら横に平行移動させます。
箪笥が完成しました。

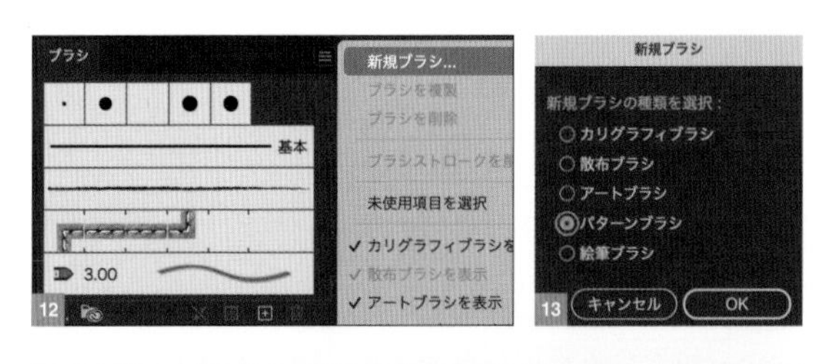

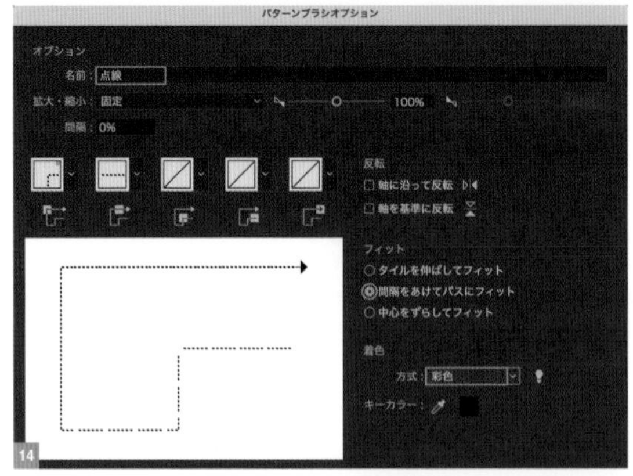

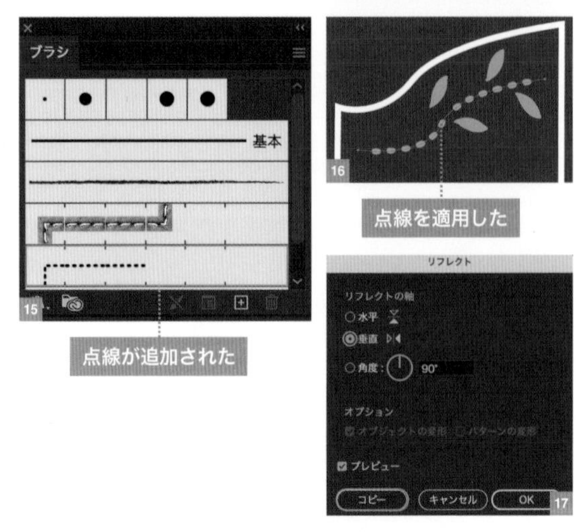

05 ┃ ベッドを作成する

ベッドを[ペンツール]で作成します。
箪笥と同じ塗りでベッドの足とフットボードを描きます 18。
ベッドの足とフットボードをコピー＆ペーストして縮小し、上に配置してヘッドボードを作成します 19。
続けて枕と布団を描きます。枕[塗り：#a9d3ad]、布団[塗り：#f09465]の塗りで、イラストに奥行きがわかるように[オブジェクト]→[重ね順]で前面、背面と調整しながら配置していくといいでしょう。
布団に花の模様を入れます。曲線で作ったシンプルな柄を合わせています 20。

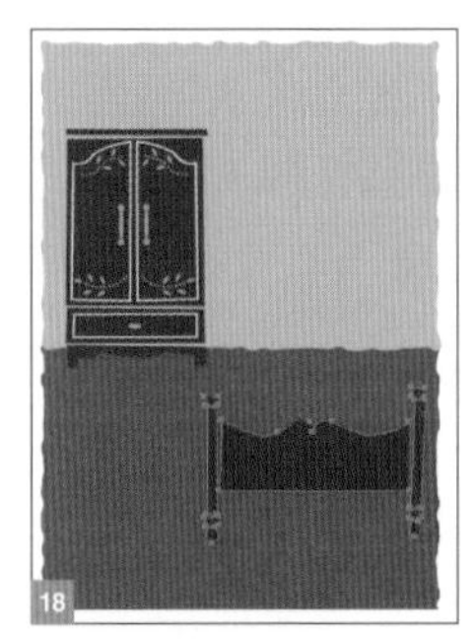

06 ┃ 枕の縫い目を作り ウサギ、窓、絵などを作成する

枕を選択し、[オブジェクト]→[パス]→[パスのオフセット]を選択し、[オフセット：-6 px][角の形状：マイター][角の比率：4]に設定し[OK]を選択します 21。
[パスのオフセット]を使うことでオブジェクト（枕の形）を基準にして新しいパスを作成することができます。作例ではオフセットをマイナスに設定することで内側にパスを作成しました。

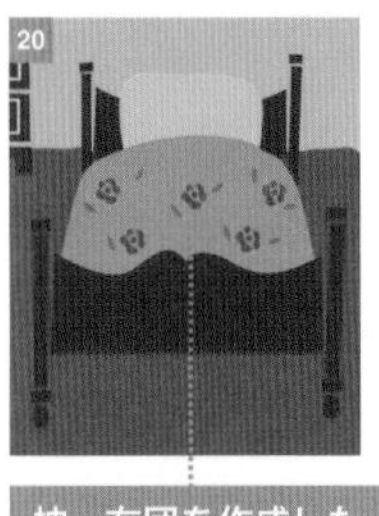

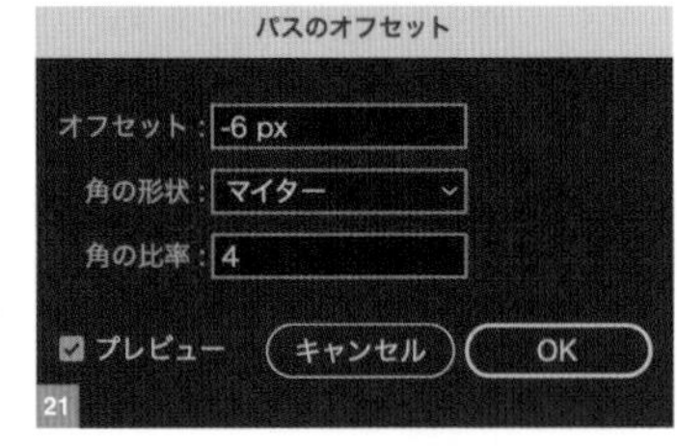

コントロールパネルで［塗り：なし］［線：#ffffff］［線：0.4pt］、先程制作した［ブラシ：点線］と設定します 22 23。
さらに同様の方法で［ペンツール］で赤いパジャマを着たウサギや窓、絵、ベッドの模様などを描きます 24 25。

07 | 質感をブラシで作る

［ウィンドウ］→［ブラシライブラリ］→［アート］→［アート_木炭・鉛筆］を選択し 26、［ブラシ］パネルで［チョーク（落書き）］を選択します 27。
［線幅：0.5 pt］［塗り：#e13a18］で耳の中を描き、同じ線幅で［塗り：#efbb98］としてほっぺを描きます 28。
［コントロールパネル］で［線：#ffffff］［チョーク］［不透明度：30%］と設定します 29。オブジェクトをなぞるようにして描き木目や服の素材を出していきましょう。
ざらついた質感ができました 30。

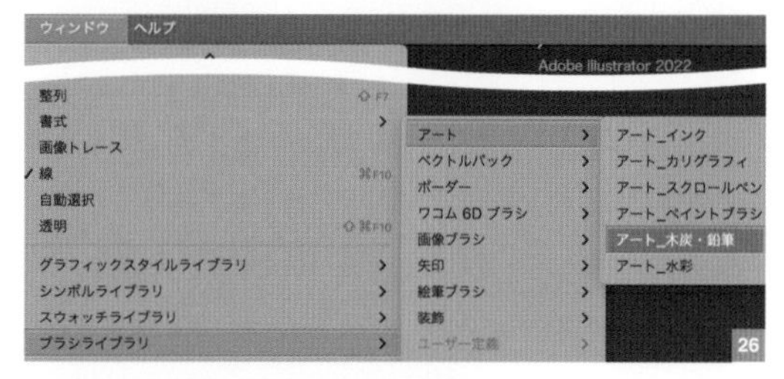

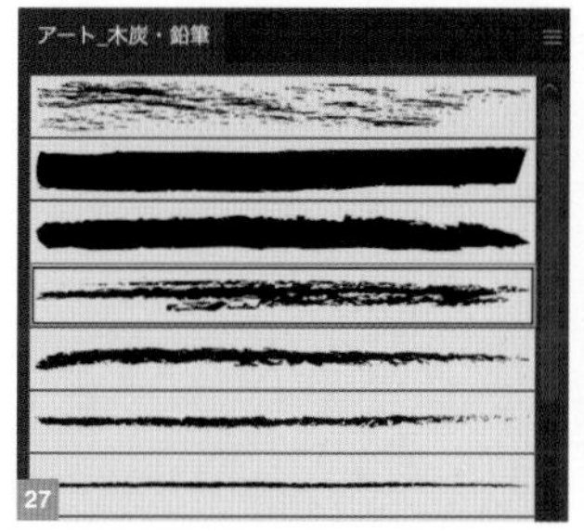

08 | 壁紙を作成する

ファイルから素材［壁紙背景.ai］を選択、レイヤー［背景］のピンクの壁面の上に配置します。壁紙の模様を作成できました 31。
ファイルから素材［紙.jpg］を選択、レイヤー［イラスト作成］の最前面へ配置し、紙の質感を作ります。［ウィンドウ］→［透明］を選び［透明パネル］で［乗算］を選択し、クリッピングマスクをしたら完成です 32。

5:22
2月20日火曜日

Ai

リアルなスマートフォンを作る no.067

図形を組み合わせることで、リアルなスマートフォンを作成することができます。やや長い工程になりますが、1つひとつ進めていきましょう。

Point 図形の組み合わせと透明度の調整を行う

How to use 製品紹介画像や広告など

01 新規ドキュメントを作成し、使用する図形を制作する

[ファイル]→[新規]を選択して新規ドキュメントを作成します。

ここでは 01 のように指定してみました。またこの項目ではWebでの利用を想定し距離の単位をピクセルで指定して制作しています。

ツールパネルから[角丸長方形ツール]を選択し 02、[幅：300px][高さ：600px][角丸の半径：30px]の長方形を作成します 03 04。この長方形がスマートフォンの本体となります。レイヤー名を[本体]とします 05。

レイヤーは分けなくてもよいですが、パーツごとに分けると後で作業がしやすくなります。各手順でロックをかけたりするなど使いやすいように作成していってください。

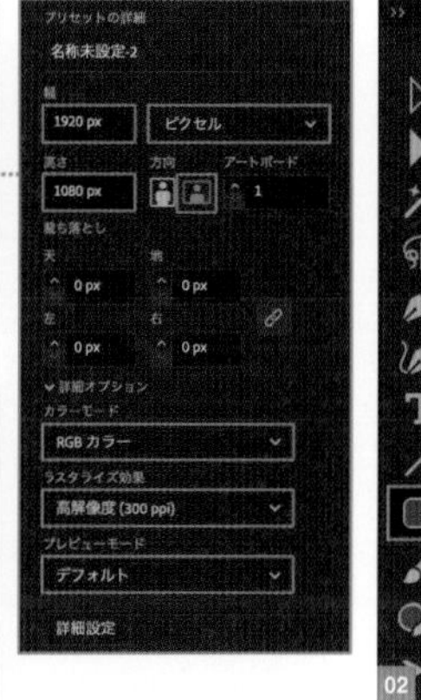

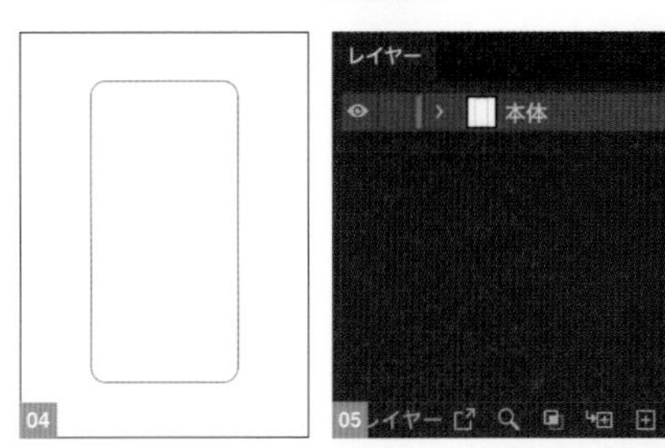

02 長方形にグラデーションをかけ、質感を出す

手順01で作成した長方形を選択します。[ウィンドウ]→[アピアランス]をクリックし、[線：なし/塗り：ホワイト]に変更します 06。

[ウィンドウ]→[グラデーション]を選択し、[種類：線形][角度：-90°]にし、グラデーションスライダーのカラー分岐点を5つにし、左から[#3e3a39 位置：0%][#000000 位置：10%][#3e3a39 位置：50%][#000000 位置：90%][#3e3a39 位置：100%]とします。

グラデーションスライダーの上に表示される中間点の位置は左から[位置：50][位置：60][位置：40][位置：50]とします 07。グラデーションで本体の光沢感を出すことができました 08。

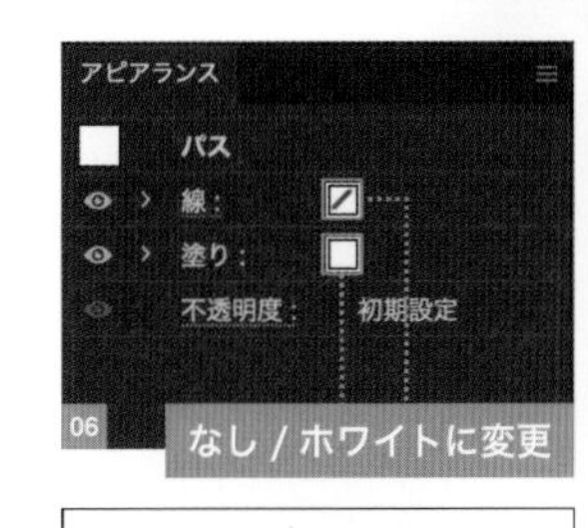

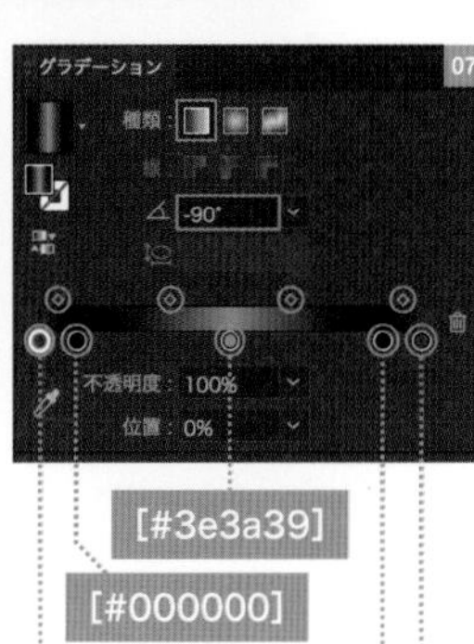

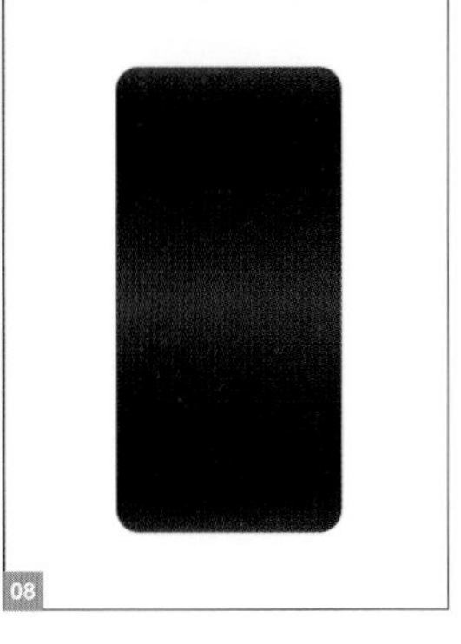

Chapter 07

03 | 画面と本体の間の段差を作る

レイヤー[本体]の上位に新規レイヤーを作成します。レイヤー名を[本体の光]とします 09。
[塗り：#ffffff][線：なし]として、[角丸長方形ツール]を選択し[幅：285px][高さ：580px][角丸の半径：30px] 10 の長方形を作成します。
[アピアランス]パネルで[不透明度：10%]とします 11。
この長方形が画面と本体の間の光になります 12。
レイヤー[本体の光]の上位に新規レイヤー[画面]を作成します 13。
[塗り：#070707][線：なし]として、[角丸長方形ツール]を選択し[幅：280px][高さ：575px][角丸の半径：30px]の長方形を作成します 14。

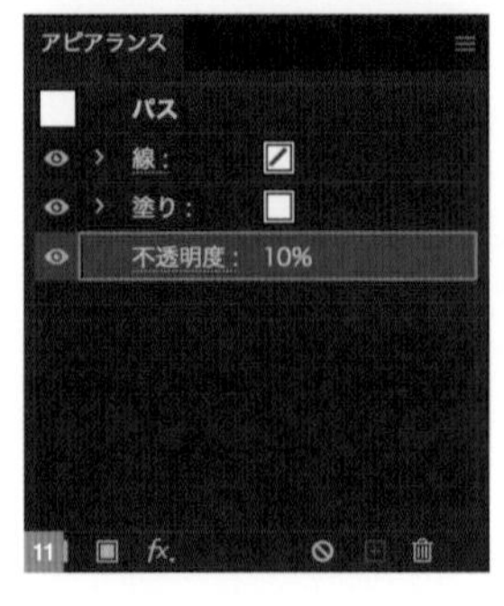

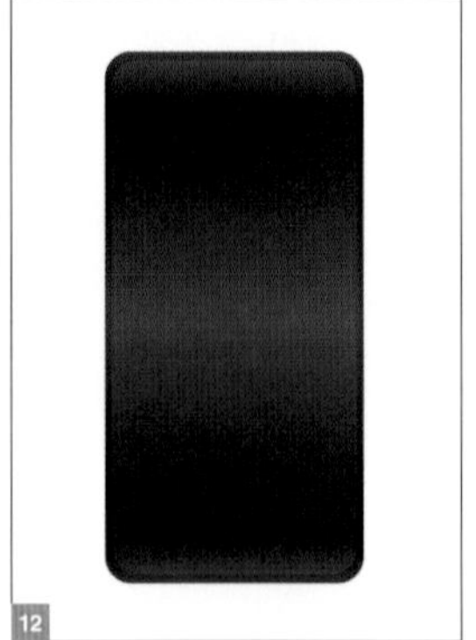

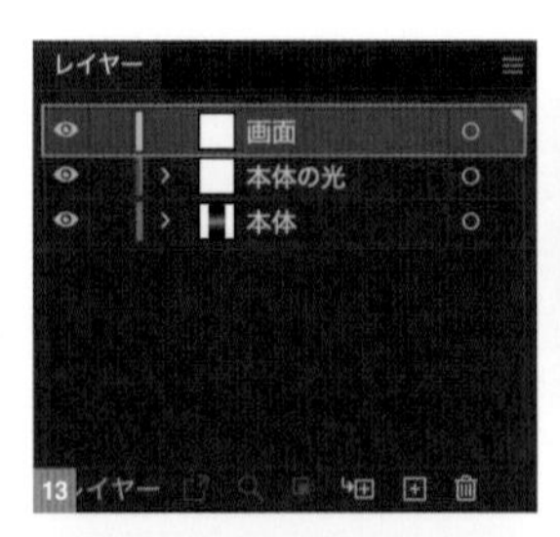

04 | 整列し光を意識して少しずらす

作成した3つの長方形を選択して、[整列]→[オブジェクトの整列：水平方向中央に整列][オブジェクトの整列：垂直方向中央に整列] 15 をクリックし中央に並べます 16。
本体の右斜め上から光が当たっているのを意識して、レイヤー本体の光を少し左下にずらします 17。

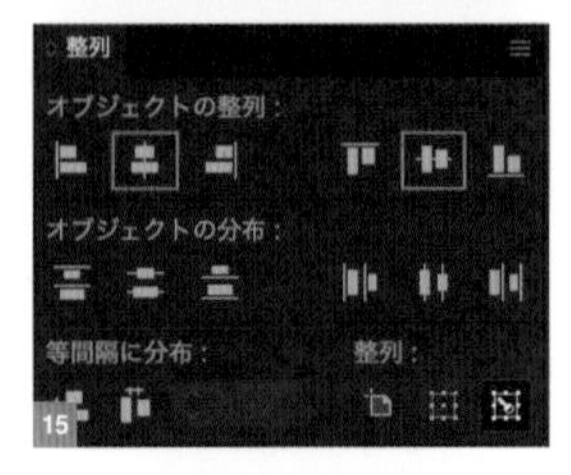

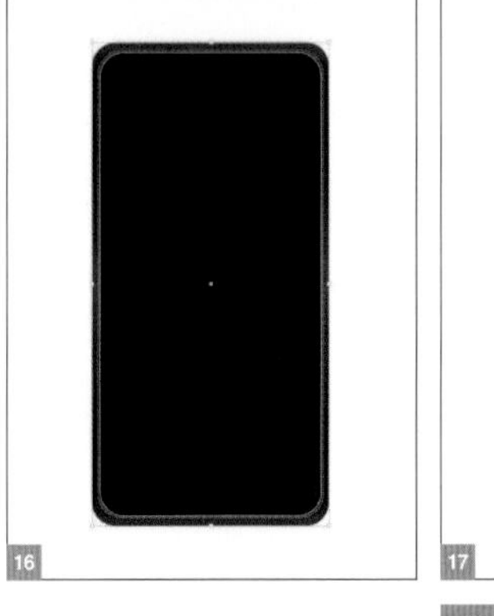

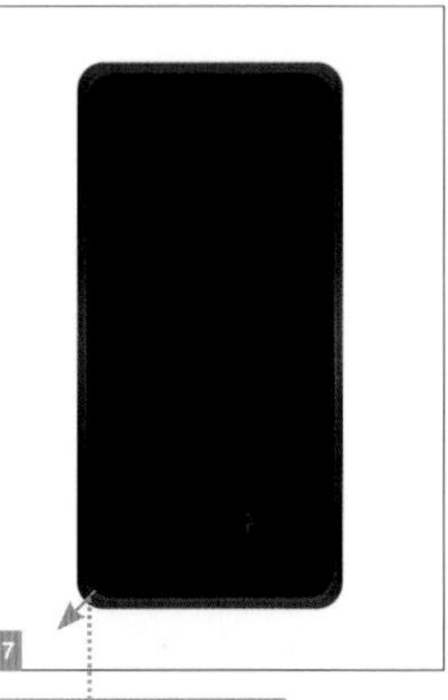

05 ┃ グラデーションを重ねる

上位に新規レイヤーを作成し、[画面の光] とします。
[ウィンドウ] →[スウォッチ] を選択し、[スウォッチ] パネルを開きます。左下の [スウォッチライブラリメニュー] より [グラデーション] →[フェード] 18 を選択し [ホワイトにフェード1] 19 を選択します。
[角丸長方形ツール] を選択し [幅：278px] [高さ：573px] [角丸の半径：30px] の長方形を作成します 20 21。
[ウィンドウ] →[グラデーション] パネルを開き、[種類：線形] [角度：65°] とします 22 23。

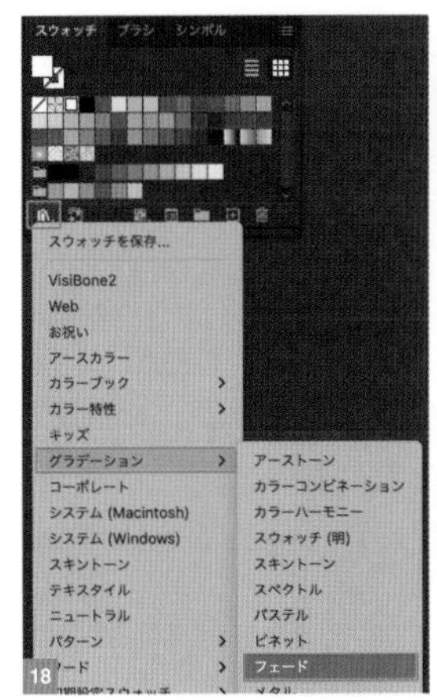

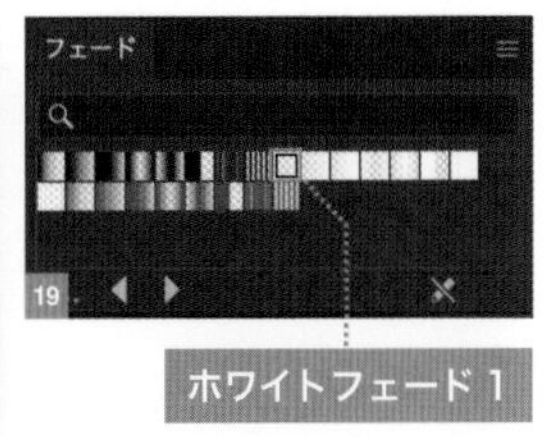

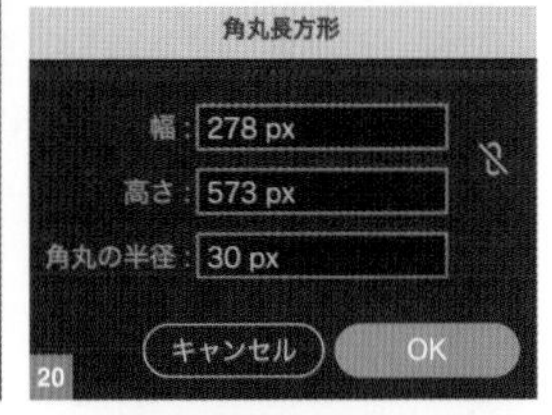

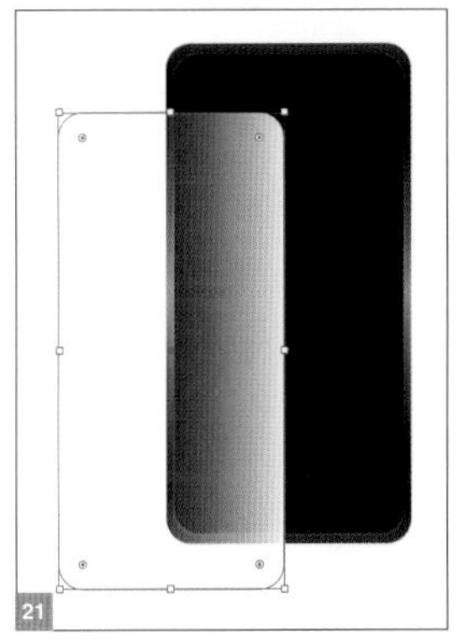

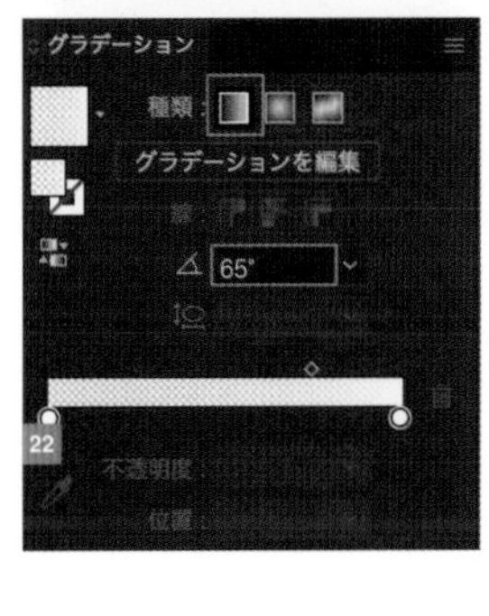

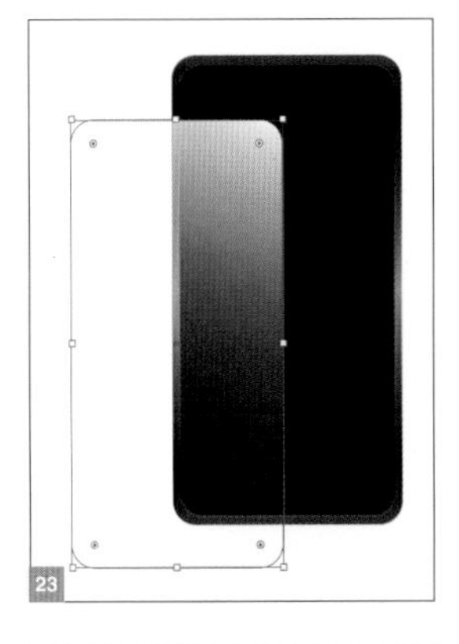

06 ┃ 画面に質感をプラスする

レイヤー [画面の光] [画面] の2つの長方形を選択し、レイヤー [画面] の長方形を再度選択します 24。
[整列]→[オブジェクトの整列：水平方向中央に整列] [オブジェクトの整列：垂直方向中央に整列] をクリックし並べ終わったら、画面の光の [不透明度：10%] とします 25。
画面に光をプラスしたことで、少し立体感が増しました。

memo

> レイヤー [画面] の長方形を再度選択することで、レイヤー [画面] のオブジェクトを軸として整列することができます。

07 | グラデーションや文字、アイコンを使ってタッチパネルを作る

上位に新規レイヤーを作成し、レイヤー名［タッチパネル］とします。
［塗り：#000000］［線：なし］と設定し、ツールパネルの［角丸長方形ツール］を選択し［幅：260px］［高さ：470px］［角丸の半径：10px］の長方形を作成します 26 。
さらに［幅：256px］［高さ：466px］［角丸の半径：10px］の長方形を作成し 27 、［ウィンドウ］→［アピアランス］をクリックし、［線：なし］［塗り：分裂補色5］に変更します 28 。
なお、分裂補色5は［スウォッチライブラリ］→［グラデーション］→［カラーハーモニー］内にあります 29 30 。
［ウィンドウ］→［グラデーション］を選択し、［種類：線形］［角度：90°］とします 31 。
できた長方形2つを重ねて、中央に配置します 32 。
文字やアイコンなどを使って、装飾します 33 。テキストは［小塚ゴシック Pro］［フォントスタイル：R］を使用しました。

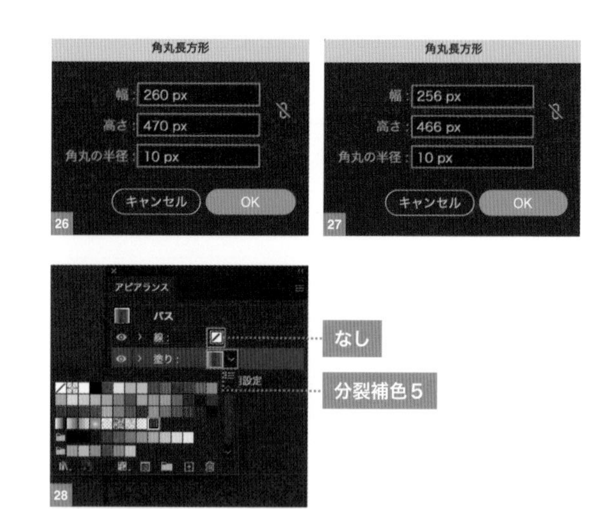

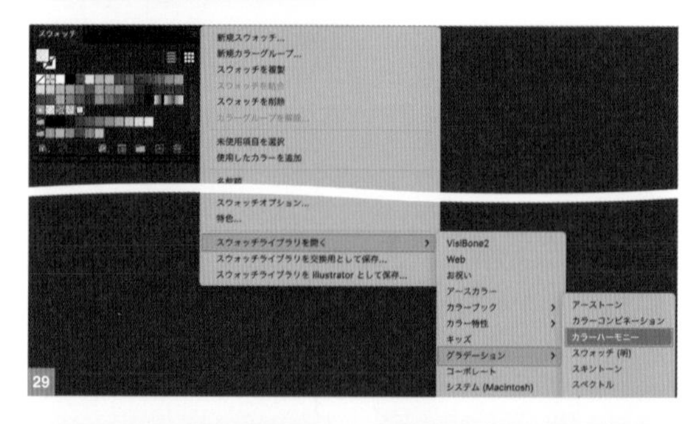

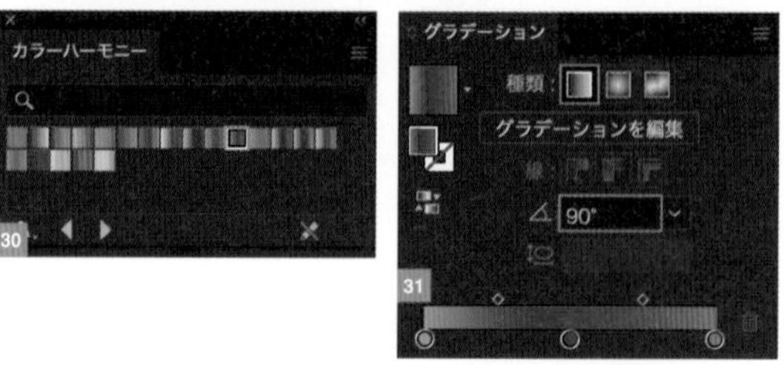

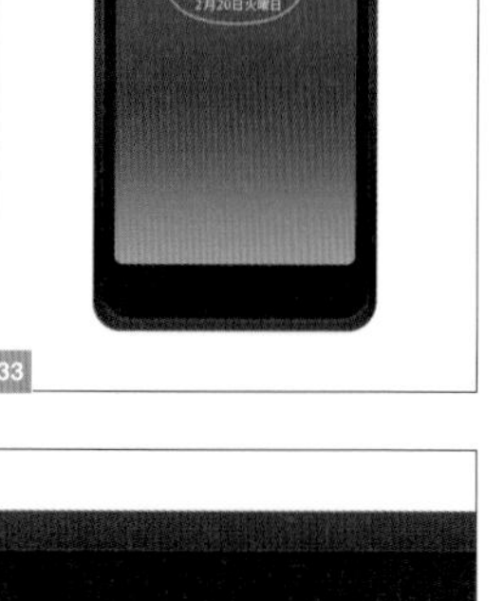

08 | 受話口のパーツを作る

上位に新規レイヤーを作成し、レイヤー名［パーツ］とします。
まず受話口を作成します。ツールパネルの［塗り：#212121］［線：なし］として、［角丸長方形ツール］を選択し［幅：80px］［高さ：6px］［角丸の半径：10px］の長方形を作成します 34 。
作成した長方形を複製し［塗り：#000000］とします。
［塗り：#000000］が上に来るように重ね中央に揃えます。［塗り：#000000］を右上に少しずらした後に、35 のように配置します。2つのパーツを ⌘（Ctrl）＋G でグループ化しておくと動かしやすいです。

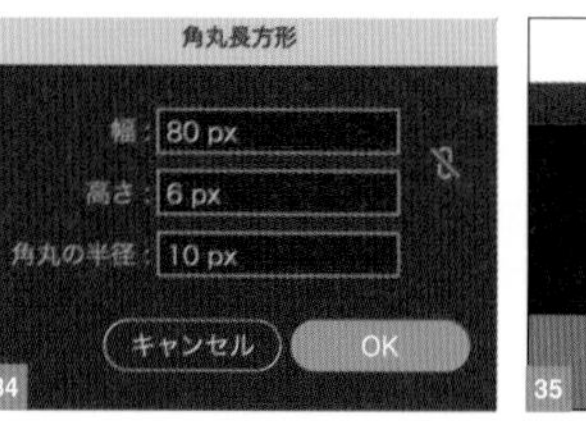

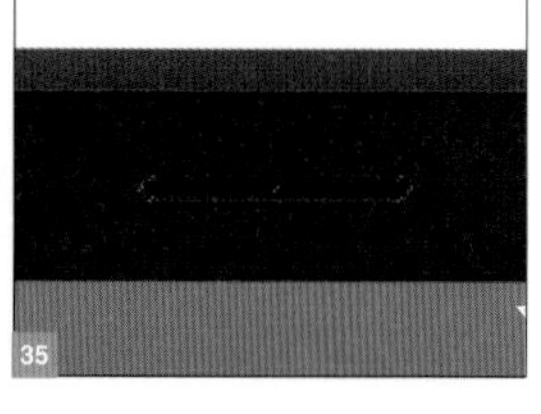

09 | カメラレンズのパーツを作る

カメラのレンズを作成します。ツールパネルを[塗り：#070707][線：なし]として、[楕円形ツール]を選択し[幅：20px][高さ：20px]の円形を作成します。
続けてツールパネルの[塗り：#000000][線：なし][幅：10px][高さ：10px]の円形、[塗り：#ffffff][線：なし][幅：20px 高さ：20px][不透明度：10%]の円形、[塗り：#ffffff][線：なし][幅：5px][高さ：5px][不透明度：10%]の円形を作成します36。
すべての図形を選択し、中央に揃えます。パーツを37のように配置します。カメラのレンズも⌘(Ctrl)+Gでグループ化しておくといいでしょう。

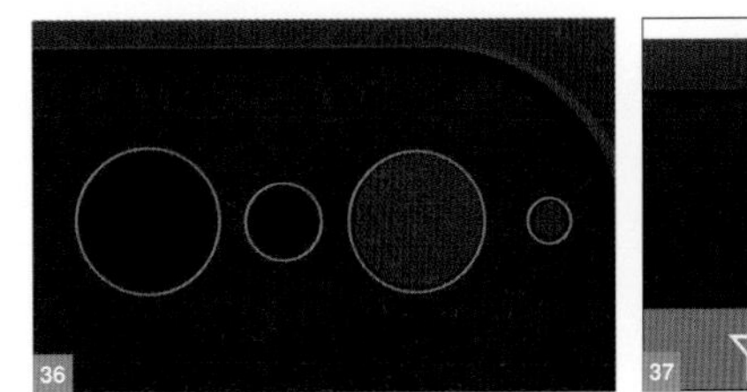
36

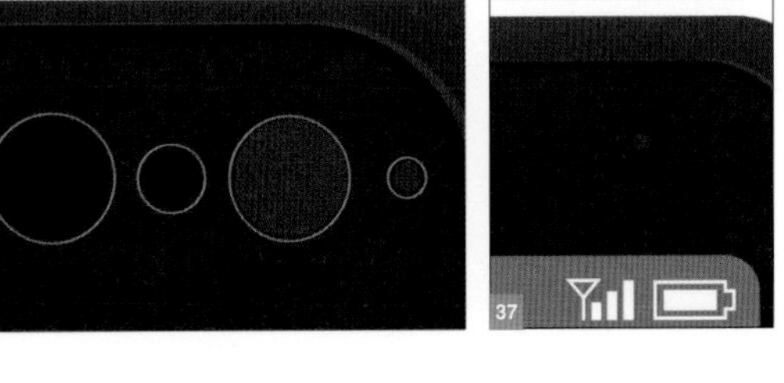
37

10 | グラデーションで画面に反射する光を作る

上位に新規レイヤーを作成し、レイヤー名[反射光]とします。[塗り：グラデーション(ホワイトにフェード1)][線：なし]として、[角丸長方形ツール]を選択し[幅：280px][高さ：575px][角丸の半径：30px]の長方形を作成します。
[ホワイトにフェード1]は手順05で使った[フェード]パネルにあります。
グラデーションを[種類：線形][角度：65°]とし、[不透明度：30%]とします38 39。
ツールパネルの[はさみツール]を選択し、40 41のように切り込みを入れます。
できた光を反転させて左下にも追加します。[不透明度：10%]とします42。

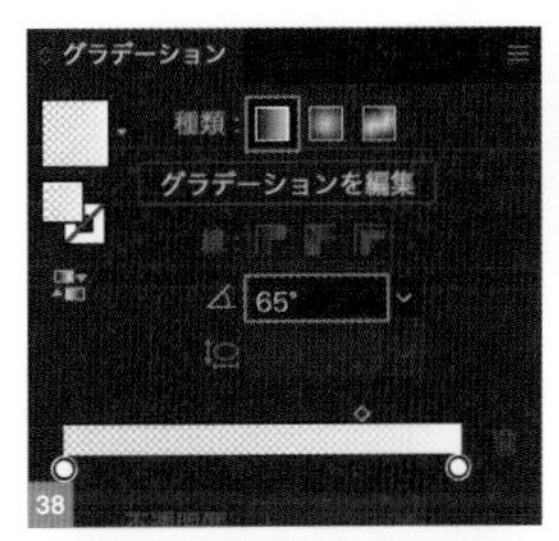

38

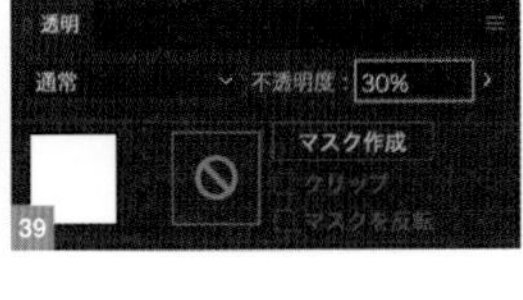

39

40

41

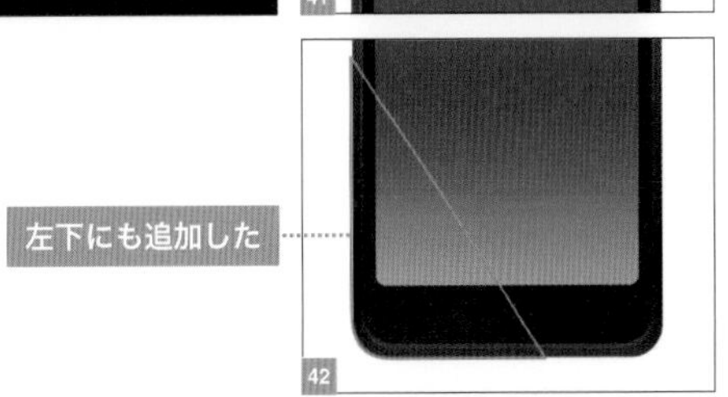

42

11 | グラデーションで床に落ちる影を作る

レイヤー[本体]の長方形を選択し[効果]→[スタイライズ]→[ドロップシャドウ]を選択します。
43のように設定し影をつけて完成です44。
作例ではアレンジとしてレイヤー[タッチパネル]に写真をはめ込みました。

43 44

Chapter 07

Ai

画像トレースを使ったリアルなイラストを作る

no. 068

［画像トレース］を使って画像を簡単にイラストのように仕上げます。

Point 設定を調整し、イラストらしいポイントを見つける

How to use 写真をベクターデータ化したい時に

01 | 画像を開く

Illustratorを立ち上げて、［ファイル］→［配置］から素材［人物.jpg］を配置します 01。

なお、［画像トレース］はコンピュータのスペックを必要としますので、小さ目の画像（縦：664px/横：1000px）を用意しています。

大きなサイズの画像に対して［画像トレース］を適用すると 02 のように警告が表示されます。お使いのコンピュータのスペックにあわせて画像を選びましょう。

01

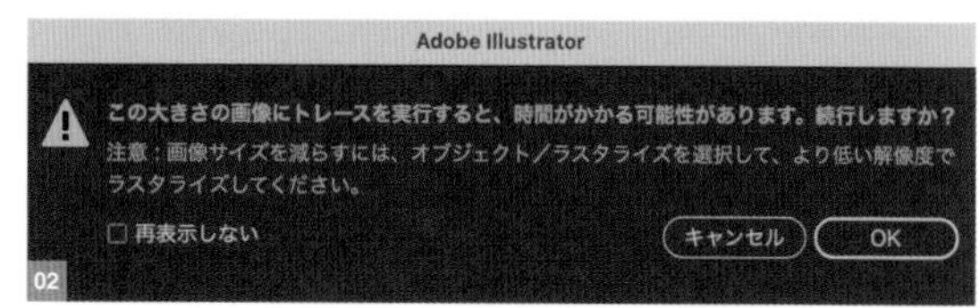

02

02 ｜ ［画像トレース］を適用する

画像を選択し、オプションバーから［画像トレース］を選択します03。
自動的に04のように画像がトレースされます。
オプションバーから［画像トレースパネル］のボタンを選択します05。［画像トレース］パネルが表示されます06。［プリセット：写真（高精度）］を選択します07。
一見元のビットマップ画像に見えますが、トレースされベクターデータの画像に変換されています08。パネルでは［パス］［カラー］［アンカー］の数値を確認することができます09。写真の雰囲気を残しつつ、イラスト化したい場合はこれで完成です。

memo

パスとして活用したい場合はオプションバーの［拡張］を選択します10 11。

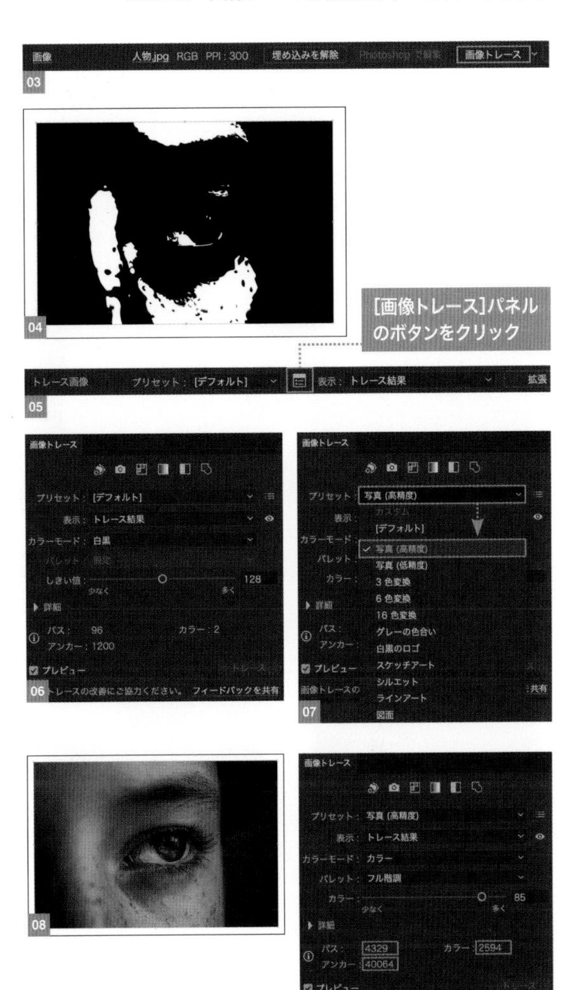

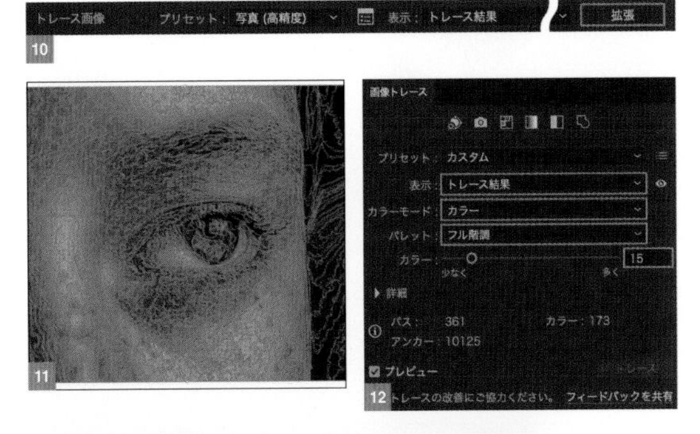

10

11

12

03 ｜ 精度を調整しイラストらしさを探す

さらに［画像トレース］パネルの設定を調整することで、よりイラストらしさを出すことができます。
もう一度素材［人物.jpg］を配置し、［画像トレース］を適用します。
［画像トレースパネル］を表示させます。12のようにします。
パネル内では［パス］［カラー］［アンカー］の数値が下がっていることが確認できます。よりラフな仕上がりになりました13。
作例では手順02の画像を文字とあわせてクールなデザインに仕上げています。

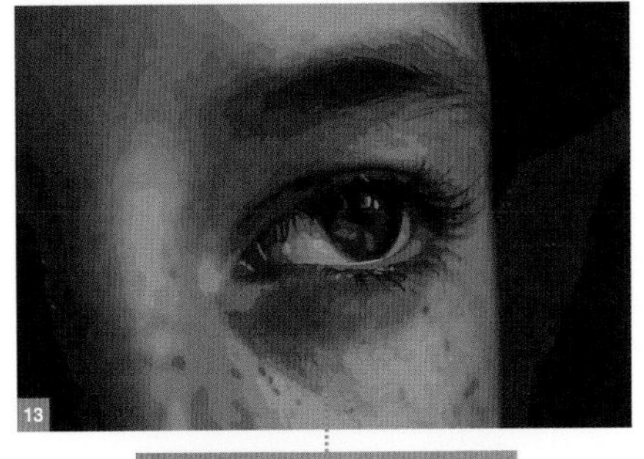

□ column

[画像トレース] のプリセット

[画像トレース] のプリセットを利用すると、自分が作りたいイメージに近いものが簡単に作成できます。例えば、[写真 (高精度)] を選べばほぼ写真のようなベクター画像が作成できます。[白黒のロゴ] はモノクロデザインの作成に使えます。[ラインアート] は線化されるのでイラストをトレースしたい時に便利です。
線画やラインアートなどはベクターデータにすることで利用できる幅も広がります。[画像トレース] の機能を上手に利用し、様々なデザインに活用してみてください。

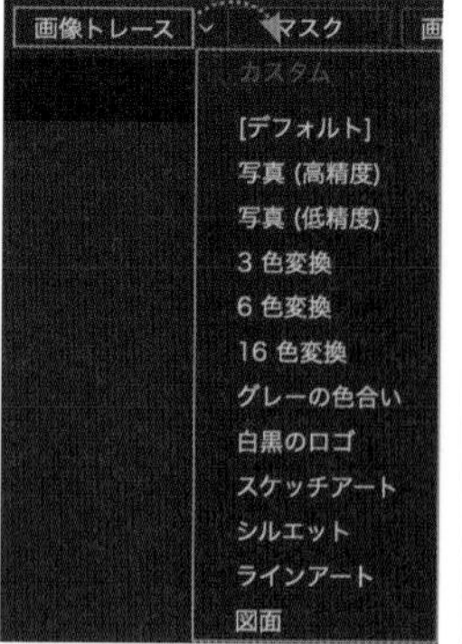

元画像

デフォルト

写真（高精度）

写真（低精度）

3 色変換

6 色変換

16 色変換

グレーの色合い

白黒のロゴ

スケッチアート

シルエット

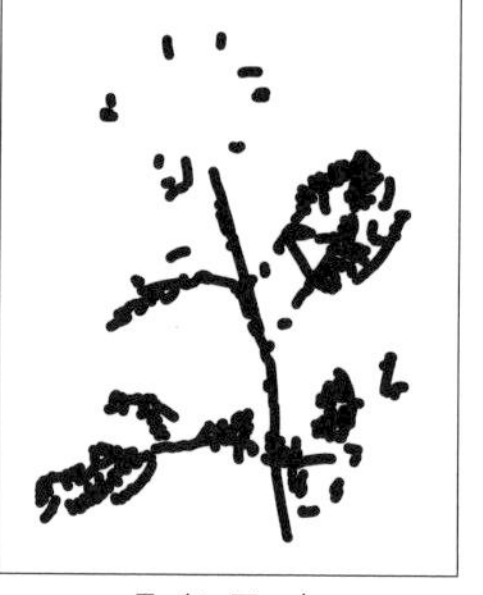
ラインアート

図面

文字と線に加工をする

水のように見せたり、ケチャップのように表現したり、切り抜き、からめる、縫い目、ジッパー、スライス、立体など、文字や線を様々な印象に見せるテクニックを学べます。

Chapter 08

Typography & Line effects design techniques

Ps

流水をイメージする文字を作る

no.069

流水をイメージする文字を作成します。

Point	立体感のある文字にクロム加工することで水のような表現に。
How to use	幅広い水の表現に

01 | テキストを配置する

素材［背景.psd］を開きます。好みでフォントを選び［カラー：#a7a7a7］とし「water」と入力します。
左下からのしぶきのラインに合わせて飛び出しているイメージで、［自由変形］を使って回転しレイアウトしました 01。細めで丸みのあるフォントがなじみやすいです。作例ではAdobe Fontsから［Quimby Mayoral］フォントを選びました。

01

02 | テキストをラスタライズして装飾する

レイヤーパネル上で、テキストレイヤー［water］を選択し［右クリック］→［テキストをラスタライズ］します。
［ブラシツール］を選択しブラシを［ハード円ブラシ］とします。
［描画色：#a7a7a7］とし［w］の始まり部分をブラシで追加します（使用するフォントに合わせて装飾してください）02。

02

03 | レイヤーパネルでシャドウを付ける

レイヤーパネル上でレイヤー［water］をダブルクリックし、［レイヤースタイル］パネルを表示します。
［シャドウ（内側）］を選択し、03のように設定します。［画質］の［輪郭］はプリセットの［半円］を使用します。
［右クリック］→［レイヤースタイルをラスタライズ］します。この手順で陰影を付けておくことで、次のフィルター［クロム］がきれいに適用されます04。

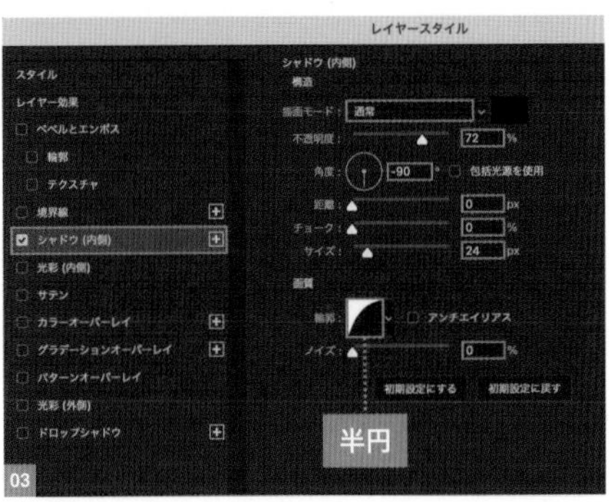

03

04

04 | フィルターを重ねて水の質感を作る

［フィルター］→［フィルターギャラリー］を選択します。
［スケッチ］→［クロム］を選択し05のように設定します。そのままパネル右下の［新しいエフェクトレイヤー］を選択し再度［クロム］を同じ設定で行います06（手順01で選んだフォントによって調整してください）。07のようになりました。

05

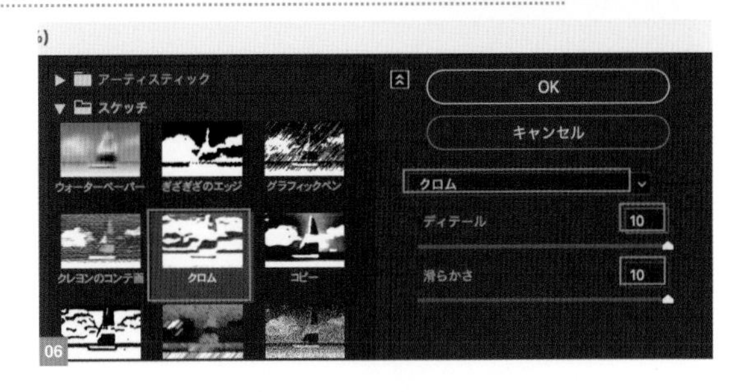

06

07

Chapter 08

05 | レベル補正を行い、ゆがみをかける

［レベル補正］を選択し 08 のように設定します 09。
［フィルター］→［ゆがみ］を選択し、［前方ワープツール］を使用して［ブラシツールオプション］→［サイズ：100前後］でゆがみを加えます。水をイメージして水溜まり部分や細い部分を作ります 10 11。
［描画モード：スクリーン］とします 12 13。

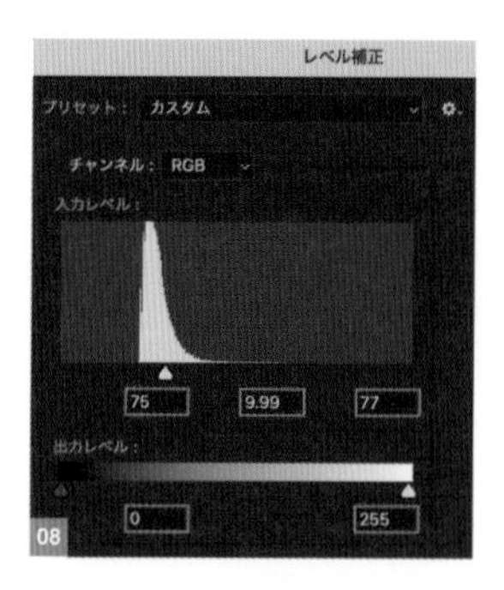

08

09

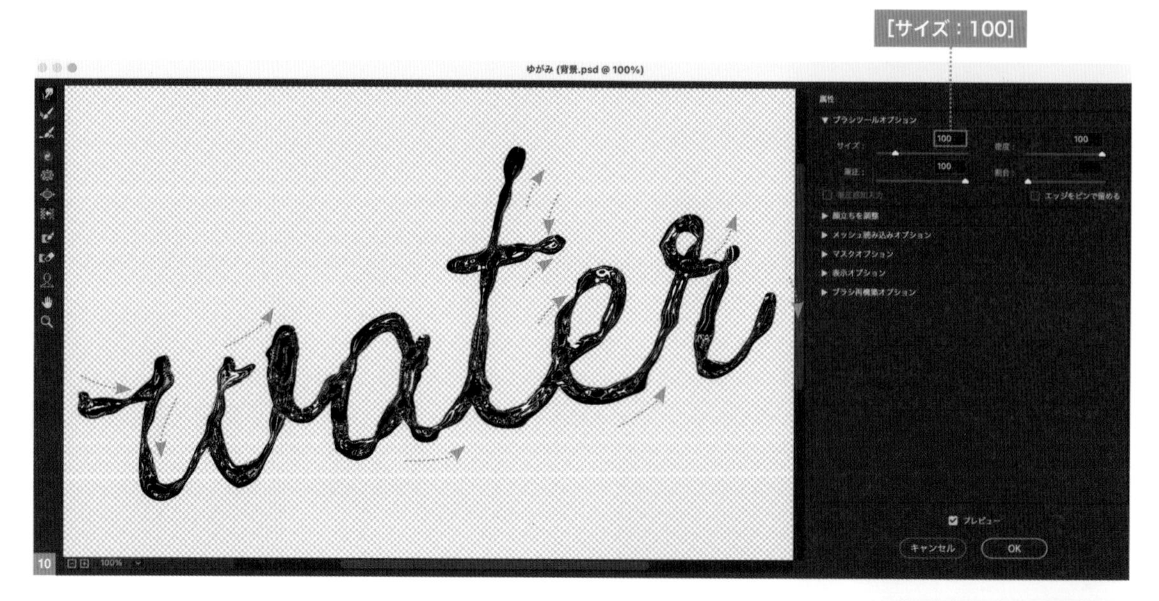

10

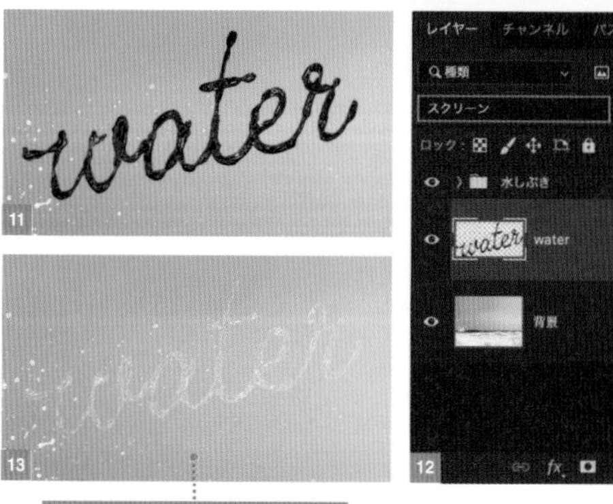

11 12 13

06 | レイヤースタイルを使い立体感を出す

レイヤー[water]を選択し、[レイヤースタイル]を表示します。[ベベルとエンボス] を選択し、14のように設定します15。素材 [水しぶき.psd] を開き、レイアウトしたら完成です16。

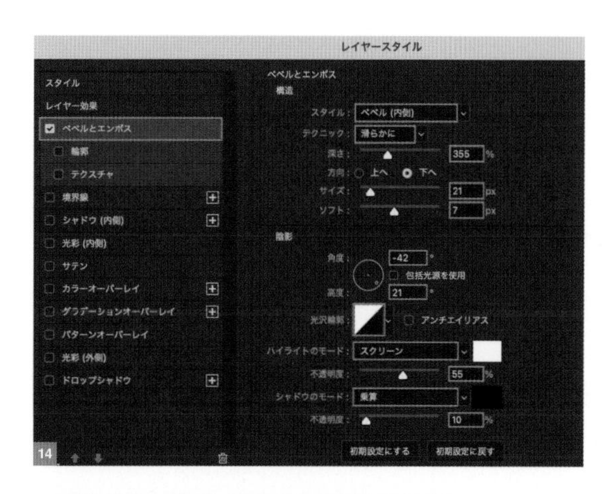

14

15

16

Chapter 08

□ *Password*

パスワード：technique2

上記のパスワードは本書のサポートページからサンプルデータをダウンロードする際に必要となる情報になります。詳しくはP.2の「DOWNLOAD SAMPLE DATA サンプルデータの使い方」をご確認ください。

Ps

雫(しずく)が垂れるような文字を作る

no. 070

レイヤースタイルを使ってリアルな雫を表現します。

Point　水の流れを意識して描画する

How to use　水滴の表現に

01 ┃ ベースとなる文字を描く

素材［背景.psd］を開きます。新規レイヤー［DROP］を作成します。
［ブラシツール］を選択し、［描画色：#ffffff］［ハード円ブラシ］［直径：100px］とします。
フリーハンドで「DROP」と描きます 01。

01

02 | フィルター［ゆがみ］を加える

［フィルター］→［ゆがみ］を選択します。［前方ワープツール］を選択し［ブラシツールオプション］を［サイズ：100］前後で調整しながら 02 のようにゆがみを加えます（ここでは見やすいように文字を黒にしています）。
ベースとなる文字ができました 03。

02

03

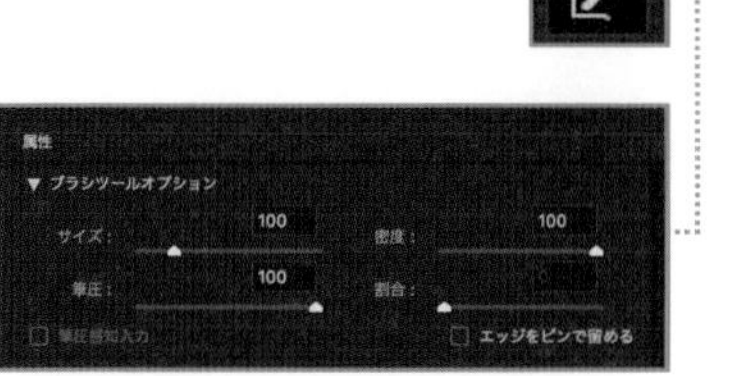

03 | レイヤースタイルで水の質感を出す

レイヤー［DROP］を選択し［塗り：5%］とします 04。
ダブルクリックし［レイヤースタイル］パネルを表示します。
［ベベルとエンボス］を選択し 05 のように設定します。［陰影］の［ハイライトのモード］［シャドウのモード］のカラーは背景の夕日の色になじませるために［#ffa67d］を選びます。
［輪郭］を選択し 06 のように設定します。
［ドロップシャドウ］を選択し 07 のように設定します。
08 のようになりました。

04

[#ffa67d]

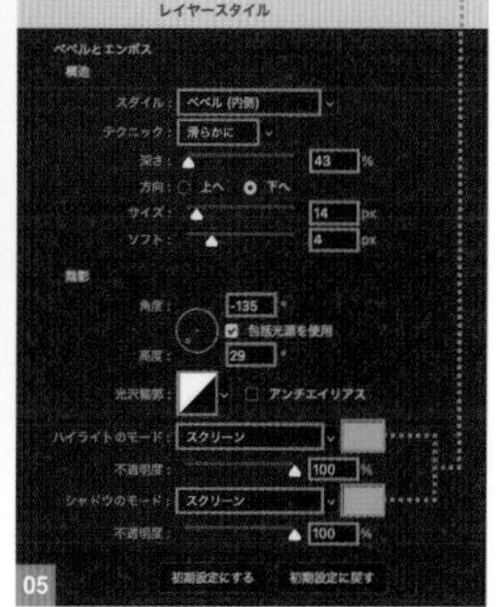

05

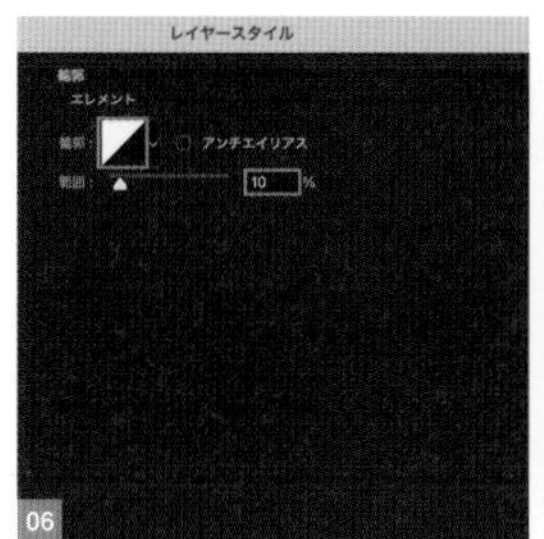

06

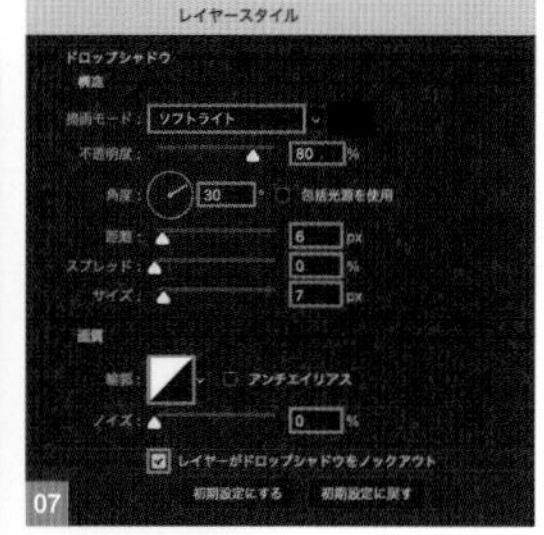

07

08

04 | 水滴を追加する

レイヤー［DROP］を選択し、手順01と同じ［ハード円ブラシ］で［直径：15〜30px］と調整しながら水滴を描きます。
窓に当たる水滴をイメージして、上から下へラインができるように水滴を描き完成としました 09。

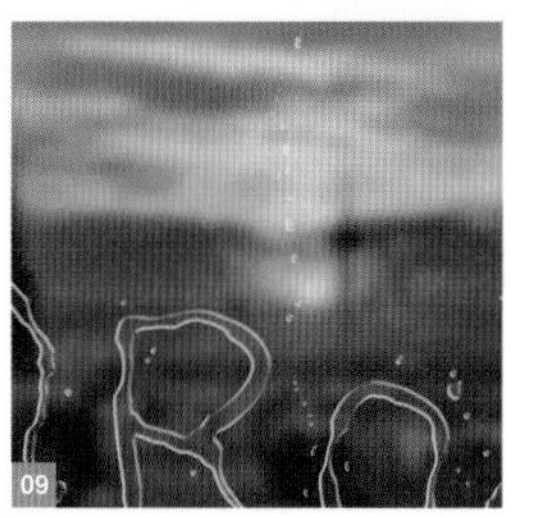
09

Ps

ケチャップの文字を作る no.071

ケチャップで描いたような質感の文字を簡単に作成します。

Point ベベルとエンボスのみで表現する

How to use 食品の広告や液体の文字を表現したい時に

01 | フリーハンドで文字を描く

素材［背景.psd］を開きます。新規レイヤー［ケチャップ］を作成します。
［ブラシツール］を選択し、［描画色：#8d0705］とします。
［ハード円ブラシ 筆圧不透明度］を選択します 01。
［50px］前後のブラシサイズでフリーハンドで「Tomato」と描きます。文字の周辺にも液が垂れたようなイメージで点を描きます 02。

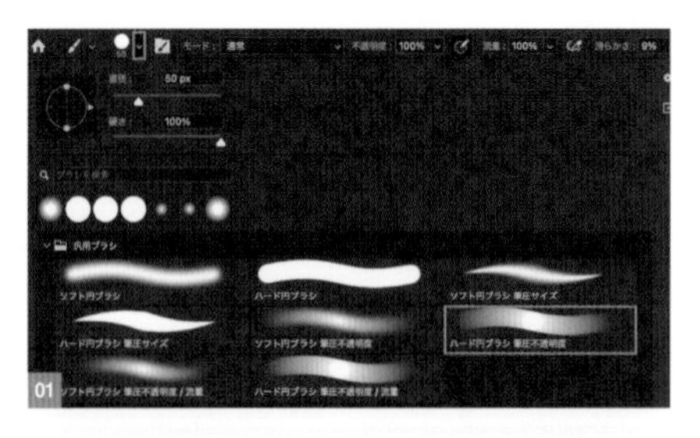
01

02

02 | ゆがみを加える

[フィルター] → [ゆがみ] を選択します。
[前方ワープツール] を選択し、03のように [属性] を設定し、ゆがみを加えます。
実際にソースなどで文字を描いた時をイメージしながら、太いところ細いところを作ります04。

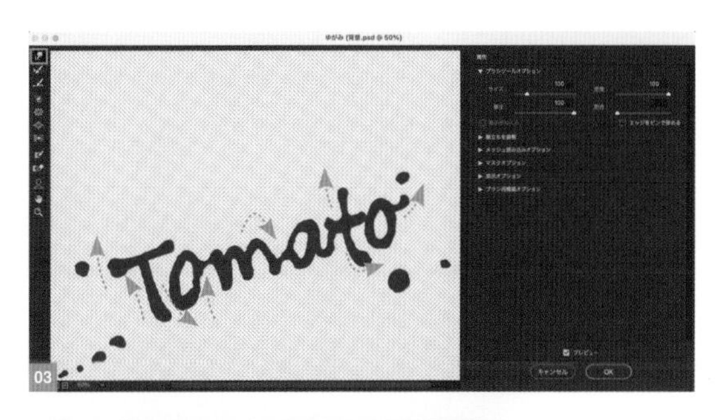

03

04

03 | 質感を加えて完成

レイヤー [ケチャップ] を選択し、[レイヤースタイル] を表示します。
[ベベルとエンボス] を05のように設定します。
[光沢輪郭] はプリセットの [くぼみ - 深く] とし、[シャドウのモード] のカラーは [#5b0202] とします。
[輪郭] を06のように設定します。
[輪郭] はサムネールをクリックし07のようにギザギザとした曲線を描きます。
08のようなレイアウトで、実際にリアルタイムで効果を反映させながら作業すると良いでしょう。
[ドロップシャドウ] を選択し、09のように設定します。[構造] のカラーは [#5b0202] とします。
ケチャップで文字を描いたような質感となり完成です。

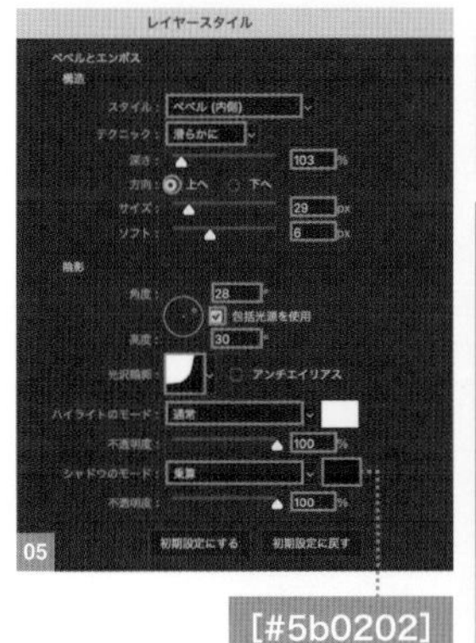

05

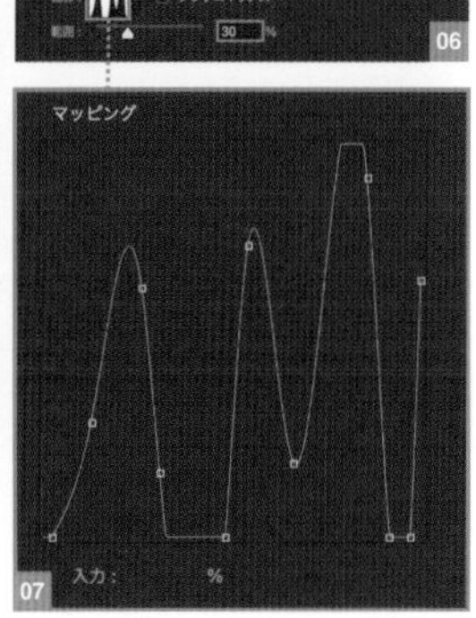

06
07

08

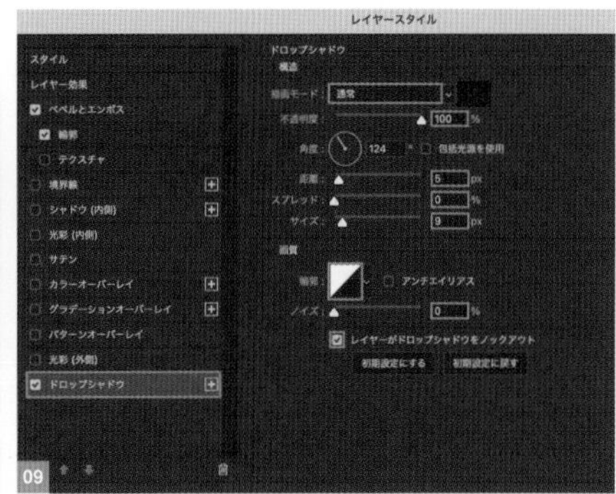

09

Chapter 08

Ps

テキストにあわせて切り抜く　no.072

クリッピングマスクを使って画像をテキストの形状で切り抜きます。パスを調整して画像を見せる範囲を広くしてみましょう。

Point　クリッピングマスクを使う。テキストと画像は共通点があると伝わりやすい

How to use　タイトルやロゴの加工に

01 | テキストを入力する

素材［背景.jpg］を開きます。あらかじめ［#d4c9be］のカラーの背景を用意しています 01。
ツールパネルから［横書き文字ツール］を選択します 02。
［ウィンドウ］→［文字］を選択、［文字］パネルを開きます 03。
［フォント：Futura PT Cond］［スタイル：Medium］［サイズ：190pt］と設定し、「FLOWERS」と入力します 04。ここでは［文字］パネルを［垂直方向：150%］としました 05 06。

memo

04 でテキストを入力した状態のままでは画像を配置する面積が狭いので、テキストを垂直方向に伸ばし縦長にして文字の面積を増やしています。

01

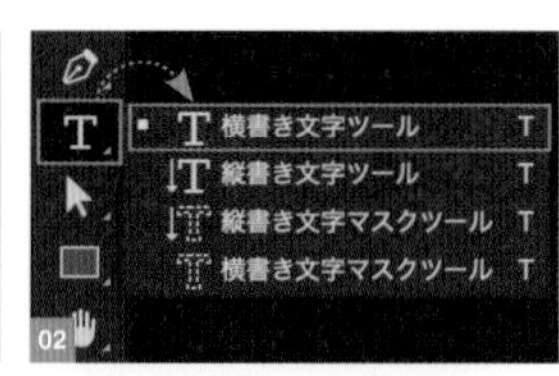

02

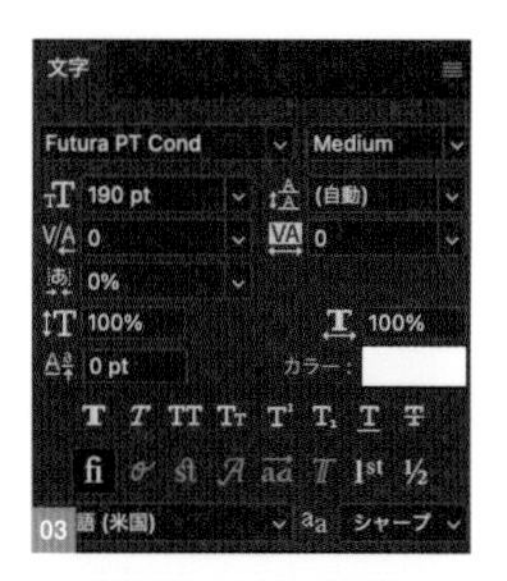

03

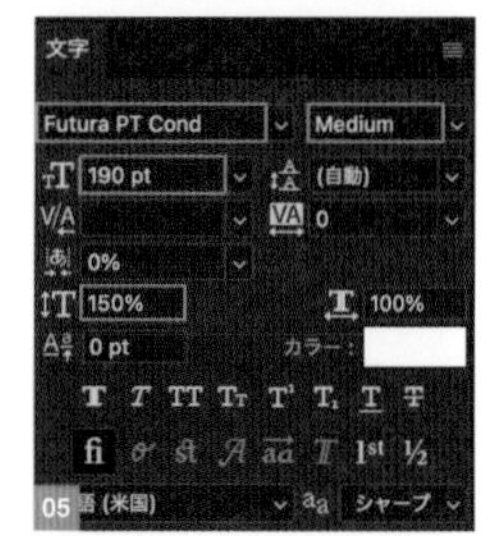

05

04

06

垂直方向150%にのびた

02 画像を配置し クリッピングマスクを適用する

素材［花.jpg］を開き上位に配置します。レイヤー名は［花］とします 07。

レイヤー［花］を選択し、［右クリック］→［クリッピングマスクを作成］を選択します 08 09。画像をテキストの形状で切り抜くことができます 10。

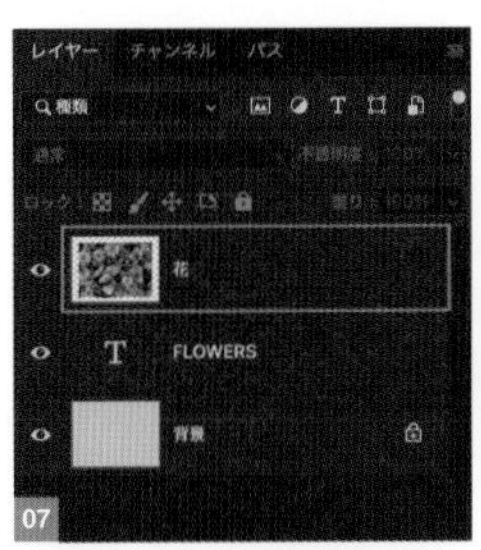

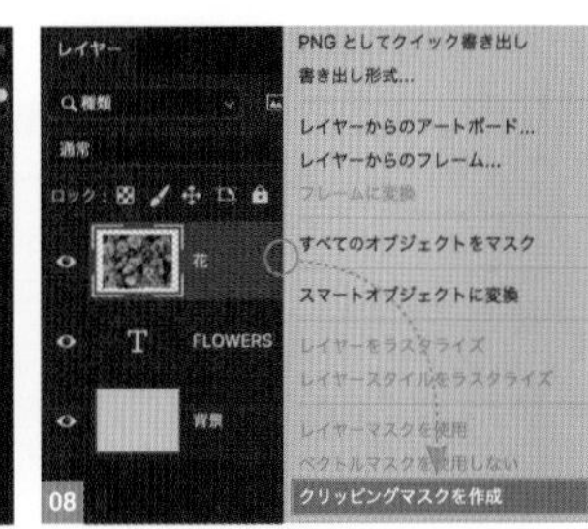

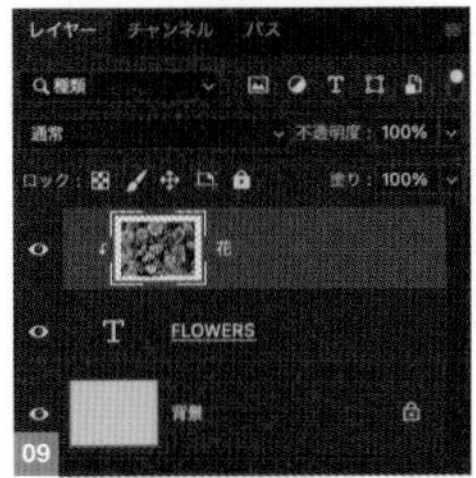

03 テキストの面積を増やして 画像が見える範囲を増やす

テキストレイヤー［FLOWERS］を選択し、［右クリック］→［シェイプに変換］を選択します 11。

［パス選択ツール］を選択します 12。

レイヤー［FLOWERS］をカンバス上で選択すると 13 のようにパスが表示されます。

テキストの「O」と「R」の内側部分を削除して、面積を増やしていきます。

14 のように「O」の内側を選択します。（アンカーポイントは白が選択されていない、青が選択されている状態となります）

delete キーを押してアンカーポイントを削除します 15。

同じ要領で「R」の内側のアンカーポイントも削除します 16。

画像が見える範囲を広くすることができました。

最後にツールパネルの［横書き文字ツール］を選択し 17 のように［フォント：Futura PT］［スタイル：Book］［サイズ：21pt］［トラッキング：200］［カラー：#642b1c］（この色は花の画像から抽出）と設定し、「Clipping Mask」と入力し、文字サイズに対比をつけるように配置して完成です 18。

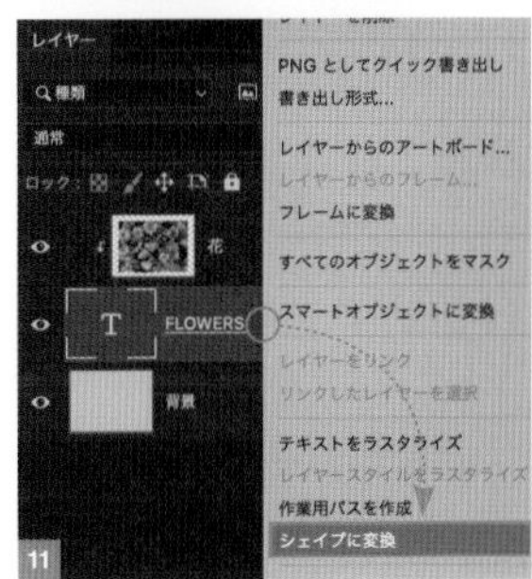

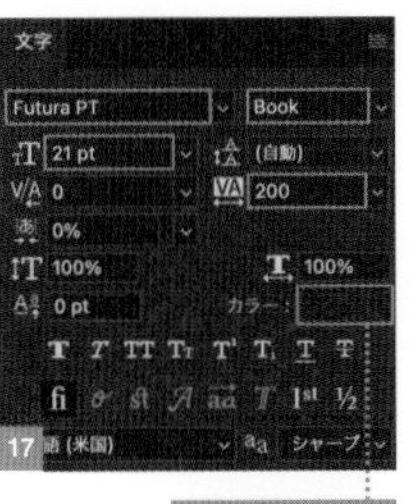

Ps

風景に文字をからめる　no.073

背景とテキストをきれいになじませる加工を紹介します。汎用性が高く様々なポイントで幅広く活用することができます。

Point	背景のどのパーツを切り抜くかが重要になる
How to use	文字とビジュアルを同時に見せる

01 | テキストを入力する

素材［背景.psd］を開きます。［横書き文字ツール］を選択します。
［フォント：小塚ゴシックPro］を選択し、01のように設定します。フォントカラーは［#fdefe1］、段落は［テキストの中央揃え］にしています。
「Deep woods」と入力します02。

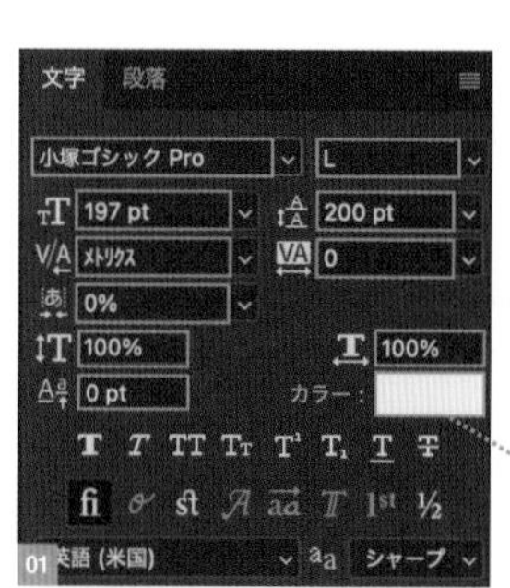

01

02

［#fdefe1］

02 切り抜くパーツを考える

テキストレイヤー［Deep woods］を表示・非表示と切り替えて、背景のどのパーツをテキストの上に表示したいかを考えます。パーツを決めたらレイヤーの［不透明度：20%］と、切り抜きやすいように薄くしておきます 03。

03

03 背景からテキストの手前に配置するパーツを切り抜く

レイヤー［背景］を選択します。［ペンツール］を選択し、手前に配置するパーツのパスを作成します。テキストに重なる部分が重要で、それ以外は簡単にパスを作成してかまいません（ここではわかりやすいようにパス内を赤色にしています）04。
カンバス上で［右クリック］→［選択範囲を作成］します。
レイヤー［背景］を選択し、［長方形選択ツール］などの選択ツールを選択し、［右クリック］→［選択範囲をコピーしたレイヤー］とします。コピーしたレイヤーをレイヤー名［手前］とし、最前面に配置します 05。

04

05

04 手前のパーツに影を付ける

レイヤー［手前］の下位に新規レイヤー［影］を作成します 06。
レイヤー［手前］を ⌘ （Ctrl）＋クリックし選択範囲を作成し［塗りつぶしツール］を選択し、［描画色：#000000］で塗りつぶします。レイヤー［影］を選択し、［フィルター］→［ぼかし］→［ぼかし（ガウス）］を［半径：20pixel］で適用します 07。

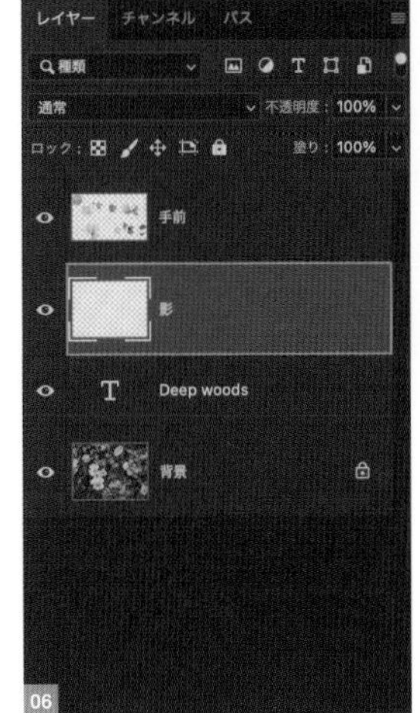

06

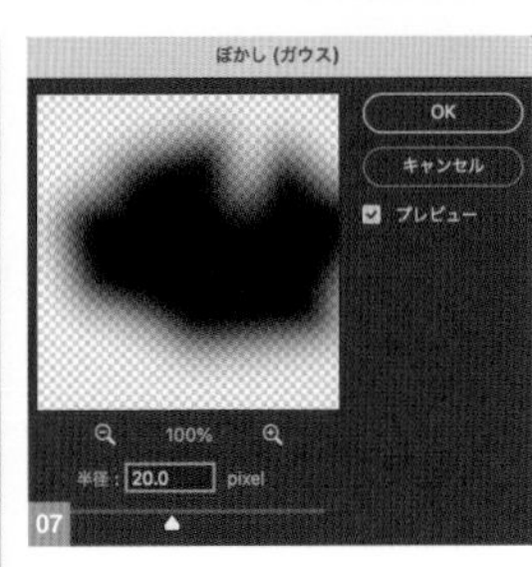

07

05 クリッピングマスクで テキストのみに影を落とす

レイヤーパネル上で、レイヤー［影］を選択し［右クリック］→［クリッピングマスクを作成］とします。
［不透明度：65%］とします。テキストレイヤー［Deep woods］に対してクリッピングマスクが適用され、テキスト上にのみ影が落ちたように表現されます 08。

08

テキストに影が落ちた

06 テキストにドロップシャドウを加える

テキストレイヤー［Deep woods］を選択し、［レイヤースタイル］を表示します。
［ドロップシャドウ］を選択し 09 のように設定します。
テキストの下に影が追加され完成です 10。

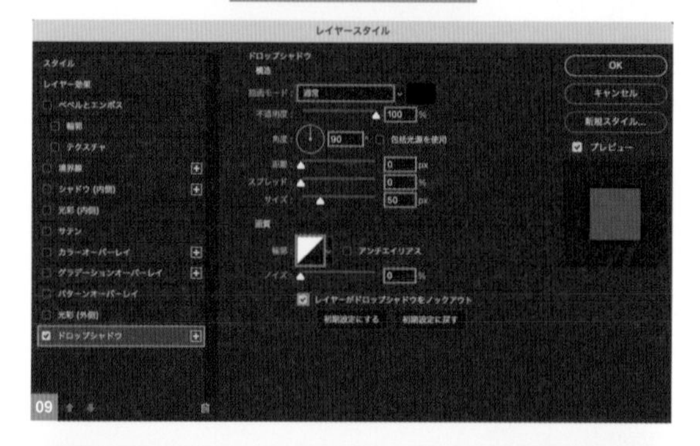

09

10

Ps

野球ボールのような文字を作る

no.074

野球ボールのようなロゴを作成します。

Point　きれいなパスを作成する

How to use　野球に関係するグラフィックを印象的に

01 | パスを作成する

素材［背景.psd］を開きます。背景の上位に配置してあるレイヤー［B］を野球ボールのように加工してみましょう 01。［ペンツール］を選択し、02 のようにパスを作成します。

01

パスを作成

02

きつい角度で描くとボールの縫い目がきれいに描画できないので、ゆるやかな曲線でパスを作成しておきます。
パスを作成したら、[パス] パネルでパス名 [外側] としパスを保存します 03。
同じ要領で 04 のように内側にもパスを作成し、パス名 [内側] としてパスを保存します 05。

03

04

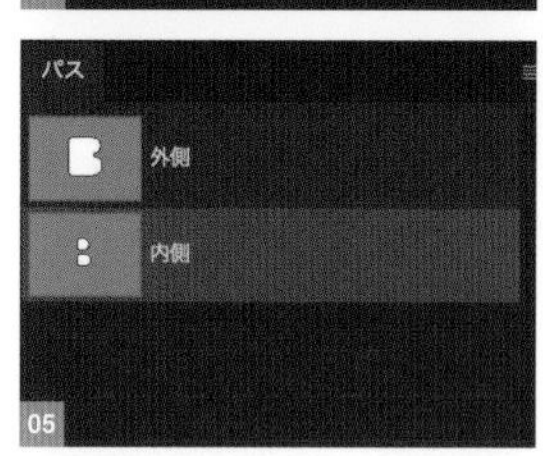

05

02 | [B] にテクスチャを重ねる

素材 [テクスチャ.psd] を開き、レイヤー [B] の上位に配置します 06。
レイヤーパネル上でレイヤー [テクスチャ] を選択し [右クリック] → [クリッピングマスクを作成] とします 07。

06

07

03 | ブラシを読み込む

素材 [ボールの縫い目ブラシ.abr] をダブルクリックして読み込みます。
[ボールの縫い目ブラシ] は 08 のようにフリーハンドで描いたパーツを [ブラシを定義] しています。
ブラシ設定時のポイントは、[ブラシ設定] パネルの [ブラシ先端のシェイプ] → [間隔] を [146%] としたことです 09。
[シェイプ] の [角度のジッター] → [コントロール：進行方向] とし、曲線でも進行方向に合わせて描画されるように設定しました 10。

08

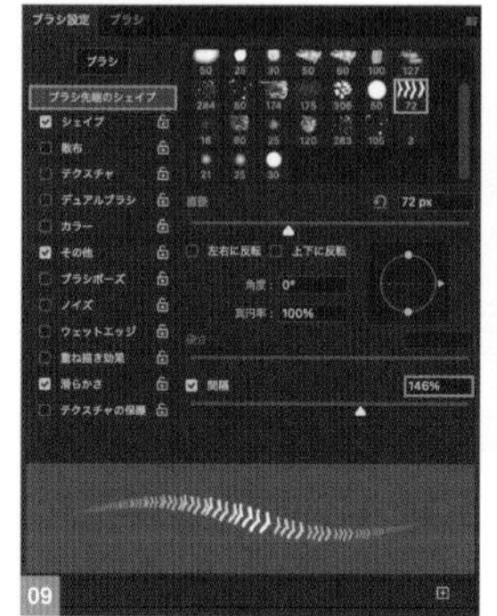
09

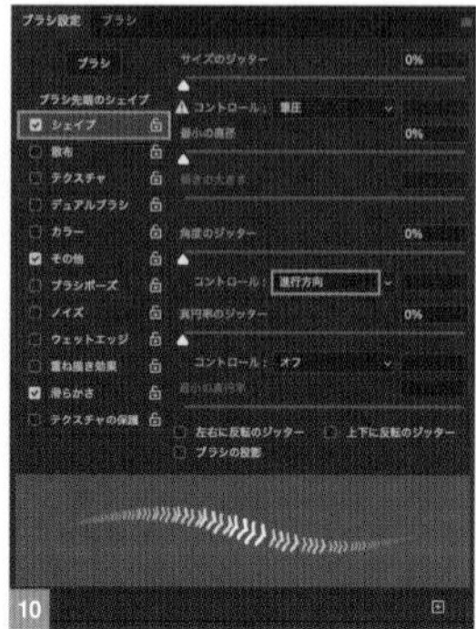
10

□ **memo**

ブラシ設定を自作する場合は描くパーツによってブラシ先端のシェイプの%を変えます。ブラシ設定パネルの下に表示されるプレビューを参考にしながら、バランスの良い%を見つけましょう。

04 | パスの境界線を描き、縫い目を再現する

新規レイヤー [縫い目] を作成し、選択しておきます。
ツールパネルの [ブラシツール] を選択し、読み込んだ [ボールの縫い目ブラシ] を選択します。
[描画色：#d81212] [直径：92px] とします。
ツールパネルの [パスコンポーネント選択ツール] を選択し、[パス] パネルでパス [外側] [内側] を同時に選択した状態で、カンバス上で [右クリック] → [パスの境界線を描く] を選択します 11。
[強さのシミュレート] はチェックせずに [OK] とします。パスに沿って縫い目が描画されました 12。

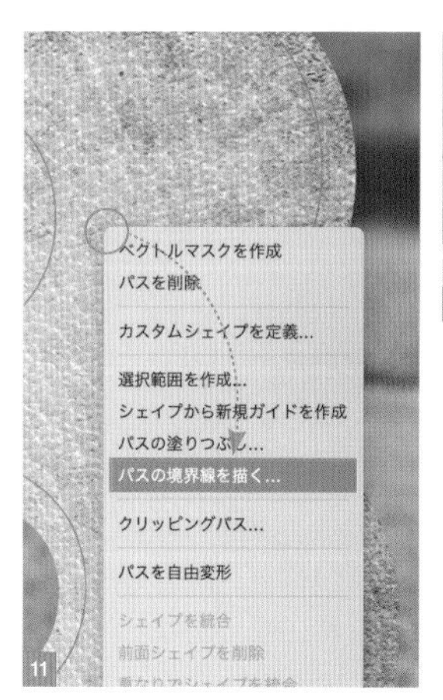

11

12

縫い目が描画された

05 ｜ 縫い目の中心にラインを引く

下位に新規レイヤー［縫い目のライン］を作成します。［ブラシツール］を選択し、［ハード円ブラシ］を選択し［直径：3px］［描画色：#2f2f2f］とします。

先程と同じ手順で、［パスコンポーネント選択ツール］を選択し、［パス］パネルでパス［外側］［内側］を同時に選択した状態で、カンバス上で［右クリック］→［パスの境界線を描く］を選択します。［強さのシミュレート］はチェックせずに［OK］とします。パスに沿って縫い目の中心にラインが描画されました 13 。

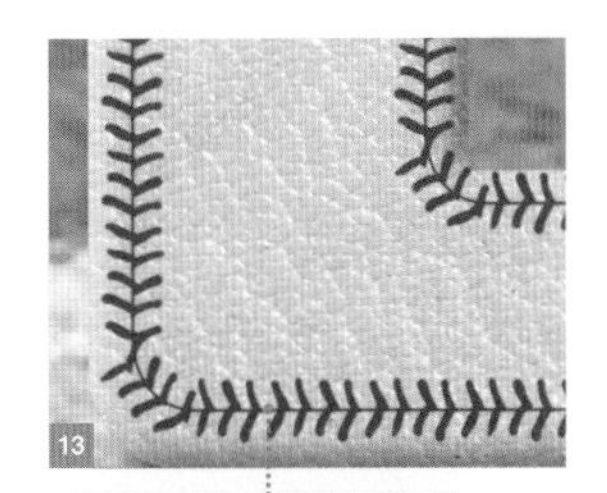
13

縫い目の中心に
ラインが描画された

06 ｜ レイヤースタイルで立体感を加える

レイヤー［縫い目］を選択し［レイヤースタイル］パネルを表示します。

［ベベルとエンボス］を選択し 14 のように設定します。［ドロップシャドウ］を選択し 15 のように設定します。

次にレイヤー［B］を選択し、［レイヤースタイル］を表示します。［ベベルとエンボス］を選択し 16 のように設定します。

立体感が加わりました 17 。

最後にレイヤー［B］の下位に新規レイヤー［影］を追加します。［ブラシツール］を選択し［描画色：#000000］［ソフト円ブラシ］を使って影を描いたら完成です 18 。

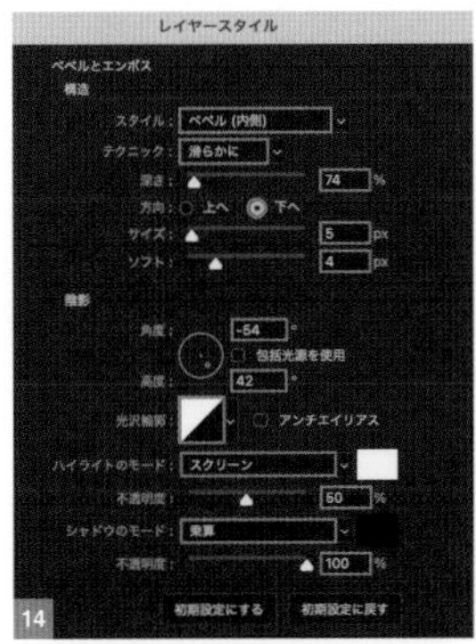

14

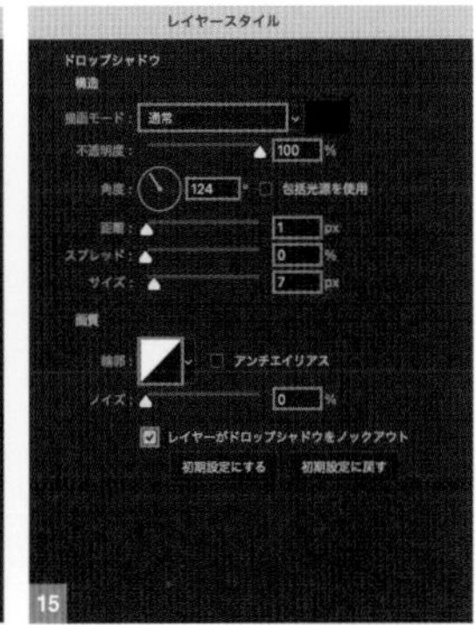

15

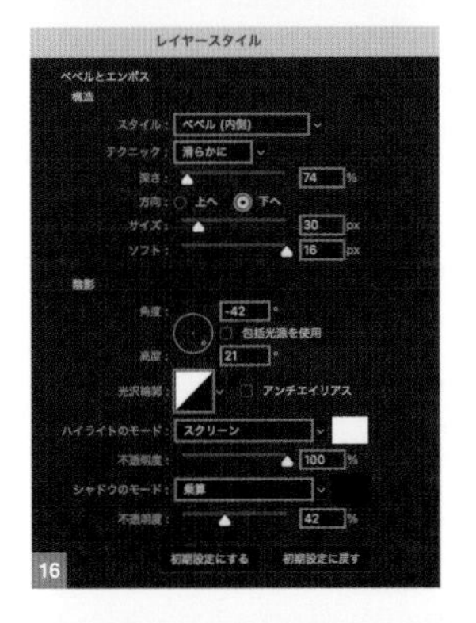

16

17

18

Chapter 08

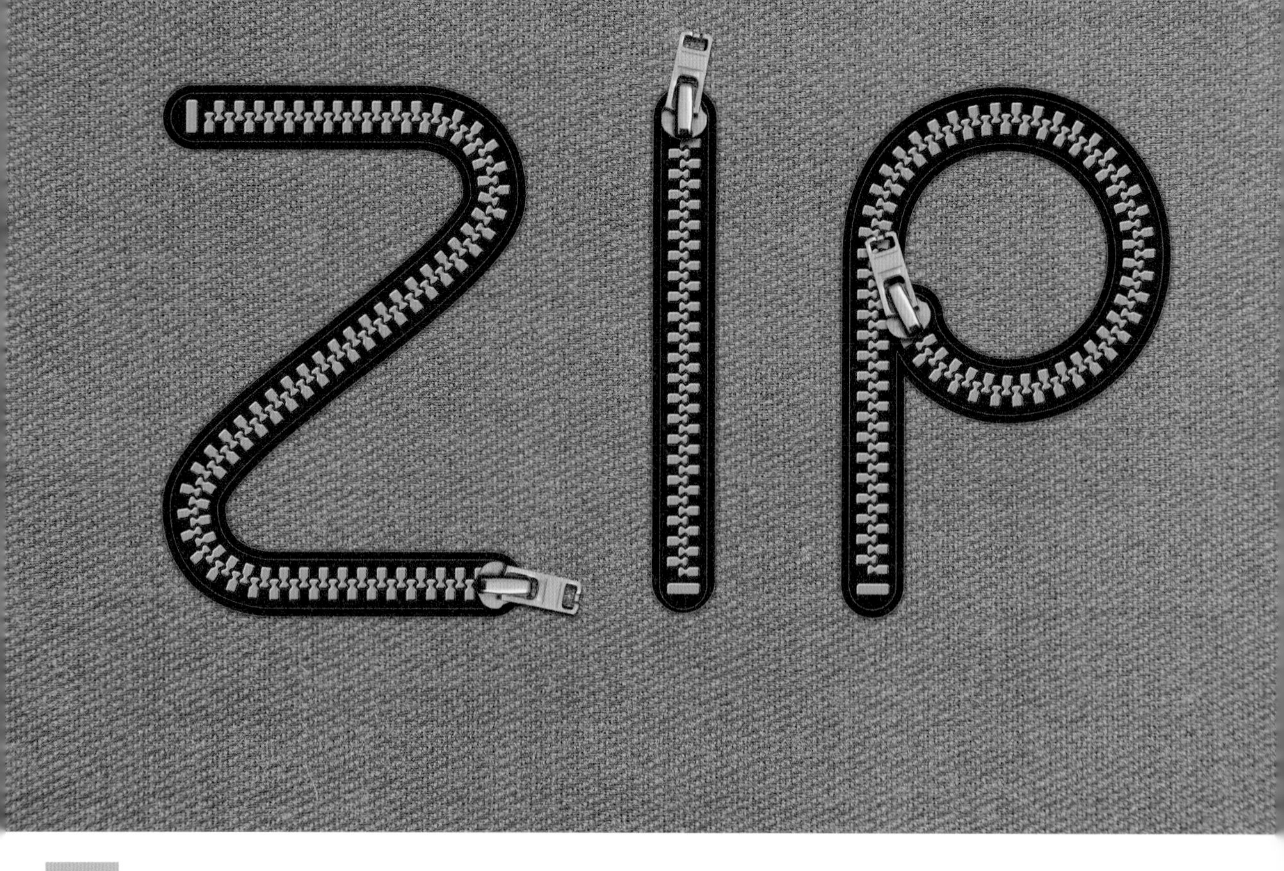

Ps

ジッパーのような文字を作る

no. 075

ジッパーでできた文字を作成します。

Point　パスは緩やかなカーブで描く

How to use　ロゴや装飾パーツなどの活用に

01 ┃ ブラシを読み込む

素材［背景.psd］を開きます。素材［ジッパーブラシ.abr］をダブルクリックで読み込みます。
［ジッパーブラシ］は 01 のような画像を用意し、［ブラシを定義］しています。

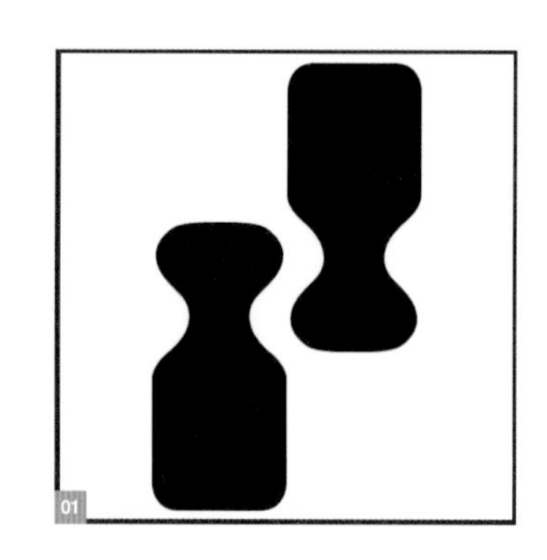
01

02 | パスを作成する

[ペンツール] を選択し、02のように「ZIP」とパスを作成します。
きつい角度で描くときれいにジッパーの描画ができないので、ゆるやかな曲線でパスを作成しましょう（ここでは背景は見やすいように黒にしています）。
パスを作成したら、[パス] パネルでパス名 [ZIP] としパスを保存します03。

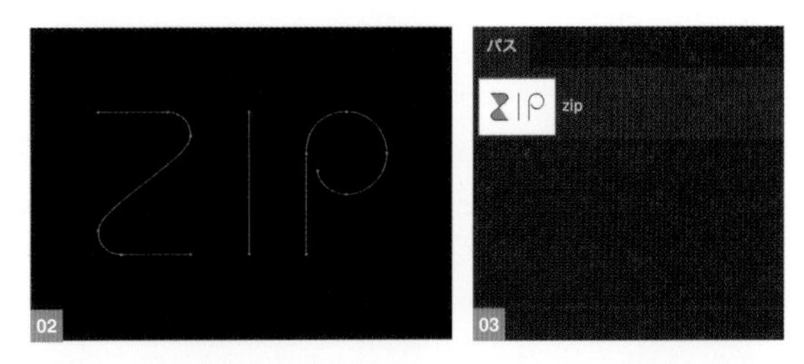

03 | ジッパーを描く

新規レイヤー [ジッパー] を作成し選択します。
[ブラシツール] を選択し、読み込んだ [ジッパーブラシ] を選択します。
[描画色：#000000] [直径：100px] とします。
ツールパネルの [パスコンポーネント選択ツール] を選択し04、[パス] パネルでパス [ZIP] を選択した状態で、カンバス上で [右クリック] → [パスの境界線を描く] を選択します05。
[強さのシミュレート] はチェックせずに [OK] とします06。
パスに沿ってジッパーの元になる線が描画されました07。

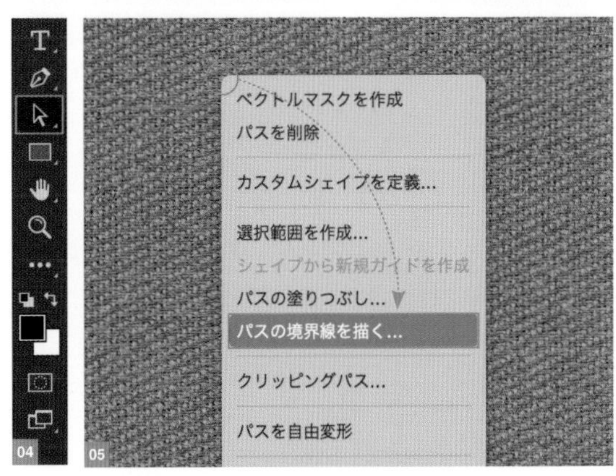

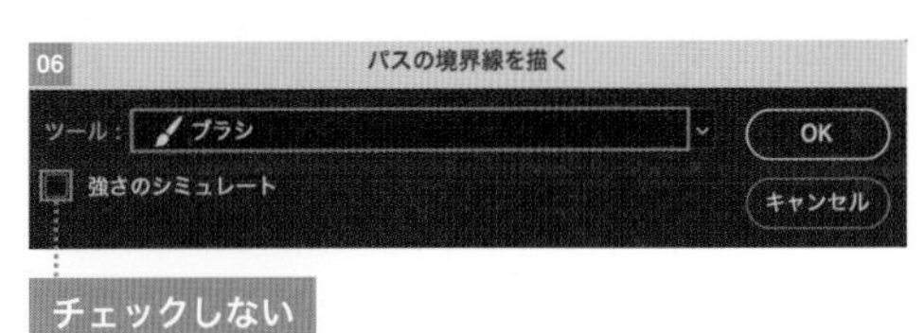

column

ジッパーブラシの作成のコツ

本節で使用しているブラシ作成のポイントは [ブラシ設定] パネルの [ブラシ先端のシェイプ] を [間隔：100%] とし一定間隔でジッパーが描かれるようにする点と、[シェイプ] の [角度のジッター] → [コントロール：進行方向] とし、曲線でも進行方向に合わせて描画されるように設定する点です。

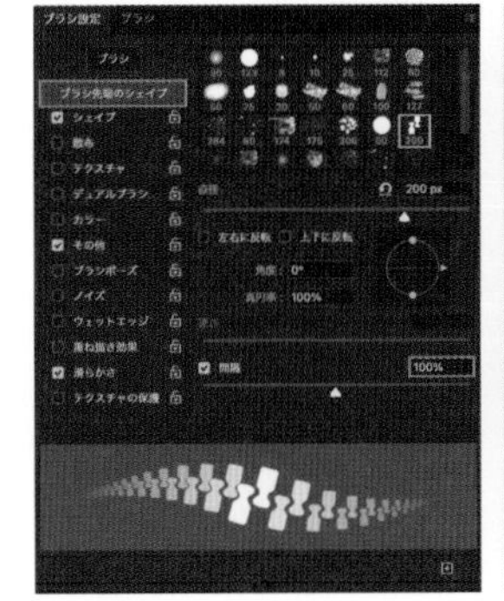

04 | ジッパーに質感を加える

選択していたパス［ZIP］は選択を解除しておきます。
レイヤー［ジッパー］を選択し、［レイヤースタイル］を表示します。
［ベベルとエンボス］を選択し 08 のように設定します。［陰影］の［光沢輪郭］はプリセットの［半円］を使用します。
［境界線］を選択し 09 のように設定します。カラーは［#313131］とします。
［光彩（内側）］を選択し 10 のように設定します。
［ドロップシャドウ］を選択し 11 のように設定します。
ジッパーに金属の質感が加わりました 12。

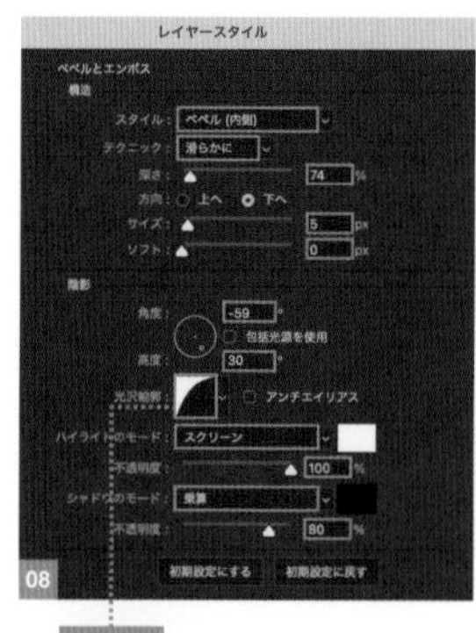

半円

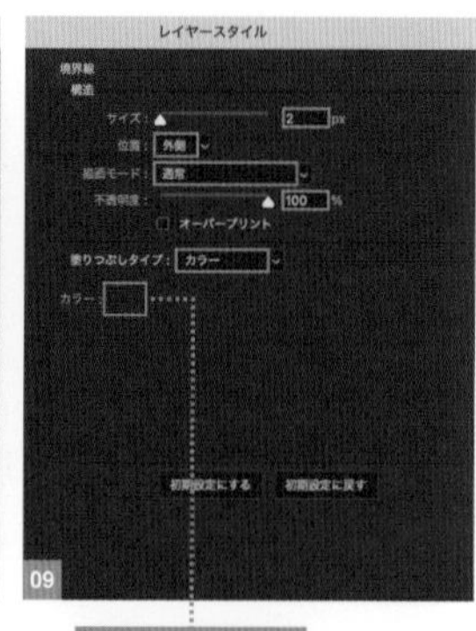

［#313131］

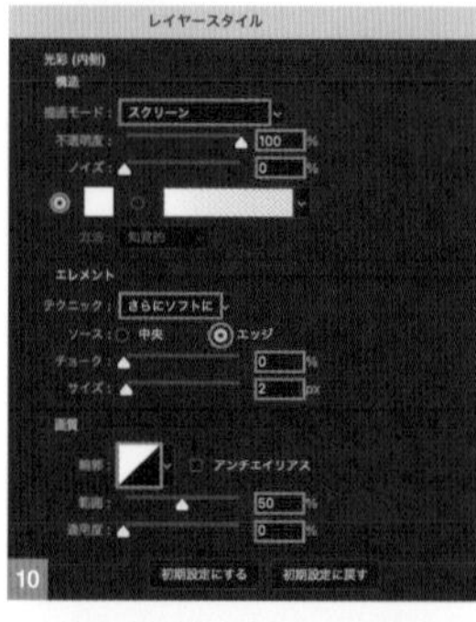

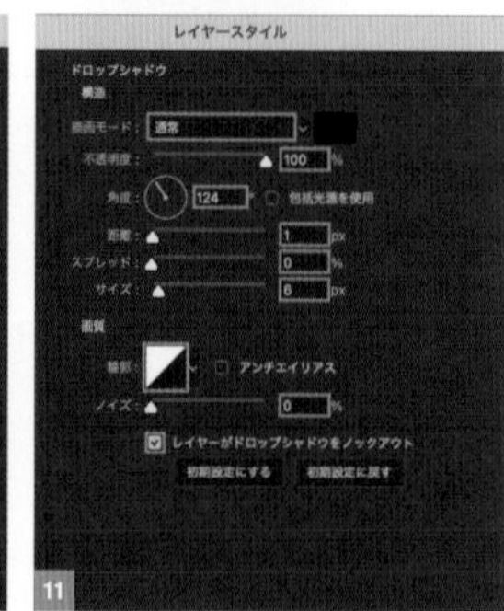

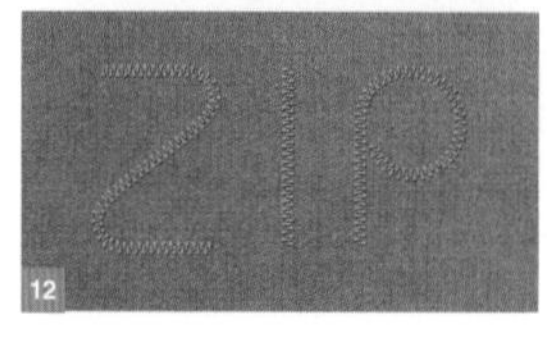

05 | ジッパーの周りを作り込む

下位に新規レイヤー［土台（内側）］を作成し選択します。
［ブラシツール］を選択し、［ハード円ブラシ 筆圧不透明度］を選択し［描画色：#1a3992］［直径：150px］とします。
手順03と同様の方法で、ツールパネルの［パスコンポーネント選択ツール］を選択し、［パス］パネルでパス［ZIP］を選択した状態で、カンバス上で［右クリック］→［パスの境界線を描く］を選択します。［強さのシミュレート］はチェックせずに［OK］とします。土台が描かれました 13。
レイヤー［土台（内側）］をダブルクリックし、［レイヤースタイル］を表示します。
［光彩（内側）］を選択し 14 のように設定します。
［パターンオーバーレイ］を選択し 15 のように設定します。パターンは［土］を選択します。
［ドロップシャドウ］を 16 のように設定します。土台となる部分ができました 17。

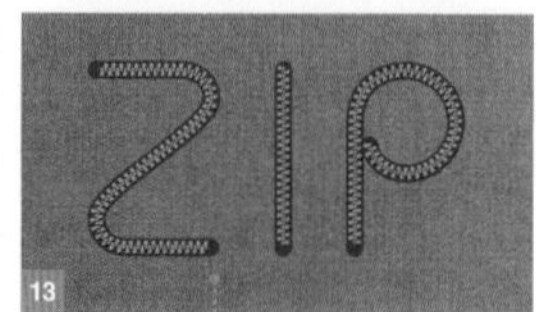

土台が描かれた

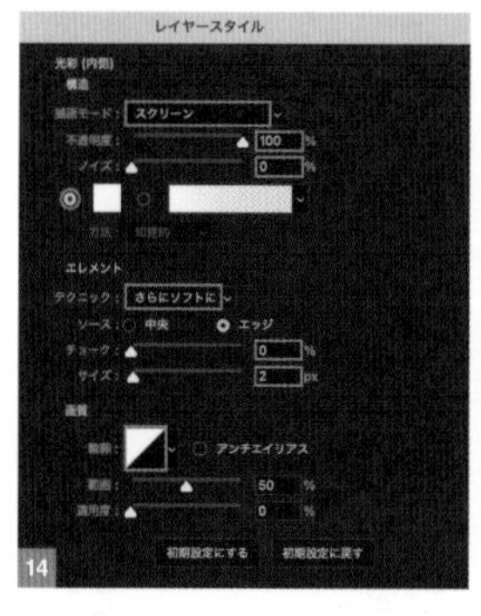

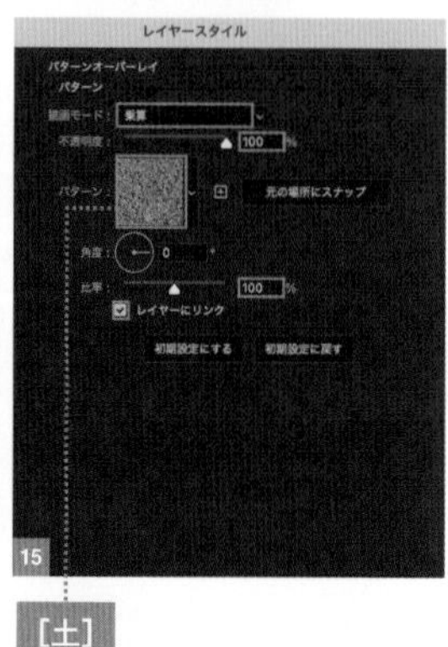

［土］

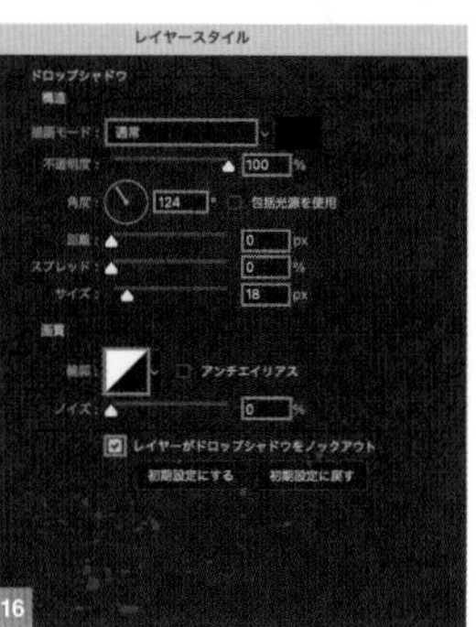

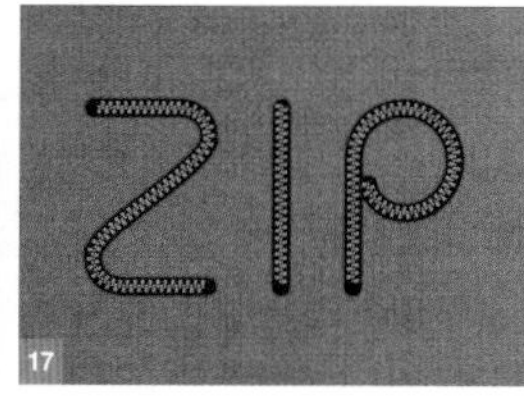

memo

パターン［土］が表示されない場合は下図のようにプリセットから［従来のパターンとその他］→［従来のパターン］→［岩］→［土］を読み込んで下さい。

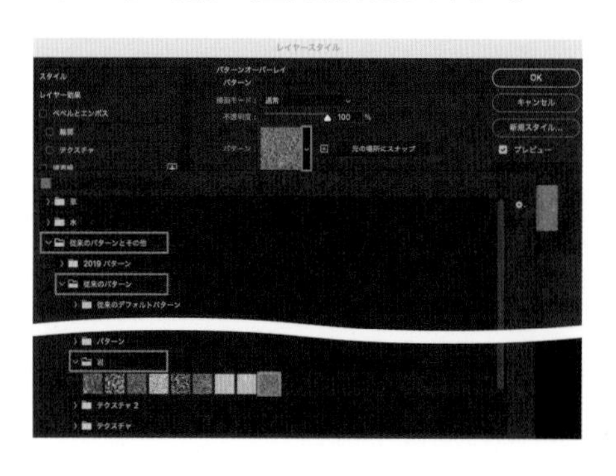

06 ｜ 同じ要領でさらに外側に土台部分を作る

下位に新規レイヤー［土台（外側）］を作成します。［ブラシツール］を選択し、［ハード円ブラシ 筆圧不透明度］［直径：200px］とします。手順05とまったく同じ手順で［パス［ZIP］を選択］→［パスの境界線を描く］とし、さらに外側に土台となる部分を描きます。レイヤー［土台（内側）］のレイヤースタイルをコピー&ペーストし、同じ効果を適用します 18。

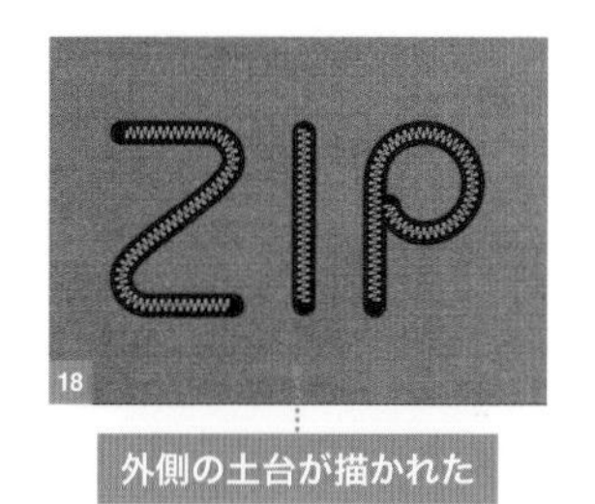
18
外側の土台が描かれた

07 ｜ 細かなパーツを追加する

［描画色：#000000］とします。［長方形ツール］を選択し、［角の半径：10px］とします 19。
20 のようにパーツを追加します。21 のようにさらに2か所、合計3箇所にパーツを配置します（見やすいようにパーツを赤色にしています）。
レイヤー［ジッパー］のレイヤースタイルをコピーし作成した3つのレイヤーにペーストします 22。
素材［スライダー.psd］を開き、23 のように配置します。
レイヤー［スライダー］はそれぞれに［レイヤースタイル］→［ドロップシャドウ］を 24 のように設定し影を付けます。
完成です 25。

19

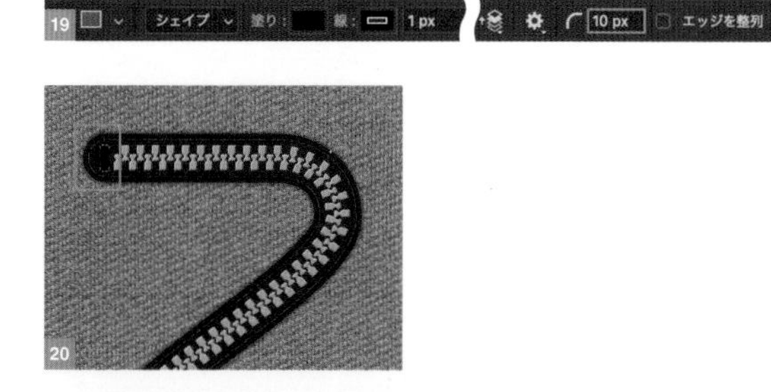
20

21

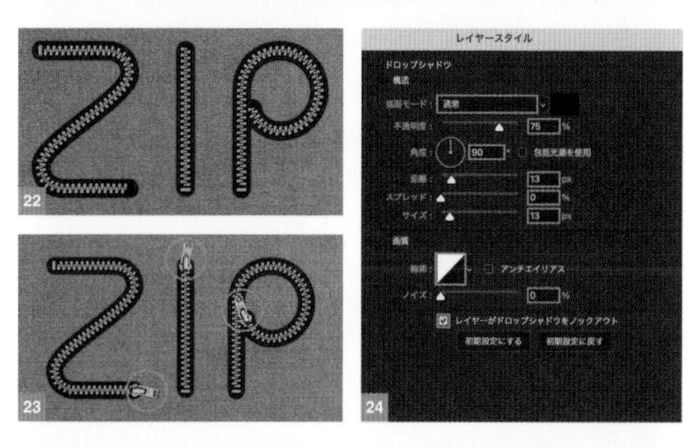
22
23
24

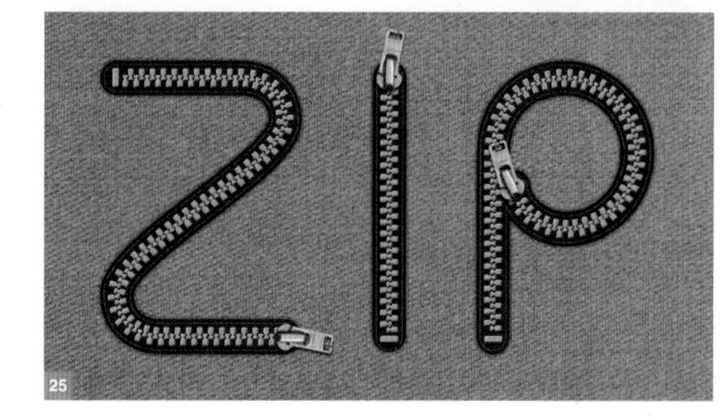
25

memo

もし［従来のパターンとその他］が表示されない場合は、［ウィンドウ］→［パターン］を開き、右上のタブから［従来のパターンとその他］を選択して追加してください。

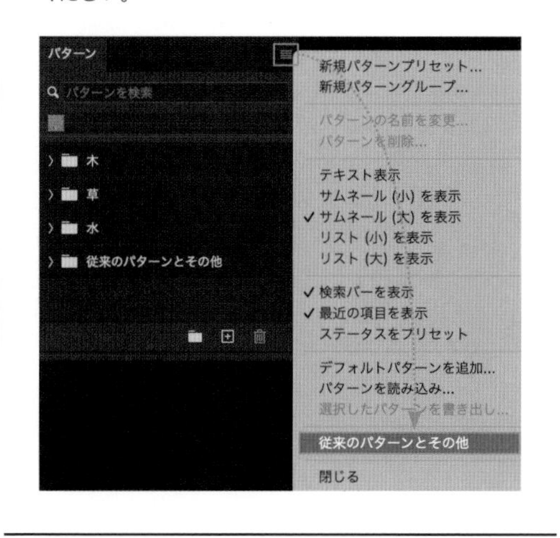

Chapter 08

THIS MORNING
THE COFFEE IS
DELICIOUS
CAFE
Would you like
some coffee?

Ai

手描きの文字を作る

no.076

一から Illustrator 上で手描き風の文字を作ります。ちょっとしたあしらいを追加したい時に使える便利なテクニックです。

Point ラフ感を出す際に効果を使う

How to use 手描き風のイラストのワンポイント活用に

01 | 文字をラスタライズする

ツールパネルの[文字ツール]で[フォント：AdornS Condensed Sans][塗り：#000000][サイズ：39pt][行送り：45pt]と設定し「THIS MORNING THE COFFEE IS DELICIOUS」と入力します 01 02。なお、[フォント：AdornS Condensed Sans]はAdobe Fontsのフォントになります。

文字を選択し[オブジェクト]→[ラスタライズ]をクリックし[カラーモード：RGB][解像度：高解像度(300ppi)][背景：ホワイト]に変更し[OK]を押します 03。文字がラスタライズされ画像になりました 04。

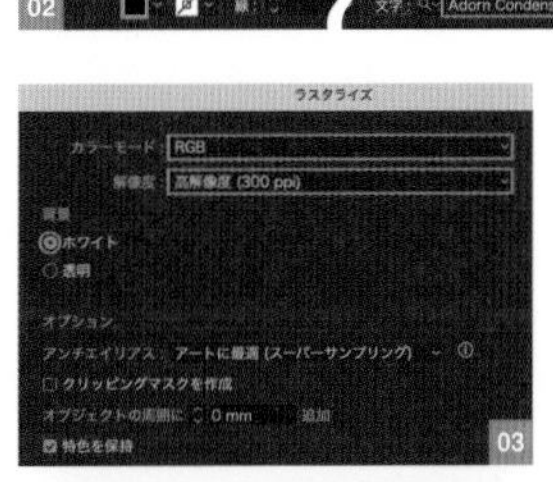

02 | 画像トレースで文字を線にする

[ウィンドウ]→[画像トレース]を選択します。[画像トレース]パネルで[プリセット：ラインアート]に変更します 05。プレビュー上の文字が線になりました 06。

コントロールパネルから[拡張]をクリックします 07。文字が線に変換されました 08。

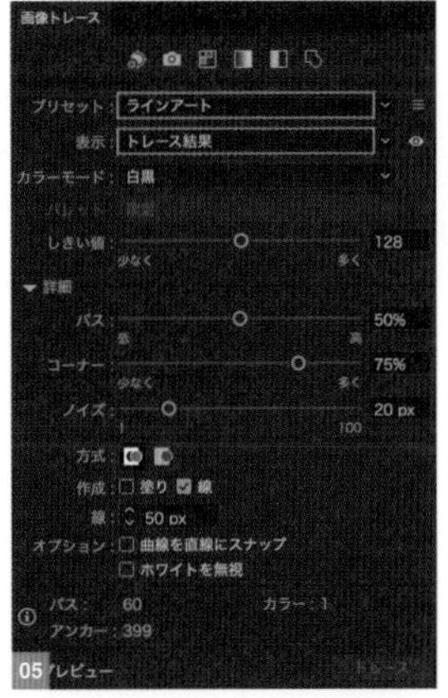

文字が線になった

03 ｜ ブラシを反映させる

文字を線にすることによりブラシを反映することができます。[ウィンドウ]→[ブラシライブラリ]→[アート]→[アート_木炭・鉛筆]を選択し[パネル]から[チョーク丸い] 09 を選んで[線幅：0.25pt]にします。手描きのような文字ができました 10。
色を[線：#ffffff]に変更します 11。これで1つ目の英文パーツが完成です。

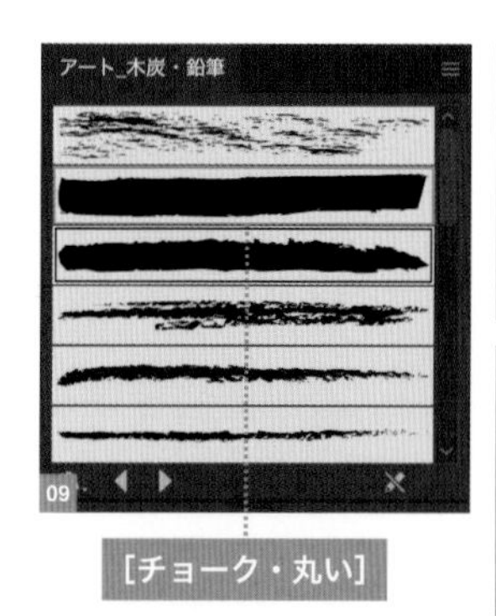

09

04 ｜ 手描き風ゆがんだ文字を作成する

[フォント：Adobe Garamond Pro][サイズ：100pt][トラッキング：100][塗り：#ffffff]にし「CAFE」と入力します 12 13（白い文字がわかるように背景をグレーにしています）。
[効果]→[パスの変形]→[ラフ]を選択し、数値を[サイズ：2%][詳細：2/inch][ポイント：丸く]に設定し[OK]を選択します 14。ラフな雰囲気になりました 15。

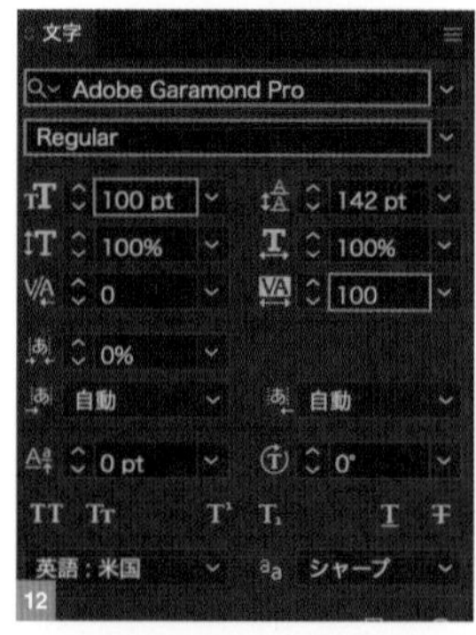

12

13

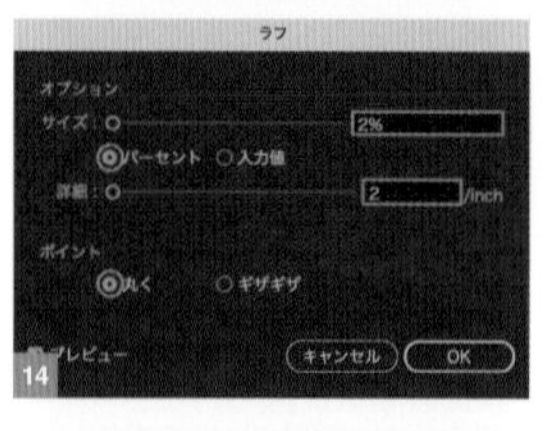

14

15

05 ｜ アピアランスを設定する

塗りと線を[なし]に設定し、[ウィンドウ]→[アピアランス]を表示します。
[アピアランスパネル]の[新規線を追加]をクリックし、[線：#ffffff]にし[ブラシパネル]から先ほど使用した[チョーク（丸い）]を選択します 16。
線パネルで[線幅：0.1pt]に設定します 17。18 のようになりました。

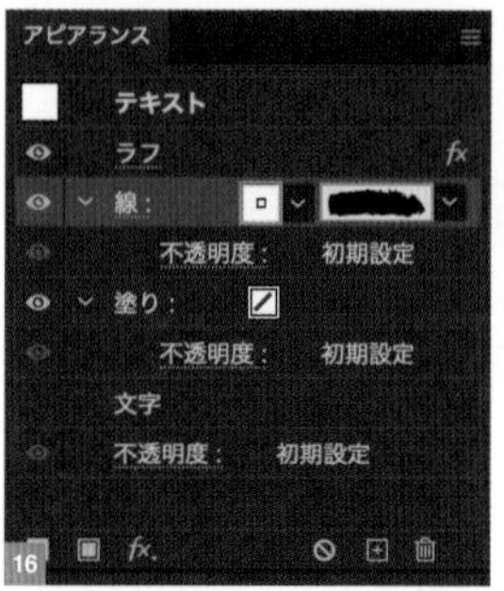

16

17

18

06 | グラフィックスタイルに登録する

手順05で作成した手描きの文字を［グラフィックスタイル］に登録します。
［ウィンドウ］→［グラフィックスタイル］を選択し［グラフィックスタイル］パネルを表示します。先程作った文字を選択した状態で［グラフィックスタイル］パネルのコントロールボタンから［新規グラフィックスタイル］を選択します 19。
［スタイル名：手描き袋文字］と登録します 20。

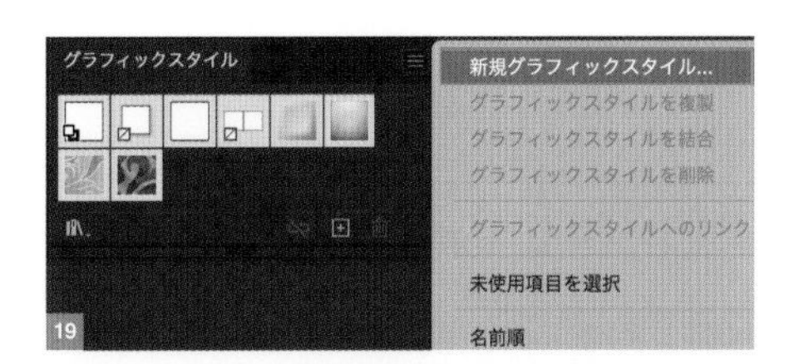

19

20

07 | オブジェクトをふくらませてブラシでなぞる

続けて［オブジェクト］→［エンベローブ］→［ワープで作成］をクリックし、［ワープオプション］パネルで［スタイル：でこぼこ］［水平方向］［カーブ：30%］に設定します 21。
ふくらんだ形になりました 22。
これに［ブラシツール］で［チョーク（丸い）］［線幅：0.25pt］に設定し、影をなぞるように線を描きます 23。
これで2つ目の英文パーツが完成です。

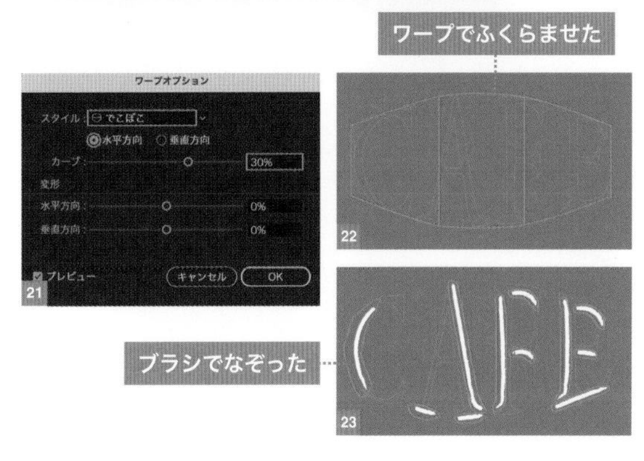

21 22 23

08 | 袋文字を反映させる

［フォント：GoodDog New］［サイズ：42pt］［行送り：65pt］で「Would you like some coffee?」と入力します 24 25。
塗りと線をなしにして、［グラフィックスタイル］パネルで先ほど登録しておいた［手描き袋文字］を選択し反映します。グラフィックスタイルに登録したことで手描き風袋文字が簡単に作成することができました 26 27。これで3つ目の英文パーツが完成です。
作例では素材［手描き文字背景.jpg］を最背面へ配置し、［ブラシツール］や［ペンツール］にブラシの設定を反映して模様を作ったり、文字の角度を変更したりして自由に配置しています。
手描きのアナログ感は「ゆるさ」にあるのでIllustratorのツールを上手に使いつつも感覚的に描くのがオススメです。

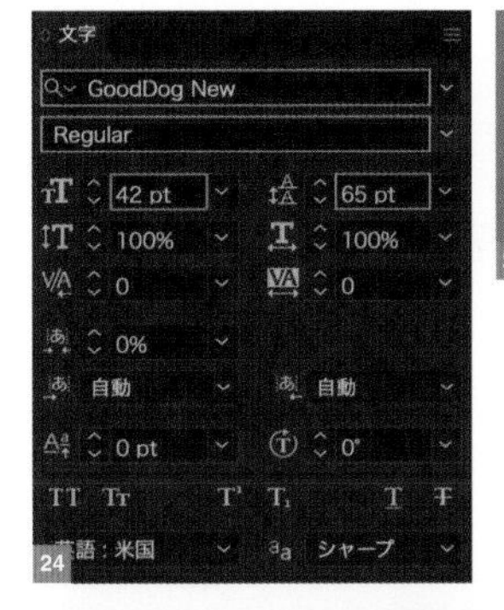

24

25

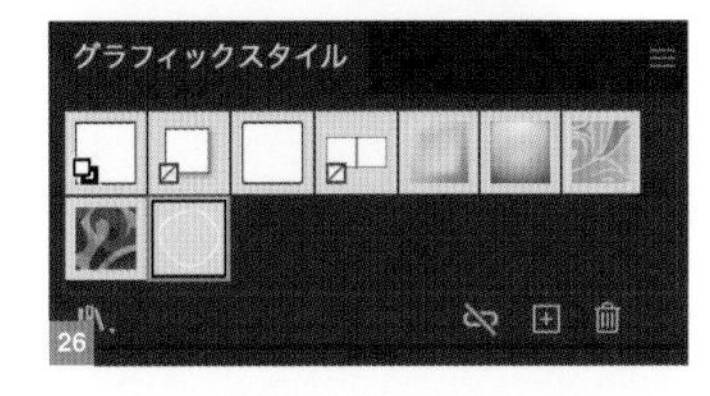

26

27

Ai

色鉛筆のような文字を作る　no.077

手描きの文字の風合いが欲しいけれど既存のアートブラシではなかなかうまくいかない。そんなときには散布ブラシでアナログ感を出す方法が便利です。

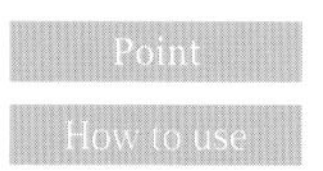

散布ブラシを使う

温かみのある手描き風を表現したい時に

01 ｜ 色鉛筆ブラシを作成する

[鉛筆ツール] を選択し [塗り：#000000] で縦横1mm程度のラフな楕円を作成します 01。

[ウィンドウ] → [ブラシ] を選択します。[ブラシパネル] のパネルメニューから [新規ブラシ] をクリックし、[新規ブラシの種類を選択：散布ブラシ] を選択します 02。

[散布ブラシオプション] で [サイズ：ランダム] [最小：100%] [最大：75%]。[間隔：ランダム] [最小：10%] [最大：10%]。[散布：ランダム] [最小：-55%] [最大：130%] [回転：ランダム] [最小：-180°] [最大：180°] に設定し、採色の [方式：彩色] に変更します 03。

これで色鉛筆ブラシの完成です 04。

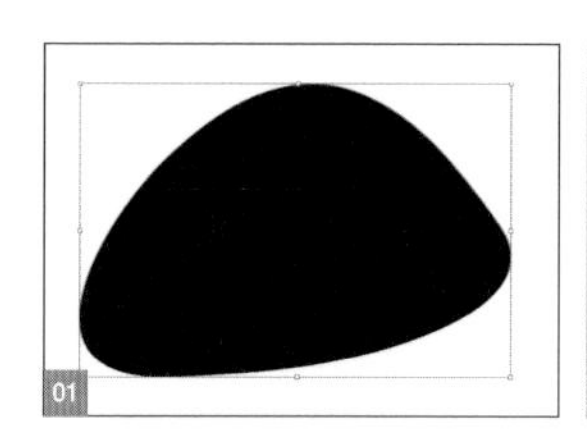
01

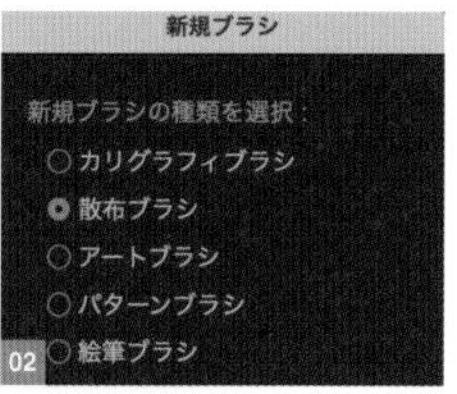

02

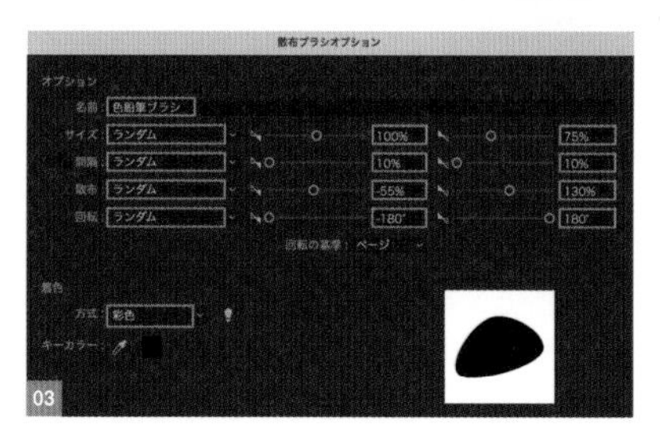

03

04

02 | 文字を線にする

[フォント：Lamar Pen] [サイズ：61pt] [塗り：#000000] で「Colored pencil」と入力します 05。
文字を選択し [オブジェクト] → [ラスタライズ] をクリックし [カラーモード：RGB] [解像度：高解像度 (300ppi)] [背景：ホワイト] に変更し [OK] を選択します 06。
文字が画像になりました 07。

05

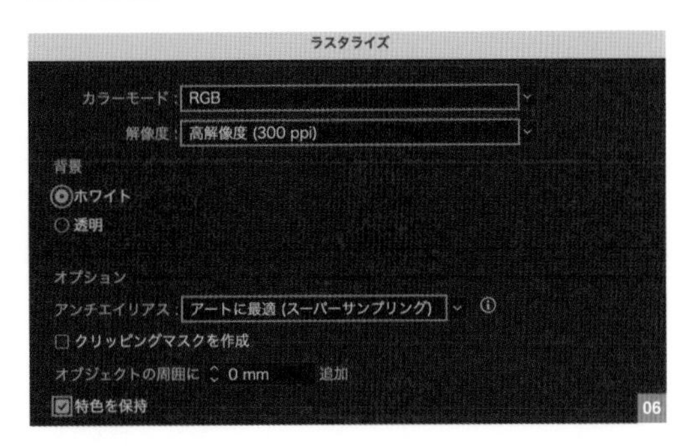

06

Colored pencil
07

03 | 画像をトレースしてブラシを適用する

[ウィンドウ] → [画像トレース] をクリックし、[画像トレース] パネルを表示させます。[プリセット：ラインアート] に変更し、詳細を表示させ [線：80px] に変更します 08。
コントロールパネルから [拡張] をクリックします 09。文字が線に変換されました 10。
文字を線にすることによりブラシを反映させることができます。

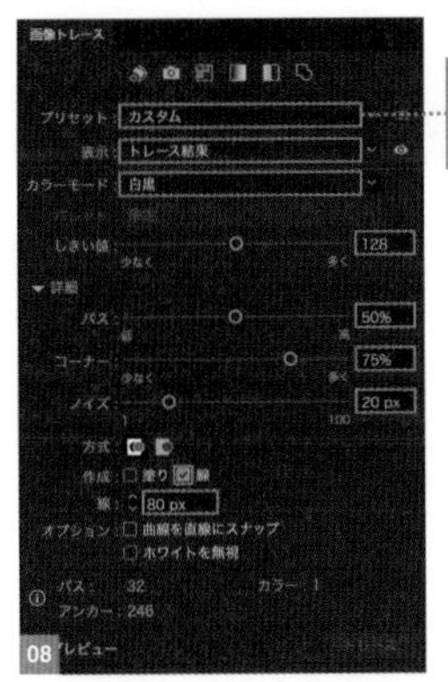

ラインアートに変更後、詳細を変更
08

04 | 線にブラシを反映する

線になった文字を選択し [ブラシパネル] から先ほど登録した色鉛筆ブラシを選択します。文字が色鉛筆で描いたようなざらざらしたラインになりました 11。
カラーを変更し、色鉛筆のような文字を作ることができました 12。
作例では色鉛筆をラインやイラストなどにも適用し、楽しい雰囲気にしています。

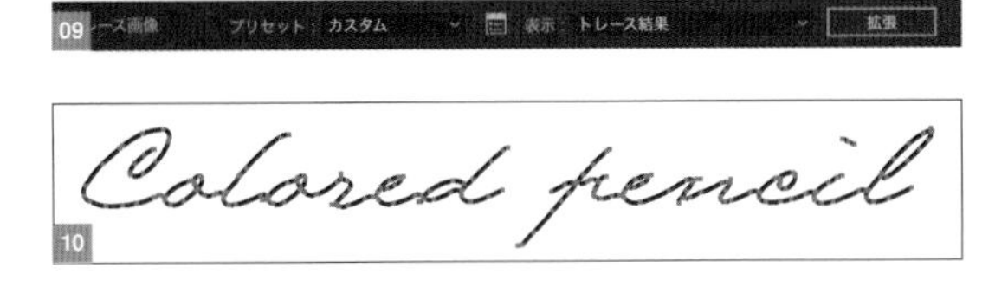

09
10

11

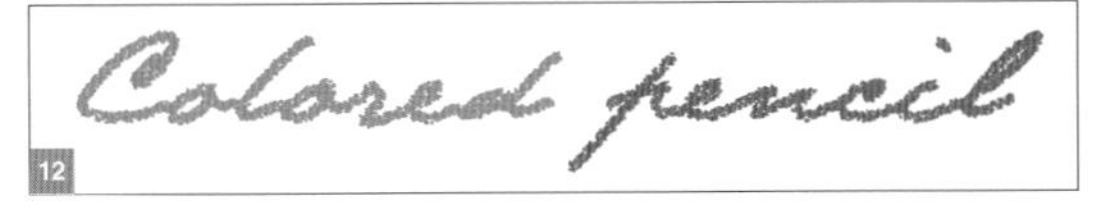

12

memo

飾りの線やイラストなど、ブラシの太さや色を変更して描きます。散布ブラシを使えば手描き感あるイラストが簡単に作成できます。

memo

散布ブラシはパスに沿ってランダムに散布するブラシです。アートブラシのようにパスの長さで大きく見た目の印象が変わることがないメリットがあります。

Ps

文字をスライスした動きがあるデザインを作る no.078

画像をスライスして動きのあるテキストを作成します。

Point 文字全体を直線でスライスすると自然なズレがうまれる

How to use 文字や画像をスライスして印象的にしたい時に

01 | テキストを入力しラスタライズする

素材［背景.jpg］を開きます。
ツールパネルの［横書き文字ツール］を選択し、「ARCHITECT」と入力します。
フォントの設定は、［フォント：Futura PT］［スタイル：Medium］［サイズ：100pt］［カラー：#000000］とします 01 02。
テキストレイヤー［ARCHITECT］を選択し、［右クリック］→［テキストをラスタライズ］を選択します 03。テキストが画像に変換されます 04。

01

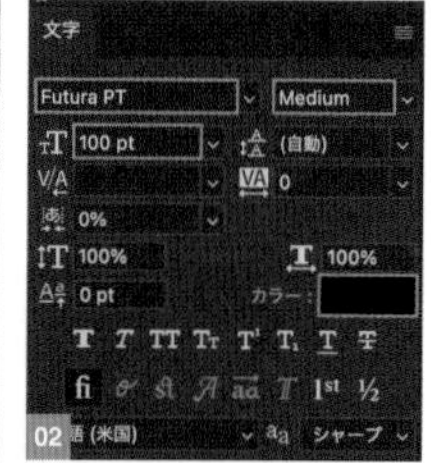

02

03

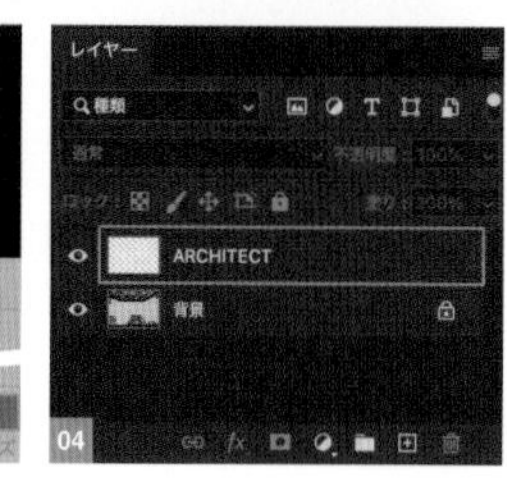

04

02 スライスする位置のガイドとしてシェイプを使いカットする

ツールパネルの［長方形ツール］を選択します 05。オプションバーの設定を［ツールモード：パス］にします 06。
07 のように文字の中心に長方形のパスを作成します。［編集］→［パスを自由変形］を選択します 08。
カットしたいラインを意識して変形させます。作例では時計回りに［3.5°］くらい回転させ、09 のようにパスを変形させました。
位置が決まったカンバス上で［右クリック］→［選択範囲を作成］を選択します 10。表示された［選択範囲を作成］ウィンドウはそのままOKをクリックします 11。
選択範囲が作成できたら、［レイヤー］→［新規］→［選択範囲をカットしたレイヤー］を選択します 12。レイヤー［レイヤー1］が作成されます。作成したレイヤー［レイヤー1］は一時的にレイヤーパネルの目のマークのチェックを外し、非表示にしておきます 13。

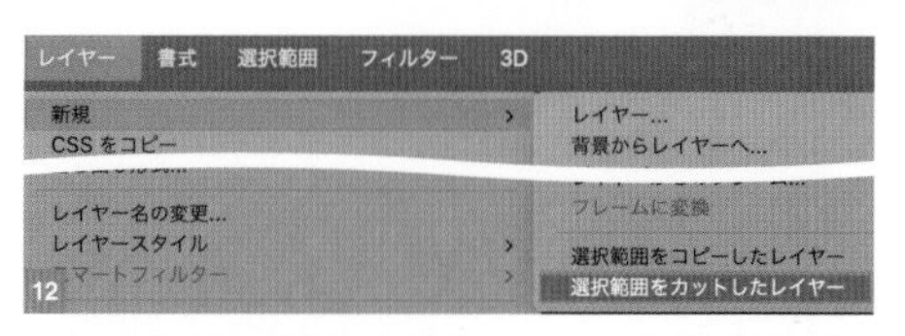

03 テキストを3つにスライスし、レイヤー名を変更する

レイヤー［ARCHITECT］を選択し、ツールパネルの［多角形選択ツール］や［なげなわツール］などを使って、14 のように上側だけの選択範囲を作成します。前の手順と同じように［右クリック］→［選択範囲をカットしたレイヤー］を選択します。
非表示にしていたレイヤー［レイヤー1］を表示させます。カンバス上の並びとレイヤーの並びをわかりやすくするために、レイヤーの位置とレイヤー名を変更しておきます。
レイヤー［レイヤー2］を最上位に配置し、［上］と名前を変更します。［レイヤー1］を［中］、レイヤー［ARCHITECT］を［下］と名前を変更します 15。

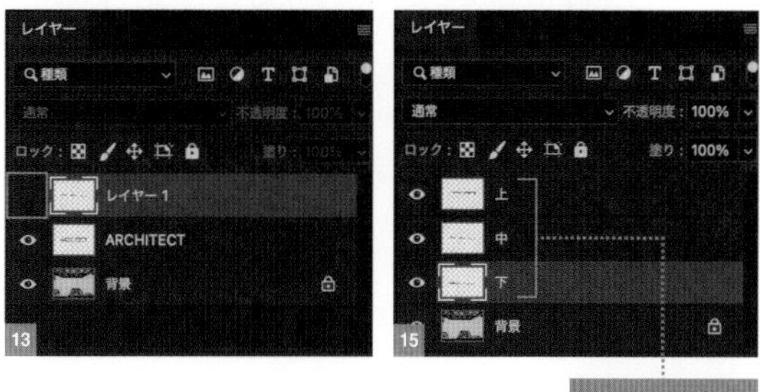

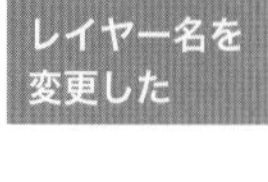

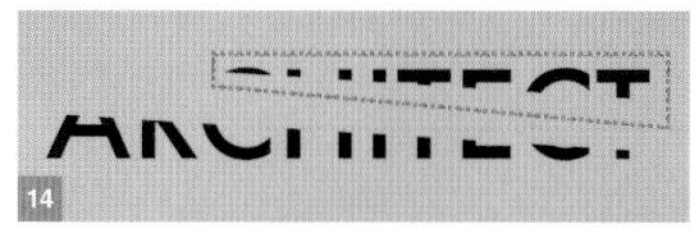

04 各レイヤーを移動させ、中央のテキストだけカラーを変更して変化をつける

ツールパネルの［移動ツール］を選択します。各レイヤーを選択し、キーボードの矢印キーを使って上下左右方向に移動させます 16。
レイヤー［中］のレイヤーサムネールをクリックし 17、選択範囲を作成します。［イメージ］→［色調補正］→［レベル補正］を選択、［出力レベル：65/255］として、黒をグレーにして完成です 18 19。

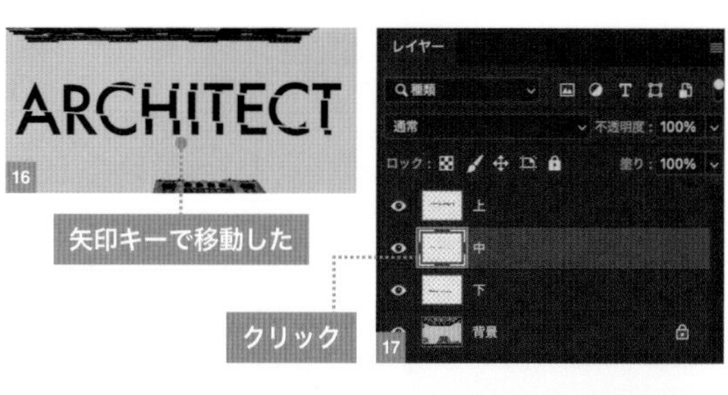

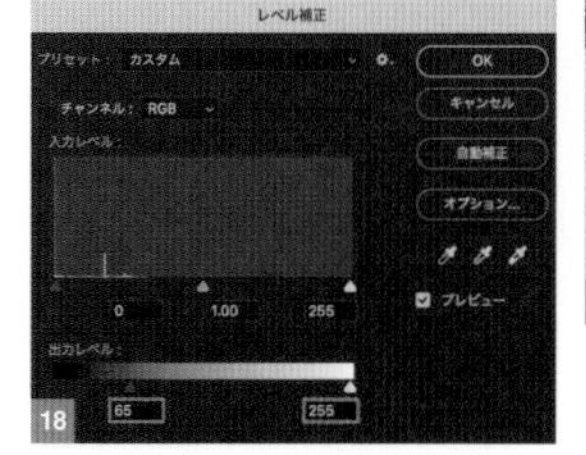

Chapter 08

Ps

立体的な文字の配置をする no.079

テキストを切り分けて［変形］だけを使用して立体的に配置します。

Point オプションバーから数値で変形を適用する

How to use 立体的な動きをもたせた見出しやロゴ制作に

01 | テキストを入力しラスタライズする

素材［背景.jpg］を開きます。古いフィルムのようなテクスチャのベース画像です。
ツールパネルの［横書き文字ツール］を選択しテキストを入力します。
フォントの設定は［フォント：Futura PT］［スタイル：Heavy］［サイズ：150pt］［カラー：#000000］とします01。
ツールパネルの［横書き文字ツール］で「BLACK」と入力します02。
レイヤーパネルでテキストレイヤー［BLACK］を選択し［右クリック］→［テキストをラスタライズ］を選択します03。
画像のレイヤーに変換されます04。

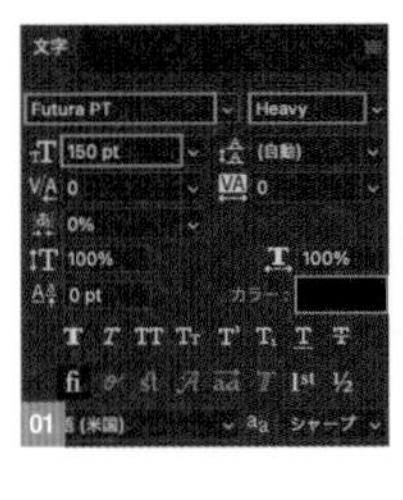

01

02

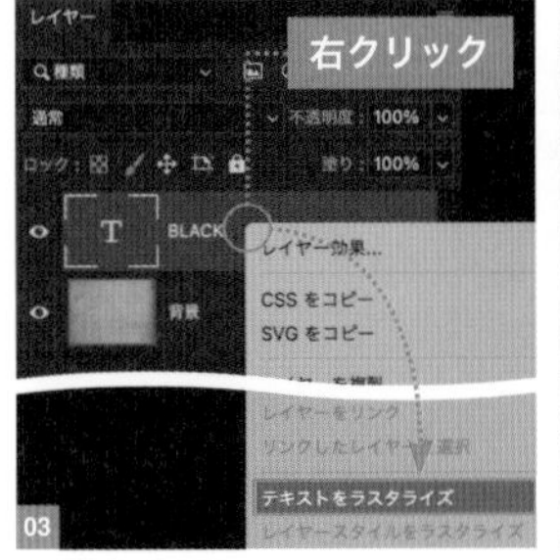

03

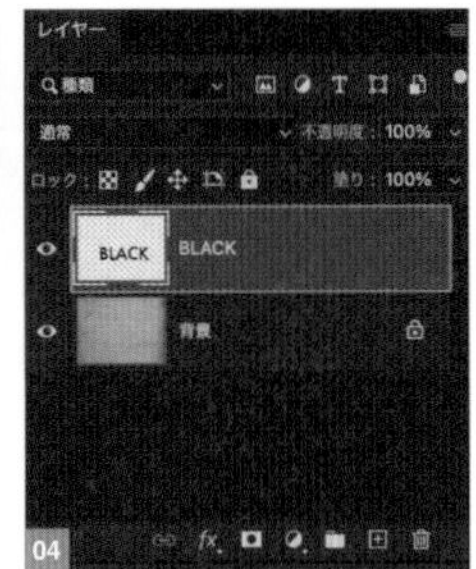

04

02 | テキストをスライスする

ツールパネルの［長方形選択ツール］を選択し、05のように選択範囲を作成します。
カンバス上で［右クリック］→［選択範囲をカットしたレイヤー］を選択します06。
カットしたレイヤーはレイヤー名を［BLACK_左］とします07。
同じ要領でレイヤー［BLACK］を選択し08のように選択範囲を作成し、カンバス上で［右クリック］→［選択範囲をカットしたレイヤー］を選択します。
カットしたレイヤーはレイヤー名を［BLACK_右］とし、レイヤー［BLACK］はレイヤー名［BLACK_中］としておきます。レイヤーの順位も上から［BLACK_左］［BLACK_中］［BLACK_右］とわかりやすいように並べておきます09。

05

06

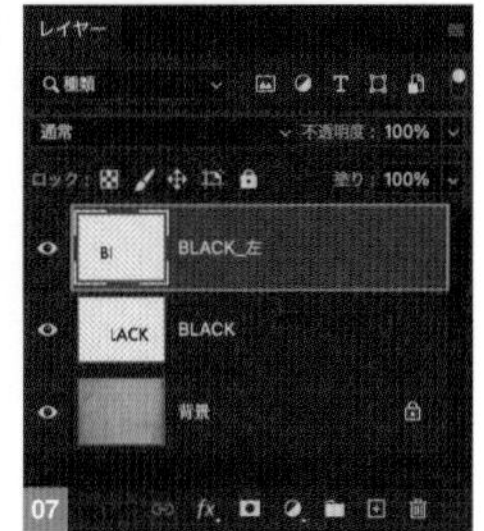

07

08

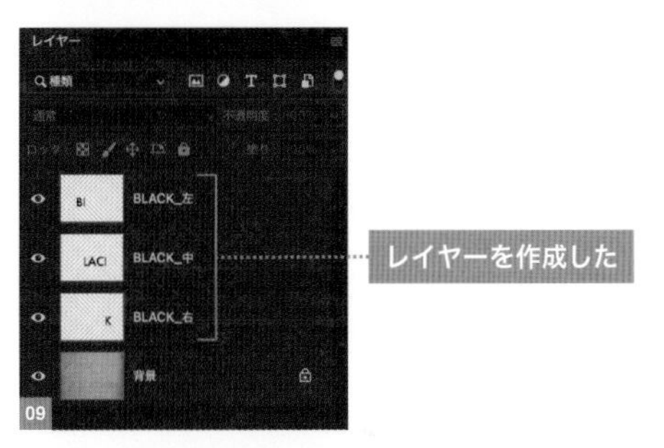

09

03 | スライスしたテキストを変形させて立体的に見せる

レイヤー［BLACK_左］を選択し［編集］→［自由変形］を選択します。オプションバーで［回転を設定：30°］［水平方向のゆがみを設定：30°］とし［OK］します10 11。
レイヤー［BLACK_中］を選択し［編集］→［自由変形］を選択します。オプションバーで［回転を設定：-30°］［水平方向のゆがみを設定：-30°］とし［OK］します12 13。

10

11

12

13

レイヤー［BLACK_右］を選択し［編集］→［自由変形］を選択します。オプションバーで［回転を設定：30°］［水平方向のゆがみを設定：30°］とし［OK］します 14 15。
［移動ツール］を選択し、それぞれのレイヤーを 16 のように配置します。
レイヤー［BLACK_中］を選択し、レイヤーパネルで［不透明度：75%］とします 17。
面によって少し濃さを変えることで立体感が出るようにしました 18。

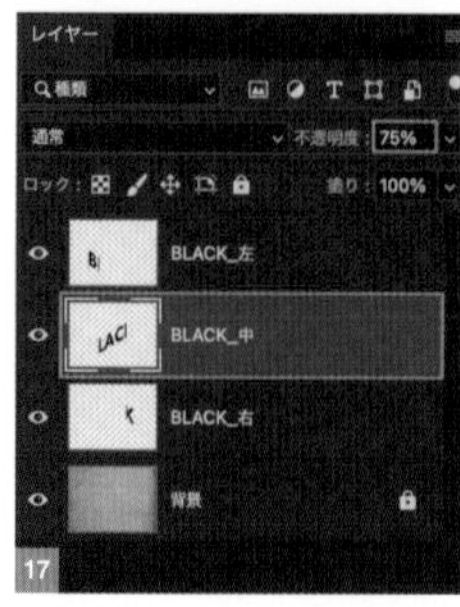

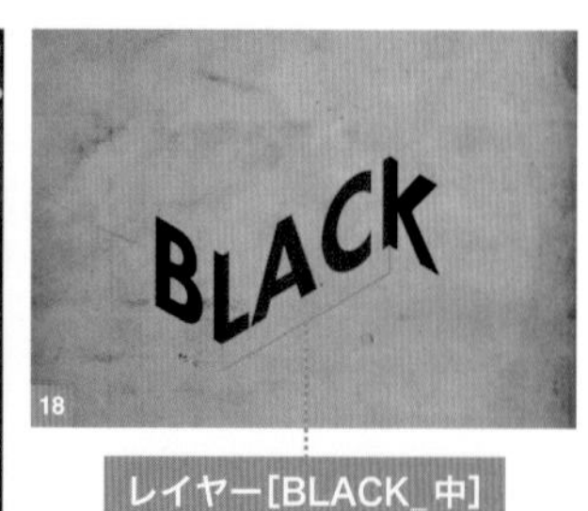

レイヤー［BLACK_中］の不透明度を変えた

04　同じ要領で他のテキストを入力する

ツールパネルの［横書き文字ツール］を選択し、「WHITE」と入力します 19。
［フォント：Futura PT］［スタイル：Heavy］［サイズ：100pt］［カラー：#ffffff］とします 20。
ここからは［BLACK］を加工した手順と同じになります。
レイヤーパネルでテキストレイヤー［WHITE］を選択し［右クリック］→［テキストをラスタライズ］を選択します。
［WHITE］の［I］の中心あたりで左右にレイヤーを分割します 21。
レイヤー名を［WHITE_左］［WHITE_右］などのわかりやすい名前にします。

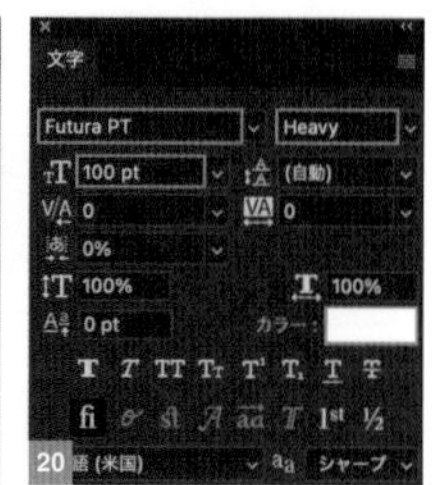

05 ｜ WHITEを立体的にする

レイヤー［WHITE_左］を選択し［編集］→［自由変形］を選択します。オプションバーで［回転を設定：-30°］［水平方向のゆがみを設定：-30°］とし［OK］します22。
レイヤー［WHITE_右］を選択し［編集］→［自由変形］を選択します。オプションバーで［回転を設定：30°］［水平方向のゆがみを設定：30°］とし［OK］します23。
24のように位置を移動させ、レイヤー［WHITE_右］はレイヤーパネルで［不透明度：60%］とします。

22

23

レイヤー［WHITE_右］を［不透明度：60%］とした

24

06 ｜ さらにテキストを追加し、全体を整える

ツールパネルから［横書き文字ツール］を選択し、「GRAY」と入力します25。
［フォント：Futura PT］［スタイル：Heavy］［サイズ：80pt］［カラー：#666666］とします26。
テキストレイヤー［GRAY］を選択し［編集］→［自由変形］を選択します。
オプションバーで［回転を設定：-30°］［水平方向のゆがみを設定：30°］とし［OK］します27。
全体のバランスをみて各レイヤーの位置を微調整したら完成です28。

25

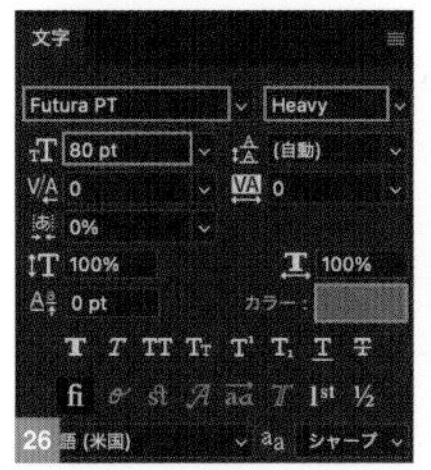

26

27

28

Ps

マッチフォントを使う no.080

マッチフォントを使って画像内の文字に近いフォントを検索し適用してみましょう。

Point いくつかの書体の候補から自分で近い書体を選び、調整する

How to use 画像内の文字に近い書体を素早く検出したい時に

01 | テキストを入力する

素材［背景.jpg］を開きます。ネオンサインの右下にテキストを入力します。
ツールパネルの［横書き文字ツール］を選択し、［welcome］と入力します 01。

memo

次の手順でフォントを検索する際に対象にならないように、ネオンサインから少し離れた位置に文字を配置しておきましょう。

02 ｜ フォントを検索する

テキストレイヤー[welcome]を選択した状態で[書式]→[マッチフォント]を選択します02。カンバス上に枠が表示されるので、ドラッグして検索対象となる文字を囲みます03。
04のように選択範囲内の文字に近いフォントが表示されます。[Adobe Fontsから使用可能なフォント]以下にあるフォントは、雲のアイコンをクリックすることで自動的にダウンロードされます。
フォント名を選択すると、テキストレイヤー[welcome]のフォントが自動的に変更されるので、簡単に比較することができます05。
作例では[フォント：Braisetto][スタイル：Bold][サイズ：87pt]とし06、ネオンサインの右下に配置しました07。

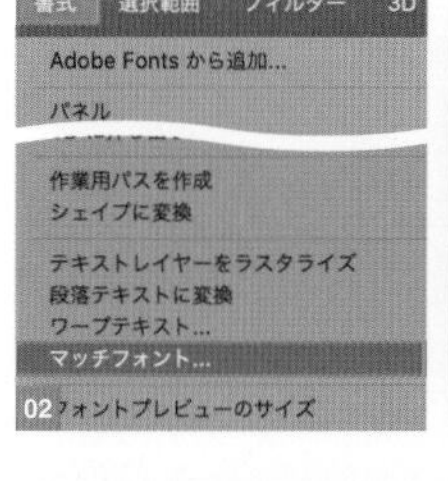

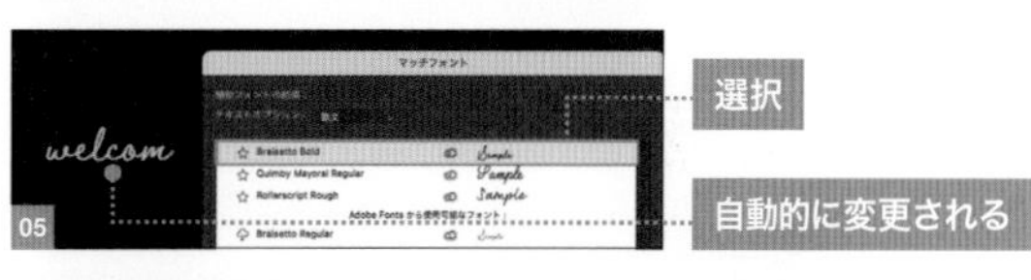

03 ｜ レイヤースタイルを適用して完成

テキストレイヤー[welcome]を選択し、[レイヤー]→[レイヤースタイル]→[光彩（外側）]を選択します08。
09のように[描画モード：通常][カラー：#ff8d27]、[エレメント]→[サイズ：4px]とし、少しだけ外側に光ったように加工してなじませました10 11。

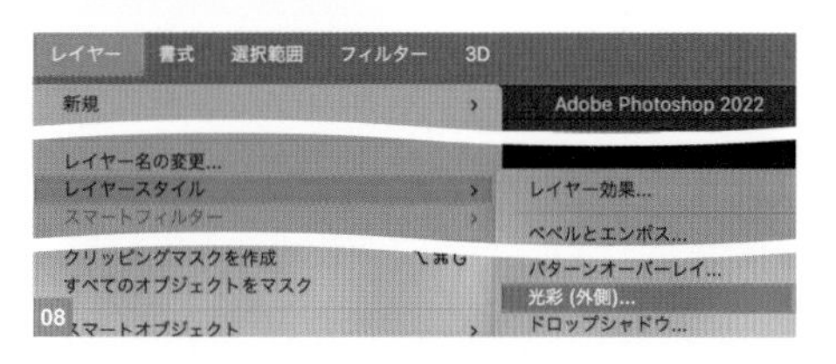

memo

レイヤースタイル[光彩(外側)]で使用した[#ff8d27]のカラーは既存のネオンサインのエッジのカラーから抽出しています。

Chapter 08

Ps

集中線を作る

no.081

フィルターを使って漫画のような集中線を表現します。

Point　ノイズ、スクロール、極座標の３ステップで簡単に表現する

How to use　イラストやコミック風の表現に

01 | 縦のラインを作成する

素材［背景.psd］を開きます。あらかじめレイヤー［背景］［白枠］、装飾用の［吹き出し］をレイヤー分けして配置しています。画面左上のコマに集中線を表現していきます 01。

01

レイヤー［白枠］［吹き出しは］非表示の状態で作成をはじめます。
レイヤー［白枠］の下位に新規レイヤー［集中線］を作成し選択します。［塗りつぶしツール］を選択し［描画色：#ffffff］で塗りつぶします02。
［フィルター］→［ノイズ］→［ノイズを加える］を選択し03のように設定します。
［フィルター］→［その他］→［スクロール］を選択し04のように設定します。
縦のラインが作成できました05。

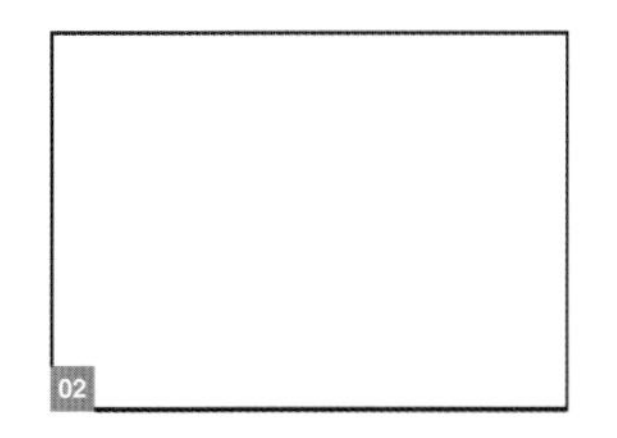
02

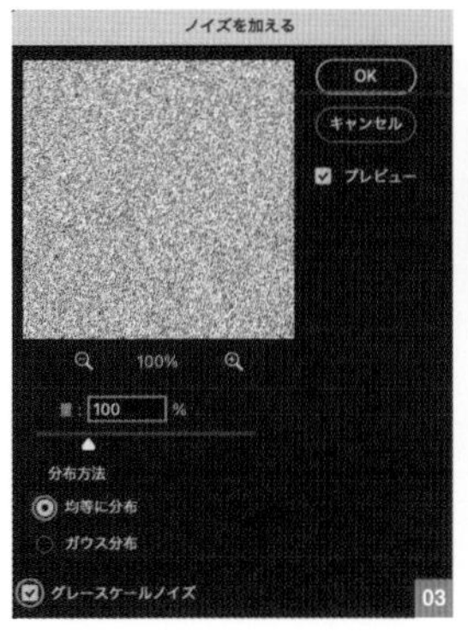

03

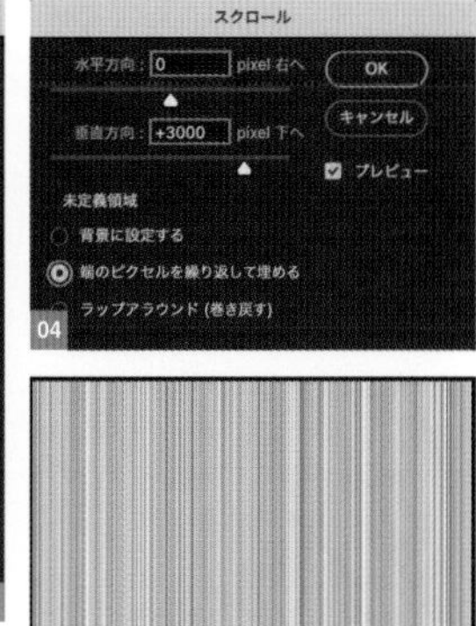

04
05

02 ｜ 放射状に変形する

［フィルター］→［変形］→［極座標］を選択し06のように設定します。中心に集中線ができました07。
レイヤー［集中線］を選択し［描画モード：乗算］とします08 09。
［レベル補正］を選択し、10のように設定します。コントラストを調整することで集中線の密度を変えることができました11。

06

07

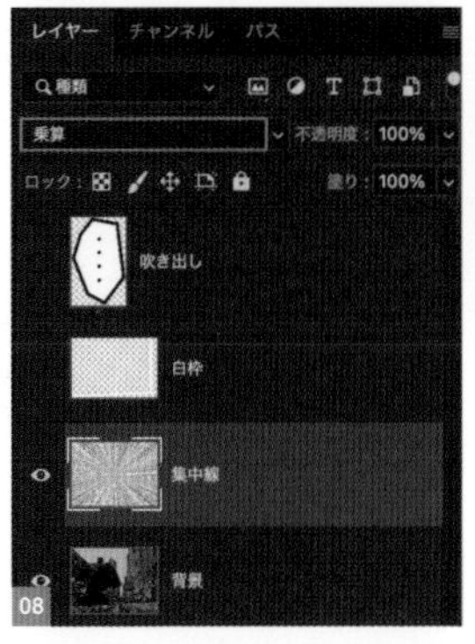

08

09

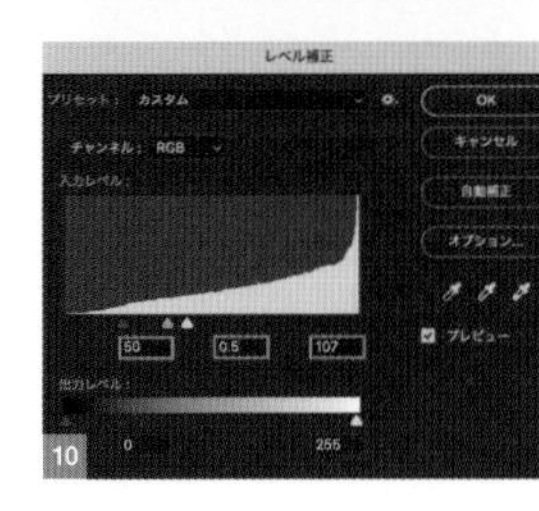

10

11

Chapter 08

03 | コマ内に集中線が適用されるようマスクする

レイヤー［白枠］［吹き出し］を表示します。
左上のコマ内だけに集中線を表示したいので、12のように［多角形選択ツール］を使いコマの内側を選択します。
選択範囲を作成した状態で、レイヤーパネル内の［レイヤーマスクを追加］を選択します13。集中線の位置は［レイヤーマスクのレイヤー2へのリンク(鎖マーク)］を外して、人物の頭に中心がくるように位置調整しましょう14。

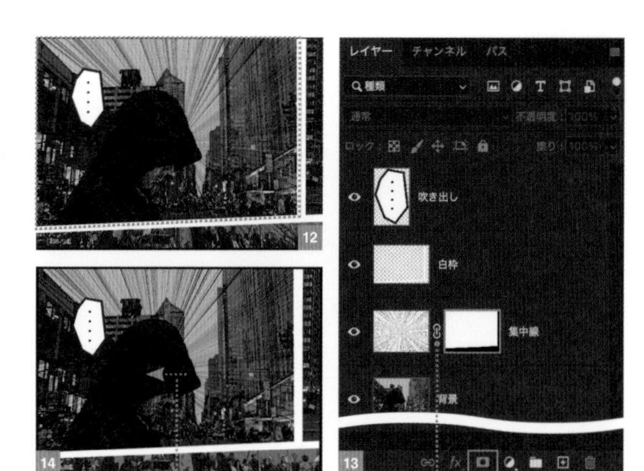

位置を調整する

鎖マーク

04 | 集中線の中心をマスクする

集中線の中心にもマスクを追加します。
15のように人物の頭を目安に［なげなわツール］で選択範囲を作成します。
そのまま［選択範囲］→［選択範囲を変更］→［境界をぼかす］を選択し［ぼかしの半径：20pixel］で［OK］とします16。
レイヤー［集中線］の［レイヤーマスクサムネール］を選択し［描画色：#000000］とし、先程作成した選択範囲内を［塗りつぶしツール］で塗りつぶしてマスクします17 18。
テキストで装飾して完成です。作例では［Arial Black］フォントを使用しました19。

マスクされた

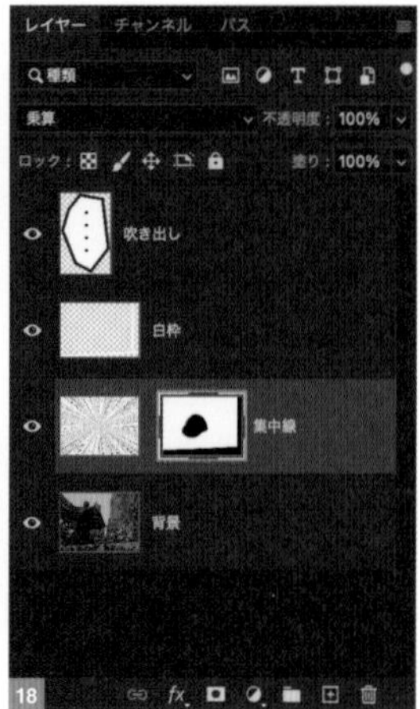

column

Illustratorを使った集中線の作り方

［楕円ツール］で黒い楕円を作ります。「効果」→「パスの変形」→「ラフ」でギザギザにします。［効果］→［パスの変形］→［パンク・膨張］で「膨張：200」に設定します。黒い集中線ができます。この上に白い楕円を作り、同じ作業を繰り返します。ラフの数値を変更したり、円の形をやや拡大縮小することで集中線のようになります。最後に必要な部分のみマスクをかけて完成です。

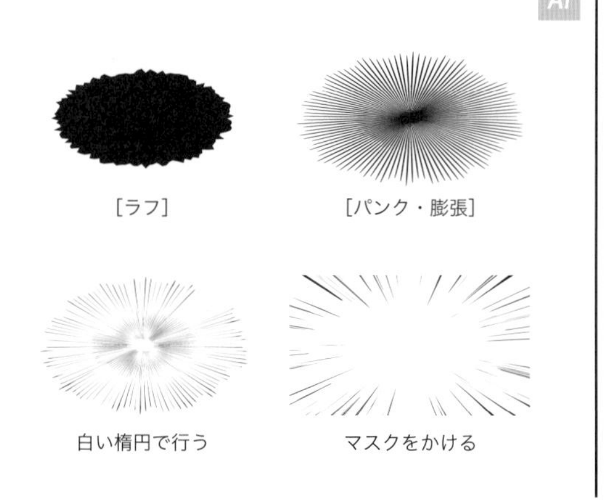

様々な表現を作る

コラージュや写真の合成、美しいマットな質感など、Photoshop の様々な機能を使いこなさなければ作れないような壮大なグラフィックを作っていきます。本書でもとくに難易度の高い作例を集めていますが、今まで学んだ様々なテクニックを駆使すれば作ることができます。広告などのメインビジュアルとしても使えるような高品質の作例を作っていきましょう。

Chapter 09

Various expression design techniques

Ps

コラージュを作る

no.082

たくさんの画像を使って、ビンテージ風なコラージュを作成します。やや工程が多いですが、1つひとつ進めていきましょう。

Point　各素材同士の距離感と関係性を意識して配置する

How to use　広告のメインビジュアルなど

01 | ワープを使い曲線を作る

素材［背景.psd］を開きます。新規レイヤー［芝生ベース］を作成します。

［描画色：#000000］とし、［長方形選択ツール］で画面下から3分の1程度を選択し、［塗りつぶしツール］で塗りつぶします 01。

［編集］→［変形］→［ワープ］を選択します。［オプションバー］を 02 のように［ワープ：円弧］［カーブ：15%］と設定し、［適用］します 03。

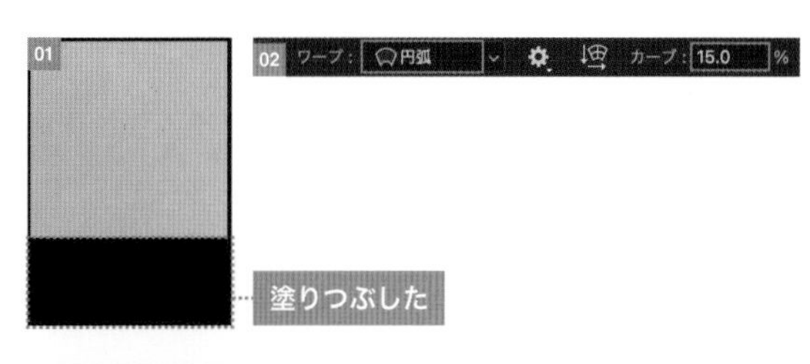

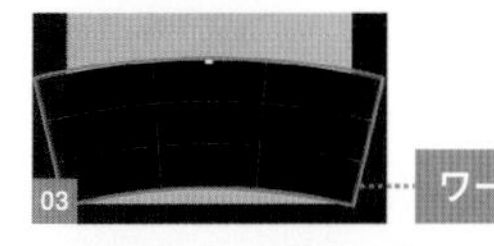

02 | ブラシで芝生を作り地面と背景を作る

［ブラシツール］を選択します。描画色・背景色ともに［#000000］とします。

［ブラシ：草］を選択し［直径：100px］とします 04。

レイヤー［芝生ベース］を選択し、先程ワープした形に沿って草を描きます 05。ワープした際にできた下の隙間も［ハード円ブラシ］などで塗り足しておきます 06。

素材［テクスチャ集.psd］を開き、レイヤー［芝生］を上位に移動させ 07 のように配置します。

レイヤーパネル上でレイヤー［芝生］を選択し［右クリック］→［クリッピングマスクを作成］します 08。

素材［テクスチャ集.psd］からレイヤー［山］をレイヤー［背景］の上位に移動させ 09 のように配置します。

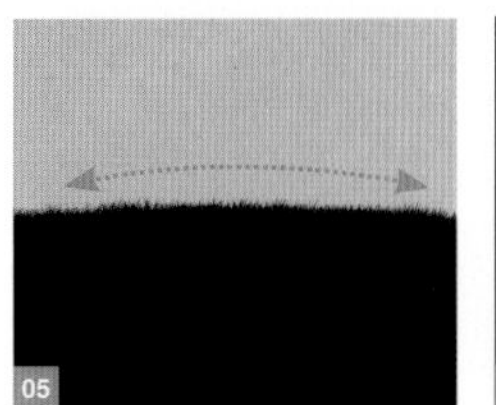

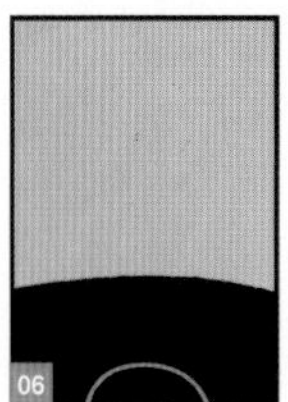

memo

山の画像はコラージュ感を意識し、あえてカクカクと直線で切り抜いています。
このようにコラージュを行う際は完成をイメージして画像を切り揃えておくとよいでしょう。

Chapter 09

03 | 穴から飛び出した猫を演出する

[描画色：#000000] を選択します。[楕円形ツール] を選択し、10のように横長の円を作成します。
素材 [パーツ素材集.psd] を開き、レイヤー [猫] を移動し11のように配置します。
レイヤー[猫]の上位に新規レイヤー[猫-影]を作成し[右クリック]→[クリッピングマスクを作成] とします。
[ブラシツール] を選択し、[ソフト円ブラシ] を使って12のように影を描きます。レイヤー [猫-影] を [不透明度：30%] とします13。

不透明度：30%

04 | 猫の手を作る

素材 [パーツ素材集.psd] からレイヤー [猫の手] をレイヤー [猫] の上位に移動し14のように配置します。
レイヤーパネルから [レイヤーマスクを追加] します。
追加したレイヤーマスクサムネールを選択し[ソフト円ブラシ] で15のように穴の中から手を出しているようにマスクします。
素材 [パーツ素材集.psd] からレイヤー [猫の手] をレイヤー [猫] の下位に移動します16。
同じようにマスクを追加し17のようにします。
さらに下位に新規レイヤー [猫の手-影] を作成し、18のように [ソフト円ブラシ] で猫から左へ落ちる影を描きます。
レイヤーを [不透明度：50%] とします19。

不透明度：50%

05 | 猫の頭にネズミを配置する

素材 [パーツ素材集.psd] からレイヤー [ネズミ] を移動し、20のようにレイヤー [猫] より下位に配置します。
猫に影を付けた時と同じ要領で上位に新規レイヤー [ネズミ-影] を作成し、[ソフト円ブラシ] で影を描き、レイヤーを [不透明度：30%] とします21。

不透明度：30%

06 ｜ 家を配置し影を付ける

素材［パーツ素材集.psd］からレイヤー［家］を移動させ、レイヤー［芝生ベース］よりも下位に配置します 22。
［ペンツール］を選択し、建物の影の部分のパスを作成します 23。
パスを作成したら［右クリック］→［選択範囲を作成］します。上位に新規レイヤーを作成し、［描画色：#000000］を選択し［塗りつぶしツール］で塗りつぶします 24。［不透明度：50%］とします 25。

07 ｜ 背景に素材を追加し道を作る

素材［パーツ素材集.psd］からレイヤー［森］を移動して、レイヤー［家］よりも下位に配置します 26。
［描画色：#d7c5a9］を選択します。
［ペンツール］を選択し、［オプションバー］を 27 のように［シェイプ］とします。
道になる部分のパスを作成します 28。ここでは赤線で示しています。

08 ｜ 地面に素材を配置する

素材［パーツ素材集.psd］からレイヤー［毛糸玉1〜4］［木］を配置します 29。
［傘を持った人］［車］を配置します 30。
［人］［ペンギン］を好みの場所に配置します 31。

09 ❙ 月を配置する

素材［パーツ素材集.psd］からレイヤー［蓄音機］［女の子］［月］［女の子（右足）］の順番で移動させ配置します。
レイヤーの順番に注意しましょう。女の子が月に座っているように見せます32。
レイヤー［月］を選択し［レイヤースタイル］を表示します。［ドロップシャドウ］を33のように設定します。
レイヤー［月］の下位にレイヤー［女の子のコピー］［蓄音機のコピー］を複製し黒く塗りつぶします。コピーしたレイヤー［女の子］［蓄音機］をそれぞれに、［フィルター］→［ぼかし］→［ぼかし（ガウス）］を［半径：5pixel］で適用します34 35。
2つのレイヤーを左下に移動させ［不透明度：15%］とし、左下に影が落ちたように見せます36。

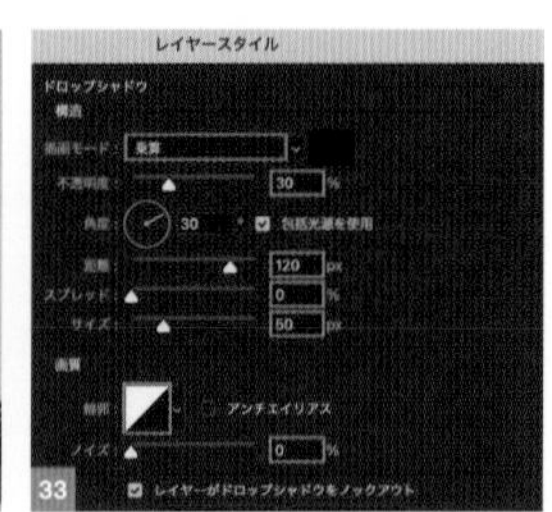

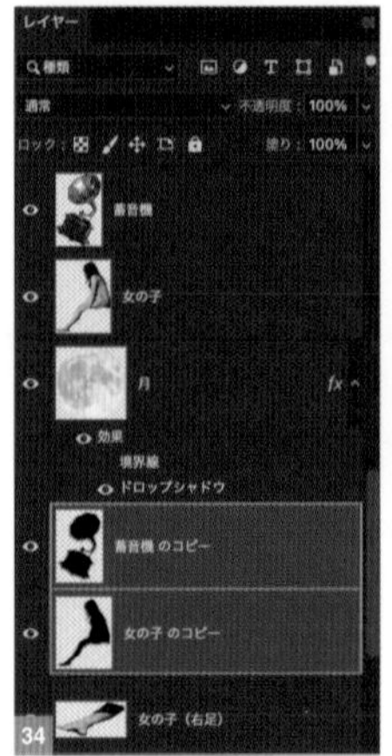

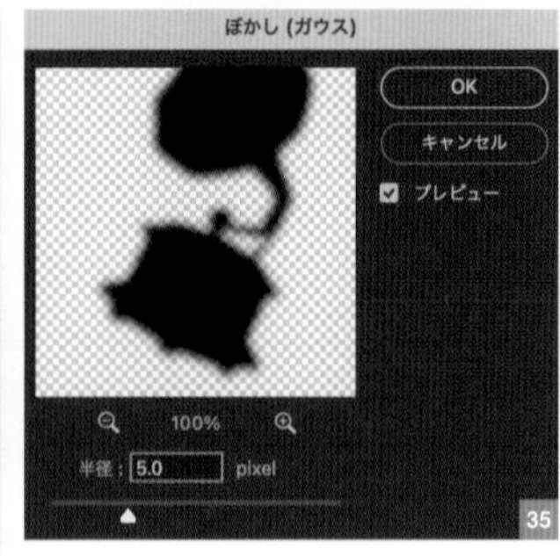

10 ❙ 空に素材を配置する

素材［パーツ素材集.psd］からレイヤー［窓］［椅子］［ライト］［レコード］を移動し、37のように配置します。
レイヤー［窓］を選択し、［レイヤースタイル］を表示します。［ドロップシャドウ］を38のように設定します。
レイヤー［ライト］も［レイヤースタイル］を表示し、［ドロップシャドウ］を39のように設定します40。
レイヤー［窓］の下位にレイヤー［鳥］を、レイヤー［森］の下位にレイヤー［子猫］を配置します41。

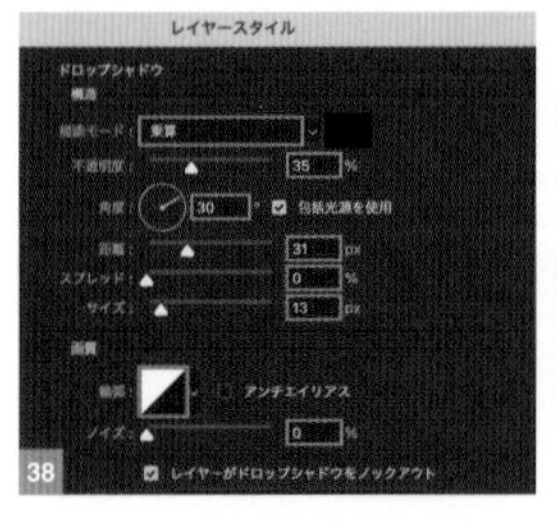

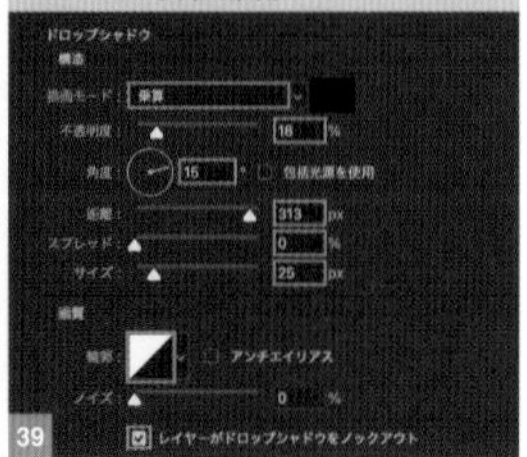

11 ｜ 星を配置する

素材［パーツ素材集.psd］からレイヤー［星1］を移動させ配置します。
［レイヤースタイル］パネルを開き、42のように設定します43。
レイヤー［星1］［星2］を44のように配置します。
作成したレイヤースタイルを［右クリック］→［レイヤースタイルをコピー］し、配置したレイヤー［星2］を選択し、［右クリック］→［レイヤースタイルをペースト］します45。
レイヤー［星1］より下位に、新規レイヤー［ワイヤー］を作成します。
［描画色：#ffffff］を選択し［ソフト円ブラシ］［直径：3px］とします。
星をワイヤーで吊っているように線を描きます。Shiftキーを押しながら描くと直線が描けます46。
［レイヤースタイル］パネルを開き［ドロップシャドウ］を47のように設定します48。

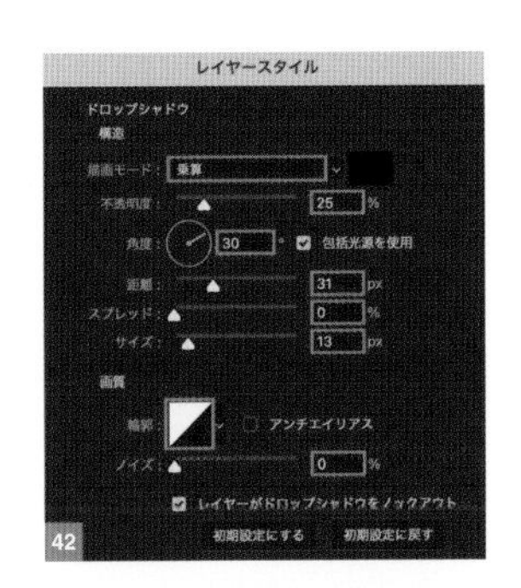

42

43

44

45

46

レイヤースタイルをペースト

ワイヤーを作成

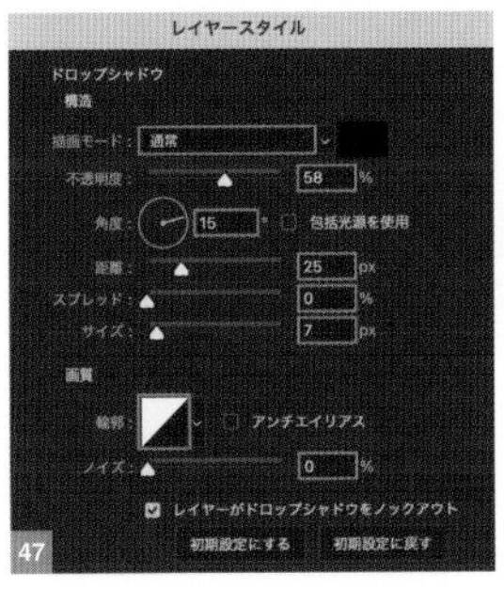

47

48

12 ｜ 星を配置する

レイヤー［星2］を最前面に複製し、カンバス右上に画面の外にあふれるように配置します49。
［フィルター］→［ぼかし］→［ぼかし（ガウス）］を［10pixel］で適用します50。
レイヤー［星1］を最前面に複製し、カンバス右に配置し、51のように［編集］→［自由変形］を使って変形し配置します。
同じ要領でカンバス左手前にも配置します52。

49

［ぼかし（ガウス）：10px］

50

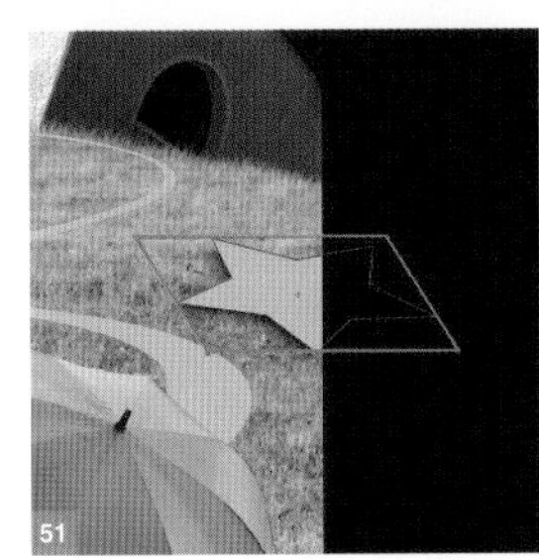
51

52

Chapter 09

13 ┃ ライトを光らせる

素材［パーツ素材集.psd］からレイヤー［光］を移動してレイヤー［ライト］の上位に配置します53。
［ペンツール］を選択し54のようにパスを作成し、［右クリック］→［選択範囲を作成］とします。
レイヤー［光］を選択し、［レイヤーマスクを追加］します55。
レイヤー［光］を上位に複製し、レイヤー［光-オレンジ］とし［描画モード：オーバーレイ］とします。
［レイヤーマスクのレイヤーへのリンク（鎖マーク）］を外し、［自由変形］を使い［150%］程度拡大します。
［イメージ］→［色調補正］→［色相・彩度］を選択し56のように設定します57。

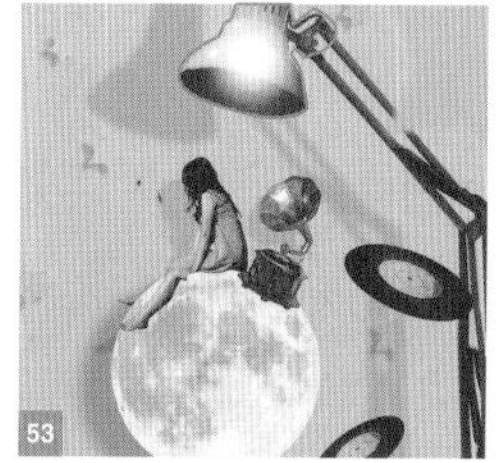
53

54

55

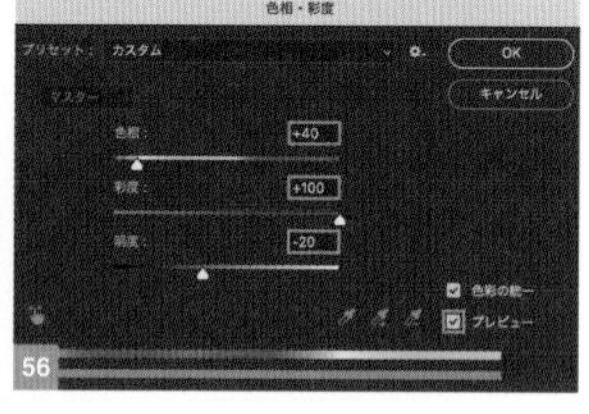

56

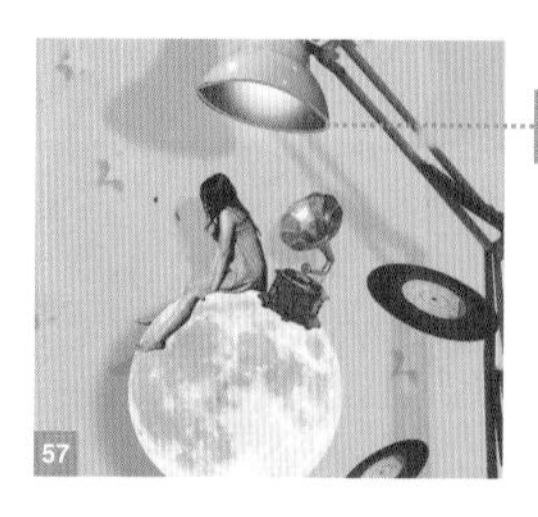
57

ライトが適度に光った

14 ┃ 色みを整えて完成

素材［テクスチャ集.psd］からレイヤー［テクスチャ］を最前面に移動して配置します。
［描画モード：比較（明）］とします58。
レイヤーパネルから［塗りつぶしまたは調整レイヤーを新規作成］→［自然な彩度］を最上位に追加し59のように設定します。
調整レイヤー［トーンカーブ］を下位に追加し、60のように設定します。2つのポインタを追加し、数値は左から［入力：0 出力：36］［入力：38 出力：56］［入力：131 出力：142］［入力：255 出力：255］とします。
下位に［チャンネルミキサー］を追加し、61のように設定し［描画モード：比較（明）］として完成です62。

58

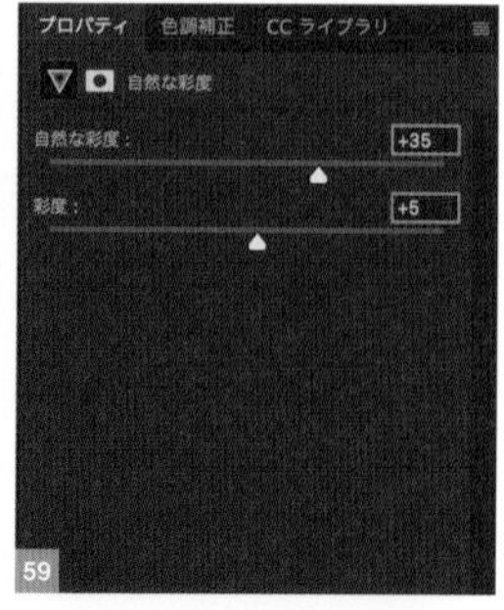

59

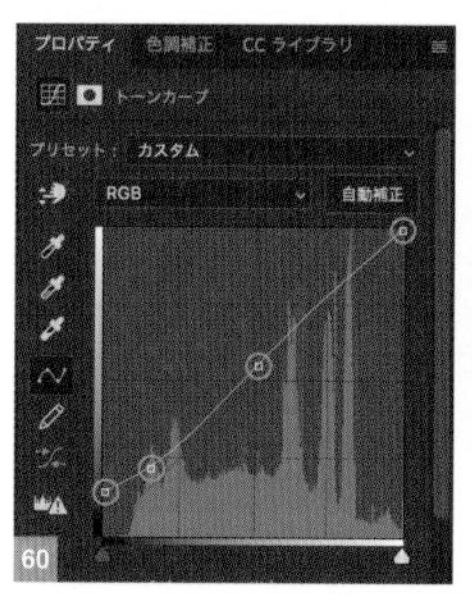

60

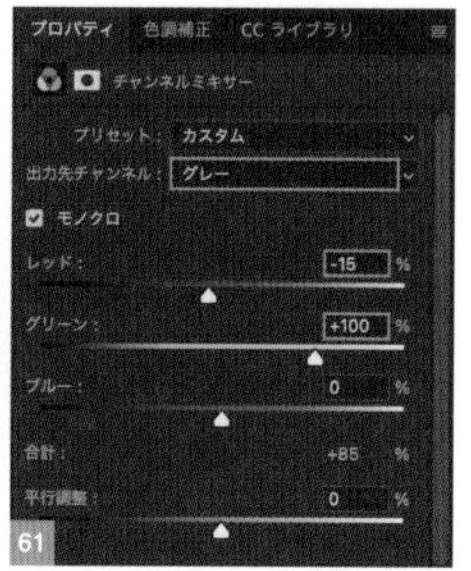

61

62

column

Ps

移動ツールの［自動選択］のチェックを外す

[移動ツール] を選択しオプションバーに表示される [自動選択] をチェックすると、カンバス上で選択された最前面のレイヤーが選択されます。
便利な機能ですが、複数レイヤーが重なった状態、特に描画モードを変更した状態や半透明になったレイヤーが重なった状態では目的のレイヤーが選択されないといったことが起こります。
例えば、右画像のような静物の画像は1つのレイヤーに見えますが、レイヤーの上位に色調整用の [フィルター] と四隅を暗くする [影] の2つのレイヤーが重なっています。
このような場合は [自動選択] にチェックが入っていると、最下位レイヤーの [花] を選択することができません。
そのような際は [自動選択] のチェックを外して、[レイヤーパネル] から [花] を選択することで選択可能です。
チェックを外している状態でも ⌘ (Ctrl) キーを押している間は [自動選択] にチェックが入った状態となるので、どちらも対応可能な [自動選択] のチェックを外して作業することをおすすめします。

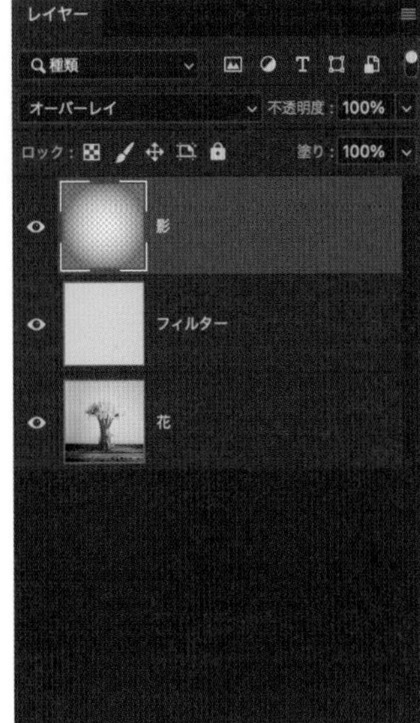

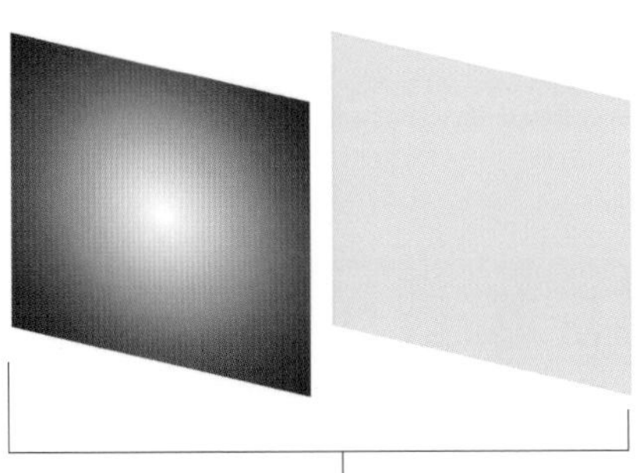

2つのレイヤーが上位に重なっている

自動選択：　レイヤー　バウンディングボックスを表示

チェックを外す

01 | 窓を切り抜く

素材［窓.psd］を開きます。［ペンツール］を選択し、赤で指定してある窓部分のパスを作成します01。なお、素材内では既にパス［窓］として切り抜きパスが入っています。
［右クリック］→［選択範囲を作成］とし02、逆光で輪郭がぼやけたように表現したいので［ぼかしの半径：2pixel］として［OK］します03。Deleteキーで削除します04。

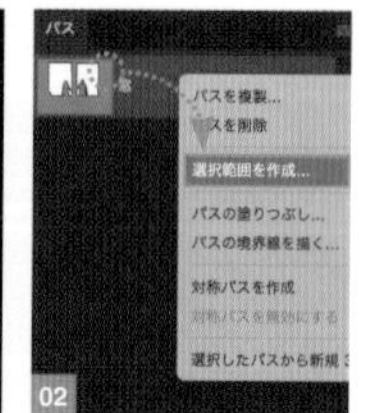

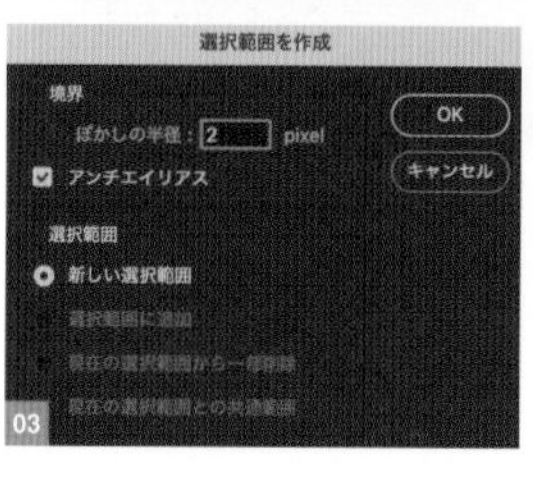

Ps

no.083

複数の写真を自然に合成する

素材の切り抜きと素材同士の色調補正、光を揃えることが合成の基本です。

Point	目的の色を決めて補正することで迷いなく作業する
How to use	非日常の表現やドラマチックなワンシーンの加工に

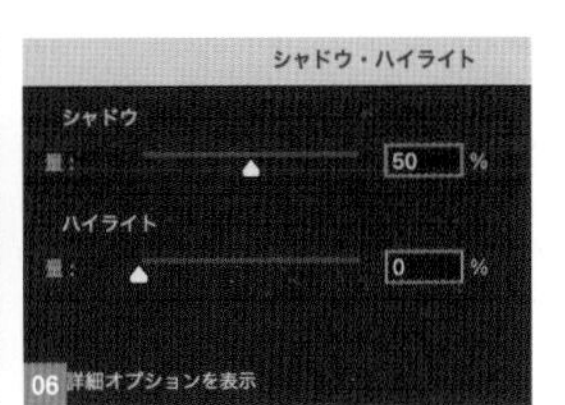

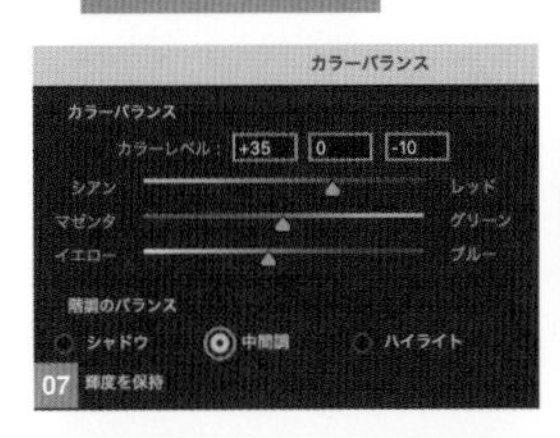

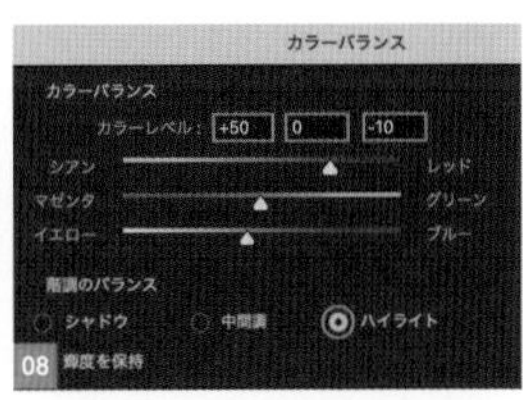

02 | 都市を合成する

素材［都市.psd］を開き下位に 05 のように配置します。
都市のカラーに合わせて窓を補正していきます。
レイヤー［窓］を選択し［イメージ］→［色調補正］→［シャドウ・ハイライト］を選択し 06 のように設定します。
［イメージ］→［色調補正］→［カラーバランス］を選択し中間調を 07、ハイライトを 08 のように設定します。
全体に赤みが加わりました 09。
［イメージ］→［色調補正］→［レベル補正］を選択し 10 のように設定します 11。

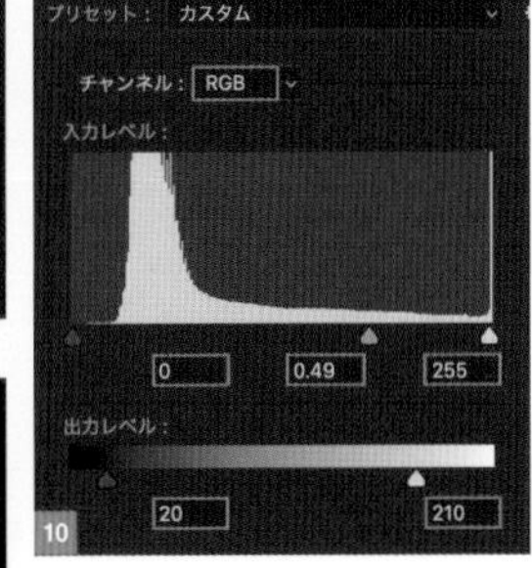

11

Chapter 09

03 ┃ 星空を合成する

素材［星空.psd］を開き、レイヤー［都市］の上位に配置します 12。

［描画モード：比較（明）］とします 13 14。

12

13

14

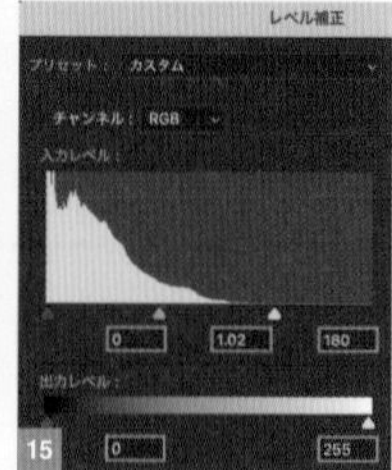

15

04 ┃ 色を調整する

［レベル補正］を 15 のように設定します。

［カラーバランス］の中間調を 16、ハイライトを 17 のように設定します。

［色相・彩度］を 18 のように設定します 19。

レイヤーパネル上でレイヤー［星空］を選択し、［レイヤーマスクを作成］します 20。

［描画色：#000000］を選択し、［グラデーションツール］を選択します。グラデーションの種類はプリセットの［描画色から透明に］を選択します。

レイヤー［星空］のレイヤーマスクサムネールを選択し、地平線から上の窓枠にむかって半分くらいの距離をドラッグしてグラデーションでマスクします 21。レイヤーマスクはこのようになります 22。

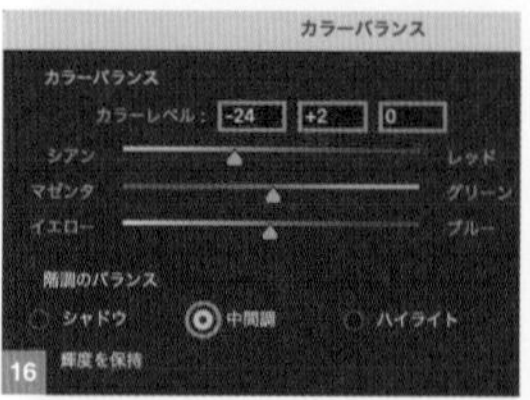

16

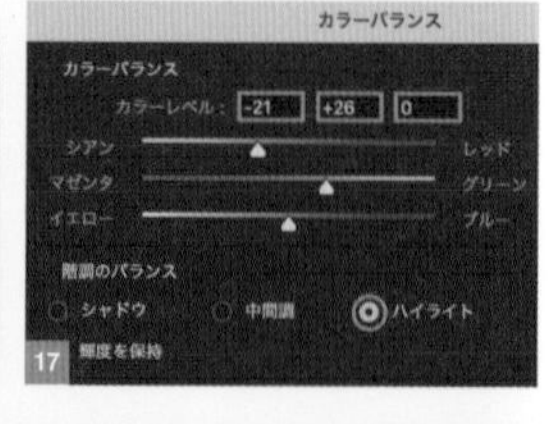

17

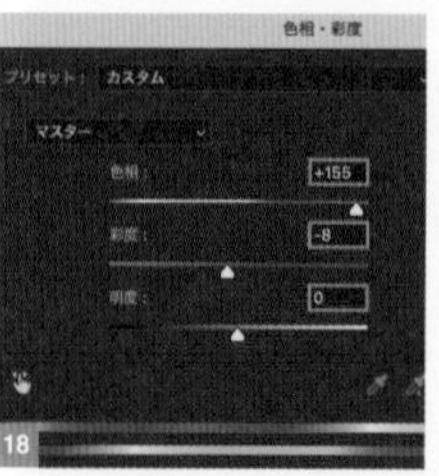

18

19

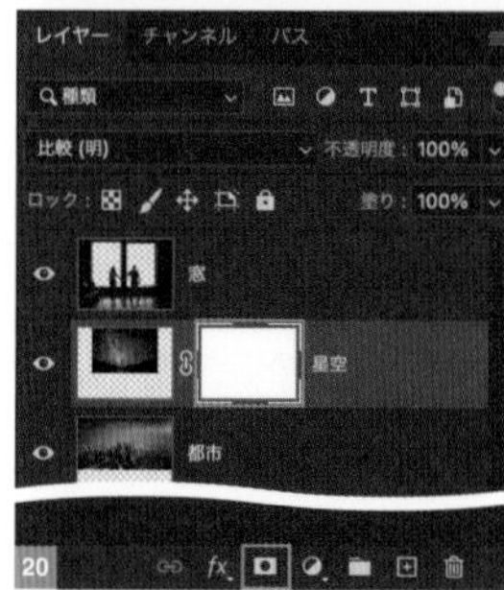

20

21

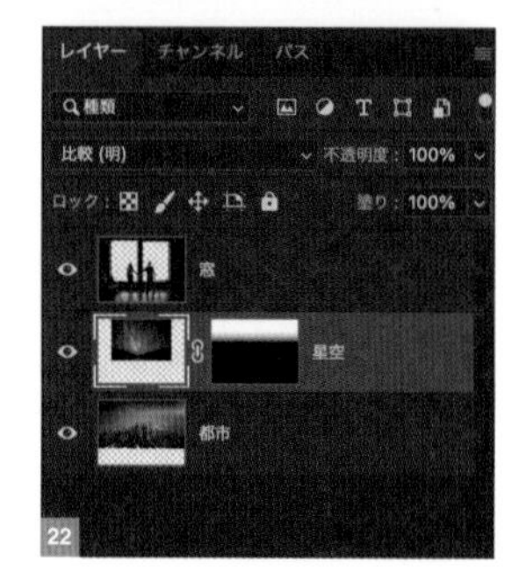

22

05 | 光を描き足す

レイヤー[窓]の上位に新規レイヤー[光]を作成し[描画モード:オーバーレイ][不透明度:70%]とします。レイヤー[光]を選択し、[右クリック]→[クリッピングマスクを作成]します 23。
[描画色:#ffffff][ブラシツール]を選択し[ソフト円ブラシ]で窓枠や人物の輪郭に光を足すように描きます 24。
最後にレイヤーパネルから[塗りつぶしまたは調整レイヤーを新規作成]→[トーンカーブ]を最上位に追加し、25 のように全体を整えて完成です 26。

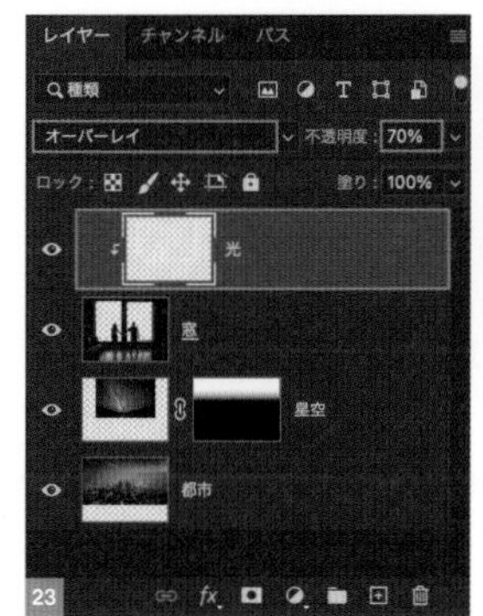

23

24

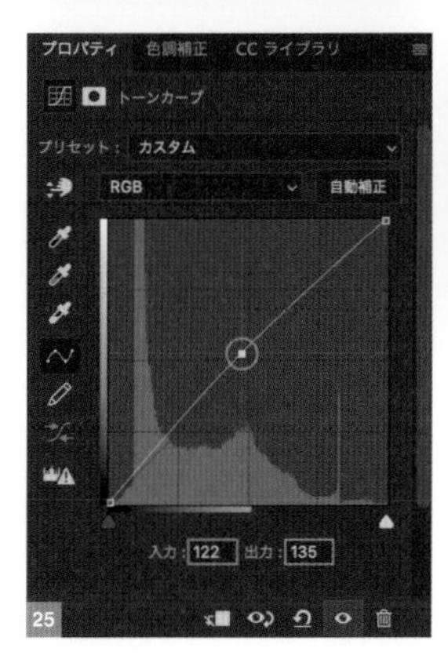

25

26

column

Adobe Color

Ps Ai

Adobe Color (Adobe Color CC) はAdobe社が提供するバランスの取れたカラーテーマを作成できるWebアプリです。

・使い方と解説

「https://color.adobe.com」のWebサイトにアクセスします。
[作成]タブは左側のカラーハーモニールールを適用したり、ドラッグしたりして自由にオリジナルの配色を作成できます 01。
[探索]のタブはキーワードを入力・検索し、好みの配色を見つけることができます 02。
[トレンド]タブでは様々なジャンルの最新のカラートレンドを見つけることができます 03。
すべてのカラーテーマはページ内の[ライブラリ]に保存することができます。
[ライブラリ]に保存した配色はPhotoshopやIllustratorの[ウィンドウ]→[CCライブラリ]でも確認することができ、すぐに利用することが可能です 04。

作成 ドラッグ

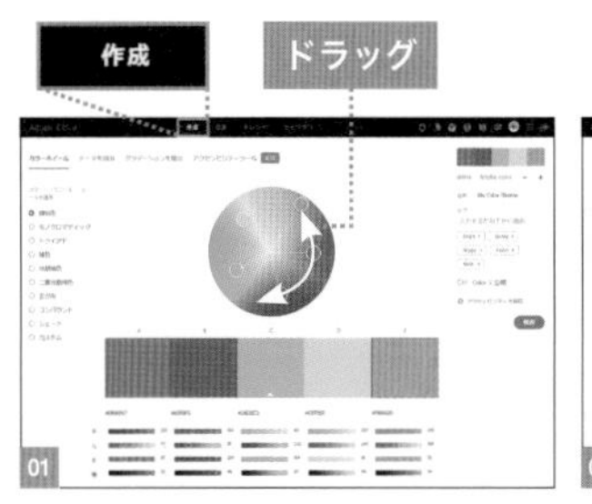
01

探索

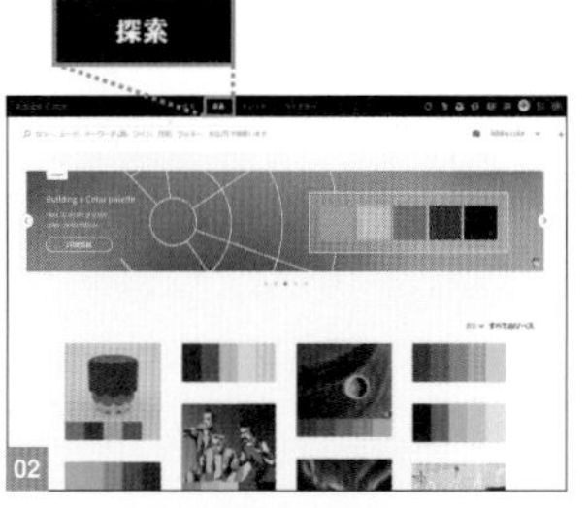
02

トレンド

03

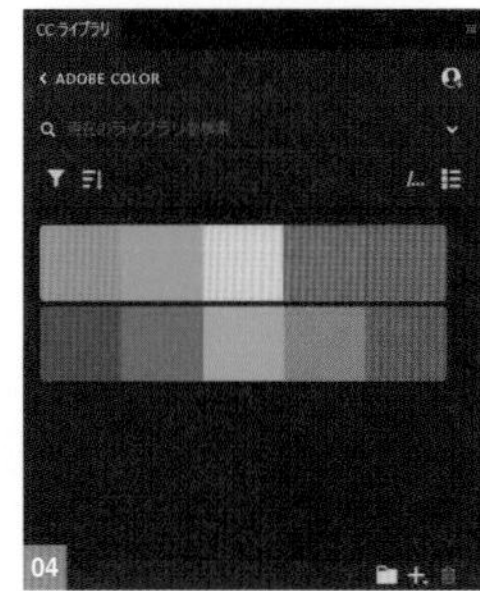

04

Chapter 09

Ps

アニメの背景風に加工する(昼)

no.084

加工した風景写真に手描きの雲を追加して、アニメの背景のようなグラフィックを作成します。
随所に今まで学んできたテクニックをふんだんに利用しているので、復習しながら作業を進めるといいでしょう。

Point　細かなディテールをつぶすことでイラスト風の質感にする

How to use　広告やアニメ・ゲームの背景に

01 | 選択範囲を作成し削除する

素材[背景.psd]を開きます。[長方形選択ツール]を選択し、上から地平線あたりまでの選択範囲を作成し Delete キーで削除します 01。

元画像

01

02 ┃ グラデーションをかけて補正する

レイヤーパネルから［塗りつぶしまたは調整レイヤーを新規作成］→［グラデーション］を選択し、下位に配置します02。

［グラデーションで塗りつぶし］パネルを03のように設定します。グラデーションを選択し04のように設定します。グラデーションは［位置：40%］を［#95d9f2］、［位置：70%］を［#3c89b9］、［位置：90］を［#225ba2］とします。05のようになりました。

レイヤー［背景］を選択し［イメージ］→［色調補正］→［シャドウ・ハイライト］を06のように設定します。

［フィルター］→［ノイズ］→［ノイズを軽減］を07のように設定します。

［イメージ］→［色調補正］→［カラーバランス］を選択し、［中間調］を08、［ハイライト］を09のように設定します10。

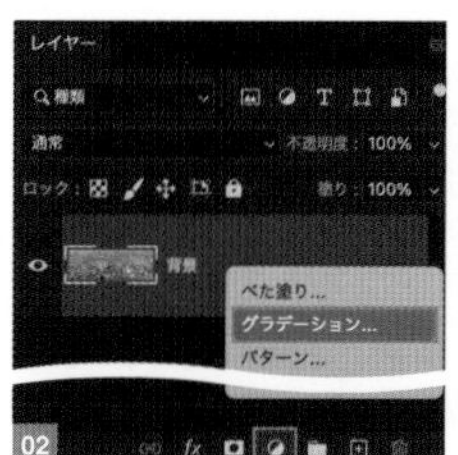

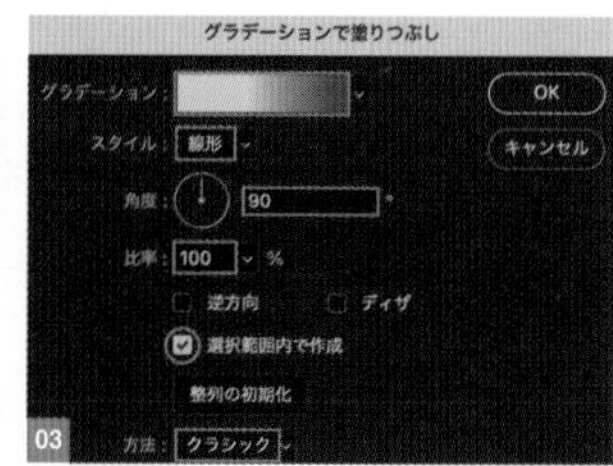

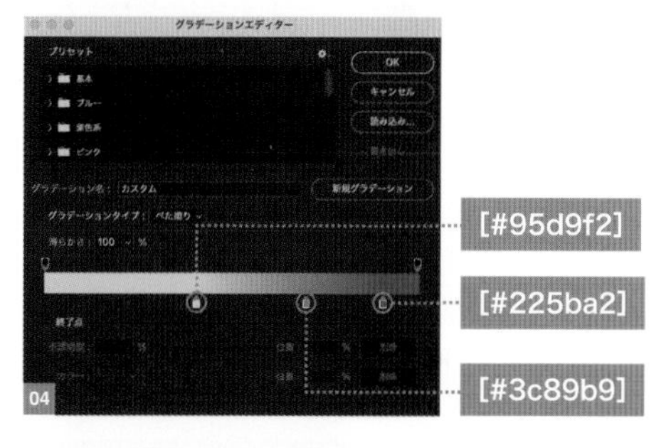

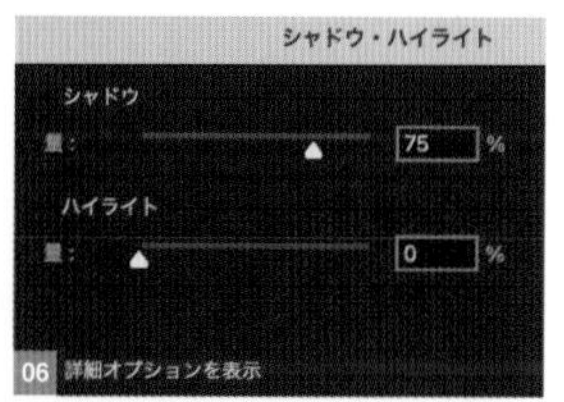

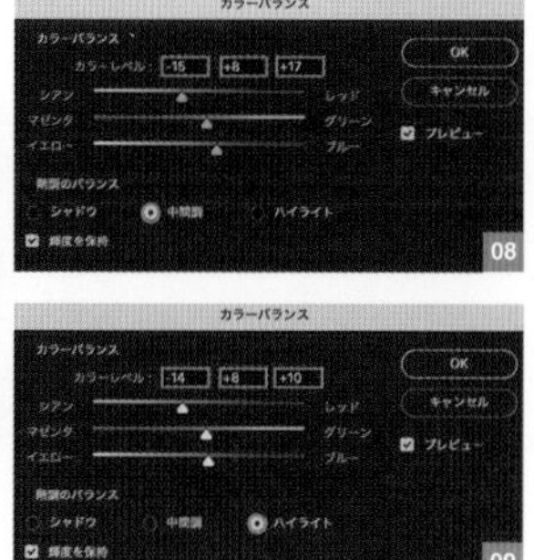

03 ┃ 建物を切り分ける

［ペンツール］を選択し、11のように建物のパスを作成します。［パス］パネルにあらかじめ建物に沿ったパスを用意しているので利用してもよいでしょう。

パス［建物パス］で［右クリック］→［選択範囲を作成］→［ぼかしの半径：2pixel］とし［OK］を選択します。

［長方形選択ツール］を選択し、［右クリック］→［選択範囲をコピーしたレイヤー］とします12。コピーしたレイヤー名は［手前建物］とします13。

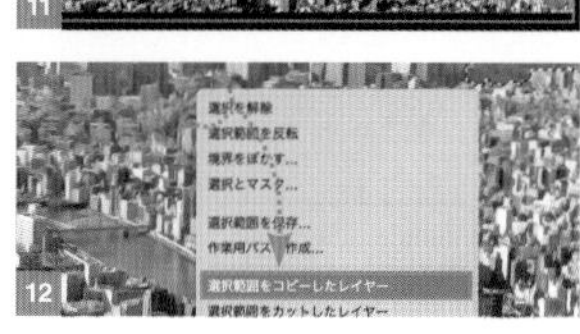

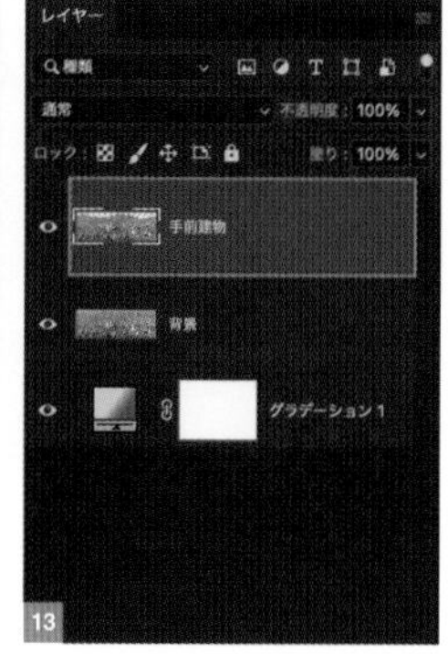

04 ┃ 雲を描く

素材［雲描画ブラシ.abr］をダブルクリックしブラシを読み込みます。
新規レイヤー［雲］を作成し［描画色：#ffffff］を選択します。読み込んだ、［雲描画ブラシ］を選択し［直径:100px］とし、［オプションバー］を［不透明度：50%］とします 14。
15 のように雲を描きます。クルクルと円を描くようにしながら、何層かに重ねます。
［指先ツール］を選択し 16、［雲描画ブラシ］［直径：100px］を選択します。
雲に対して内側・外側にドラッグし、雲のムラを演出します 17。
上位に新規レイヤー［雲-影］を作成します。レイヤーパネル上で選択し［右クリック］→［クリッピングマスクを作成］します。［描画色：#b9e6e9］を選択し、［雲描画ブラシ］で雲の影を描き 18、［指先ツール］でムラを出します 19。
同じ要領で他の雲を描きます 20。
レイヤー［雲］［雲-影］を選択し［右クリック］→［レイヤーを結合］し、レイヤー［雲1］とします。レイヤー［雲1］を複製し、レイヤー［雲2］とします。［自由変形］を選択し、カンバス上で［右クリック］→［水平方向に反転］します。［220%］前後拡大し 21 のように配置します。さらに複製し、レイヤー［雲3］とし、22 のように手前に配置します。23 のようになりました。

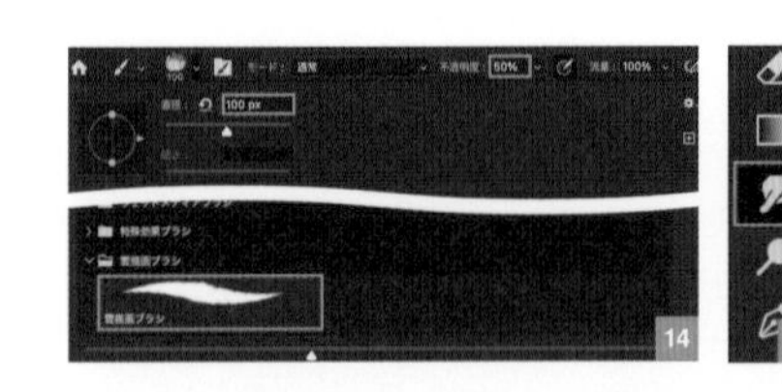
14

16

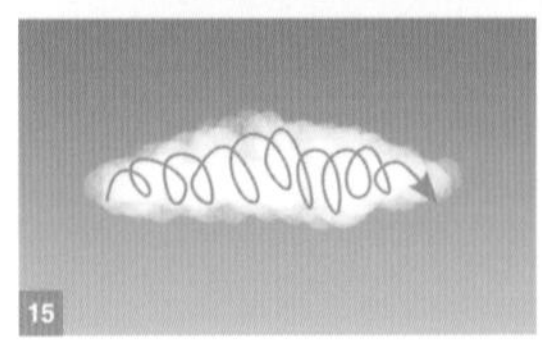
15

17

18

19

20

21

22

23

05 ┃ 地平線に雲を描く

レイヤー［手前建物］の下位に新規レイヤー［地平線の雲］を作成します。
手順04と同じ要領で雲を描きます。上位に新規レイヤー［地平線の雲-影］を作成し［描画色：#e0e0e0］で雲を描き 24、［描画色：#b1d2d6］で影を付けます 25。レイヤーパネルより新規グループを作成して［雲］とし、描いた雲はまとめておきましょう。これで昼の背景は完成です。

24

25

Ps

アニメの背景風に加工する（夕方）

no.085

前節で作った作例を色付けアレンジして、夕暮れの景色にしてみましょう。

Point	夕日を合成し建物や雲の色を合わせるように補正する
How to use	広告やアニメ・ゲームの背景に

01 | 建物に影を付ける

[描画色：#000000] に設定します。レイヤーパネルから [塗りつぶしまたは調整レイヤーを新規作成] → [グラデーション] を選択し 01 のように設定します。グラデーションはプリセットの [描画色から透明に] とします。
レイヤー [手前建物] の上位に配置し、[描画モード：ソフトライト] [不透明度：50%] とします。

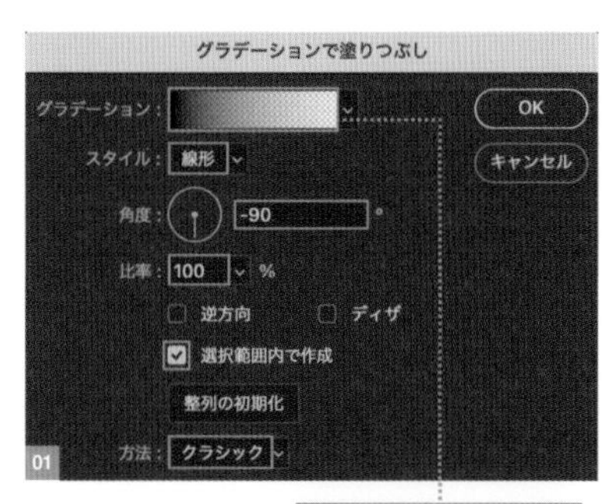

Chapter 09

レイヤーパネルでレイヤー［手前建物］のサムネールを⌘（Ctrl）キー+クリックし選択範囲を作成します。
レイヤー［グラデーション1］を選択し、レイヤーマスクを追加します 02 03。

02 | 夕方の風景に加工する

手順01と同じように、レイヤーパネルから［塗りつぶしまたは調整レイヤーを新規作成］→［グラデーション］を選択し、レイヤー［地平線の雲-影］の下位にグラデーションを配置します。
グラデーションは 04 のように設定し、画面上で上方向にドラッグして 05 のように奥の建物がうっすら暗くなる位置に配置します。
素材［夕日.psd］を開き、レイヤーグループ［雲］より上位に配置します。［描画モード：スクリーン］とします 06。
［レイヤーマスクを追加］し、［ソフト円ブラシ］を使って地平線から建物にかかる部分をマスクします 07。

03 | 逆光を作り、地平線を光らせる

上位に新規レイヤー［逆光］を作成し、［#000000］で塗りつぶします。［フィルター］→［描画］→［逆光］を選択し 08 のように設定します。［描画モード：スクリーン］とします 09。
レイヤー［夕日］の夕日と逆光の中心が重なるように 10 のように［自由変形］を使って拡大します。
さらに上位に新規レイヤー［光-オレンジ］を作成します。［描画モード：オーバーレイ］とします。
［描画色：#dfaf77］を選択し［ソフト円ブラシ］で地平線と平行に光を描きます。地平線周辺の空と建物を光らせるイメージです 11。

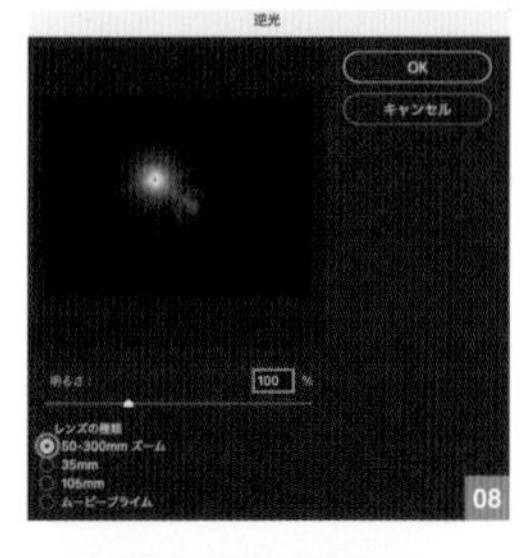

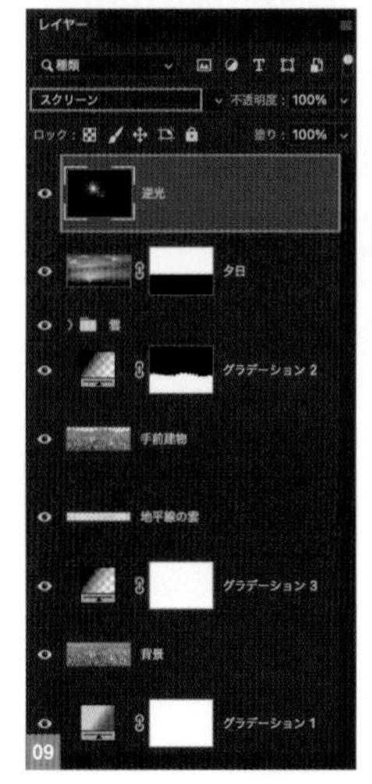

04 | 逆光に合わせて建物を補正する

レイヤー［手前建物］を選択し、［イメージ］→［色調補正］→［レベル補正］を 12 のように設定し逆光で暗くなった様子を表現します。
［イメージ］→［色調補正］→［色相・彩度］を選択し 13 のように設定し夕日の淡い色みに補正します。
レイヤーグループ［雲］の下位に新規レイヤー［雲から建物への影］を作成します。
［描画色：#280728］を選択し 14 のように［ソフト円ブラシ］を使って、雲から建物へ落ちる影を描きます。
［不透明度：50%］として建物となじませます 15 16。

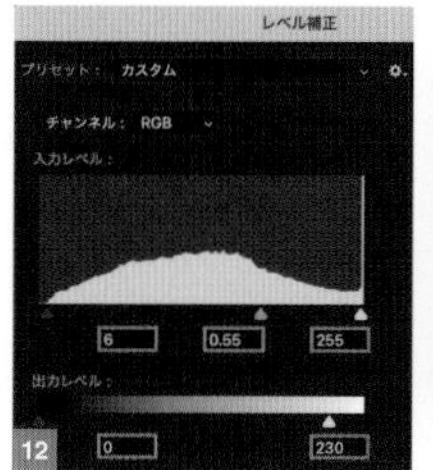

12

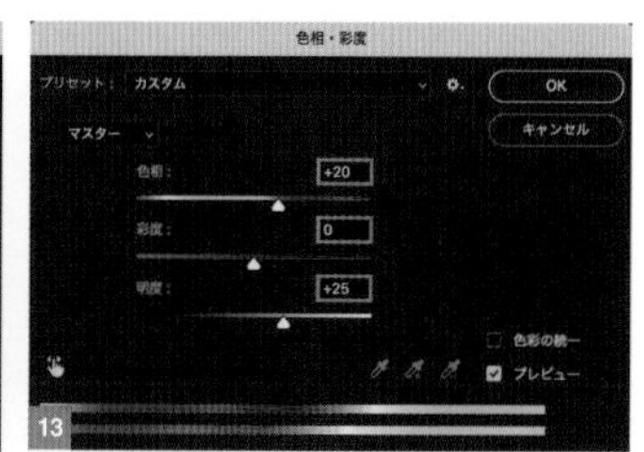

13

14

雲から建物へ落ちる影を描く

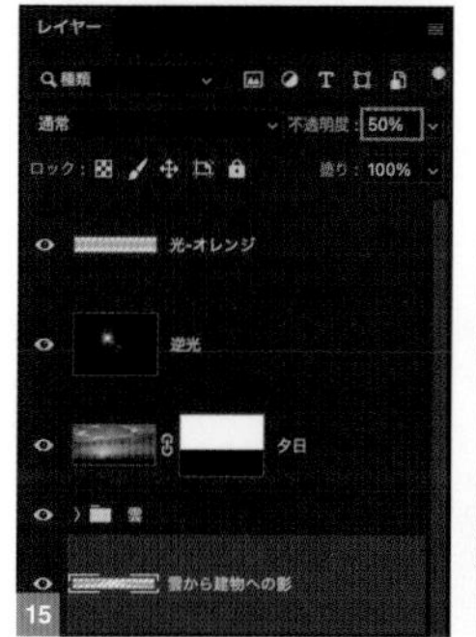

15

16

05 | 雲の位置ごとに背景と色を合わせる

レイヤー［雲3］を選択し［色相・彩度］を 17 のように、［レベル補正］を 18 のように設定します。
レイヤー［雲2］を選択し［色相・彩度］を 19 のように、［レベル補正］を 20 のように設定します。
レイヤー［雲1］を選択し 21 のように両サイドの雲の選択範囲を作成します。
［色相・彩度］を 22 のように設定し完成です 23。

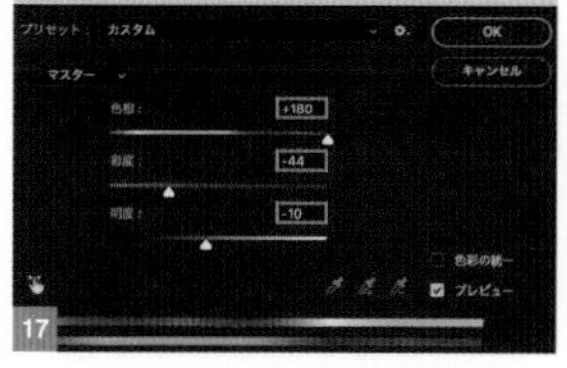

17

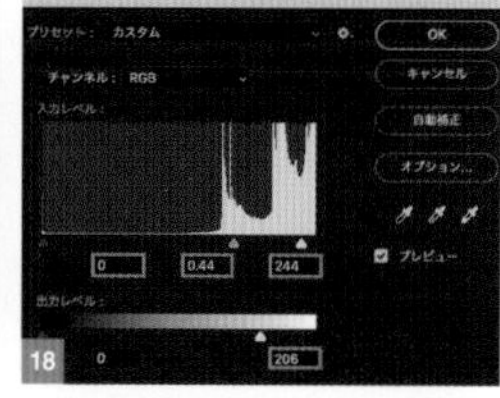

18

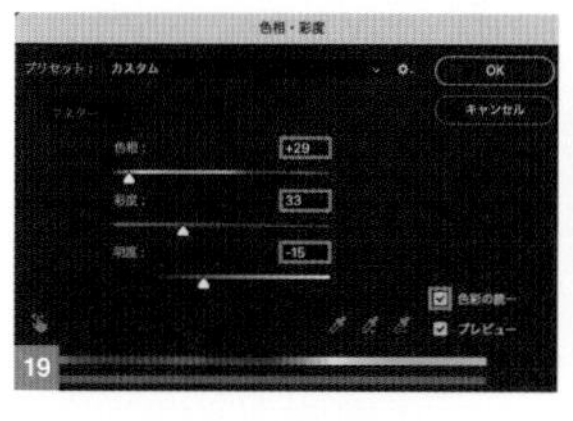

19

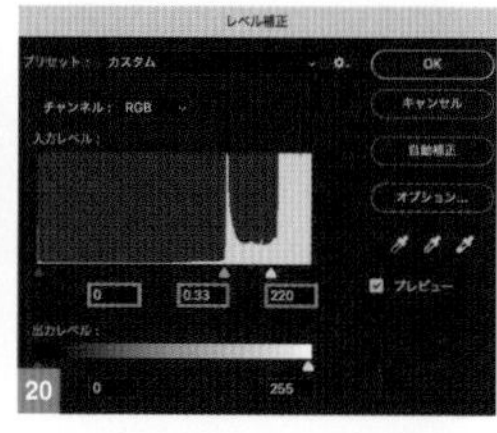

20

21

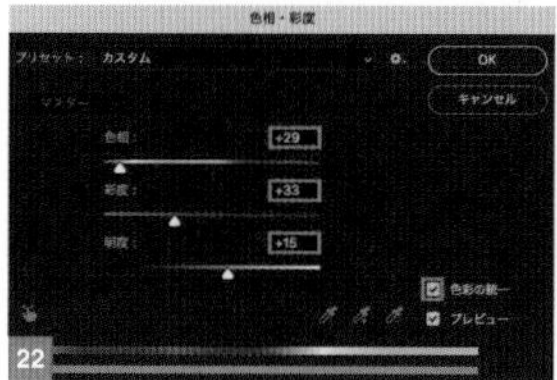

22

23

Chapter 09

Ps

アナグリフ風のエフェクトを作る

no.086

赤青の 3D 眼鏡で見ることで立体的に見えるようなアナグリフ風のグラフィックを作成します。

Point　レイヤースタイルのみで簡単に表現

How to use　アナグリフや印象的なグラフィックに

01 | レイヤーを複製する

素材［風景.psd］を開きます。画像を左右にずらすのでカンバスサイズより横幅のある画像を用意しています。
レイヤー［風景］を上位に複製し、レイヤー名［シアン］［レッド］とします 01。

02 | レイヤースタイルを使い シアンのレイヤーを作る

レイヤー［レッド］を非表示にし、レイヤー［シアン］を選択します。
［レイヤースタイル］を表示し、02のように［レイヤー効果］→［高度な合成］の［チャンネル］を［G］［B］のみチェックします。シアンで作られた色みになりました03。

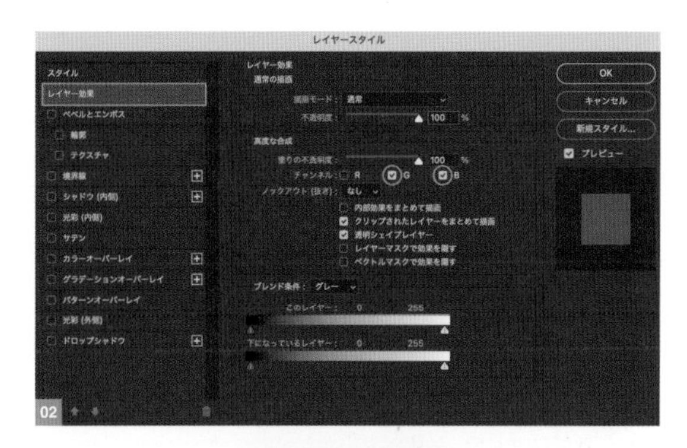

02

03

03 | レイヤースタイルを使い レッドのレイヤーを作る

レイヤー［シアン］を非表示にし、レイヤー［レッド］を表示し選択します。
［レイヤースタイル］を表示し、04のように［高度な合成］の［チャンネル］を［R］のみチェックします。レッドで作られた色みになりました05。

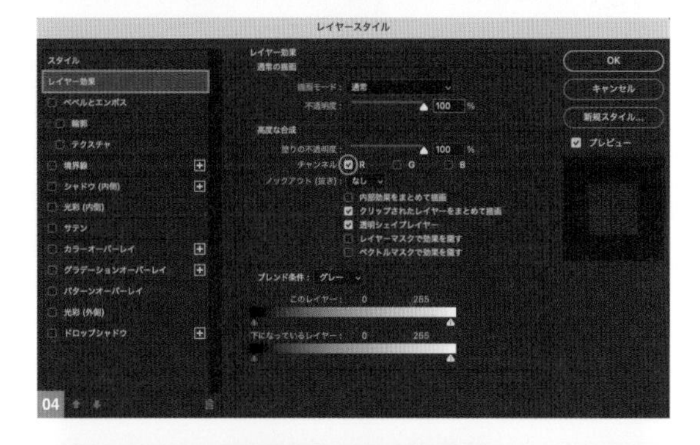

04

05

04 | レイヤーをずらして完成

2つのレイヤーを表示し、レイヤー［シアン］を選択します。
［移動ツール］を選択し、Shiftキーを押しながら水平に左側に移動させて完成です。
作例ではテキストにも同じ加工をし［描画モード：オーバーレイ］で配置しました。

Ps

no.
087

複数の写真を使った多重露光を行う

複数の写真を重ねたグラフィックを作成します。

Point ［描画モード：スクリーン］を使用して画像を重ねる

How to use 印象的なグラフィックに

01 ｜ ベースとなる素材をレイアウトする

素材［背景.psd］を開きます。素材［パーツ風景素材集.psd］を開きレイヤー［人物］を移動させ 01 のように配置します。
［多角形ツール］を選択し 02、［オプションバー］を［塗り：#000000］［角数：3］とし 03 のように設定します。
カンバス上でドラッグしてシェイプを作成し、レイヤー［人物］の下位に配置します。［自由変形］を選択し［15°］回転させ 04 のように配置します。
同じ要領でさらに2つの三角のシェイプを作成します 05。
レイヤー名は、頭の左の大きなシェイプを［三角形1］、その下のシェイプを［三角形2］、右のシェイプを［三角形3］とします。

02 ｜ 素材を配置する

レイヤー［三角形1］の下位にレイヤー［星空］を移動させ配置します 06。
［描画モード：スクリーン］とします 07。
これでレイヤー［星空］より下位にあるレイヤーの黒部分に画像が残り、白部分は除外されます。
レイヤー［山］を移動させ、レイヤー［人物］の上位に配置し［描画モード：スクリーン］とします。
［自由変形］を使い［垂直方向に反転］し 08 のように配置します。
レイヤーパネル上でレイヤー［山］を選択し、［レイヤーマスクを追加］します。
［レイヤーマスクサムネール］を選択し、［ソフト円ブラシ］を使い画像の境界部分（人物の胸あたり）をマスクします 09。

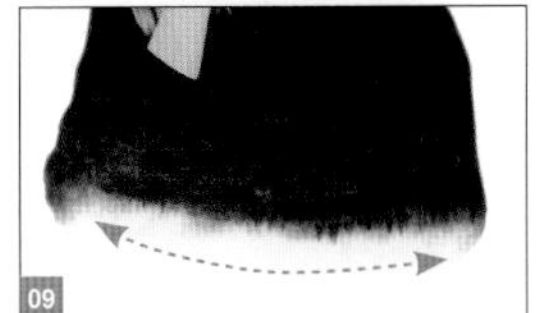

03 ｜ さらに素材を配置する

レイヤー［山道］をレイヤー［人物］の上位に移動させます 10。
［描画モード：スクリーン］とします 11。
レイヤーパネル上でレイヤー［山道］を選択し、［レイヤーマスクを追加］します。
［レイヤーマスクサムネール］を選択し、［ソフト円ブラシ］を使い画像の境界部分や、顔の中心に重なっている部分をマスクします 12。
レイヤー［葉っぱ］［窓］［月］をレイヤー［人物］の上位に移動させ［描画モード：スクリーン］とし 13 のように配置します。
レイヤー［湖］をレイヤー［人物］の上位に移動し、14 のように配置します。
同じ要領で［レイヤーマスクを追加］し、顔のサングラスより上とレイヤー［三角形1］だけに画像が残るようにマスクします。マスクした部分は 15 のようになります。

04 ｜ 人物にマスクを追加する

レイヤー［三角形1］と重なる頭の輪郭が白くなっているのでマスクしてなじませます。
レイヤー［人物］を選択し、［レイヤーマスクを追加］し 16 のようにマスクを追加します。17 のようになります。

16

17

05 ｜ 光を加える

最上位に新規レイヤー［光］を作成します。
［塗りつぶしツール］を選択し、［描画色：#000000］で塗りつぶします 18。
［フィルター］→［描画］→［逆光］を選択し 19 のように、プレビュー内で光の中心が重なるようにドラッグし［OK］します。
［描画モード：スクリーン］とします 20。
［フィルター］→［ぼかし］→［ぼかし（放射状）］を選択し 21 のように設定します。
光の中心を人物の左首あたりに移動させ［自由変形］を使って［150%］拡大します 22 23。

18

19

20

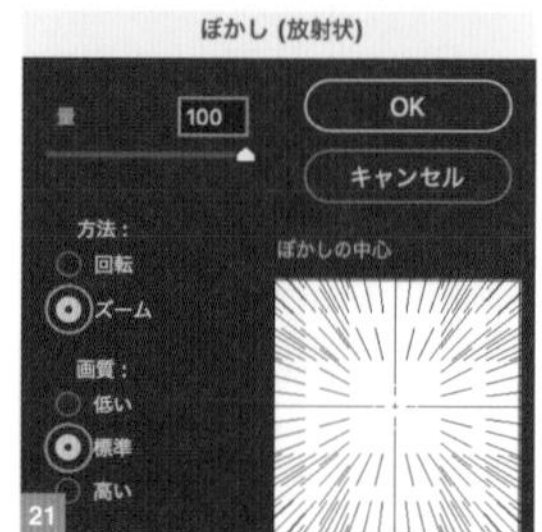

21

22

23

06 ｜ 全体の色みを調整して完成

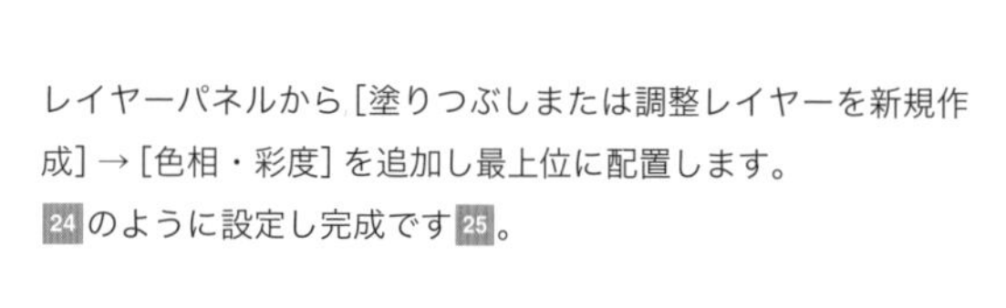

レイヤーパネルから［塗りつぶしまたは調整レイヤーを新規作成］→［色相・彩度］を追加し最上位に配置します。
24 のように設定し完成です 25。

24

25

Ps

no.
088

SMOKE EFFECT

煙と同化したグラフィックを作る

ブラシを使って、煙と同化する人物のグラフィックを作成します。

Point　マスクの追加・削除時はレイヤーの重なりに注意して作業する

How to use　クールな印象を持ったグラフィックや広告に

01 | 人物を加工し煙のベースとなる部分を作成する

素材［人物.psd］を開きます。レイヤー［人物］を下位に複製し、レイヤー名［煙］とします 01。
レイヤー［煙］を選択し、［フィルター］→［ゆがみ］を選択します。
［前方ワープツール］を選択し、［ブラシツールオプション］［サイズ：1000］とし 02 のように背中方向にゆがみを加えます。
［フィルター］→［ぼかし］→［ぼかし（ガウス）］を選択し［半径：70pixel］とします 03 04。
レイヤー［煙］は非表示にしておきます。

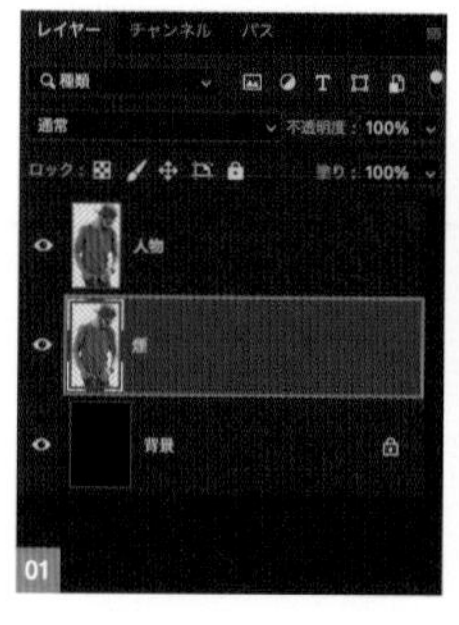
01

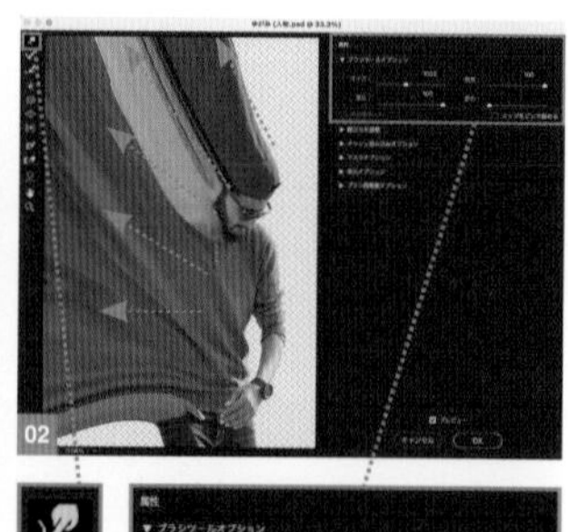
02

03

04

02 | 人物を煙のブラシでマスクする

素材［煙ブラシセット.abr］をダブルクリックして読み込みます。
レイヤー［人物］を選択し、レイヤーパネル内の［レイヤーマスクを追加］とします。
［レイヤーマスクサムネール］を選択します 05。
［描画色：#000000］［ブラシツール］を選択し、読み込んだ［煙01〜03］のブラシを使ってマスクしていきます 06。
ブラシの種類とサイズ、角度を変えながら、ストロークではなく、点を置くようにマスクを追加していきます。
07 を参考に人物が煙で覆われたようなイメージでマスクを追加してみましょう。

05

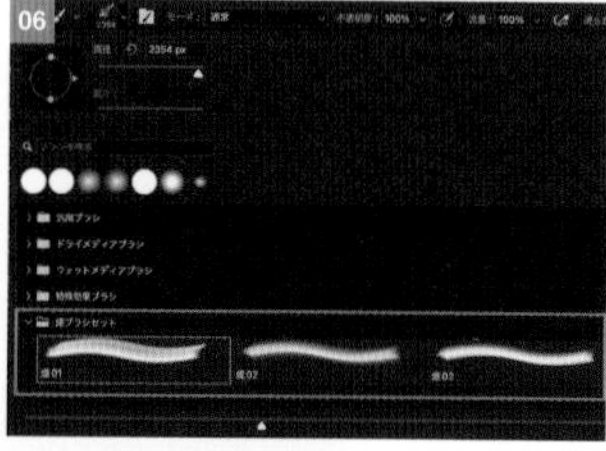
06

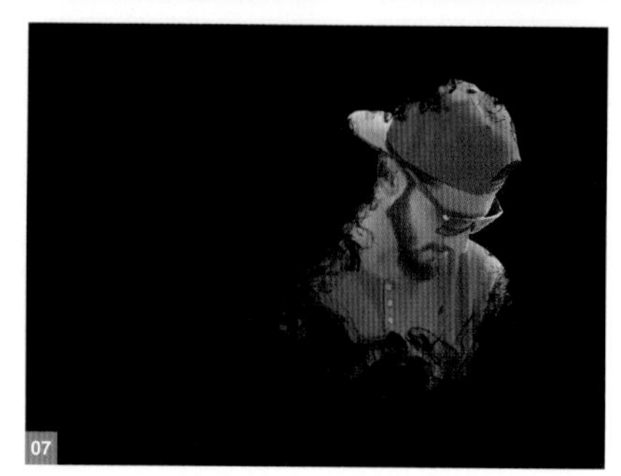
07

03 人物後ろの煙を制作する

レイヤー［煙］を表示します。
手順02と同じように、［レイヤーマスクを追加］とします。［レイヤーマスクサムネール］を選択し、［イメージ］→［色調補正］→［階調の反転］を適用します 08。
手順02では［描画色：#000000］でマスクを追加していきましたが、ここでは［描画色：#ffffff］を選択し、マスクを除外していくことで煙を描いていきます。ここでもストロークせずに、点を置くように煙を描きます 09。

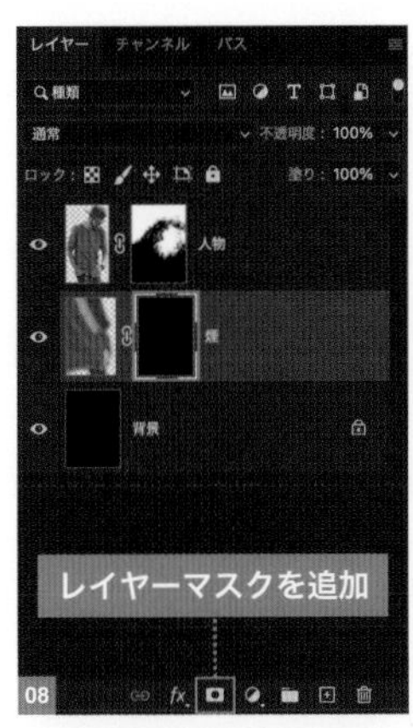

08

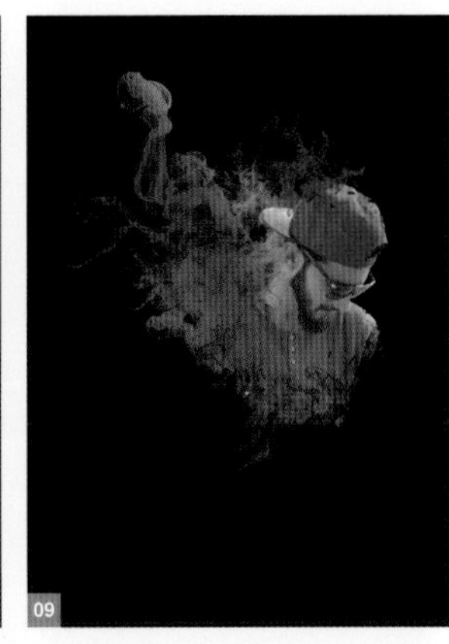
09

04 グラデーションマップで統一感を出して完成

レイヤーパネルから［塗りつぶしまたは調整レイヤーを新規作成］→［グラデーションマップ］を選択し、最上位に配置します 10。グラデーションは［#290a59］から［#ff7c00］のグラデーションとします 11 12。
作例ではAdobe Typekitに収録されている［Platelet OT］フォントを使い、「SMOKE EFFECT」とテキストを配置して完成としました。

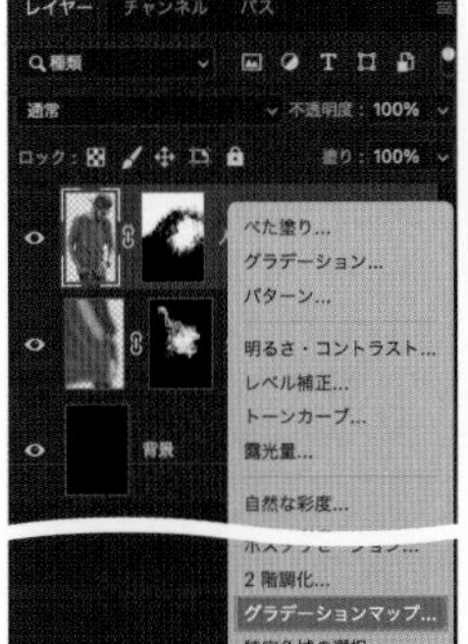

10

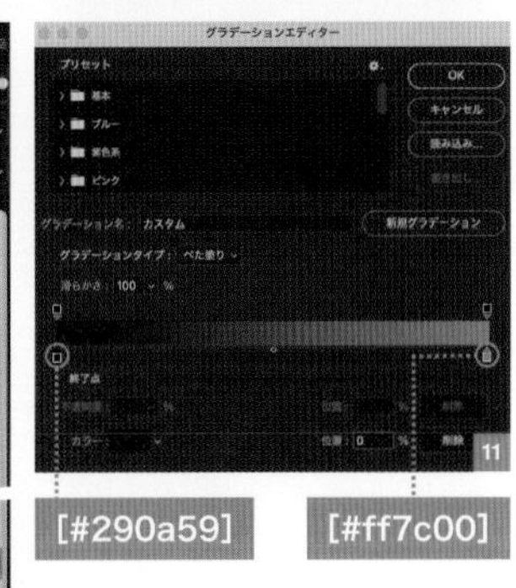

11

12

Chapter 09

1921

VINTAGE

KENTUCKY STRAIGHT

Ps

no.089

美しいマットな質感を作る

1つの葉っぱの素材を複製して美しい深い茂みの空間を作成します。調整レイヤーやテクスチャを使って統一感のある雰囲気に仕上げます。

Point

画像のサイズ、重ね方、明るさによって距離感が変わることを意識する

How to use

広告などのビジュアルに

01 | 近景として葉っぱを並べる

素材［ベース.psd］を開きます 01。あらかじめ黒い背景レイヤーと、切り抜き済みのレイヤー［葉っぱ］を用意しています 02。
画面のレイヤー［葉っぱ］をレイヤー名［葉っぱ_近景］とします。レイヤー［葉っぱ_近景］を複製し、［編集］→［自由変形］を使ってサイズはそのまま、回転させるなどしてバランスを見ながら画面の端に 03 のように配置します。
作例では6つのレイヤーを使いました。６つのレイヤー［葉っぱ_近景］をグループ化し、グループ名を［葉っぱ_近景］とします 04。

01

02

03

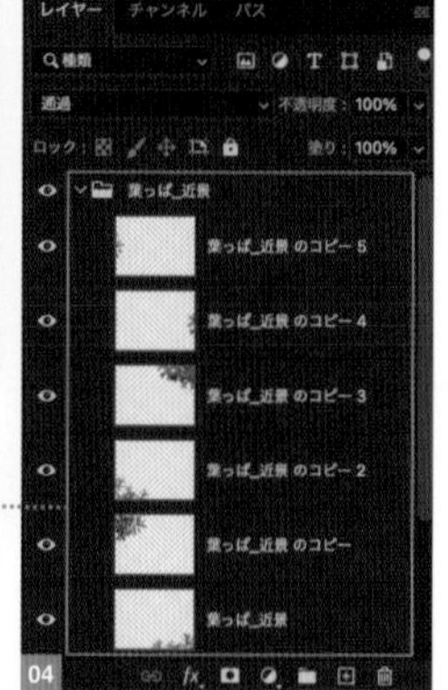

04

6つのレイヤーをグループ化した

02 | 中景として葉っぱを並べる

下位に新規グループ［葉っぱ_中景］を作成します。
レイヤー［葉っぱ_近景］を、グループ［葉っぱ_中景］内に複製します。
複製したレイヤーは、レイヤー名［葉っぱ_中景］とします。
レイヤー［葉っぱ_中景］をグループ内で複製し 05 のように配置します。作例では３つのレイヤーに複製しました。

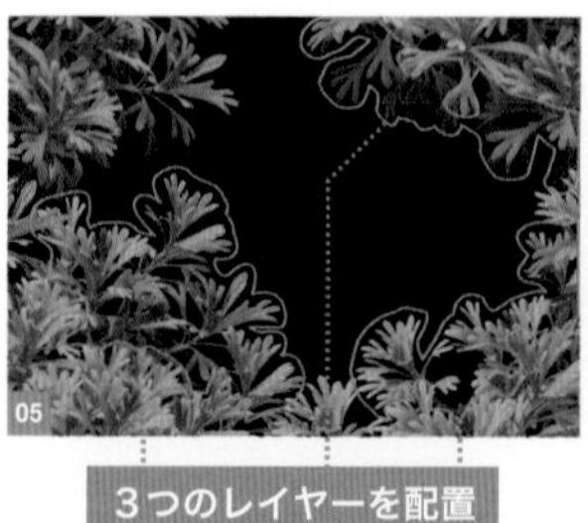

05

３つのレイヤーを配置

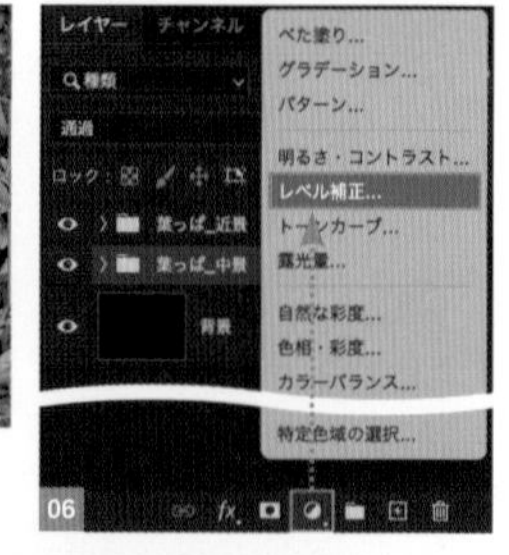

06

03 | グループ［葉っぱ_中景］にレベル補正を適用し、葉っぱの奥行きを出す

［塗りつぶしまたは調整レイヤーを新規作成］→［レベル補正］を選択します 06。
［出力レベル：0/150］として、ハイライト側を大きくカットし暗くします 07。
なお、調整レイヤー［レベル補正1］はグループ［葉っぱ_中景］の上位に配置し、レイヤーパネル上で［右クリック］→［クリッピングマスクを作成］を選択します 08。
これによってグループ［葉っぱ_中景］内のレイヤーにだけレベル補正が適用された状態となります 09。

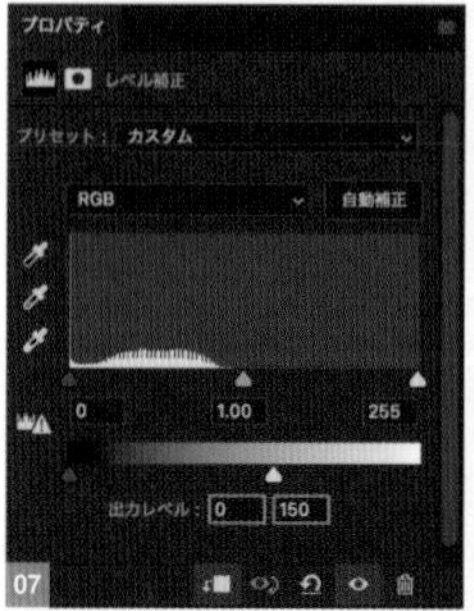

07

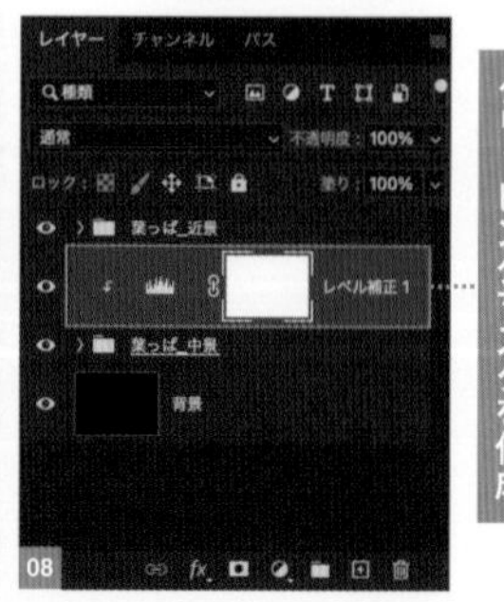

08

クリッピングマスクを作成

09

レベル補正が適用され暗くなった

□ *memo*

［葉っぱ_中景］はグループ［葉っぱ_近景］より暗くして印象を薄くすることで距離感を演出しています。

04 | 四隅を埋める

レイヤー[葉っぱ_中景]をグループ内で複製し、[編集]→[自由変形]を選択します。[65%]くらいに縮小します[10]。
[11]のように画面の四隅を埋めるイメージでレイヤーを複製し、回転させるなどしてレイアウトします。
作例では65%に縮小したレイヤーを4つ複製し配置しました[12]。

複製、自由変形、縮小を行った

05 | キツネを配置し、マスクする

素材[キツネ.jpg]をレイヤー[背景]の上に配置します。顔が画面の中央あたりにくるように移動します[13]。
[イメージ]→[色調補正]→[レベル補正]を選択します。
[入力レベル:0/0.9/255][出力レベル:0/170]とし、中間調を少し暗くしてコントラストを上げ、ハイライト側をカットします[14][15]。
レイヤー名を[キツネ]とし、レイヤーパネルから[レイヤーマスクを追加]を選択します[16]。
[ブラシツール]を選択し、[ソフト円ブラシ][描画色:#000000]を選択、キツネ以外の部分をマスクします[17]。この時、毛並みなど細かな部分は気にせずにおおまかな範囲でかまいません。

キツネを配置

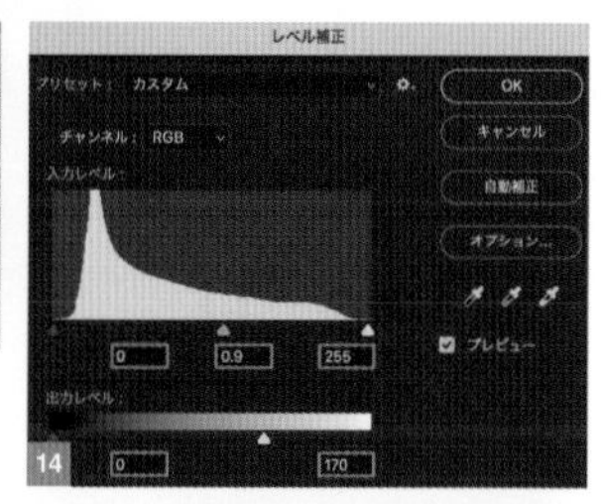

クリックして
レイヤーマスクを追加

キツネはマスクしない

□ memo

キツネは一旦全体的に暗くしておき、次の手順の[オーバーレイ]などを使って部分的に明るくすることで、顔などの目立たせたい部分だけを強調します。

06 | キツネの顔部分に光を足して強調する

レイヤー[キツネ]の上位に新規レイヤー[キツネの光]を作成し、描画モード[オーバーレイ]とし、[右クリック]→[クリッピングマスクを作成]を適用します[18]。
ツールパネルから[ブラシツール]を選択し、[ソフト円ブラシ][描画色:#ffffff]を選択します。
オプションバーで[不透明度:50%]くらいにしたら、[ブラシサイズ:1000px]くらいの大きなブラシで、ストロークせずに点を置くように、キツネの顔部分を光らせるイメージで描画します[19]。

クリッピングマスクをした

07 ｜ 画面全体に質感を加え、色みを統一する

素材［テクスチャ.jpg］を開き、最上位に移動させ、描画モード［比較（明）］としてテクスチャを上にのせます20。

レイヤーパネルから［塗りつぶしまたは調整レイヤーを新規作成］→［トーンカーブ］を選択します。

右下のコントロールポイントを選択し、［入力：0/出力/35］とします21。

コントロールポイントをさらに追加し［入力：30/出力：40］とします22。

調整レイヤー［トーンカーブ1］は最上位に配置します。画面全体のシャドウの範囲がカットされマットな質感になります23。

素材[テクスチャ.jpg]をのせた

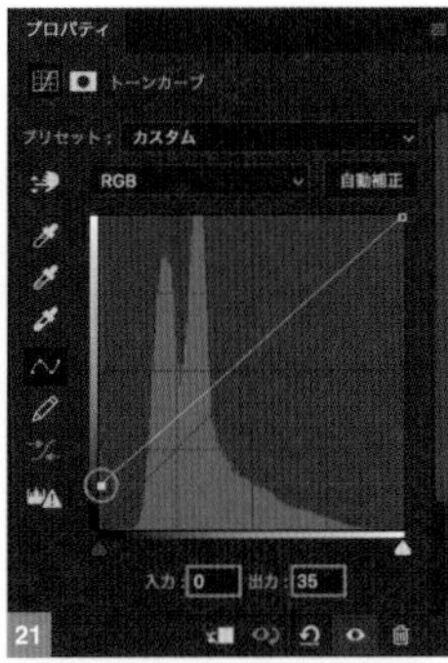

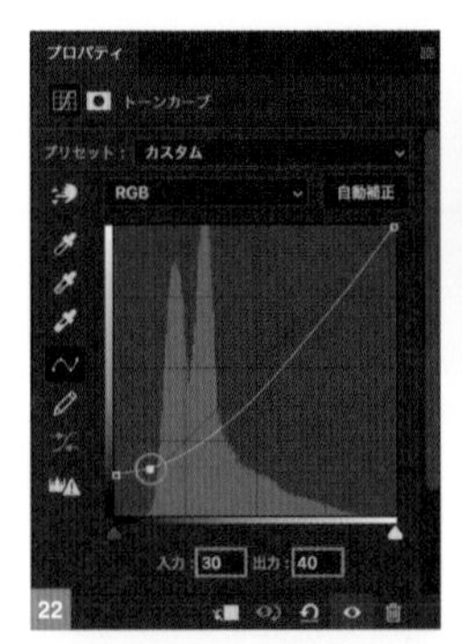

マットな質感になった

08 ｜ キツネの周辺に葉っぱを配置する

手順02で中景を作成した時と同じ要領で、レイヤー［キツネの光］の上位にグループ［葉っぱ_遠景］を作成します。12で65%程度縮小したレイヤー（ここではレイヤー［葉っぱ_中景のコピー6］）を複製し、グループ［葉っぱ_遠景］内に移動させます。レイヤー名は［葉っぱ_遠景］とし、複製してキツネの左右に配置します24。

葉っぱが一部キツネにかかるように配置すると距離感が出ます。

キツネにかぶるように配置

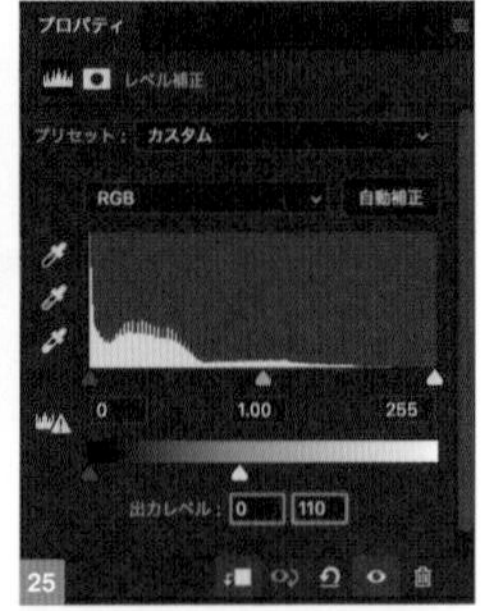

作例では画面左側のキツネの体を隠すように、葉っぱをかぶせて配置しています。

［塗りつぶしまたは調整レイヤーを新規作成］→［レベル補正］を選択します。

［出力レベル：0/110］として、ハイライト側を大きくカットします25。

調整レイヤー［レベル補正2］はグループ［葉っぱ_遠景］の上位に配置し、レイヤーパネル上で調整レイヤー［レベル補正2］を選択し［右クリック］→［クリッピングマスクを作成］を選択します26 27。

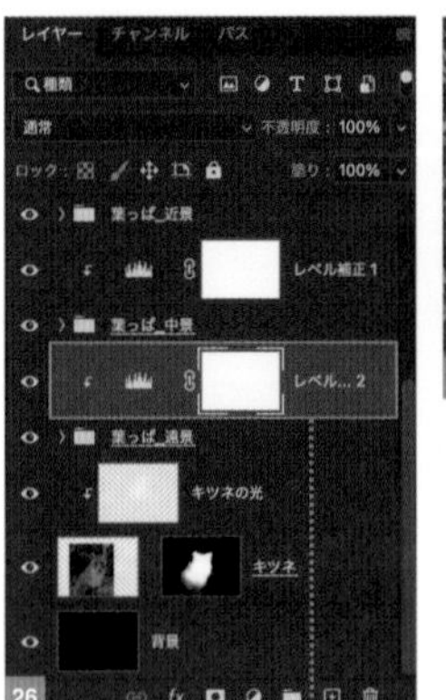

クリッピングマスクをした

遠景に見えるようになった

09 | 面全体に葉っぱの影をつける

レイヤー[テクスチャ]の下位に新規グループ[葉っぱ_影]を作成します。レイヤー[葉っぱ_中景 のコピー6]を複製し、グループ[葉っぱ_影]内に移動させます。レイヤー名は[葉っぱ_影]とします。
[イメージ]→[色調補正]→[レベル補正]を選択し、[出力レベル：0/0]として黒に補正します28 29。
レイヤー[葉っぱ_影]を選択し、[フィルター]→[ぼかし]→[ぼかし(ガウス)]を選択、[半径：10pixel]で適用します30。
レイヤーの[不透明度：35%]とし、キツネの右上に影が落ちているように31のように配置します。さらにグループ内でレイヤーを複製し、画面全体に葉っぱの影が落ちているように配置します32。
作例ではレイヤーを5つに複製し画面全体に配置しました33。

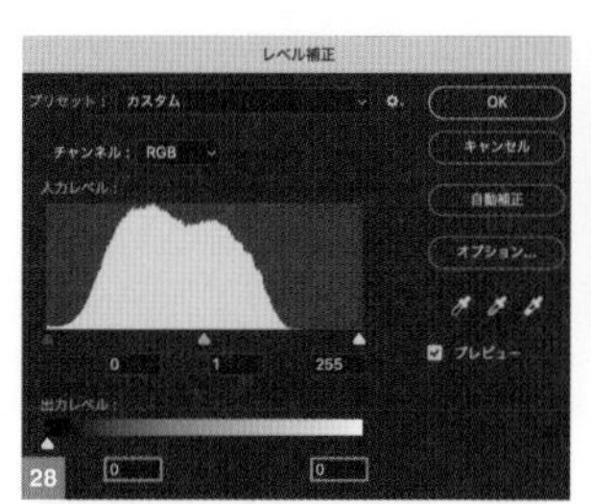

28

29
黒く補正された

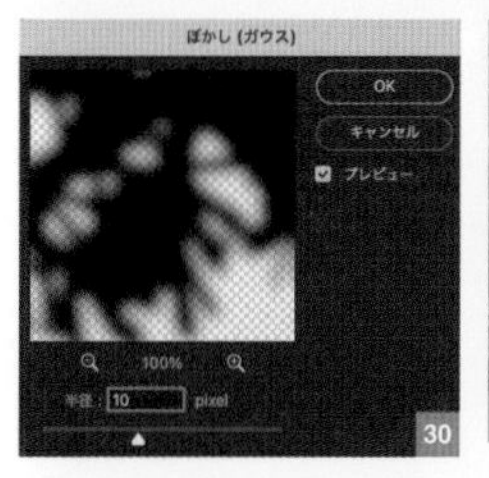

30

31

32

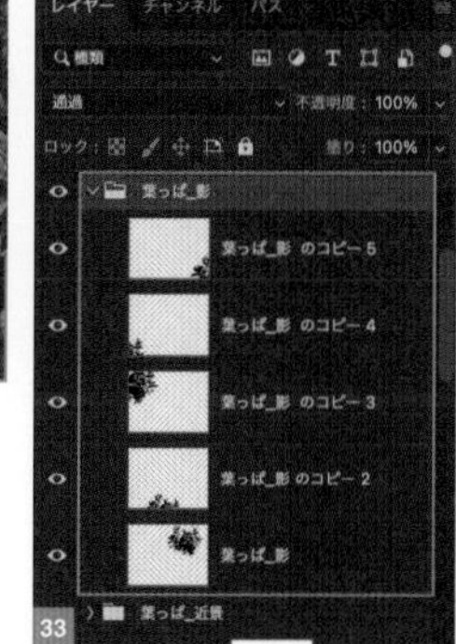

33

10 | 木漏れ日の画像を使ってランダムに光を加える

素材[木漏れ日.psd]を開きます。木漏れ日の光の要素だけを切り抜いたレイヤーを用意しています。
レイヤー[テクスチャ]の下位に移動させ、描画モード[オーバーレイ]とし、[不透明度：65%]としてなじませます34。

木漏れ日.psdを配置

34

35

11 | 広告のようにテキストやラインで装飾して完成

作例では架空のウイスキーの広告をイメージしてテキストを配置しました。
テキストは調整レイヤー[トーンカーブ1]よりも上位に配置してください。
ツールパネルの[横書き文字ツール]を選択し、フォントの設定を[フォント:Mrs Eaves XL Serif OT][スタイル:Reg][カラー：#c68d41]とします。
[サイズ:45pt]で「VINTAGE」「RED FOX」「1921」、[サイズ:18pt]で「KENTUCKY STRAIGHT」「BOURBON WHISKEY」と入力します35。
テキストレイヤー[1921]を選択し、[右クリック]→[シェイプに変換]します36。
[編集]→[パスを変形]→[遠近法]を選択し、37のように王冠のように変形させます。
最後に新規レイヤーを作成し、テキストの上下にラインを入れます。[ブラシ]や[シェイプ]を使って好みで作成してください38。

36

37

38

Chapter 09

Ps

クジラが浮かぶ壮大な風景　no.090

今まで学んできたPhotoshopの各機能を使いこなして、壮大なフォトコラージュ作品を制作します。

Point　様々なツールの機能を使いこなす

How to use　広告のビジュアルや作品制作に

01 ┃ ベースとなる風景を加工する

素材［背景.jpg］を開きます 01。
素材［素材集.psd］を開きます。今回使用する素材をあらかじめ切り抜いた状態で用意しています 02。このドキュメントからレイヤーを［背景.jpg］に移動させて制作していきましょう。
レイヤー［月］を移動させます。描画モード［スクリーン］としておきます 03。［レイヤー］→［レイヤースタイル］→［光彩（外側）］を選択します 04。
［描画モード：オーバーレイ］［カラー：#ffffff］［サイズ：100px］として［OK］します 05。月の外側に白い光の加工ができました 06。
レイヤー［星］を移動させます。描画モード［スクリーン］とします 07。
レイヤーパネルからレイヤー［星］を選択し、［レイヤーマスクを追加］を選択します 08。

01

02

03

［月］を移動した

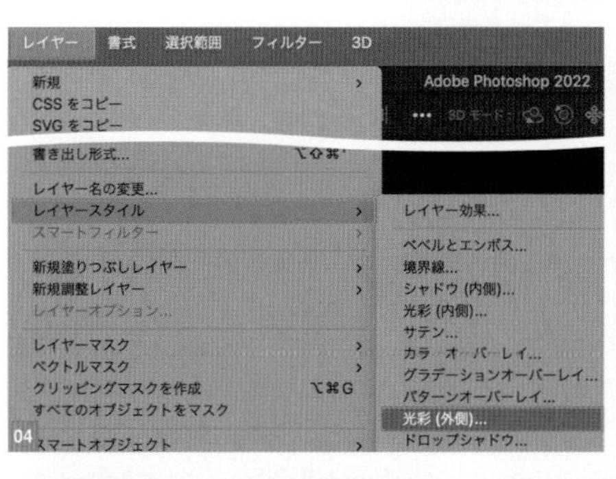

04

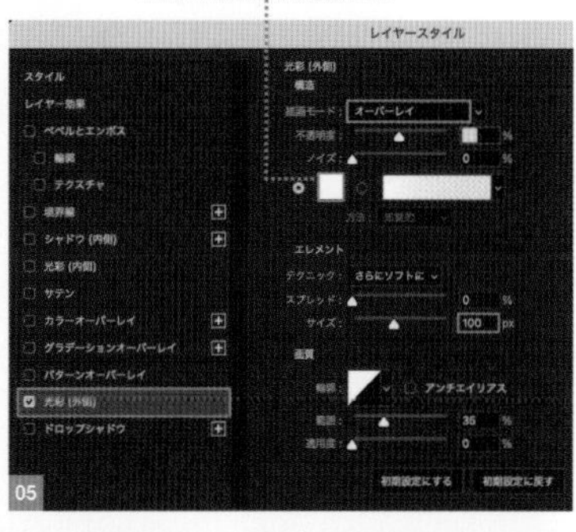
05

カラー：#ffffff

06

月の外側に白い光の加工ができた

07

レイヤー［星］を移動した

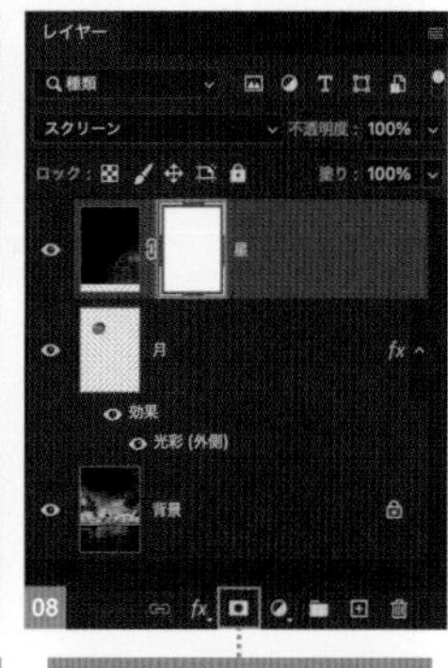

08

クリックしてレイヤーマスクを追加した

02 ｜ 必要な所を残すようにマスクする

09 を参考に空の暗い部分だけに星が残るようにマスクします。月や雲など、星が見えていると不自然な部分もマスクしましょう。
レイヤー［流星］をレイヤー［月］の下位に移動させ、描画モード［スクリーン］とします 10。
月の周辺をすっきりさせておきたいので、先程と同じようにレイヤーパネルから［レイヤーマスクを追加］し、月の周辺の流星をマスクします 11。

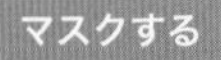

03 ｜ 画面手前に草原を作る

レイヤー［草原］を選択し、最上位に移動させます 12。
手前に坂道を作りたいので、［編集］→［自由変形］を選択し、13 のように反時計回りに［-15°］程度回転させます。
レイヤーパネルから［レイヤーマスクを追加］し 14、レイヤーマスクサムネールを選択した状態で、［イメージ］→［色調補正］→［階調の反転］を選択します 15。画面全体がマスクされカンバス上では草原が無い状態になります。

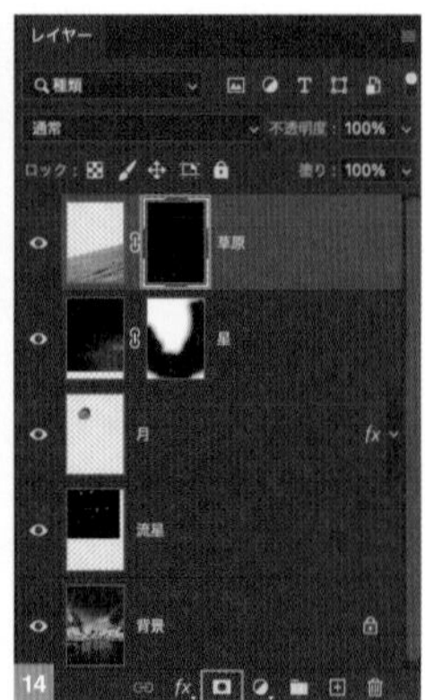

☐ memo

階調の反転のショートカット：⌘（Ctrl）＋I キー

レイヤーマスクサムネールを選択した状態で、ツールパネルの［ブラシツール］を選択します。描画色・背景色をどちらも［#ffffff］とします 16。
ブラシの設定［ブラシ：草］を選択し［直径：250px］とします 17。18 のように画面の下側に坂道を作るイメージでマスクを調整します。

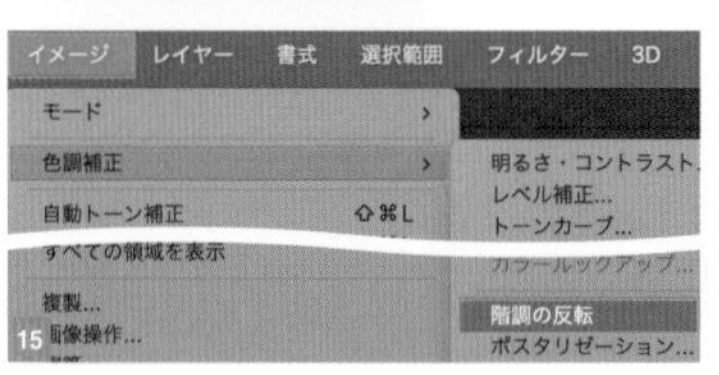

☐ memo

［ブラシ：草］はブラシの設定のレガシーブラシから探すことができます。
もし［ブラシ：草］がうまく見つからない場合は、［ブラシを検索］で「草」と検索をかけてもいいでしょう。

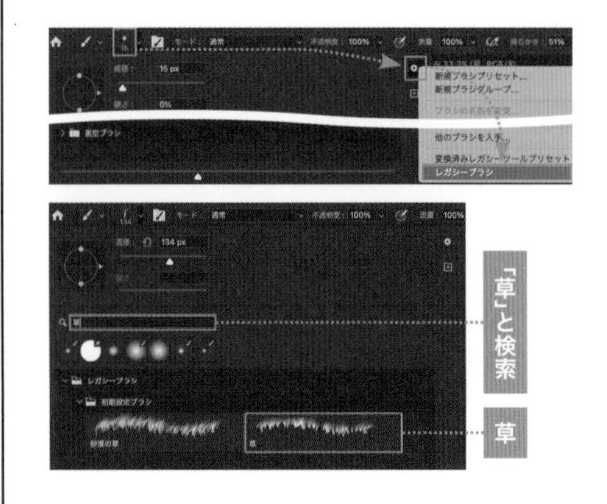

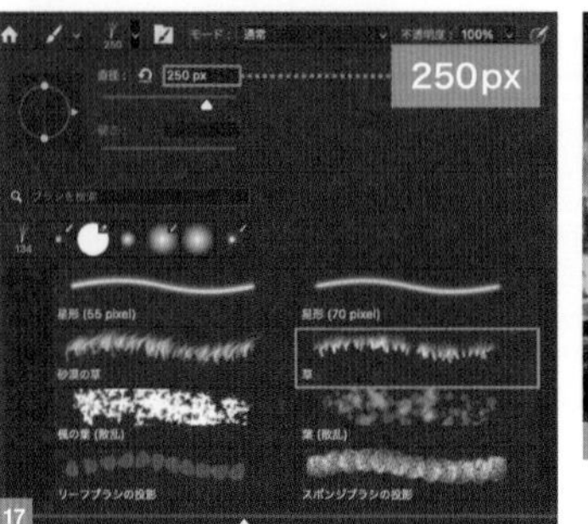

04 ┃ 草原の色みを調整する

レイヤー［草原］を選択し、［イメージ］→［色調補正］→［レベル補正］を選択します。
背景の明るさに揃えるように、［出力レベル：0/100］としてハイライト側を大きくカットして暗くします19。
［イメージ］→［色調補正］→［色相・彩度］を選択します。
［色相：-50］［彩度：-35］とし、背景の色みに近づけます20。
背景と明るさ・カラーを揃えました21。

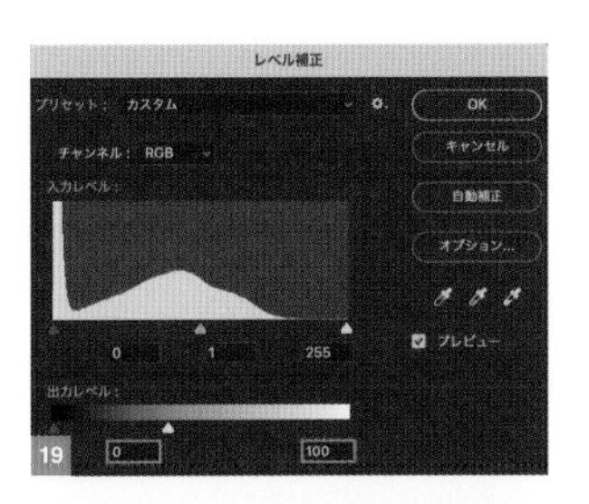

19

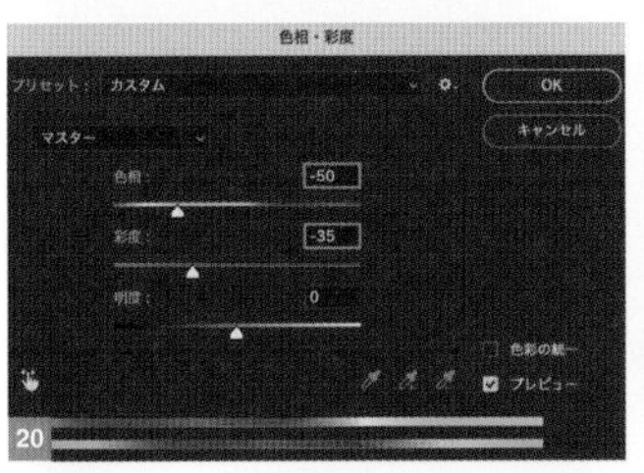

20

21

05 ┃ 草原に光を足し、倒れた街灯を設置する

レイヤー［草原］の上位に、新規レイヤー［草原の光］を作成し［描画モード：オーバーレイ］とします。レイヤー［草原の光］を選択し［右クリック］→［クリッピングマスクを作成］を選択します22。
［ブラシツール］を選択し、［ソフト円ブラシ］［描画色：#ffffff］を選択します。草原と背景の境界部分と、手前に描画をして光を足します23。
描いた光の濃さを見てレイヤーの不透明度を調整してください。作例では［不透明度：75%］としました。
レイヤー［街灯］を移動させ最上位に配置します。
［編集］→［自由変形］を選択し24のように時計回りに［65°］程度回転させます。
［イメージ］→［色調補正］→［レベル補正］を［入力レベル：7/0.9/255］［出力レベル：0/200］とします25。
［イメージ］→［色調補正］→［カラーバランス］を選択し、［階調のバランス：中間調］［カラーレベル：+30/0/-30］とします26。明るさ・カラーを揃えました27。
レイヤー［街灯］を選択し［レイヤーマスクを追加］を選択します。
草原のマスクと同じように［ブラシツール］を選択し、［ブラシ：草］［描画色・描画色：#000000］を使って街灯が草原に埋もれているようにマスクします28。
細かい部分はブラシサイズを小さくするなどして調整してください。

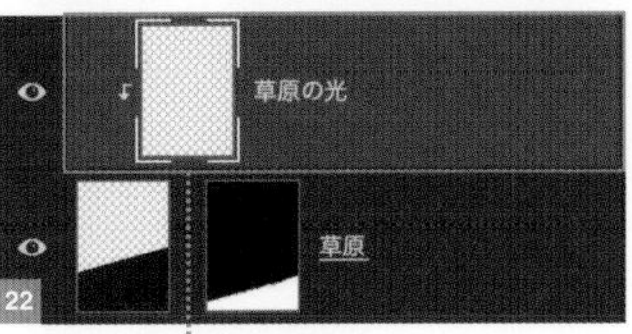

22

23

24

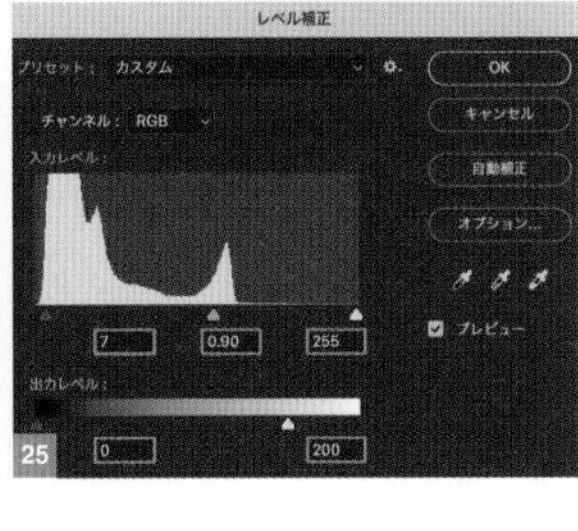

25

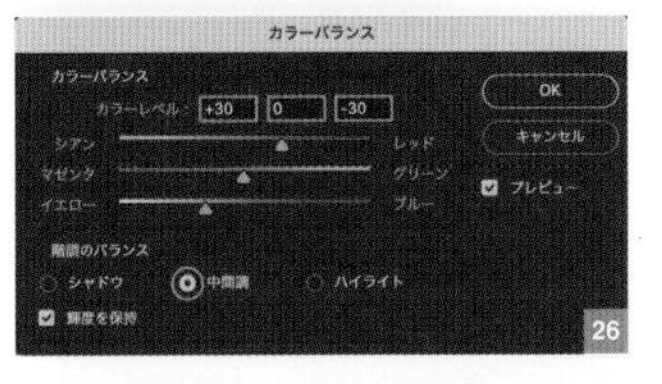

26

27

28

06 ｜ 街灯の明かりをつける

レイヤー［逆光］をレイヤー［街灯］の上位に移動させ、［描画モード：スクリーン］とします。［編集］→［自由変形］を選択します。29を参考に、街灯の明かりが灯っているイメージでサイズを縮小し位置を整えます。

レイヤー［逆光］の上位に新規レイヤー［街灯の光］を作成し描画モード［オーバーレイ］とします。［ブラシツール］を選択し、［ソフト円ブラシ］［描画色：#ffffff］を選択し、倒れている街灯の周辺に光を足すイメージで描画します30。

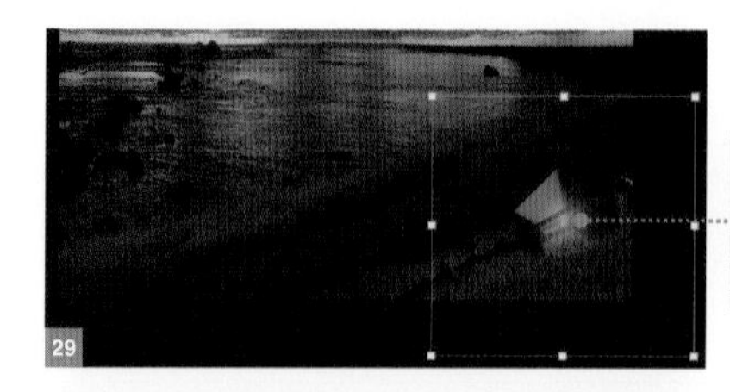

07 ｜ 手前に崖を追加する

レイヤー［崖］を移動させレイヤー［草原］の下位に配置します31。

レイヤー［崖］の上位に新規レイヤー［崖の影］［崖の光］［崖のエッジ］の3つのレイヤーを作成し［右クリック］→［クリッピングマスクを作成］とします32。

ツールパネルの［ブラシツール］を選択、［ソフト円ブラシ］を選択し、レイヤー［崖の影］は［描画色：#000000］を使って崖の手前の面が影になっているように描画します33。描いた具合をみてレイヤーパネルで［不透明度：40%］とします。

レイヤー［崖の光］は描画モード［オーバーレイ］とし［描画色：#ffffff］を使って崖の上の面に光があたっているように描画します34。

レイヤー［崖のエッジ］は［描画色：#ffffff］を使って［ブラシサイズ：5px］くらいの細かいブラシでエッジ部分に光を足すイメージで描きます35。

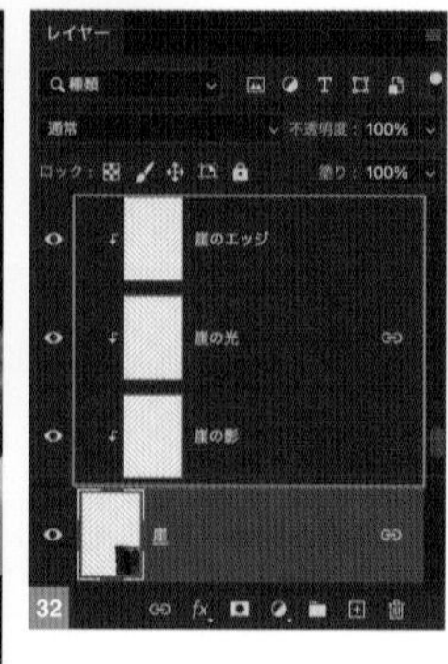

08 | 背景に街を追加し下方向に広がりを出す

レイヤー［街］を移動させ、レイヤー［背景］の上位に配置します36。上位のレイヤーに［草原］や［岸］などがあるので左上の部分のみ見えます。
上位に新規レイヤー［地平線のカラー］と［地平線の光］を作成します37。
レイヤー［地平線の光］は描画モード［オーバーレイ］としておきます。
レイヤー［地平線のカラー］を選択し、ツールパネルの［ブラシツール］を選択、［ソフト円ブラシ］［描画色：#d47a30］を選択し38のように地平線をオレンジで描きます。
地平線の境界部分は［描画色：#ffffff］［ブラシサイズ：5px］くらいの細かいブラシを使って直線で白いラインを描きます。
レイヤー［地平線の光］を選択、［ブラシツール］を選択し、［ソフト円ブラシ］［描画色：#ffffff］を使って地平線にラインを描き光らせます39。
さらに上位に新規レイヤー［街の光］を作成し描画モード［オーバーレイ］とします。
街灯の光を強調するように［ブラシツール］を選択し、［ソフト円ブラシ］［描画色：#ffffff］を使って光を足します40。

36

レイヤー［街］を配置した

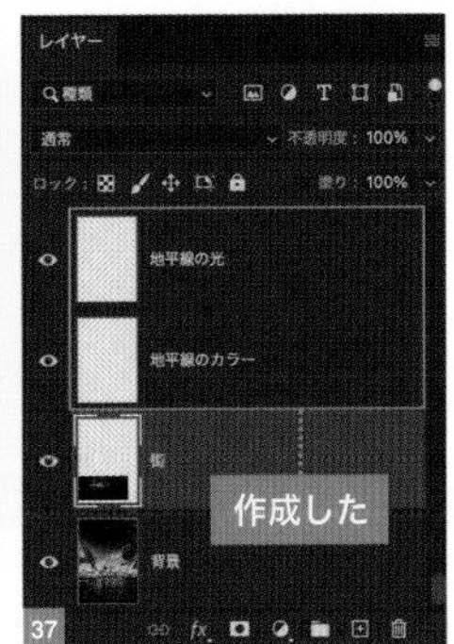

37

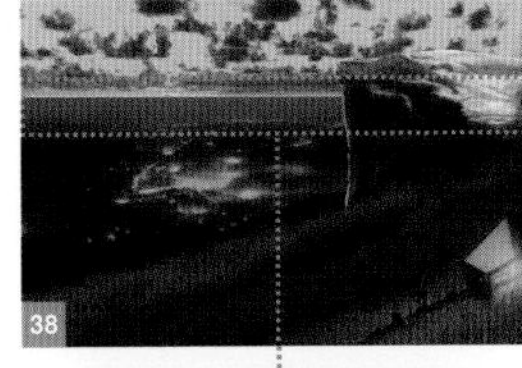
38
地平線のカラーを描く

39
地平線の境界を描く

40
街の光を足す

09 | 崖に木を配置し調整する

レイヤー［木］をレイヤー［崖］の上位に移動させます41。
［イメージ］→［色調補正］→［レベル補正］を選択し、［入力レベル：30/1/225］［出力レベル：10/105］とし、背景にあわせて逆光をイメージして暗く補正します42。
上位に新規レイヤー［木の光］［エッジの光］を作成します。レイヤー［木の光］を選択し、描画モード［オーバーレイ］とします。［ブラシツール］を選択し、［ソフト円ブラシ］［描画色：#d9a098］を使って木のエッジ部分に光を加えます43。
レイヤー［エッジの光］を選択し、［ブラシツール］を選択、［ソフト円ブラシ］［描画色：#ffffff］［ブラシサイズ：5px］くらいの細かいブラシを使って木の幹のエッジに逆光をイメージしてラインを入れます44。

41

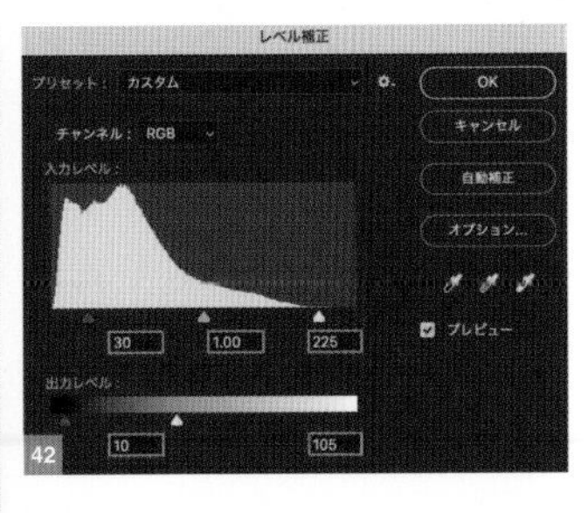

42

43
木に光を足す

44
木のエッジに光のラインを入れる

10 | さらに木を調整する

レイヤー［逆光］をレイヤー［木］の上位に移動させ、描画モード［スクリーン］とし、逆光の光が木の左側にかかるような位置を探して配置します。［不透明度：40%］としてなじませます 45。

レイヤー［木の影］を移動させます。レイヤー［崖のエッジ］の上位に配置し、レイヤー［崖］に対して［クリッピングマスク］を適用しておきます 46。

［編集］→［自由変形］を選択し、カンバス上で［右クリック］→［垂直方向に反転］をしたら、縦方向に縮小し 47 のように配置します。［不透明度：60%］としてなじませます。

［フィルター］→［ぼかし］→［ぼかし（ガウス）］を選択し［半径：2px］で適用します 48。

45

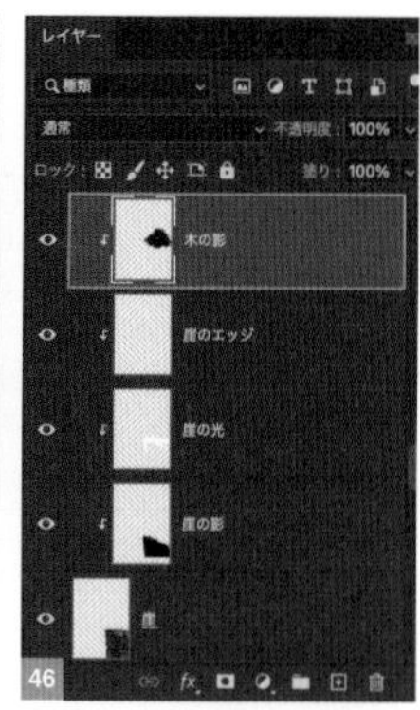

46

47

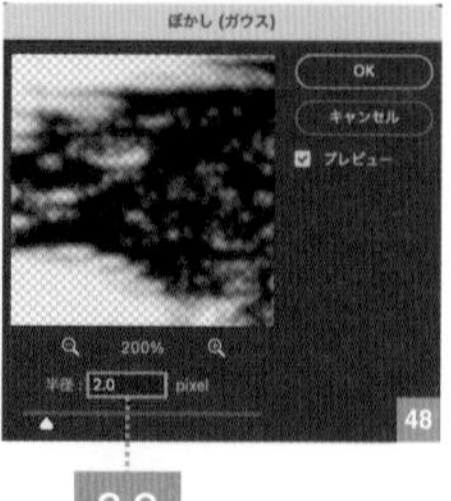

48

11 | 崖に人物と犬を配置して補正する

レイヤー［草原］の下位にレイヤー［人物］［犬］を移動させ、崖の上に配置します 49。

レイヤー［人物］は［右クリック］→［クリッピングマスクを作成］を選択します。［レイヤーマスクを追加］をクリックしてレイヤーマスクを作成します。ツールパネルの［ブラシツール］を選択し、［ソフト円ブラシ］［描画色：#000000］を使って、足が草の中に入っているようにマスクします 50。

レイヤー［人物］を選択し、［イメージ］→［色調補正］→［レベル補正］を選択します。

［入力レベル：0/0.84/225］［出力レベル：0/170］とします。同じようにレイヤー［犬］を選択し、［レベル補正］を選択し、［入力レベル：0/1/255］［出力レベル：0/80］とします。それぞれ風景にあわせて逆光で暗くなったように補正しました 51。

レイヤー［人物］［犬］よりも下位に新規レイヤー［人物・犬の影］を作成します。［ブラシツール］を選択し、［ソフト円ブラシ］［描画色：#000000］を選択、52 のように影を描きます。右下方向に影を描き、遠くになる程グラデーションで薄くなっていくように意識して描きます。濃くなりすぎた場合は不透明度を調整してください。

49

50

51

52

12 ┃ 崖周辺に光を足して背景となじませる

レイヤー［犬］の上位に新規レイヤー［カラー調整_人物・犬・背景］を作成し描画モード［オーバーレイ］とします。
［ブラシツール］を選択し、［ソフト円ブラシ］［描画色：#ff9368］を選択し、［ブラシサイズ：2500px］とかなり大きなブラシを選択、人物や犬を中心に点を置くように1度だけクリックし、大きな光を足します53。
濃さを見ながら不透明度を調整します。作例では［不透明度：80%］としました。
レイヤー［逆光］をレイヤー［犬］の上位に移動させ、描画モード［スクリーン］とします。
［編集］→［自由変形］を使ってサイズを調整し、人物の左側、腰のあたりに配置し逆光の演出をします54。
逆光のレイヤーを複製し、犬の頭あたりに配置します55。
レイヤー［月］の上位に新規レイヤー［光調整_人物・犬・背景］を作成し、描画モード［オーバーレイ］とします。
［ブラシツール］を選択し、［ソフト円ブラシ］［描画色：#ffffff］を選択、［ブラシサイズ：1500px］、オプションバーで［不透明度：50%］と選択し、点を置くように人物に2回、人物の左で1回、右で1回と4クリックくらいで大きな光を足します56。人物を中心に左右にグラデーションの光が描かれます。

13 ｜ クジラを配置しカラーを整える

レイヤー［クジラ1］［クジラ2］を移動させます57。
レイヤー［クジラ1］を選択し、［イメージ］→［色調補正］→［レベル補正］を選択します。
［入力レベル：0/0.95/255］［出力レベル：5/60］とします58。
［イメージ］→［色調補正］→［カラーバランス］を選択し、［中間調］を選択し、［カラーレベル：+10/-5/+15］とします59。
同じようにレイヤー［クジラ2］を選択し、［イメージ］→［色調補正］→［レベル補正］を選択し［出力レベル：30/50］とします60。
［イメージ］→［色調補正］→［カラーバランス］を選択し、［中間調］を選択し、［カラーレベル：-10/-20/+25］とします61。
手前のクジラはイエローやレッドを強く、奥のクジラは遠くにいるので少し青味を足しています62。

57

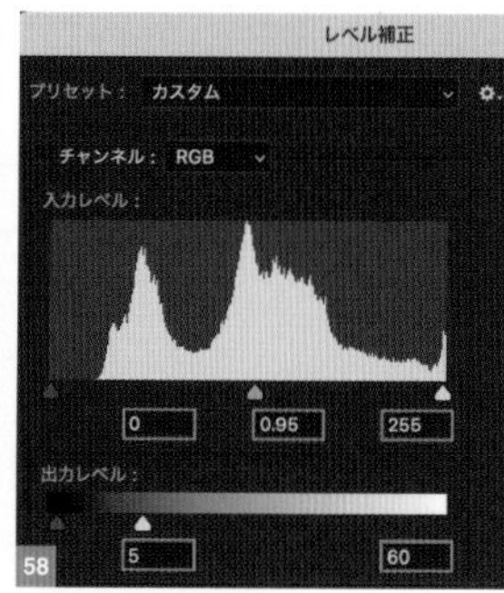

58

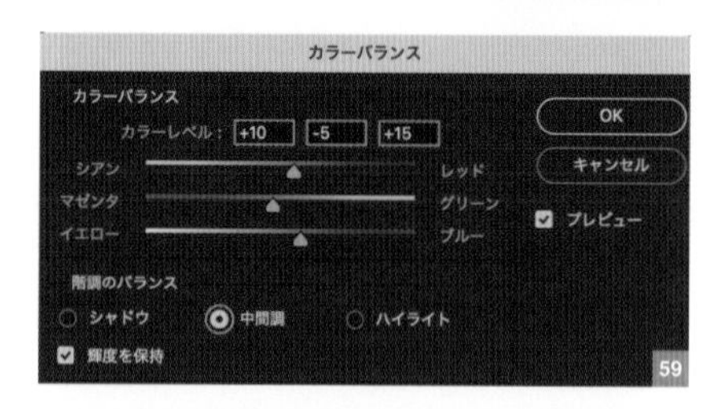

59

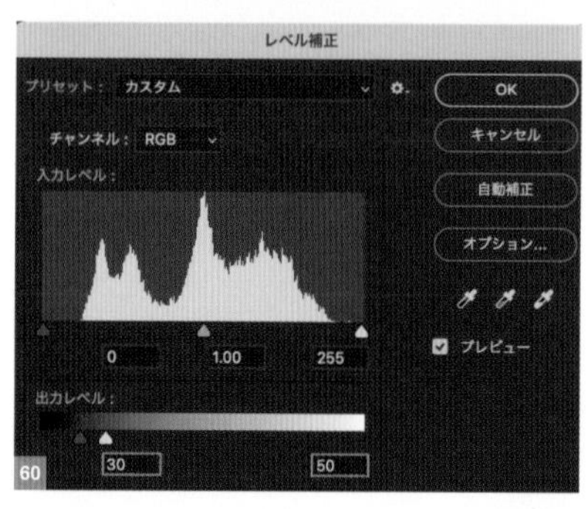

60

14 ｜ クジラに光を描く

レイヤー［クジラ1］の上位に新規レイヤー［クジラ1_光］の描画モード［オーバーレイ］、新規レイヤー［クジラ1_光エッジ］の描画モード［通常］を作成します。さらにレイヤー［クジラ2］の上位にも新規レイヤー［クジラ2_光］の描画モード［オーバーレイ］、新規レイヤー［クジラ2_光エッジ］の描画モード［通常］を作成します。
［ブラシツール］を選択し、［ソフト円ブラシ］［描画色：#ffffff］を選択し、［クジラ1_光］と［クジラ2_光］は上から落ちる光をイメージして、［ブラシサイズ：300px］くらいのサイズで調整しながら、柔らかく光を描きます63。
［クジラ1_光エッジ］と［クジラ2_光エッジ］は体のエッジ部分に［ブラシサイズ：5px］くらいの細かいブラシを使って、光のラインを描きます64。
レイヤー［クジラ1］［クジラ2］と、［クジラ1_光］［クジラ1_光エッジ］［クジラ2_光］［クジラ2_光エッジ］の6つのレイヤーはグループ化しグループ名［クジラ］としてまとめておきます。
レイヤー［逆光］をグループ［クジラ］の上位に移動させ、［右クリック］→［クリッピングマスクを作成］を選択します。グループに対してクリッピングマスクが適用されます。
65のようにレイヤー［クジラ1］の右下に逆光を入れて背景となじませます。
さらに上位に逆光を複製し、［クジラ2］のおなかの下あたりに配置します66。

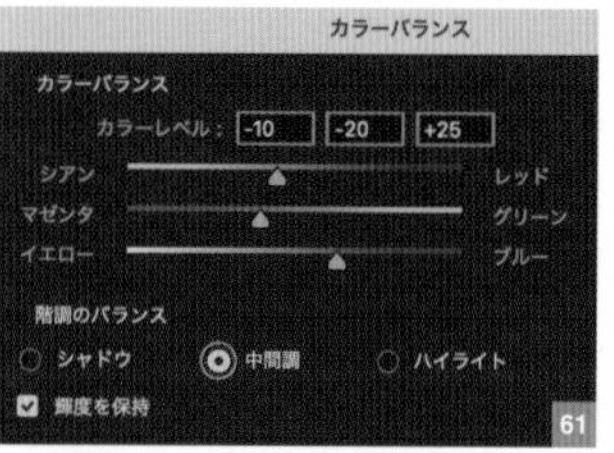

61

62

63

64

65

66

15 | 画面全体にもやや、雲を追加して柔らかい印象にする

レイヤー［もや］を移動させ、最上位に配置し［不透明度：20%］とします67。
レイヤー［草原］の下位に新規レイヤー［崖の境界］を作成します。
［ブラシツール］を選択し、［ソフト円ブラシ］［描画色：#ffffff］を選択し、［ブラシサイズ：600px］、オプションバーで［不透明度：20%］くらいの大きく薄いブラシを作成し、トントンと点を置くように崖と背景の境界にもやを入れ、境界をはっきりさせます68。
レイヤー［雲］を移動させ、レイヤー［崖］の下位に配置します69。
手前を柔らかくし、印象を弱く、崖と背景の境界をはっきりさせ、クジラのいる空には雲を足すことで空気感が出るように意識しました。

レイヤー［もや］を配置

レイヤー［雲］を配置

16 | 草や花びらを追加する

レイヤー［草］を画面右下に移動させます。［フィルター］→［ぼかし］→［ぼかし（ガウス）］を選択し、［10pixel］で適用します70。
大きくボケた要素を手前に入れることで距離感を演出しています。
レイヤー［花びら］を移動させ、最上位に配置します71。
レイヤー［花びら］を下位に複製し、［編集］→［自由変形］を使って［180°］回転させ配置します72。
複製したレイヤー［花びらのコピー］は画面下側に配置すると印象が強いので、［イメージ］→［色調補正］→［色相・彩度］を選択し、［色彩の統一］にチェックを入れ、［色相：350］［彩度：75］［明度：-67］としなじませます73。
レイヤー［花びらのコピー］を選択し、［レイヤーマスクを追加］します。バランスを見て雲にかぶっている部分や街にかぶっている部分をマスクします74。

レイヤー［花びら］を配置

レイヤー［花びら］を複製し回転して配置

17　全体のカラーを調整して完成

最上位に［塗りつぶしまたは調整レイヤーを新規作成］→［グラデーション］を追加します75。グラデーションのカラーは［描画色から背景色へ］をベースに、左から［#e56db8］、右側が［#3830de］のグラデーションを使用しています76。

調整レイヤー［グラデーション1］を選択し、描画モード［オーバーレイ］［不透明度：30%］とします。

［レイヤーマスクを追加］し［多角形選択ツール］を選択、77のような選択範囲内にグラデーションが適用されるようにマスクを作成します。左上からグラデーションの光が降っているイメージで作成しました。

最後に最上位に［塗りつぶしまたは調整レイヤーを新規作成］→［トーンカーブ］を作成します。

左下のコントロールポイントを［入力：10/出力：10］78とします。コントロールポイントを追加し、［入力：125/出力：145］79とし全体を調整して完成です80。

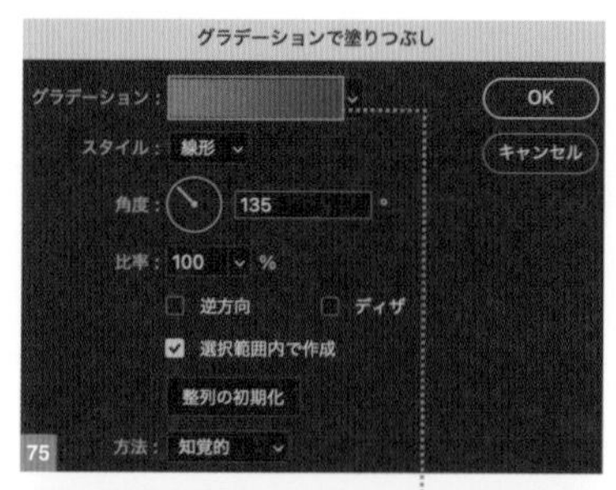

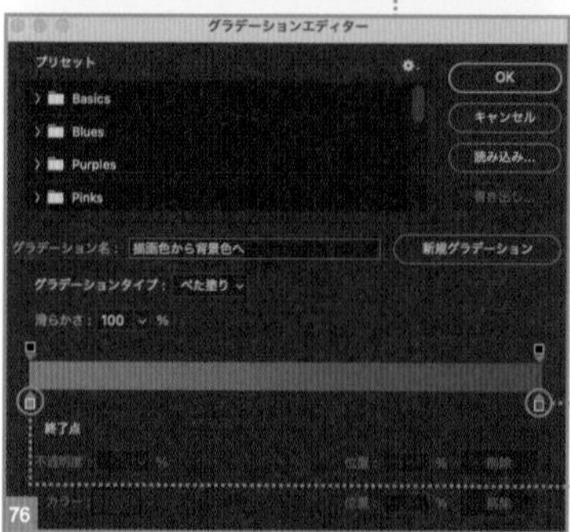

#3830de

#e56db8

選択範囲にグラデーションを適用

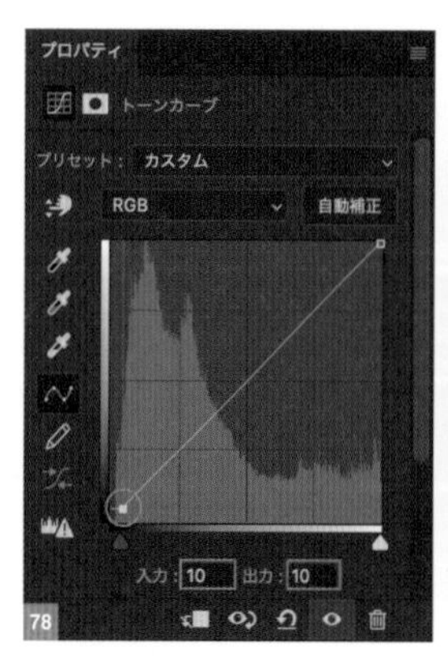

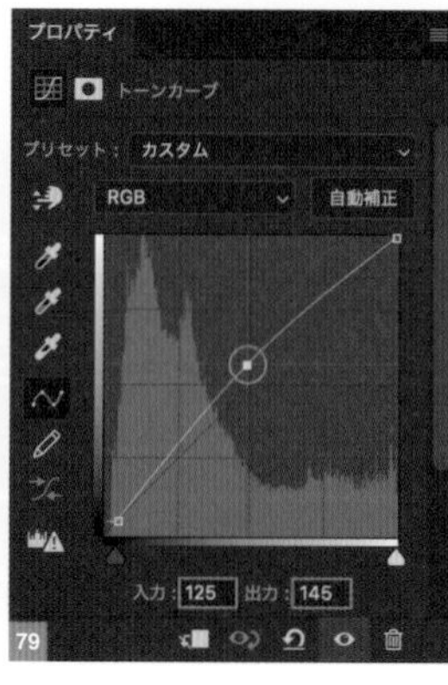

操作テクニック

オリジナルブラシや光の加工など、Photoshop と Illustrator の覚えておくと役立つ操作テクニックをまとめておきました。より深く操作を学びたい時に役立ててください。

Chapter 10

Photoshop & Illustrator operating techniques

レイヤースタイル　no.091

Photoshop のレイヤースタイルは、レイヤーに立体感やカラー、グラデーション、陰影といった様々な効果を細かく適用することができます。設定後も編集可能で、さらに作成したレイヤースタイルをコピーし、他のレイヤーにペーストすることもできます。

レイヤースタイルの表示方法

レイヤーパネルで適用したいレイヤーを選択します。[レイヤー]→[レイヤースタイル]→[レイヤー効果]を選択01、またはレイヤー名の右側で[ダブルクリック]02することで[レイヤースタイル]が表示されます03。

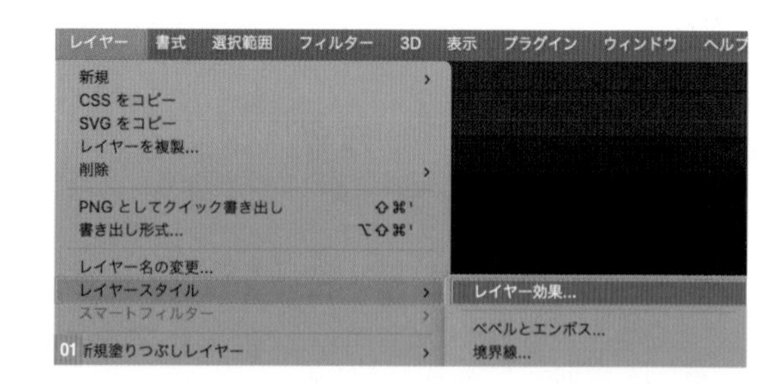

01

02

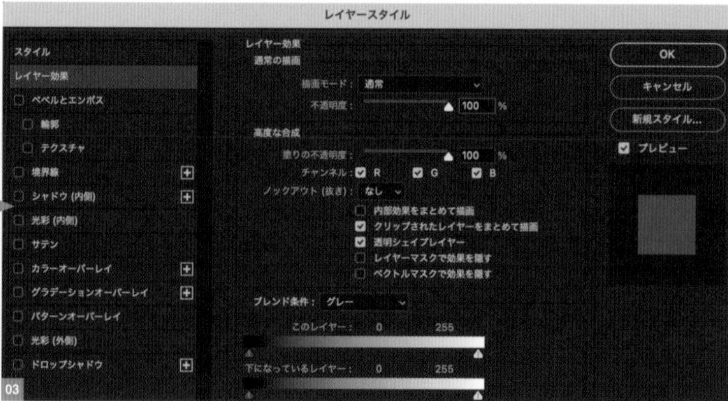

03

レイヤースタイルを編集する

● [レイヤー効果]

・[ブレンド条件]→[下になっているレイヤー]

車の写真の上にロゴを配置し、なじませた例です04。

05のように[ブレンド条件]を設定しています。

階調のシャドウ側の[0 (最小)〜118]はマスクされ (シャドウに重なるロゴ部分が見えなくなる)、ハイライト側は[255 (最大)]なのでマスクはされず (ハイライトに重なるロゴ部分が残る)、[118〜175、190〜255]はグラデーションでなめらかにマスクが適用されます。

右側の調整ポイントの少し左、左側の調整ポイントの少し右で option (Alt) キーを押しながらドラッグすると、調整ポイントが分割されます。

04

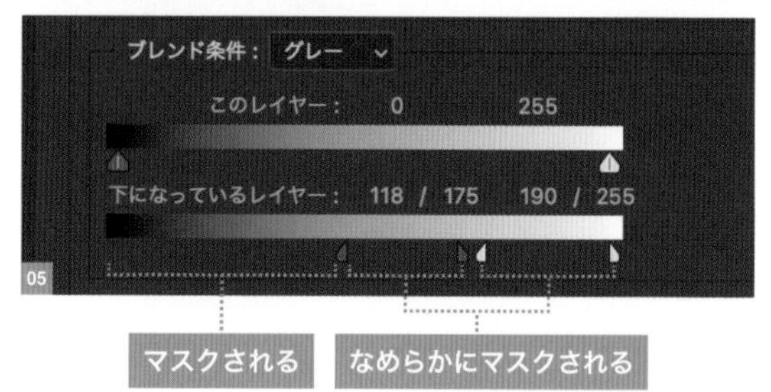

05

● [ベベルとエンボス]

・[構造]

[サイズ] 押し出しのサイズを調整します 06。

[サイズ：5px] 07、[サイズ 20px] 08。

・[テクニック]

[ジゼルハード] シャープな質感や氷、金属、ガラスといった硬い質感の表現に適しています 09。

[ジゼルソフト] 側面が粗く削れたような質感となります。

・[陰影]

[高度] 光の当たり方や質感を調整します。

[構造] → [サイズ：20px] において、[高度：30°] では柔らかな光でマットな質感となります 10。

[高度：70°] ではシャープな光で硬い質感となります。

● [輪郭]

[輪郭] [ベベルとエンボス] で適用した輪郭を調整します。

11 のように [ベベルとエンボス] で設定したものに、12 のような複雑な輪郭を設定すると 13 のような質感となります。

● [ドロップシャドウ]

[構造] 影を追加します。

[包括光源を使用] にチェックすると、ドロップシャドウだけでなく、[ベベルとエンボス] で設定した陰影も同時に変更されます。他のレイヤーにも反映されるので注意しましょう。

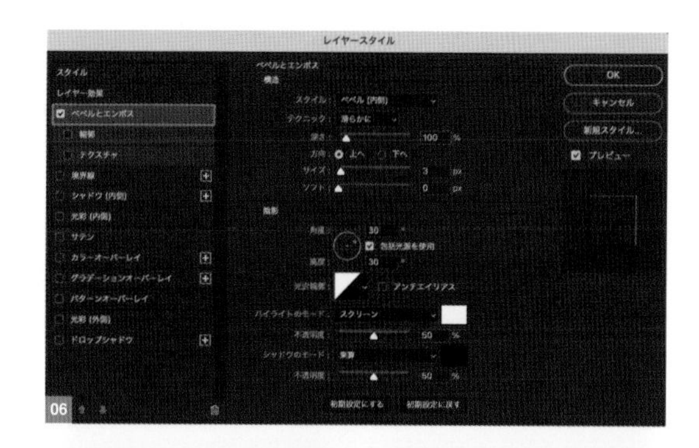

06

07

08

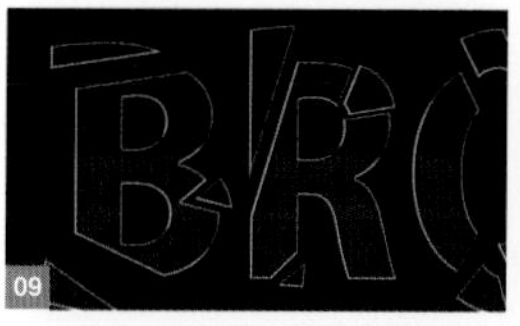
09

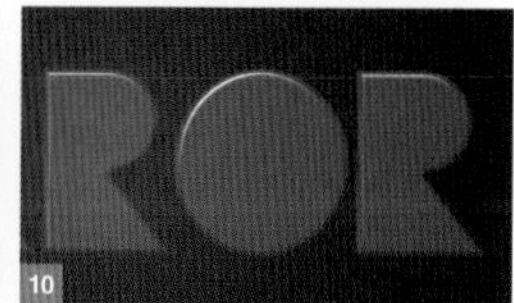
10

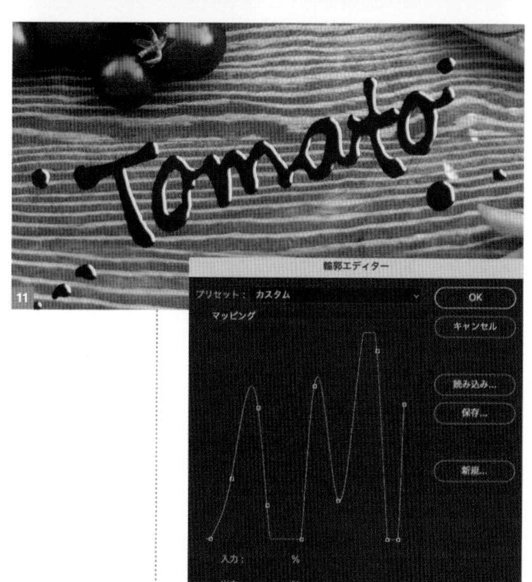

11

12

13

ブラシのプリセット no.092

Photoshop には様々なブラシがプリセットされています。
プリセットのブラシをベースに新たなブラシを作成できるほか、写真からブラシを登録することもできます。

ブラシ設定の表示

ツールパネルから［ブラシツール］を選択することで、［ブラシ設定］パネルが編集可能となります 01。
ブラシ設定パネルが画面に表示されていない場合は［ウィンドウ］→［ブラシ設定］を選択することで表示されます 02。

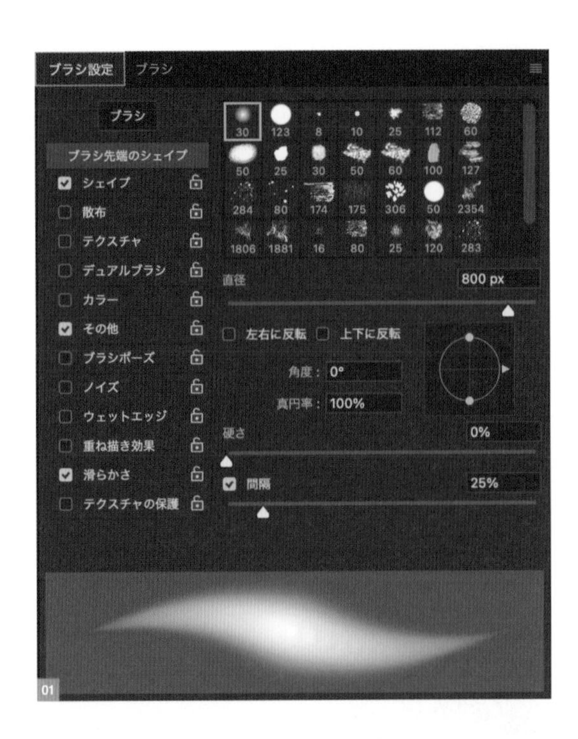

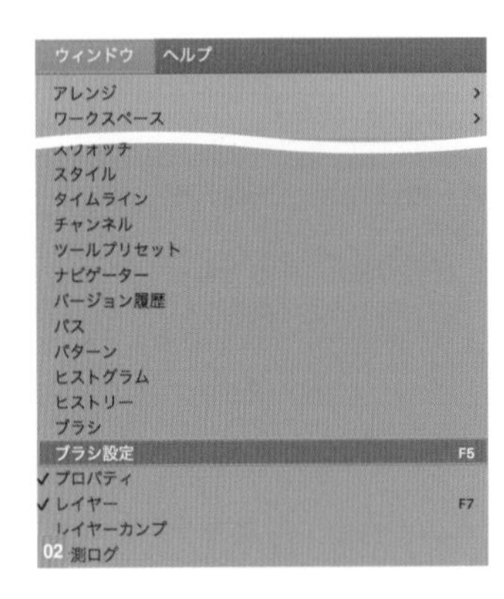

ブラシ設定（本書でとくに利用する項目）

・［ブラシ先端のシェイプ］
［間隔］の数値を大きくすることで点線のような表現が可能です 03。

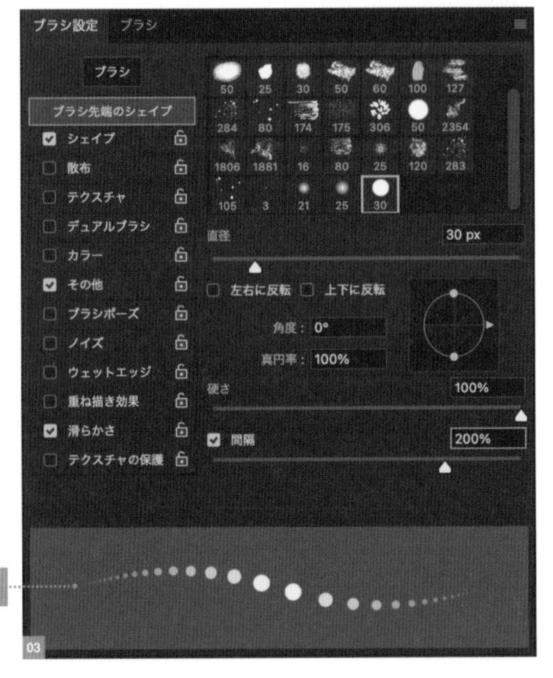

• [シェイプ]

[サイズのジッター] の数値を大きくするほどブラシのサイズがランダムに変化します 04 。
[最小の直径] で最小サイズをコントロールすることができます。
[角度のジッター] の数値の大きさでランダムに角度が変化します 05 。

• [散布]

[散布] の数値を大きくするほど広範囲に散布されます 06 。
[数] で散布量を変更し、[数のジッター] でよりランダムな散布を設定できます。

• [ウェットエッジ]

水彩のようにエッジがにじんだような表現になります 07 。

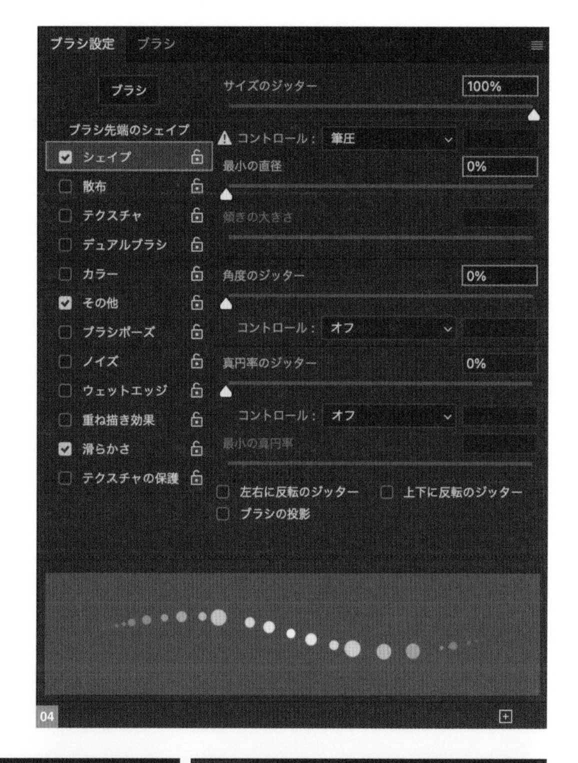

04

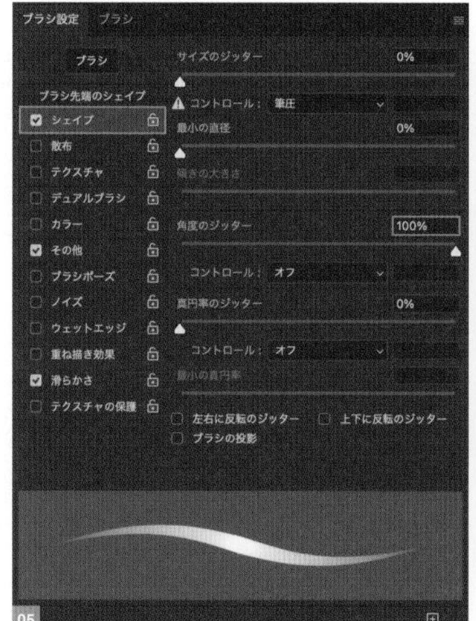
05

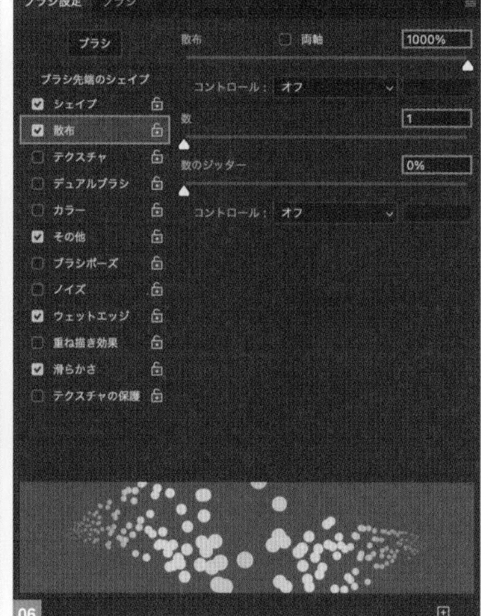
06

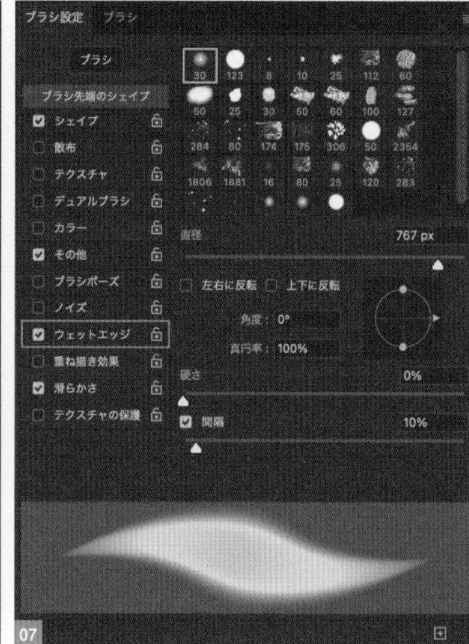
07

フリーハンドでラインを描く

［ブラシツール］を選択時に表示される［オプションバー］の［滑らかさ］を変更することで、フリーハンドでのスムーズな描画が可能です 08。

・フリーハンドで描いたマウスとペンタブレットでの［滑らかさ：0%］と［滑らかさ：40%］の描画例

マウス 09、ペンタブレット 10

［滑らかさ］の数値を大きくすると、マシンスペックによっては若干動作が遅くなります。
ゆっくりと丁寧に描く場合は数値を大きく、ラフや勢いのある線が必要な場合は数値を低く設定します。
環境や描くものに合わせて扱いやすい数値を見つけましょう。

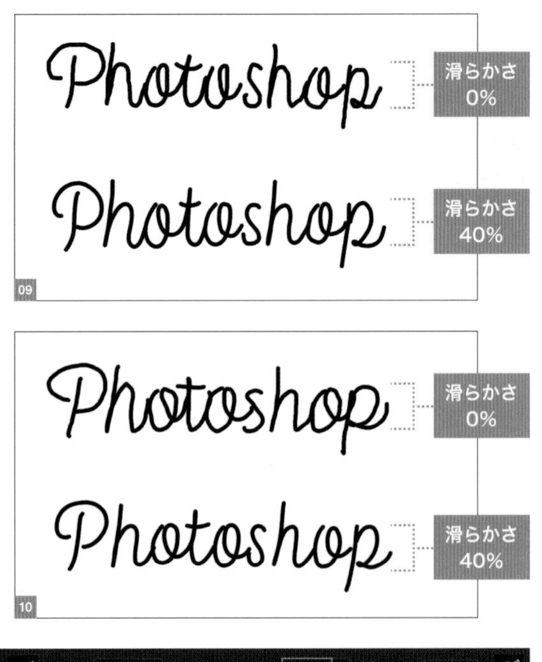

09

10

モード： 通常　不透明度： 100%　流量： 100%　滑らかさ： 40%　0°

08

写真からブラシを作成する

［編集］→［ブラシを定義］を選択することで、その時点でカンバスに表示されている画像をブラシとして登録することができます。注意点としては 11 のようにカラーの画像を［ブラシを定義］しても 12 のようにグレースケールに変換されます。
［イメージ］→［モード］→［グレースケール］として作業すると仕上がりを予測しながら作業することができます。
定義したブラシをP.306-307の 01 ～ 07 を参考にカスタマイズすることで様々な効果を出すことができます 13。

11

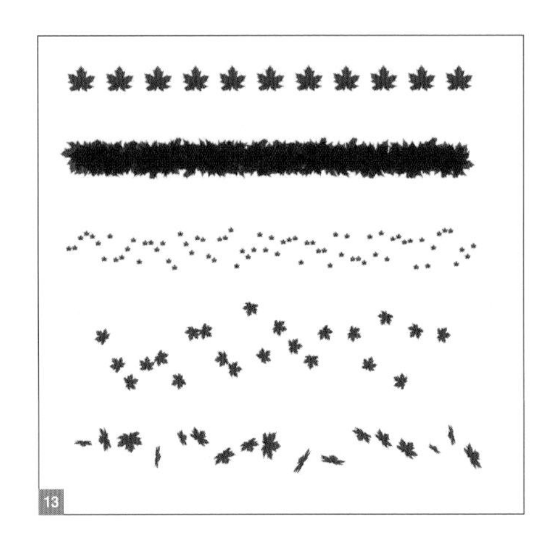

13

12

Ps

テクスチャ・パターン no.093

多彩な表現が可能なフィルターとフィルタギャラリーから、テクスチャ作成に有効なフィルターをピックアップし、画像に質感を加える活用例を紹介します。

・ファイバー

効果を適用したいレイヤーの上位に、新規レイヤーを作成します。

[描画色：#ffffff] を選択し [塗りつぶしツール] で塗りつぶします。

[描画色：#ffffff] [背景色：#000000] を選択しておきます。

[フィルター] → [描画] → [ファイバー] を選択し好みの質感を作成します。

ここではうっすらとファイバーの質感を出したいので 01 のように設定します。

また [開始位置を乱数的に変化させる] を選択する度に、ランダムに適用具合が変化します。

[描画モード：スクリーン] とし下位レイヤーになじませて完成です 02。

元画像

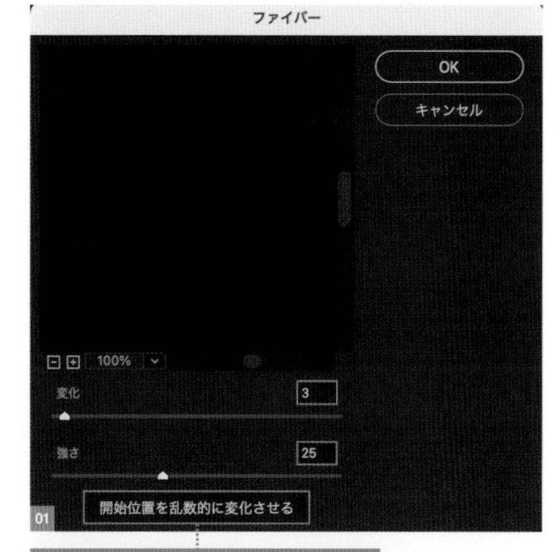

01

クリックするとランダムに変化する

02

・ちりめんじわ

効果を適用したいレイヤーの上位に、新規レイヤーを作成し［描画色：#ffffff］で塗りつぶします。［描画色：#ffffff］［背景色：#000000］を選択しておきます。［フィルター］→［フィルターギャラリー］を選択します。［ちりめんじわ］を選択し 03 のように設定します。［描画モード：スクリーン］とします。ゴミが付着したような、ビンテージ風な加工ができました 04。

このテクスチャは夜空と重ねると星のように表現することもできます 05。さらに［レベル補正］を 06 のように設定してコントラストを強くし、［フィルター］→［ぼかし］→［ぼかし（ガウス）］を 07 のように設定すると、雨の表現も可能です 08。

04

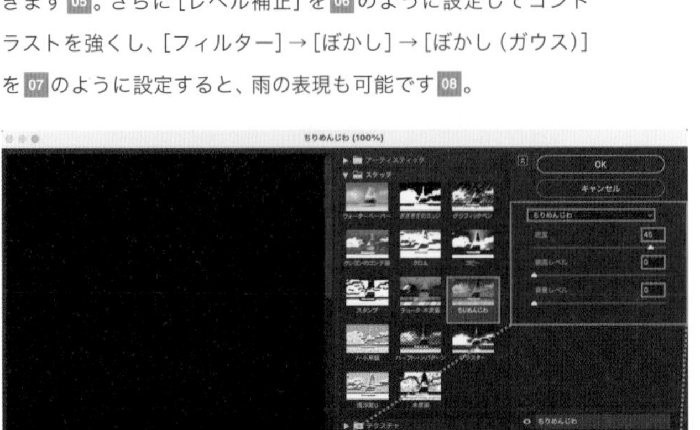

03

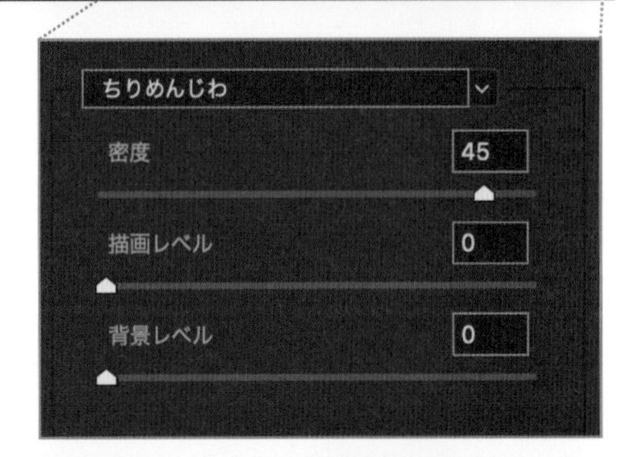

05

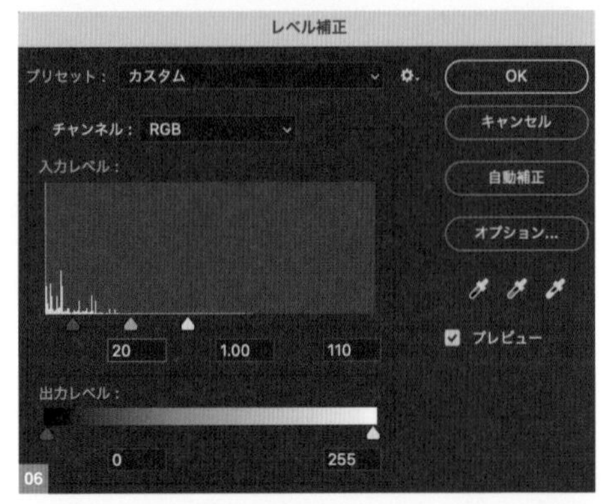

06

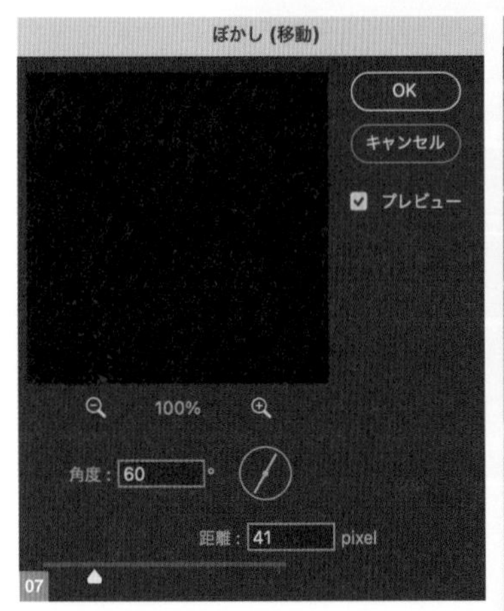

07

08

・ハーフトーンパターン

効果を適用したいレイヤーの上位に、新規レイヤーを作成し［描画色：#ffffff］で塗りつぶします。［フィルター］→［フィルターギャラリー］を選択します。

［ハーフトーンパターン］を選択し 09 のように［パターンタイプ：点］を選択します。［描画モード：オーバーレイ］とします。ドットの加工ができました 10。

その他［パターンタイプ：線］11、［パターンタイプ：円］12 と、簡単にドット・ボーダー・サークルの加工が可能です。

もちろん［描画モード：通常］で3種類の素材パターンとして使用することもできます 13 14 15。

10

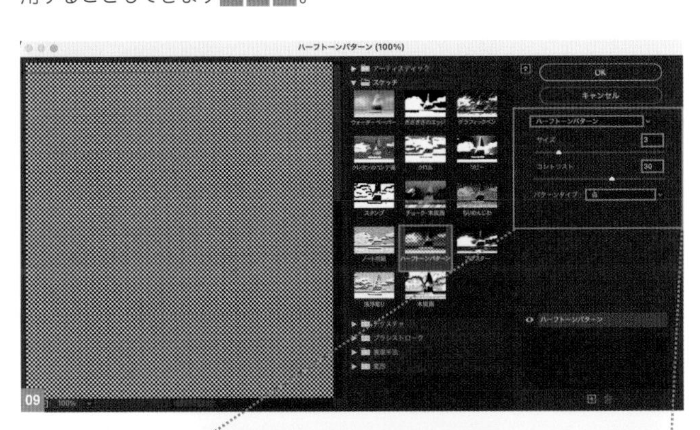

09

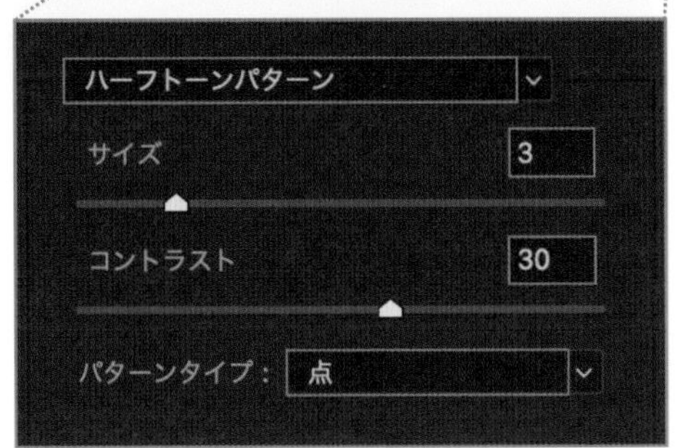

11

12

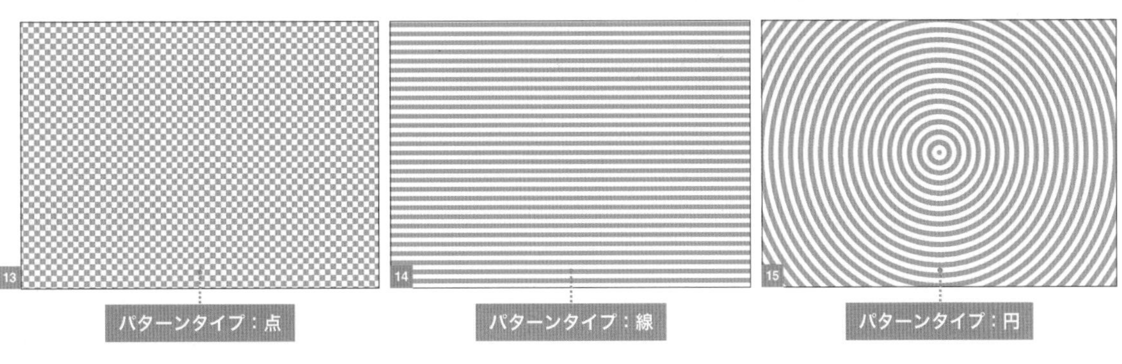
13　パターンタイプ：点
14　パターンタイプ：線
15　パターンタイプ：円

Chapter 10

グリッドとガイドおよび配置 no.094

スピードアップを目指す際に覚えておきたい、効率の良い素材の整列方法や環境設定を紹介します。

指定したサイズでグリッドを表示する

縦横1000pxのカンバスを使用します。

[表示]→[表示・非表示]→[グリッド]を選択します(ショートカット:⌘(Ctrl)+@キー) 01。

[Photoshop CC(編集)]→[環境設定]→[ガイド・グリッド・スライス]を選択します 02。

[環境設定パネル]が開き、[ガイド・グリッド・スライス]が選択された状態になります。

[グリッド]の項目[カラー][グリッド線(pixel)][分割数]を目的の数値にします 03。

ここでは[50pixel]のグリッドを[分割数:2]としたので、[50pixel]のグリッドが縦横2つに分割され、[25pixel]の正方形が4つの構成となります 04。

[表示]→[スナップ]にチェックを入れます。[スナップ先]→[グリッド]にチェックを入れます 05。

素材がグリッドに吸着するようになるので、きっちりとしたレイアウトを行いたい時や、フリーハンドでサッと図形を描きたい時、Web制作などでピクセル単位で指定されたパーツを作成する時に活躍します 06。

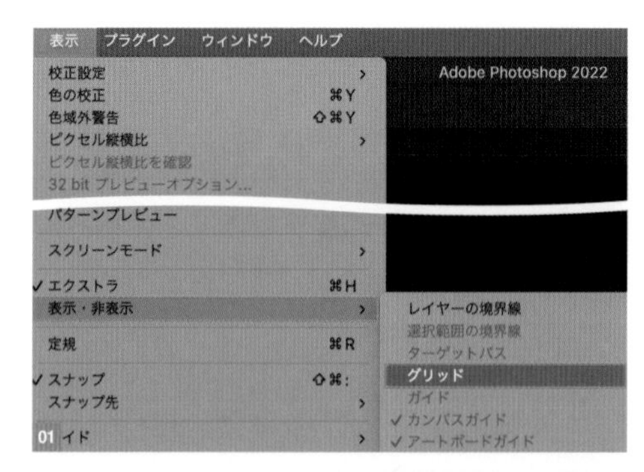

01

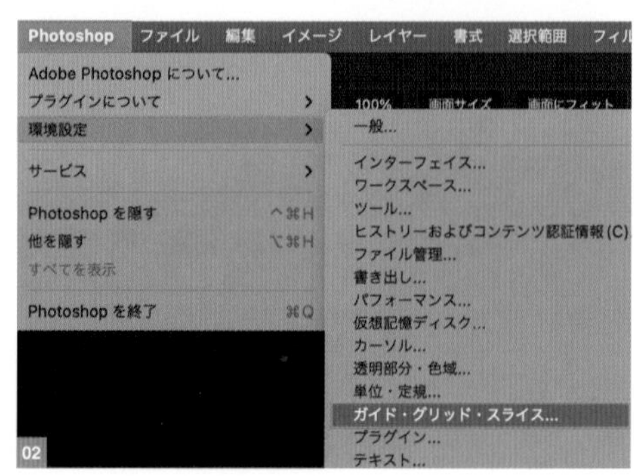

02

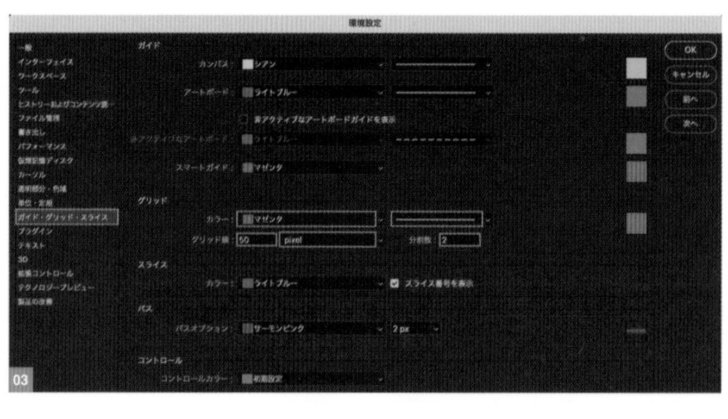

03

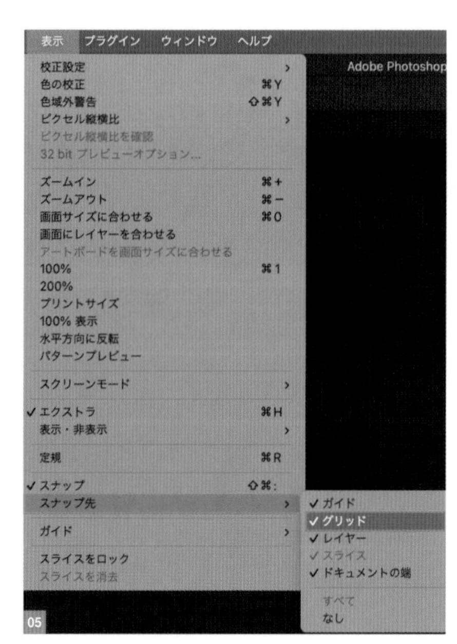

05

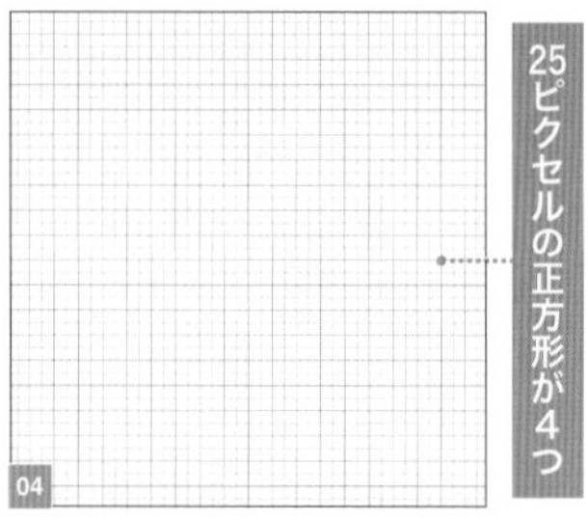

04

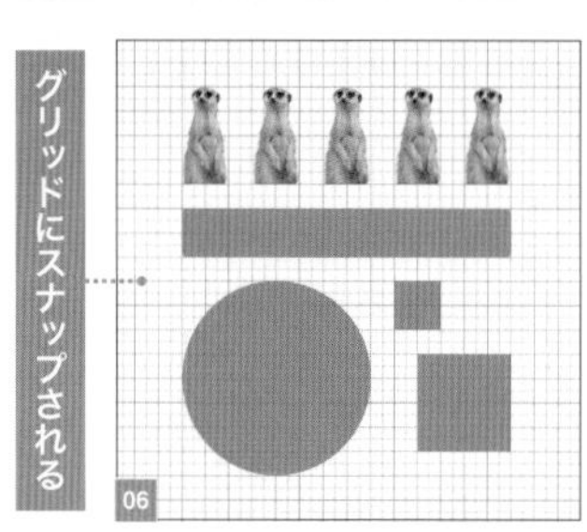

06

ガイドの作成方法

・ガイドを作成する

[表示] → [新規ガイド] を選択します 07。

08 のように水平・垂直の好みの方向を選び位置を指定して [OK] とします 09。

手動でガイドを作成する場合は、[表示] → [定規] を選択します (ショートカット：⌘ (Ctrl) + R キー)。

画像ウィンドウの端に定規が表示されます 10。

定規の上から画像ウィンドウ内側へドラッグすることでガイドを作成することができます。

また、ガイドは [移動ツール] で動かすことができます。

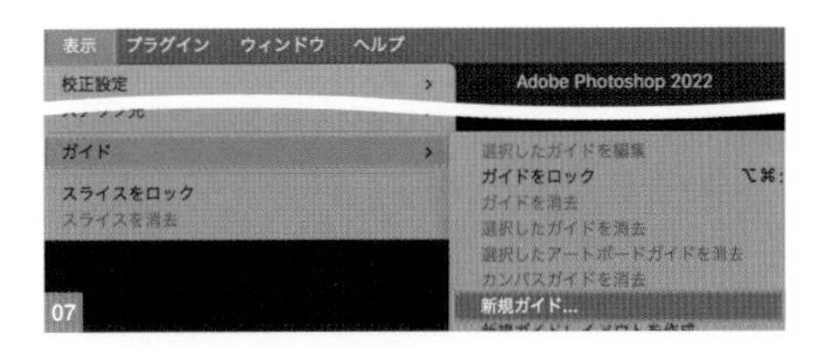

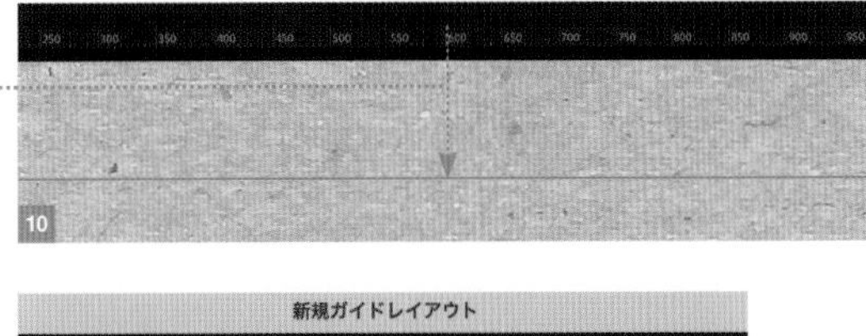

・カンバスの縦横中央位置にガイドを作成する

[表示] → [新規ガイドレイアウトを作成] を選択します 11。

12 のように設定します。

カンバスの四隅と、縦横中央位置にガイドが作成されます 13。

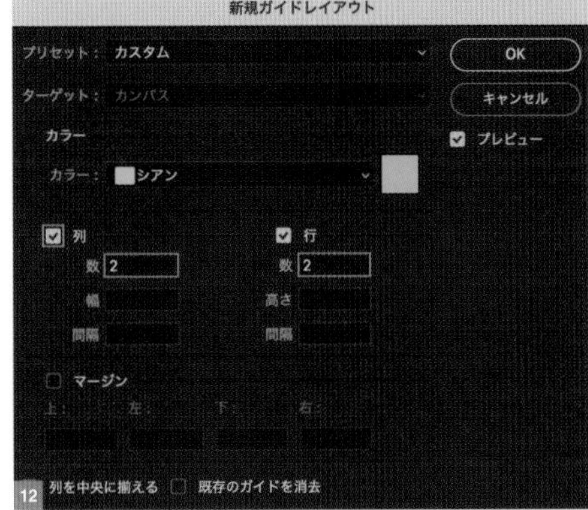

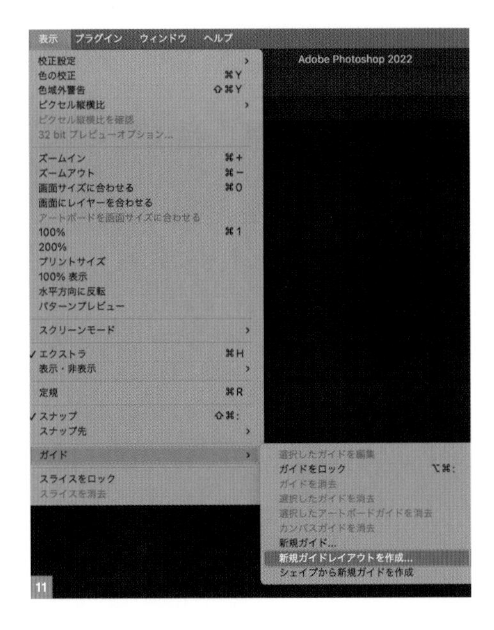

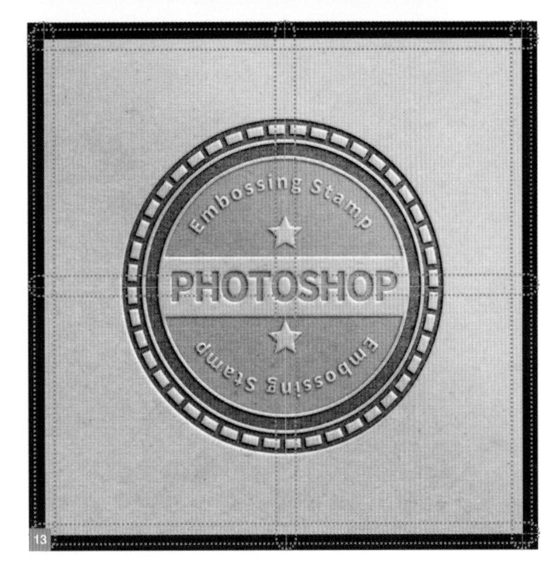

・塗り足し3mm位置にガイドを作成する。

［表示］→［新規ガイドレイアウトを作成］を選択します。14のように設定します。

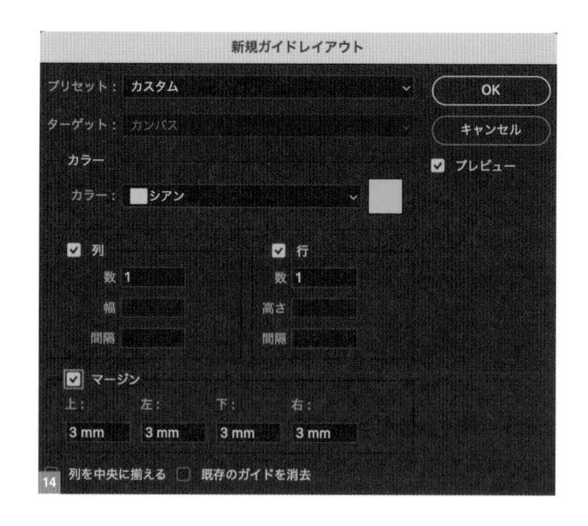

14

memo

［マージン］にチェックを入れ、数値入力欄上で［右クリック］することで［pixel］や［mm］などの単位を変更することができます。

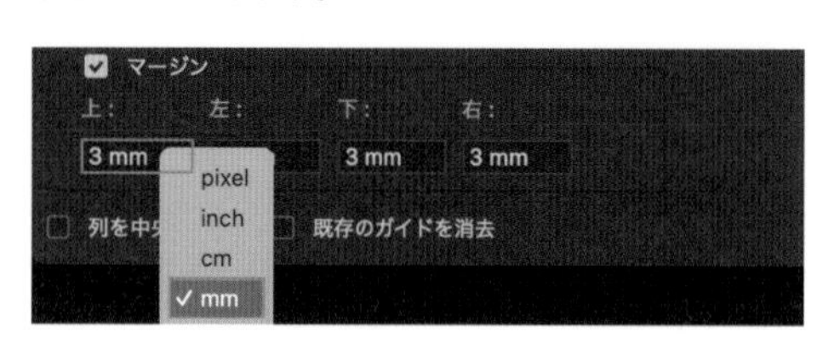

レイヤーやグループを中央に配置する

・レイヤーを中央に配置する

［選択範囲］→［すべてを選択］（ショートカット⌘（Ctrl）＋Aキー）を選択します16。

カンバスサイズで選択範囲が作成されます。

［移動ツール］を選択し、移動させたいレイヤーを選択します。

［垂直方向中央揃え］［水平方向中央揃え］を選択することでレイヤーが中央に移動します17 18。

16

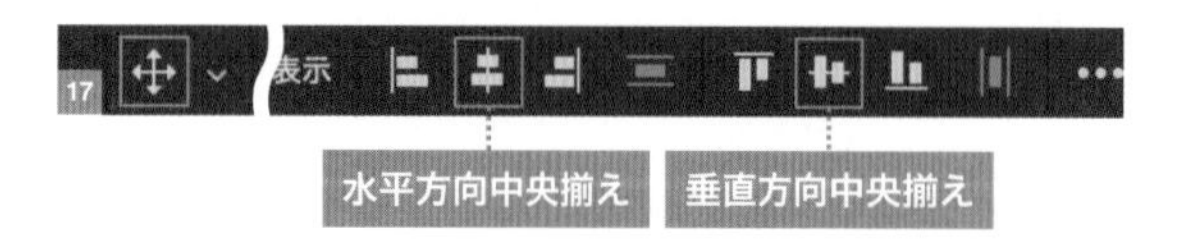

17

18

・複数のレイヤーの配置を保ったまま中央に配置する

２つのレイヤーが配置された19のような場合、先程の手順で［すべてを選択］→［中央揃え］とすると20のようにどちらも中央に配置されます。

2つのレイヤーをグループ化し、グループを選択してから21［すべてを選択］→［中央揃え］とすることで22のようにグループ内の配置を保ったまま移動することができます。

19

20

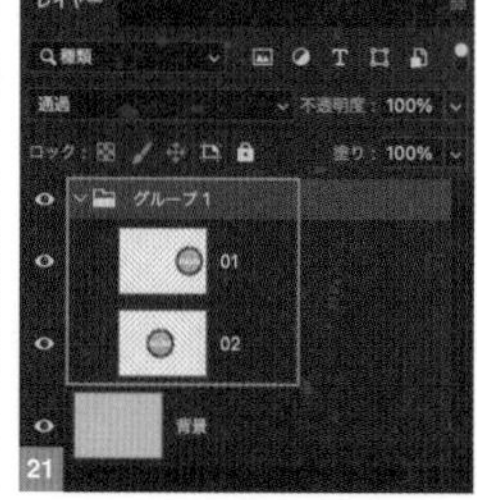

21

22

Ps 光の加工 no.095

Photoshop では様々な光の演出が可能です。グラフィック制作で有効な光の演出テクニックを紹介します。

ブラシで光を描く

光を足したいレイヤーの上位に、新規レイヤーを作成し [描画モード：オーバーレイ] とします 01。
[描画色：#ffffff] を選択し、[ブラシツール] [ブラシの種類：ソフト円ブラシ] で光を描くと 02 のようにピンポイントで光を描き足すことができます。
また色のある描画色で描くと 03 のように着色しつつ光らせるといった表現もできます。[描画色：#ff1cc2] を使用しています。作成した光はレイヤーの [不透明度] を変えることで効果を調整できます。

元画像

02

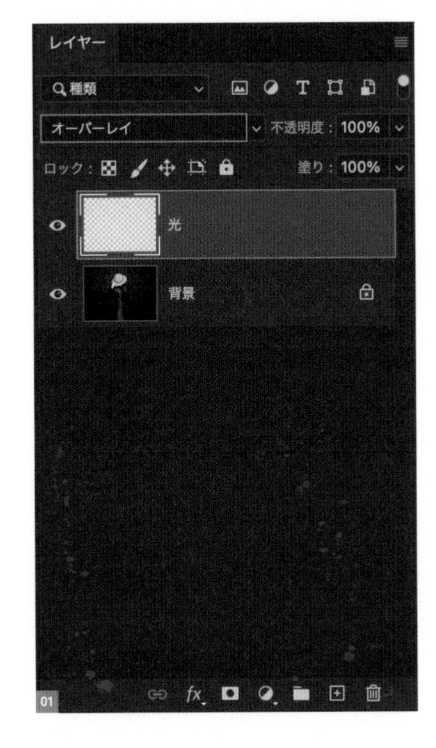

01

03

逆光フィルターで光源を追加する

光を適用したレイヤーの上位に、新規レイヤーを作成し[描画色：#000000]で塗りつぶします04。

[フィルター]→[描画]→[逆光]を選択し05のように適用します。

[描画モード：スクリーン]とします06。簡単に複雑な光源を作成しなじませることができます。

フィルター[逆光]にはその他、[35mm]07、[105mm]08、[ムービープライム]09があります。

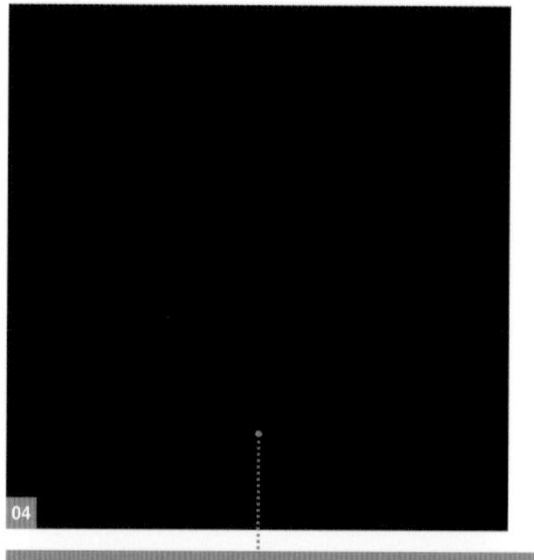

[描画色：#000000]で塗りつぶすのが重要

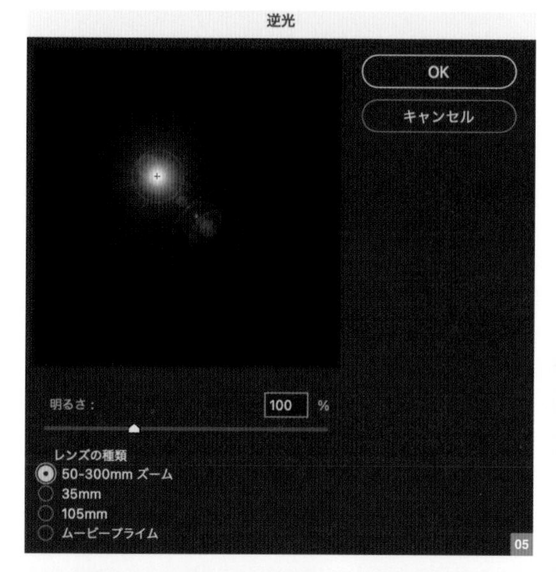

逆光フィルターで明るさを変える

[明るさ] のパーセントを変えることで光源の強さを変えることができます 10 (50-300mmズームを [明るさ：150%] で適用)。

10

レイヤースタイルを使う

13 の月を光らせます。暗い背景と切り抜いた月の画像が配置された状態です。
レイヤーパネル上の月のレイヤー右側で [ダブルクリック] し、[レイヤースタイル] を表示します 14。
[光彩 (内側)] を 15 のように設定し、[光彩 (外側)] を 16 のように設定します。
どちらもカラーは月の色と近い [#eaf5a1] を使用しています。
輪郭から内側・外側に光を加えることで自然な光を表現できます 17。
イラストやテキストなど様々な要素に適用可能です 18 19。

13

14

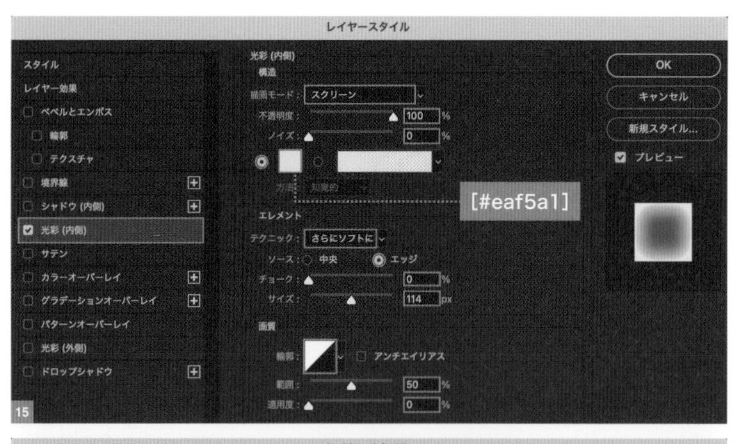
レイヤースタイル
スタイル
レイヤー効果
ベベルとエンボス
輪郭
テクスチャ
境界線
シャドウ (内側)
光彩 (内側)
サテン
カラーオーバーレイ
グラデーションオーバーレイ
パターンオーバーレイ
光彩 (外側)
ドロップシャドウ
光彩 (内側)
構造
描画モード：スクリーン
不透明度：100 %
ノイズ：0 %
[#eaf5a1]
エレメント
テクニック：さらにソフトに
ソース：中央 エッジ
チョーク：0 %
サイズ：114 px
画質
輪郭：アンチエイリアス
範囲：50 %
適用度：0 %
OK
キャンセル
新規スタイル...
プレビュー

レイヤースタイル
スタイル
レイヤー効果
ベベルとエンボス
輪郭
テクスチャ
境界線
シャドウ (内側)
光彩 (内側)
サテン
カラーオーバーレイ
グラデーションオーバーレイ
パターンオーバーレイ
光彩 (外側)
ドロップシャドウ
光彩 (外側)
構造
描画モード：スクリーン
不透明度：100 %
ノイズ：0 %
[#eaf5a1]
エレメント
テクニック：さらにソフトに
スプレッド：0 %
サイズ：80 px
画質
輪郭：アンチエイリアス
範囲：50 %
適用度：0 %
OK
キャンセル
新規スタイル...
プレビュー

自然な光が表現できた

CAT BAR

CAT BAR

Ps オリジナルブラシ no.096

ブラシはプリセットだけでなくオリジナルのブラシを登録することができます。
フリーハンドで描いたものや、シェイプ、画像と様々な素材をブラシ化できます。

ジッパーのブラシを作成する

●手順01

縦横500pixelのカンバスを作成します 01。
[表示] → [表示・非表示] → [グリッド] を選択します。
[表示] → [スナップ先] → [グリッド] を選択します。
[Photoshop CC (編集)] → [環境設定] → [ガイド・グリッド・スライス] を選択し、[グリッド] を 02 のように [グリッド線：20pixel] [分割数：4] と設定します 03。

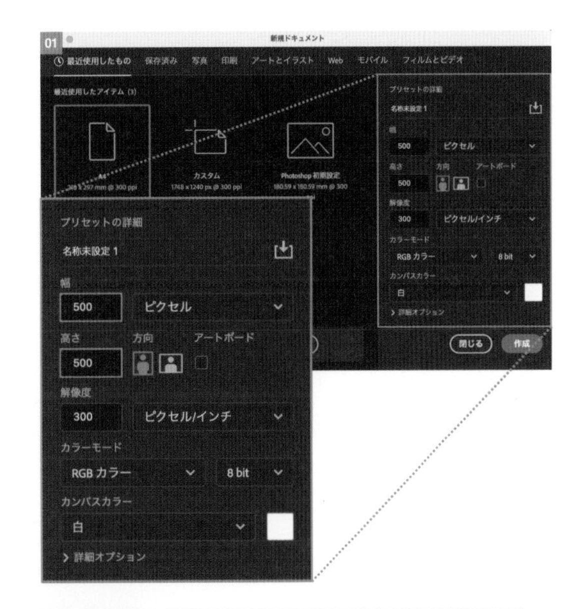

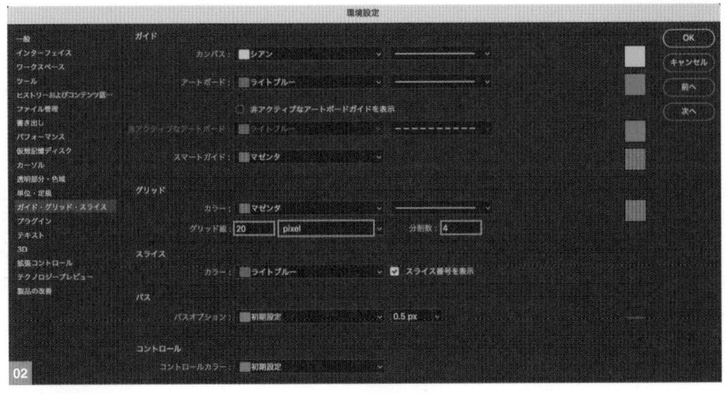

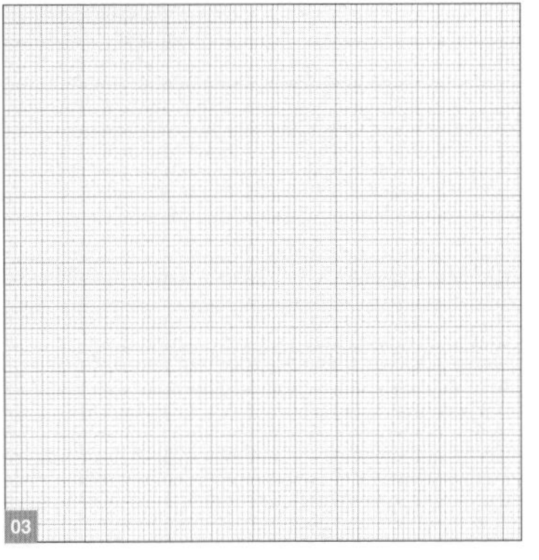

●手順02

[ペンツール] を選択し [オプションバー] を 04 のように [シェイプ] [塗り：#ffffff] と設定します。
グリッドに吸着させながら 05 ～ 10 のようにパスを作成します。
作成する際は左半分を作成したら、11 のようにハンドルの角度が左右対称になるようにパスを作成しましょう。

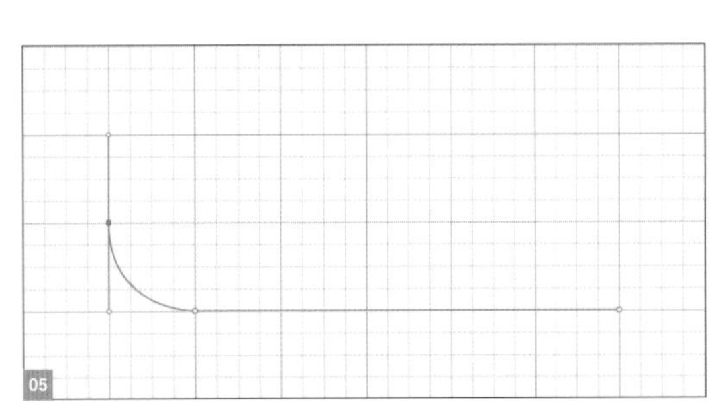

Chapter 10

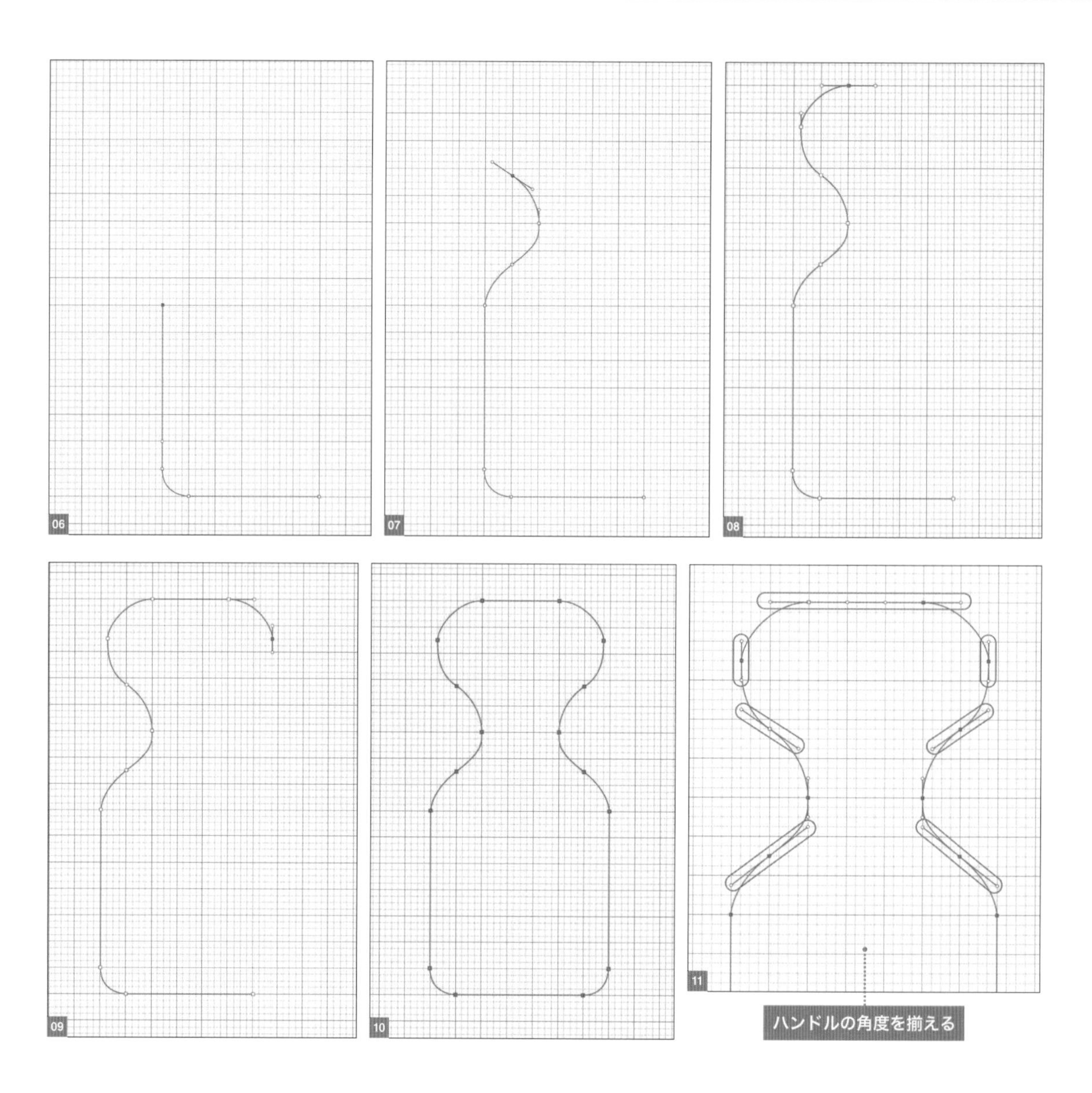

● 手順03

作成したシェイプの塗りを［#000000］とします12。

13のように反転して配置します。中央に配置する必要はありません。

［編集］→［ブラシを定義］を選択し好みの名前をつけ［OK］とし完成です14。ここでは［名前：ジッパー］としました。

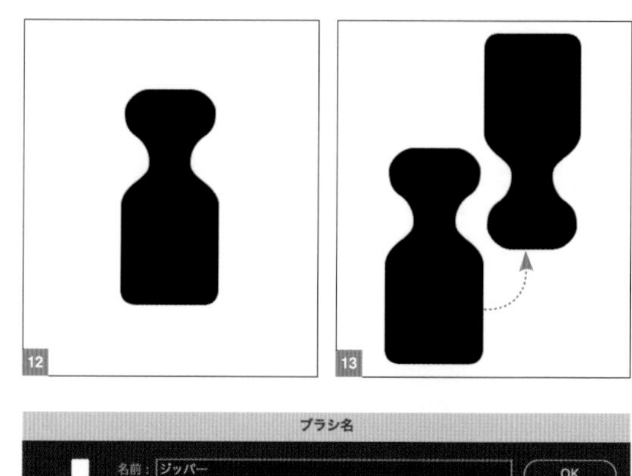

野球ボールの縫い目を再現したブラシを作成する

フリーハンドで描いた素材は［ブラシを定義］するだけでどのような画像でも登録できます。

15のように等間隔のラインを描くようなブラシの場合、16のように、ブラシ作成の時点で等間隔になるようにします。

登録したブラシがループして描画されるので、17のようにバラツキのある素材をブラシ化した場合18のように等間隔でズレが発生します。

15

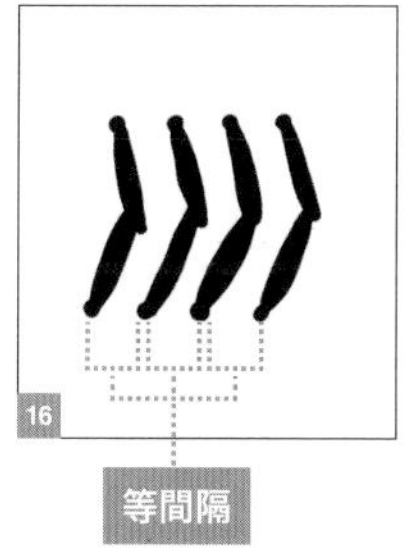
16

等間隔

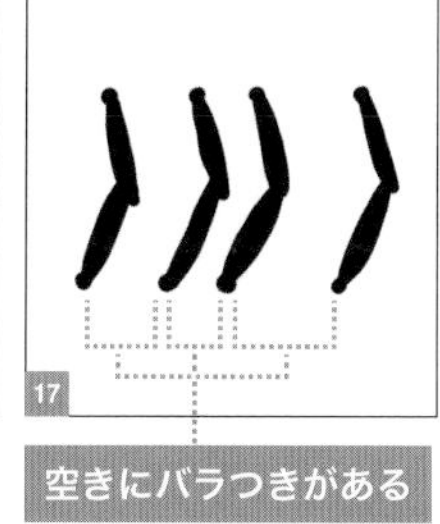
17

空きにバラつきがある

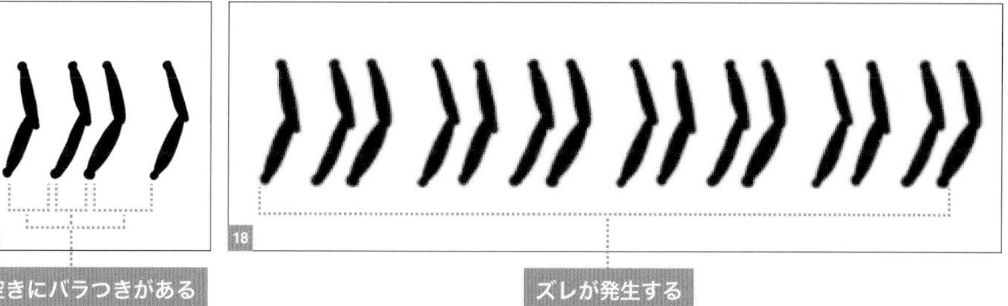
18

ズレが発生する

画像からブラシを作成する

画像データも同じように［ブラシを定義］するだけで登録できます。

画像をブラシ登録する際に気を付けたいポイントは「グレースケール」に変換されるということです。

19のようなカラー画像をブラシを登録すると、20のようなブラシとなります（描画色：#000000）。

ブラシの完成状態がわかりにくいため、［イメージ］→［モード］→［グレースケール］と変換して作業すると、完成に近い状態で作業を進めることができます21。

19

20

イメージ　レイヤー　書式　選択範囲　フィルター　3D　表示　プ

モード ＞
色調補正 ＞
自動トーン補正 ⇧⌘L
自動コントラスト ⌥⇧⌘L
自動カラー補正 ⇧⌘B
画像解像度... ⌥⌘I
カンバスサイズ... ⌥⌘C
画像の回転 ＞
切り抜き
トリミング...
すべての領域を表示
複製...
画像操作...
演算...

モノクロ 2 階調
グレースケール
ダブルトーン
インデックスカラー...
✓RGB カラー
CMYK カラー
Lab カラー
マルチチャンネル
✓8 bit/チャンネル
16 bit/チャンネル
32 bit/チャンネル
カラーテーブル...

21

Chapter 10

Ai ブラシ no.097

Illustratorには様々な種類のブラシがあります。
線幅とブラシを上手に使いこなすことで手描き風のデザインを簡単に作ることができます。

ペンツールと鉛筆ツールとブラシツール

線を描くときに使用する3つのツールがあります。

・[ペンツール]
ベジェ曲線を描くためのツールです。

・鉛筆ツール
フリーハンドで描いた線が反映されます。ブラシの設定は反映されませんので、毎回ブラシを設定し直すことになります。

・ブラシツール
鉛筆ツールとよく似ていますが、ペンタブレットなどで描くと筆圧に応じて線の強弱が変更されます。一度選択すればブラシの設定が継続するのでブラシ機能を利用する際はこのツールを選ぶといいでしょう。

ブラシの設定

・線幅プロファイル
ブラシに手描きのような強弱が付けられます。
[コントロールパネル]または[ウィンドウ]→[線]→[プロファイル]で編集が可能です 01 。
標準で均等を含めて7種類あります 02 。また線幅ツールで作成したものを登録することもできます。

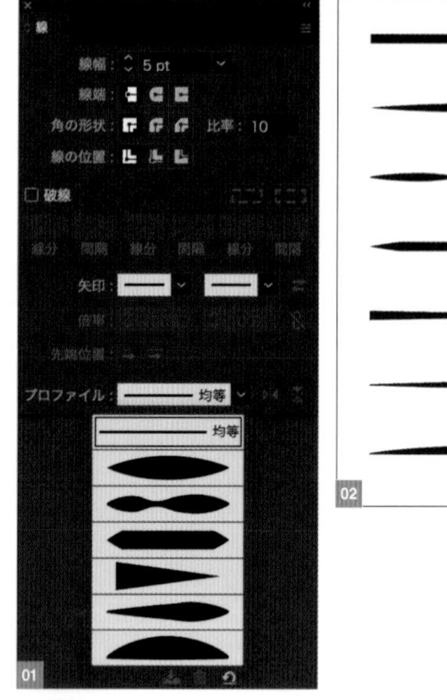

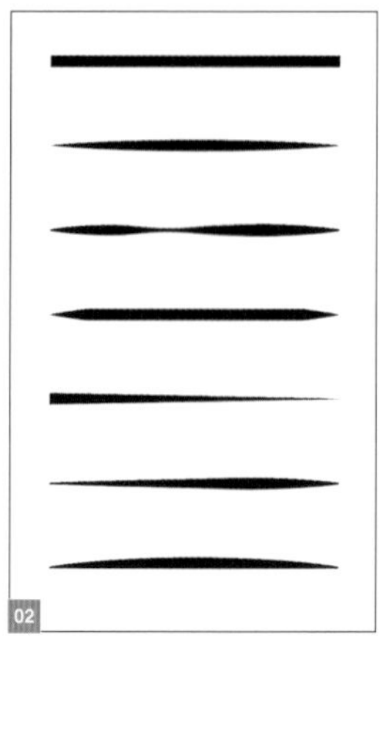

・線幅ツール
ツールパネルから[線幅ツール]を選択し、パスの強弱を付けたい部分をドラッグすると線幅が変更されます 03 04 。

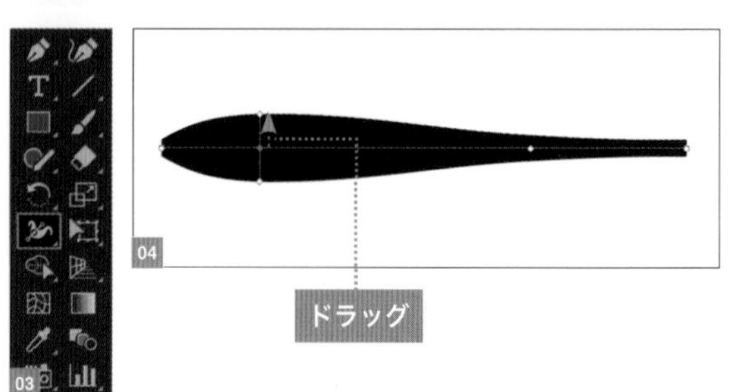

・線幅プロファイルに追加

作成した線は［線幅プロファイル］をクリックし 05、一覧にある下部の［プロファイルに追加］をクリックすることで線幅プロファイルに登録されます 06 07。

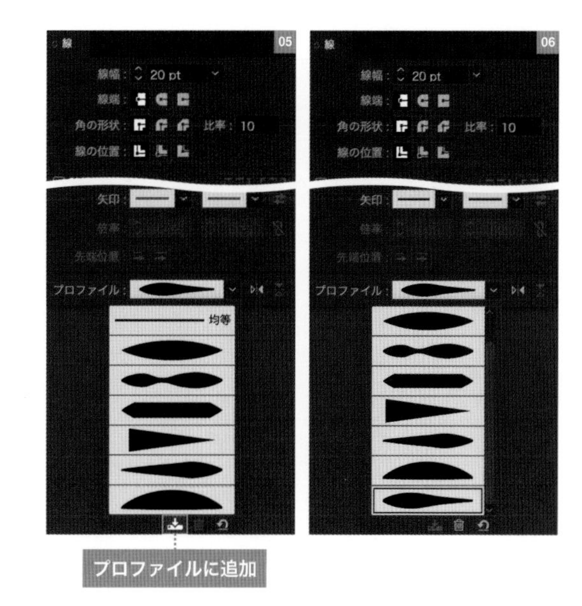

ブラシの種類

これらのブラシを使用するだけで手描き風や様々な表現が可能になります。

・カリグラフィブラシ

パスの中心を基準にカリグラフィペンで描いたような線が作成できます。

・散布ブラシ

パスに沿ってランダムにオブジェクトが配置されるブラシです。

・アートブラシ

パスの長さに合わせてストロークが伸縮するブラシです。鉛筆や木炭などのアナログ風なものから様々なブラシの作成が可能です。

・パターンブラシ

パスの形状のパターンが作成できます。

・絵筆ブラシ

絵筆のようなブラシストロークが作成できます。

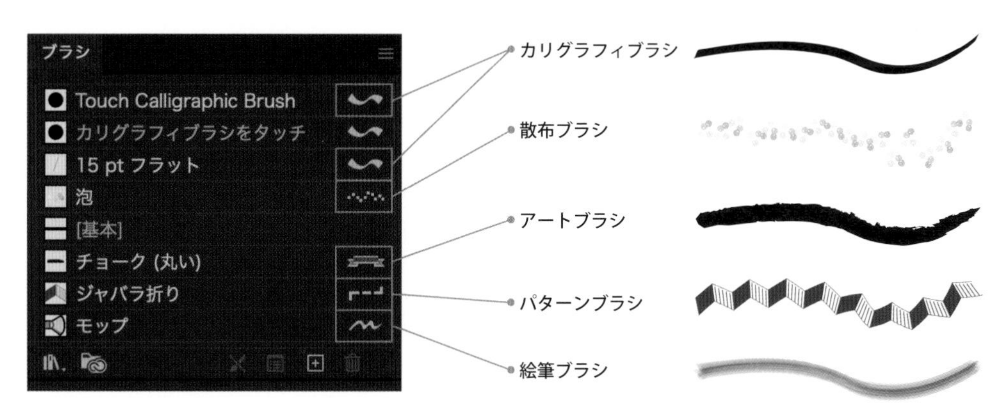

Chapter 10

Ai 光の加工 no.098

描画モードや効果を利用することにより様々な光の加工のデザインを作ることができます。
なお、描画モードはドキュメントのカラーモード（RGB と CMYK）によって差があります。本解説では RGB モードの環境に合わせて解説しています。

描画モード

[ウィンドウ] → [透明] [透明パネル] もしくは [コントロールパネル] で使用できます。
描画モードは2つ以上のオブジェクトや画像のカラーがブレンドされます。
ブレンドするオブジェクトの前後によって見た目が変化します。

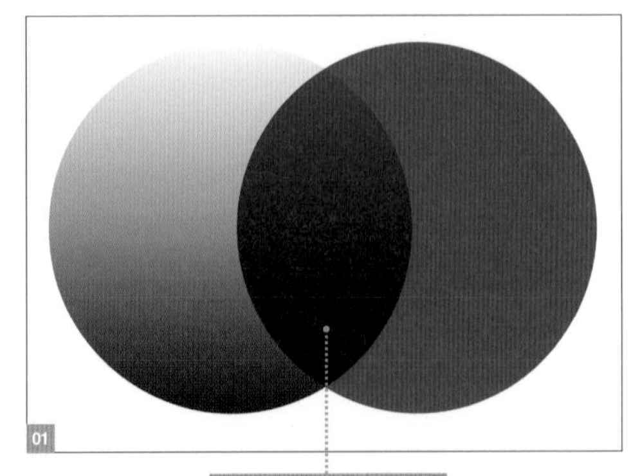

よく使用する描画モード

・乗算
カラーのセロハンを重ねたり、マーカーで描いたように下の色が混じったようになります 01。

・スクリーン
重ね合わせると明るくなります 02。

・オーバーレイ
明るい部分はより明るく、暗い部分はより暗い色になります 03。

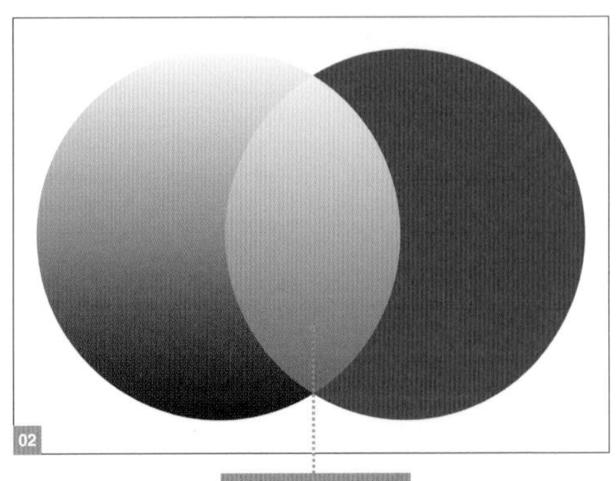

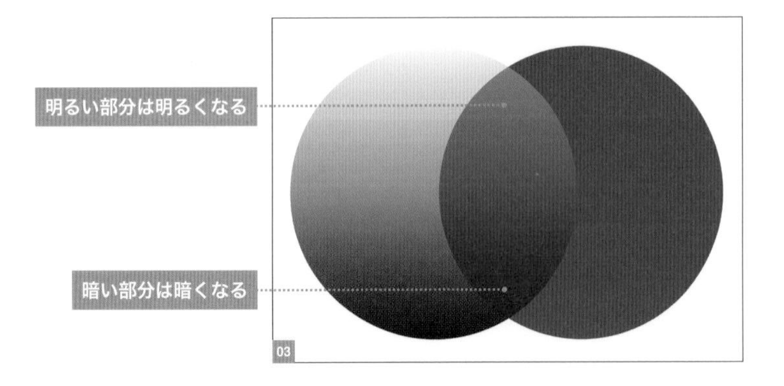

・ソフトライト

拡散スポットライトを当てたような効果が得られます 04 。

・ハードライト

強いスポットライトを当てたような効果が得られます 05 。

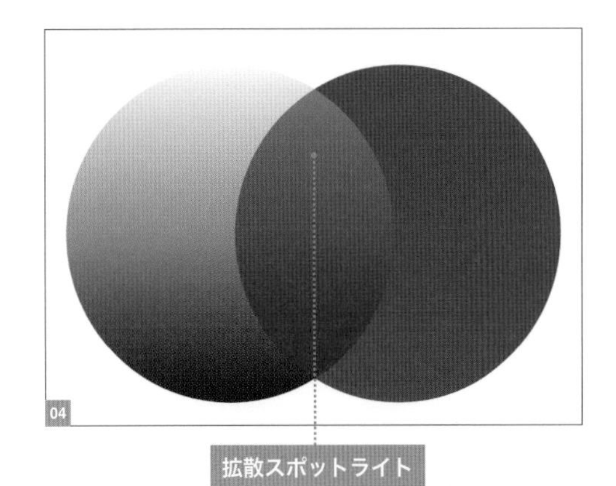

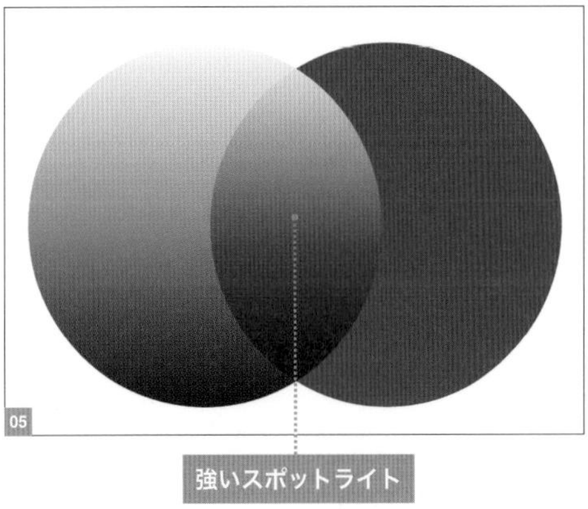

05

強いスポットライト

[効果] を使用する

効果を使用すると、ぼかしやドロップシャドウや光彩、形状を変更させたりなど様々な視覚的効果を与えることができます。効果は一度変更しても元のオブジェクトの情報は失われないのでアピアランスパレットで自由に編集可能です。効果ギャラリーでは、結果を見ながら数値の変更ができるので思い通りの見た目のものが作成できます 06 。

ここを確認しながら選択できる

数値で調整できる

ラップ (100%)

NOEL

アーティスティック

エッジのポスタリゼーション

カットアウト

こする

スポンジ

ドライブラシ

ネオン光彩

パレットナイフ

フレスコ

ラップ

色鉛筆

水彩画

粗いパステル画

粗描き

塗料

粒状フィルム

スケッチ

テクスチャ

ブラシストローク

表現手法

変形

OK

キャンセル

ラップ

ハイライトの強さ 20

ディテール 6

滑らかさ 15

ラップ

06 100%

Chapter 10

Ai アナログ加工 no.099

ラフやテクスチャを使用することでアナログ加工のデザインを作ることができます。

ラフを使用してアナログ感を出す

[効果]→[パスの変形]→[ラフ]を選択するとゆがんだラフ感が簡単に出せます 01 02 03。

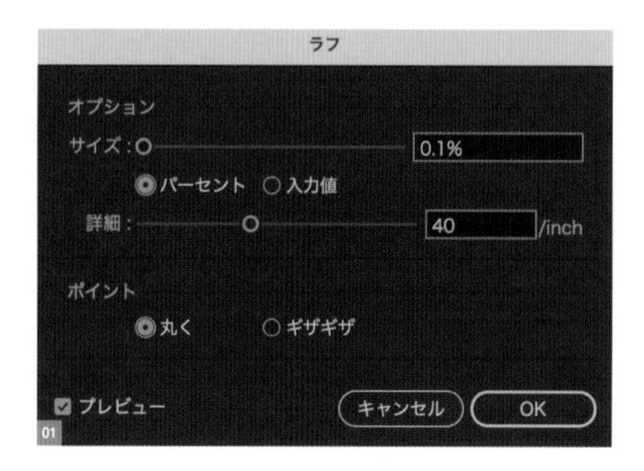

01

02

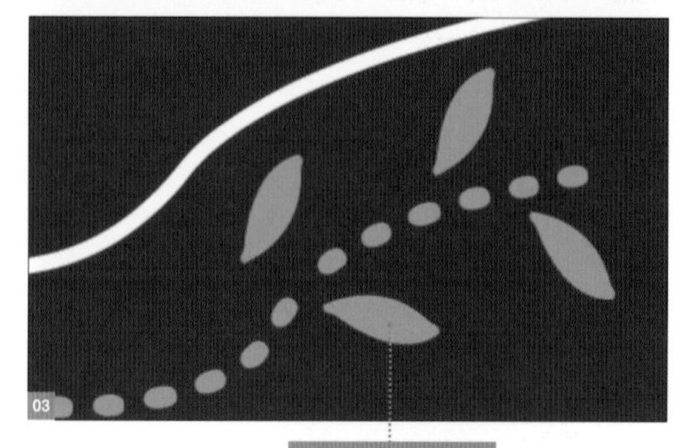
03

ラフが適用された

オリジナルブラシを作成する

オブジェクトをブラシに登録すると自由な表現が可能になります。

[ウィンドウ]→[ブラシ]を選択し[ブラシパネル]で新規ブラシを作成できます 04 05。

詳しくはP.209もご参照下さい。

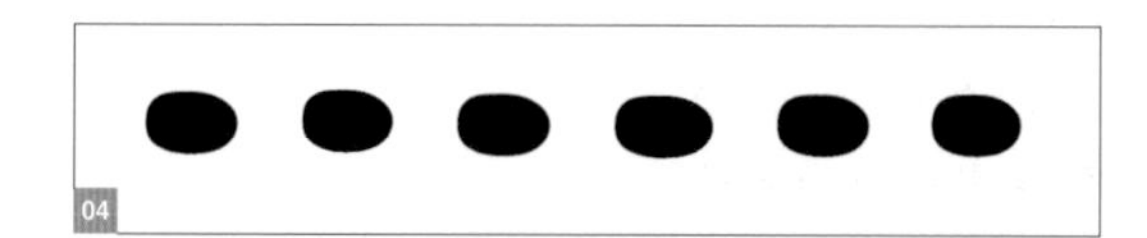
04

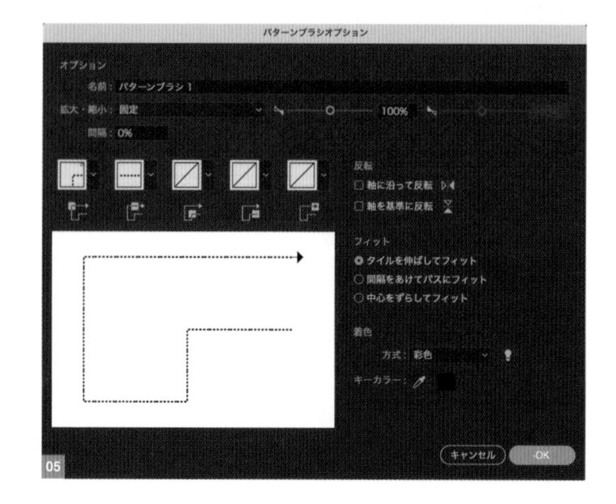

05

Ai オブジェクトを再配色 no.100

グラデーションやパターン、ブラシなどを用い複雑に描かれたオブジェクトは色の変更が難しいですが、[オブジェクトを再配色] を用いることで情報を保持したまま簡単にカラーバリエーションを作ることができます。

オブジェクトを再配色の使い方

オブジェクトを選択したら、[編集] → [カラーを編集] → [オブジェクトを再配色]、またはコントロールパネルの [オブジェクトを再配色] ボタンを選択します。

・編集タブの使い方

[編集] のタブを選択し [オブジェクトの再配色] にチェックを入れ [ハーモニーカラーをリンク] をチェックします。カラーホイールを回したり、カラーグループを選択など色を編集し、[OK] をクリックします。

元のイラスト　　オブジェクトの再配色したイラスト

・指定タブの使い方

[指定] タブを選択し現在のカラーを選びます。下段の項目から色を変更するか、新規の項目をダブルクリックして色を指定することができます。

コントロールパネルの [オブジェクトを再配色]

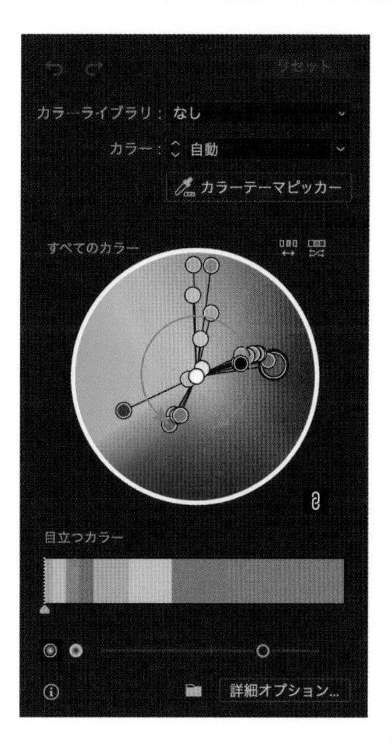

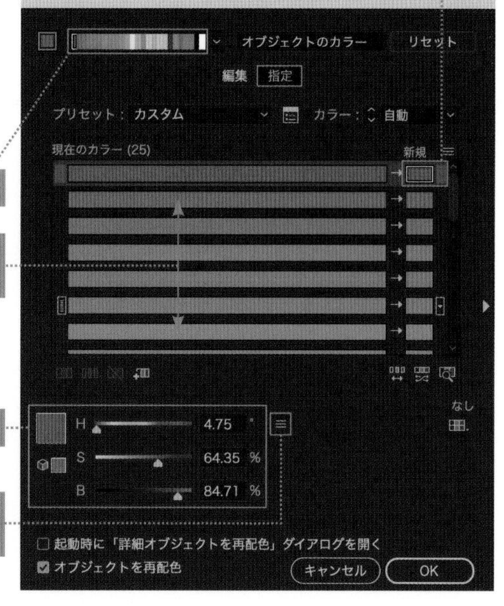

■本書はPhotoshop CCとIllustrator CCに対応しています。記載内容には一部、全バージョンには対応していないものもあります。
■本書では主にPhotoshop CC（2022）とIllustrator CC（2022）のMac版のパネル画像やメニュー画像を使用しています。これらの項目や位置などはPhotoshopとIllustratorのバージョンごとに若干異なることがあります。

■著者プロフィール

楠田 諭史（くすだ さとし）
デジタルアート作家として国内外での個展を行いながら、グラフィックデザイナーとして紙媒体やWEB、テレビCM、電車・バスのラッピングデザインなど幅広く手がける。株式会社URBAN RESEARCH、株式会社 高島屋、株式会社東芝、高橋酒造株式会社など様々な企業のグラフィック制作や、HKT48のDVD・BDパッケージデザイン、多数のアーティストのCDジャケットを手がける。グラフィック作品のジグソーパズルをエポック社より発売中。大学、専門学校、カルチャースクールなどで講師活動も行っている。
WEB：http://euphonic-lounge.net

執筆協力…トントンタン
素材…Pixabay：https://pixabay.com

■本書サポートページ

本書をお読みいただいたご感想を以下URLからお寄せください。
本書に関するサポート情報やお問い合わせ受付フォームも掲載しておりますので、あわせてご利用ください。

URL **https://isbn2.sbcr.jp/15642/**

Photoshop & Illustrator デザインテクニック大全［増補完全版］

2022年11月 7 日　初版第1刷発行
2024年 3月15日　初版第3刷発行

著者……………………楠田 諭史

発行者…………………小川 淳
発行所…………………SBクリエイティブ株式会社
〒105-0001　東京都港区虎ノ門2-2-1
https://www.sbcr.jp

印刷……………………株式会社シナノ
本文デザイン…………ねこひいき
組版……………………柿乃制作所
カバーデザイン………西垂水 敦　松山 千尋（krran）
編集……………………鈴木 勇太

落丁本、乱丁本は小社営業部にてお取り替えいたします。
定価はカバーに記載されております。

Printed In Japan ISBN978-4-8156-1564-2